gaïg

DYNAH PSYCHÉ

LIVRE 1

ÉDITIONS
MICHEL
QUINTIN

N
Pays de N'DÉ
Mer d'Okan
Sondja

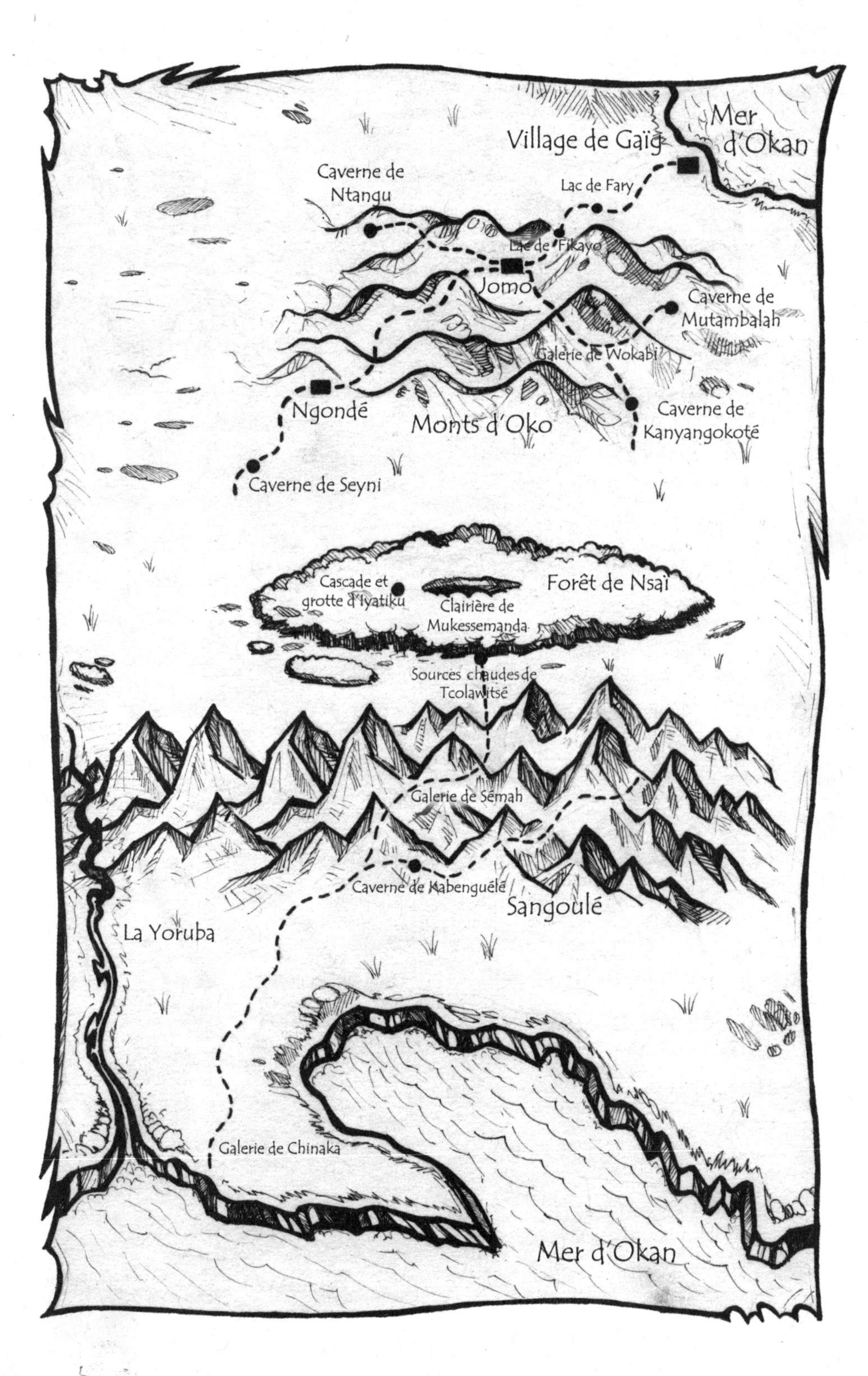
Mer d'Okan
Village de Gaïg
Caverne de Ntangu
Lac de Fary
Lac de Fikayo
Jomo
Caverne de Mutambalah
Galerie de Wokabi
Ngondé
Monts d'Oko
Caverne de Kanyangokoté
Caverne de Seyni
Cascade et grotte d'Iyatiku
Forêt de Nsaï
Clairière de Mukessemanda
Sources chaudes de Tcolawitsé
Galerie de Sémah
Caverne de Kabenguélé
Sangoulé
La Yoruba
Galerie de Chinaka
Mer d'Okan

Catalogage avant publication de Bibliothèque et Archives nationales du Québec et Bibliothèque et Archives Canada

Psyché, Dynah

Gaïg

2e éd.

Sommaire: t. 1. La prophétie des nains ; La forêt de Nsaï ; L'appel de la mer ; L'île des disparus ; La lignée sacrée -- t. 2. Les bandits des mers ; La vague d'argent ; L'archipel de Faïmano ; Le jardin d'Afo ; La matriarche.

Pour les jeunes.

ISBN 978-2-89435-615-9 (v. 1)
ISBN 978-2-89435-616-6 (v. 2)

I. Titre.

PS8631.S82G33 2012 jC843'.6 C2012-941191-4
PS9631.S82G33 2012

Conception de la couverture et infographie:
Marie-Ève Boisvert, Éditions Michel Quintin
Illustration de la couverture: Boris Stoilov
Illustration des cartes: Mathieu Girard

La publication de cet ouvrage a été réalisée grâce au soutien financier du Conseil des Arts du Canada et de la SODEC.

De plus, les Éditions Michel Quintin reconnaissent l'aide financière du gouvernement du Canada par l'entremise du Fonds du livre du Canada pour leurs activités d'édition.

Gouvernement du Québec – Programme de crédit d'impôt pour l'édition de livres – Gestion SODEC

ISBN 978-2-89435-615-9

Dépôt légal – Bibliothèque et Archives nationales du Québec, 2012
Dépôt légal – Bibliothèque et Archives Canada, 2012

Éditions Michel Quintin
4770, rue Foster, Waterloo (Québec)
Canada J0E 2N0
Tél.: 450 539-3774
Téléc.: 450 539-4905
editionsmichelquintin.ca

1 2 - A G M VW - 1

Imprimé au Canada

PREMIÈRE PARTIE

La prophétie des Nains

1

Gaïg, une fois de plus, s'était fait attaquer par les autres enfants. Les poissons qu'elle avait mis tant de temps à pêcher avaient été décapités, tailladés, puis rejetés à l'eau « pour ne pas laisser de traces », avait précisé Guillaumine. Colombe et Irénice, ses deux suiveuses, s'étaient aussitôt précipitées pour exécuter l'ordre, pendant que les garçons balayaient le sol.

— Comme ça, la Grosse, tu ne pourras pas te plaindre, avait-elle affirmé. Tu entends, la Poissonne ? Pas de traces, pas de preuves, pas de retombées.

« Qui prendrait ma défense, de toute façon ? pensait Gaïg. J'ai toujours tort. Qui se risquerait à les gronder ? Je n'avais qu'à ne pas me laisser surprendre. Je n'ai plus qu'à recommencer, sinon j'entendrai encore les bonnes paroles de Garin et de Jéhanne. »

Sans un mot, elle fit demi-tour, n'osant donner un coup de pied ou de poing au passage à l'un des assaillants puisqu'ils étaient plus nombreux qu'elle. Ça se réglerait en privé, en tête-à-tête, pour répartir les chances. Gaïg savait que les probabilités de vengeance étaient minces, ses tortionnaires, méfiants à cause des expériences passées, se déplaçant rarement seuls. « Mais ils ne perdent rien pour attendre », se disait-elle en revenant vers la mer.

Elle s'installa sur un rocher, essayant de ne pas être trop visible afin d'éviter une nouvelle attaque. Mais c'était fini pour aujourd'hui, elle le savait : c'était la fin de l'après-midi, les autres enfants seraient occupés à remplir leurs propres corvées.

Gaïg poussa un soupir à fendre l'âme et se remit à pêcher. En temps normal, elle aimait bien ça, mais elle pensait à toutes les tâches qui l'attendaient encore avant que la nuit tombe. Il lui faudrait vider le poisson, l'écailler, le cuisiner, éplucher les légumes, les cuire, s'occuper des poules, traire les brebis, servir le repas, nettoyer la table, faire la vaisselle, mettre les petits au lit, et peut-être même masser le dos de Jéhanne, enceinte de son troisième enfant.

« Un jour, je partirai, se répétait-elle pour se donner du courage. Rien ne m'oblige à rester ici, rien ne me retient. Garin et Jéhanne ne sont pas mes parents, ils m'ont recueillie parce qu'ils avaient besoin d'une bonne à tout faire et que cela les faisait bien voir du village. C'est vrai qu'ils me logent et me nourrissent, mais je pourrais aussi bien me nourrir moi-même, puisque c'est moi qui pêche. Je pourrais habiter n'importe où, du moment que je suis à l'abri du vent et de la pluie. Je pourrais vendre du poisson pour m'acheter des vêtements, et je n'aurais à m'occuper de personne d'autre que de moi-même. »

Perdue dans ses pensées, Gaïg sursauta en s'apercevant qu'elle avait déjà un poisson au bout de sa ligne. Elle en attrapa deux autres coup sur coup, et les remercia mentalement de s'être laissé attraper aussi rapidement. « Allons, la situation n'est pas désespérée, se dit-elle. Je vais voir si je peux en avoir un pour Zoclette, je ne resterai pas longtemps. De toute façon, Garin et Jéhanne vont toujours trouver une raison pour crier après moi. Si je rentre tard, ils ne pourront pas me trouver une nouvelle chose à faire. Ils ne supportent pas de me voir inoccupée. »

En attendant de pêcher un poisson pour Zoclette, Gaïg coinça sa canne à pêche dans les rochers pour pouvoir vider ses prises précédentes, en prenant soin de rejeter les entrailles à la mer, « pour nourrir les crabes », précisa-t-elle dans sa tête. Le dernier poisson désiré ne se fit pas attendre et Gaïg ne put s'empêcher de le remercier lui aussi. C'était plus fort qu'elle, elle considérait qu'elle devait s'excuser auprès des animaux tués ou pêchés, et les remercier. Elle ne l'avait jamais dit à personne, bien sûr, tout le monde aurait ri.

Elle jeta un coup d'œil aux environs avant de se remettre en route, ne pouvant se permettre une nouvelle agression. Cette fois-ci, elle évita délibérément le sentier et revint par le sous-bois. Elle avait maintenant toute une série d'itinéraires de rechange, afin d'éviter les mauvaises rencontres. Elle se déplaçait sans bruit, en se fondant dans le feuillage, mais s'arrêtait souvent pour écouter les bruits du voisinage, simplement pour s'assurer qu'elle n'était pas suivie.

Elle fit un détour pour porter son poisson à Zoclette. Il n'y avait personne dans sa maison. Un petit feu de bois brûlant dehors entre quatre pierres laissait supposer que Zoclette n'était pas très loin, mais Gaïg ne pouvait s'attarder. Pourtant, elle aurait bien aimé entendre quelques paroles réconfortantes de sa bouche. Elle enveloppa le poisson dans des feuilles et le plaça près du feu, mais assez loin pour qu'il cuise très lentement. Si Zoclette rentrait bientôt, elle pourrait toujours le rapprocher du feu afin d'accélérer la cuisson.

Gaïg sourit en pensant à sa vieille amie qui n'aimait pas l'eau. Zoclette était profondément terrienne, elle appartenait au peuple des Nains. Ces derniers aimaient les montagnes et les grottes, ils vivaient généralement dans des villages souterrains creusés dans de profondes cavernes. Excellents mineurs et forgerons adroits, ils étaient aussi des orfèvres inégalés, façonnant et ciselant des bijoux d'une extrême finesse.

* * *

Au moment du Premier Exode, quand les Nains avaient quitté par familles entières les montagnes de Sangoulé pour aller coloniser les monts d'Oko, Zoclette avait continué son périple jusqu'à ce village de pêcheurs : elle y trouverait ce que la vie lui réservait, avait-elle expliqué, sans préciser davantage.

Elle avait adossé sa maison au pied de la falaise qui surplombait le village, et personne ne savait que celle-là continuait dans la montagne. Aux yeux de Gaïg, Zoclette avait fait preuve d'une intuition formidable en s'installant là, un peu à l'écart des autres habitations. En creusant pour agrandir un trou dans l'escarpement afin qu'il lui serve de garde-manger, elle avait mis au jour une caverne de dimensions assez vastes, avec des boyaux et des tunnels qu'elle se plaisait à explorer, en souvenir de Sangoulé, disait-elle. Personne ne savait que la petite demeure était devenue un palais souterrain, et Gaïg se serait bien gardée de trahir sa seule amie dans le village. Elle avait visité la caverne de Zoclette une seule fois, il y avait bien longtemps de cela, alors qu'elle était encore toute jeune.

— C'est à cette heure que tu arrives ! cria Jéhanne, comme elle approchait de la vilaine maisonnette de bois. Où étais-tu passée ? Il fait déjà sombre. Dépêche-toi, bonne à rien, au boulot.

Gaïg garda le silence et commença le repas. Elle trairait les deux brebis pendant la cuisson.

— C'est tout ce que tu as pris comme poisson? Tu sais bien qu'il en faut deux pour Garin. Qu'as-tu fait pendant tout ce temps? Tu t'es encore baignée, n'est-ce pas? Tu as passé ton temps dans l'eau au lieu de pêcher? Tant pis, tu lui laisseras le tien, ça t'apprendra. Ça ne te fera pas de mal, de jeûner un peu. Et maintenant, dépêche-toi, j'ai mal au dos, je veux que tu me masses.

Gaïg soupira, mais se tut. Elle savait que cela n'aurait servi à rien d'accuser les autres enfants: on lui répondrait qu'elle n'avait qu'à apprendre à se défendre ou qu'elle n'était qu'une menteuse.

Elle accomplit silencieusement ses différentes tâches. Garin rentra, mais ne dit rien. Il se montrait un peu plus gentil que Jéhanne, en ce sens qu'il ne parlait pas beaucoup, et donc ne passait pas son temps à la gronder. Il lui arrivait de jeter de drôles de regards à Gaïg, et quand Jéhanne s'en apercevait, elle criait encore plus après elle. La nuit, Gaïg les entendait se disputer dans leur lit, jusqu'à ce que Garin, excédé, se lève et parte. En général, Gaïg s'endormait avant son retour.

Ce soir-là, Gaïg se sentait plus énervée que d'habitude et trop fatiguée pour dormir. Après avoir massé le dos blême de Jéhanne, qui n'arrêtait pas de lui donner des ordres quant aux endroits sur lesquels il fallait appuyer, et comment appuyer sans lui faire mal, récriminant même contre la taille de ses mains trop menues, elle se laissa tomber bruyamment sur sa couche. Garin était reparti. Elle surveilla la respiration de Jéhanne, et dès les premiers ronflements de cette dernière, elle s'esquiva.

Il lui fallait voir Zoclette.

2

— Hé bien, ma princesse, je ne t'ai pas vue aujourd'hui.

Zoclette était assise sur une pierre, près de son feu, un verre à la main. Noiraude et maigrichonne, de petite taille bien évidemment, Zoclette n'était pas ce qu'on pourrait appeler une beauté, selon les critères classiques. On aurait dit un squelette ambulant, ce qui lui avait valu son surnom de Zoclette. En réalité, Zoclette s'appelait Nihassah, ce qui signifiait *Princesse Noire* dans le langage des Nains. Mais Gaïg trouvait qu'indépendamment de son apparence physique, il émanait de Zoclette-Nihassah un je ne sais quoi qui la mettait à l'aise, la calmait et l'équilibrait quand elle se sentait proche du désespoir.

Elle considérait que tout ce qu'elle savait d'intéressant, c'était Zoclette qui le lui avait appris, y compris ce qui la concernait elle-même. Les Nains ont une vie très longue, c'est dans leur nature, et Zoclette était là depuis si longtemps qu'elle avait vu naître tout le village. Elle ne s'était pas contentée de *voir* naître le village : guérisseuse et accoucheuse de son état, elle l'avait *fait* naître, ce qui lui conférait un certain respect. Respect mêlé de crainte, d'ailleurs, à cause du savoir qu'elle possédait.

— Finalement, la seule que je n'ai pas vue venir au monde, c'est toi, ma princesse. Tu es née de la mer.

Zoclette était bien la seule personne à pouvoir lui donner le titre de princesse sans craindre le ridicule. Et Gaïg, habituée aux moqueries des autres enfants qui l'avaient surnommée la Poissonne à cause de son amour de la mer et du temps qu'elle y passait, trouvait agréable d'être la princesse de quelqu'un, même d'une vieille naine rabougrie que certains prenaient pour une folle ou une sorcière.

Guillaumine, toujours elle, avait affiné le quolibet : elle avait abrégé la Poissonne en la Poisse, affirmant à qui voulait le croire que c'était la Poisse qui portait malheur au village. Les mauvaises récoltes, la pluie et les inondations avec l'humidité qui pourrissait tout, la sécheresse avec le bétail assoiffé qui mourait, les tempêtes dévastatrices, les pêches minables, les filets déchirés sur le fond rocailleux, les maladies, les accidents, les enfants mort-nés, tout était de la faute de la Poisse. Et les adultes, parce que le mauvais sort les poursuivait, étaient contents de trouver un bouc émissaire. En s'acharnant à leur tour sur la Poisse, ils conjuraient l'adversité et montraient qu'ils n'étaient pas dupes des actions malveillantes de la Destinée.

— Merci pour le poisson, ma princesse, il était fin prêt quand je suis rentrée, et j'étais affamée. J'étais auprès de Fréjus, il a encore des pierres dans le ventre. Et des grosses, qui ne veulent pas descendre, à en juger par ses gémissements et ses contorsions. Il était plié en deux par la douleur. Il vaut mieux un mauvais accouchement que ces coliques-là. Je lui ai donné une tisane d'herbes pour lui dilater les canaux, et il doit uriner dans un pot : on verra bien ce qui sort. Mais toi, ma belle, ça n'a pas l'air d'aller très fort...

— Je me suis encore fait attaquer. En fin d'après-midi. Je veux partir, Zoclette, je ne veux plus rester ici. Je ne sais pas où j'irai, mais peu importe : ça ne peut pas être pire. Toi-même, tu m'as dit que je ne dois rien à Garin et à Jéhanne, que je les ai déjà payés avec mon travail pendant toutes ces années. Ils ne m'aiment pas. Je ne suis qu'une bonne pour eux.

— Le temps viendra, ma princesse. Tu vaux mieux que tous ceux du village, je te le dis.

— Mais pourquoi c'est si difficile, Zoclette ? Pourquoi ils ne me laissent pas tranquille ? Même si je suis différente, même si je suis grosse et laide, même si je ne suis pas d'ici, pourquoi sont-ils si méchants avec moi ?

— Prends-le comme un entraînement pour te forger le caractère, ma princesse.

— Mais pourquoi m'ont-ils recueillie ? Si c'était pour me traiter ainsi, ils auraient mieux fait de me laisser mourir.

— C'est moi qui leur ai proposé de te recueillir, ma princesse, je te l'ai déjà dit. Je n'allais pas te laisser mourir, comme une petite crevette échouée sur le sable. Je donne la vie, moi, je ne la prends pas. Et Garin et Jéhanne, même si leurs intentions n'étaient pas tout à fait pures, ont accepté de t'élever. Ce n'est pas tous les jours qu'on trouve un bébé sur une plage. Tu n'étais pas plus grosse qu'une sardine, on n'allait pas te laisser là. Gaïg... C'est un joli prénom.

— Il n'est pas pareil à ceux des autres enfants... Mais pourquoi mes parents m'ont abandonnée ? Même eux n'ont pas voulu de moi...

— Arrête de t'apitoyer sur toi-même. Qu'est-ce que c'est que tous ces « Mais pourquoi... » qui commencent tes phrases ? Quand on ne sait pas, on se tait. Tiens, bois un peu de tisane, et au lit. À ton âge, on doit dormir pour grandir. Tu ne voudrais pas rester toute petite, comme moi, quand même ?

— Si, je voudrais. Au moins, je connaîtrais mes origines, je saurais que j'appartiens au peuple des Nains, et je me dépêcherais de quitter ces lieux et d'aller rejoindre mes semblables dans ton village de Jomo.

— Et tu crois que tu serais plus heureuse ? La méchanceté existe aussi chez les Nains, tu sais. Ce sont des hommes, comme Garin, Jéhanne, et les autres. C'est pourquoi je te dis que le bonheur, c'est ici et maintenant, en toi, et pas à l'extérieur. Tu te laisses trop atteindre par les faits et gestes des autres. Défends-toi quand tu es attaquée, mais ne te remets pas en question parce qu'on se moque de toi. Tu es ce que tu es, ma princesse, et tu dois t'accepter. Allez, au lit, maintenant, avant qu'on ne s'aperçoive de ton absence.

Gaïg, docile, se leva et dit bonsoir à Zoclette ; cette dernière la serra dans ses bras un peu plus fort qu'à l'accoutumée, comme pour lui insuffler du courage. Gaïg, ragaillardie, rentra discrètement chez Garin et Jéhanne et se glissa dans la couche qu'elle partageait avec les deux petits.

Elle nourrissait une certaine affection pour Ermeline, l'aînée aux yeux sombres, âgée de trois ans, et Colin, le gros poupon d'un an et demi. Peut-être que plus tard, ils la maltraiteraient aussi, mais pour le moment, ils l'aimaient bien, et elle prenait plaisir à s'occuper d'eux. Pourtant, c'était beaucoup de travail, ils réclamaient une attention constante, et Jéhanne se déchargeait sur Gaïg de tout ce qui dans l'éducation n'était pas câlins et mamours. Dire qu'il y en aurait bientôt un troisième...

3

Les jours se succédaient, le ventre de Jéhanne s'arrondissait, celui de Garin aussi, mais pas pour les mêmes raisons : il rentrait de plus en plus tard le soir, parfois dans un état d'ivresse avancée.

Gaïg mettait à profit ses parties de pêche pour se baigner. Elle avait toujours aimé l'eau, c'était un élément vital pour elle. Elle n'aurait pas pu vivre loin de la mer. Il lui fallait s'immerger, nager, s'enfoncer sous l'eau. Elle n'avait jamais *appris* à nager, ça lui était venu naturellement, elle avait toujours su. Plonger ne l'effrayait pas, contrairement aux autres enfants, et se déplacer sous l'eau ne présentait aucune difficulté pour elle. Cela lui avait permis plus d'une fois d'échapper à ses bourreaux, qui ne se risquaient plus à l'attaquer en mer.

Elle aimait l'odeur de l'océan, ce parfum d'iode et de varech, de poisson et de coquillage. Les embruns, qui se déposaient en une couche un peu grasse de poussière et de sable mélangés sur tout ce qui l'entourait, faisaient partie de son univers, de même que le tiraillement du sel sur sa peau et son goût sur sa langue. Le bruit des vagues déferlant sur la plage délimitait ses nuits : il constituait sa berceuse du soir et provoquait son réveil le matin. Les tempêtes lui donnaient envie de se jeter à l'eau et de disparaître sous l'agitation de la surface, même si elle ne s'y risquait pas, plus par peur de se faire gronder que par crainte des éléments.

Elle se nourrissait volontiers des produits de la mer : crevettes, crabes, coquillages, et même d'algues. Elle aimait la mer et ses habitants, mais elle avait aussi conscience d'une chaîne alimentaire dans laquelle les grosses bêtes mangeaient les petites, ou inversement.

Gaïg se déplaçait aussi bien sous la mer que sur la terre, et sa capacité pulmonaire était largement supérieure à celle des autres enfants. Elle pouvait retenir sa respiration beaucoup plus longtemps que la moyenne, et s'entraînait régulièrement pour améliorer ses performances, déjà remarquables. Elle considérait que la couche de graisse qui faisait d'elle une fillette dodue sujette aux railleries des autres villageois la métamorphosait en petite otarie, et que c'était bien joli, ma foi.

Passant le plus clair de ses baignades sous l'eau, elle connaissait le paysage sous-marin qui entourait le village aussi bien que le village lui-même. Les rochers qui se trouvaient de chaque côté de l'anse se rejoignaient au large en un arc de cercle, interrompu par des passes de sable noir. Dans les rochers se trouvaient des crevasses plus ou moins profondes, habitées par une diversité incroyable d'animaux. Gaïg avait une bonne connaissance de la faune et de la flore subaquatiques, elle pouvait nommer à peu près tout ce qu'elle voyait d'animal ou de végétal sous l'eau.

Elle avait parfois le sentiment de pouvoir communiquer avec les animaux marins : elle entendait des voix dans sa tête qui auraient pu être les leurs, et il lui semblait que chaque fois qu'elle plongeait, c'était un concert de « La voilà, la voilà ». Gaïg se disait qu'elle imaginait tout cela, mais que c'était bien agréable de rêver, et elle leur tenait de longs discours.

Plusieurs créatures avaient un domicile fixe dans une anfractuosité de rocher, comme les poulpes, les mérous, les anémones, certains coquillages, mais la plupart se déplaçaient constamment. Il lui semblait qu'elle en avait apprivoisé quelques-uns, mais elle n'en était pas tout à fait sûre. En tout cas, elle en reconnaissait certains : il y avait, entre autres, le vieux poulpe à sept tentacules et demi dans une caverne cachée par des algues, avec une colonie de murènes respectables disséminée tout autour.

Les murènes étaient ses amies depuis le jour où, poursuivie par Guillaumine et ses deux fidèles acolytes, Colombe et Irénice, Gaïg avait plongé, sorti une murène de son trou et l'avait brandie sous le nez des attaquantes. Celles-ci avaient hurlé de peur et rejoint la terre ferme à toute vitesse, récoltant au passage quelques épines d'oursins et des brûlures de méduses. Gaïg avait eu l'impression, ce jour-là, que tout le petit peuple sous-marin s'était ligué pour prendre sa défense. Du moins, avait-elle envie de le croire, puisque la murène ne l'avait pas mordue.

Elle en avait identifié une énorme qu'elle avait surnommée la Reine des Murènes, non seulement à cause de l'épaisseur de ses lèvres et de sa taille étonnante, qui laissait supposer un âge vénérable, mais surtout à cause du Cadeau.

Gaïg n'avait jamais rien possédé en propre, et elle s'en accommodait fort bien: le désir de possession vient avec la chose possédée. N'ayant jamais rien eu de bien à elle, elle n'imaginait pas être propriétaire de quelque chose un jour. Tout ce qui était précieux à ses yeux lui venait de la mer, et elle pouvait aussi bien remettre ses trésors là où elle les avait pris: dans son esprit, ils ne lui appartenaient pas. C'était à la mer, qui les lui avait prêtés.

De ce fait, Gaïg avait toute une collection de délicats coquillages nacrés, finement ourlés, une série de petits crabes séchés récoltés sur les rochers, quelques algues sèches et cassantes, des coraux et des madrépores aux formes tourmentées, ou de simples galets. Mais tous ces petits trésors, si brillants sous l'eau, perdaient leur éclat après quelques heures au soleil. Les couleurs pâlissaient, se ternissaient, et il fallait les mouiller pour retrouver l'enchantement sous-marin. Sauf le Cadeau. Il était le seul à garder son éclat hors de l'eau, même après des années.

Gaïg n'avait jamais compris pourquoi la Reine des Murènes lui avait offert ce fabuleux présent, alors qu'elle était encore toute jeune.

Elle avait plongé comme d'habitude pour se purger d'une colère à moitié refoulée, quand un éclat lumineux avait attiré son attention. On aurait dit qu'on l'appelait. Cela venait de la Reine des Murènes.

Elle s'était dirigée vers la caverne et avait été pétrifiée d'admiration devant la chose qui se trouvait là, scintillant de mille feux selon les jeux de l'eau et du soleil.

Gaïg avait tout de suite été sûre que c'était la première fois qu'elle voyait dans la grotte ce qui paraissait être un anneau. Elle avait rendu visite à la Reine des Murènes la veille encore, elle n'aurait pas manqué de le voir s'il avait été là.

Elle avait nagé doucement en regardant l'objet, fascinée par les jeux de lumière qui s'en dégageaient, et dont elle ne pouvait détacher les yeux. Il lui avait semblé que le temps s'était arrêté, et qu'elle entendait une musique toute marine dans sa tête. La Reine des Murènes ondulait lentement au-dessus, avec des mouvements élégants et sinueux. Cela avait été le plus beau spectacle auquel il lui avait été donné d'assister à ce jour, et elle ne pouvait s'en éloigner. Cela tenait du conte de fées, des histoires que lui racontait Zoclette sur les Nains dénicheurs de diamants dans les montagnes de Sangoulé, et Gaïg avait craint de rompre l'enchantement. Mais elle avait déjà battu son record en apnée et elle avait dû remonter respirer.

Ayant replongé aussitôt, elle avait été étonnée de retrouver la même vision : c'était réel, ce n'était pas un rêve. Sans même le réaliser, elle avait fait une caresse à la reine, comme pour la remercier de la splendeur qu'elle lui offrait. Il ne lui était même pas venu à l'esprit de prendre le bijou : elle savait qu'une fois sorti de l'eau, il perdrait son éclat, comme tout ce qu'elle avait déjà ramassé auparavant. Le spectacle était tellement enchanteur qu'il ne fallait pas le modifier. Il suffirait d'un rien pour briser le charme, et ce serait dommage.

Après plusieurs retours à la surface pour reprendre son souffle, Gaïg avait fait le plein d'images pour se souvenir, et elle s'apprêtait à partir, en se promettant de rendre visite à la Reine des Murènes le lendemain. Cette dernière s'agitait dans sa retraite, et il semblait qu'elle disait à Gaïg : « Prends, c'est pour toi ». Gaïg avait avancé la main, puis l'avait retirée aussitôt, en remuant la tête : non, ce n'était pas à elle, elle ne pouvait le prendre, l'anneau appartenait à la Reine des Murènes. C'était peut-être sa couronne ?

Elle avait répété le manège plusieurs fois quand, d'un coup de queue, la reine avait projeté l'anneau sur le sable devant la caverne. La musique étrange qui emplissait les oreilles de Gaïg s'était accrue. Elle avait contemplé un moment le joyau avant de le ramasser.

Finalement, elle l'avait passé à son doigt, simplement pour voir l'effet que cela ferait. La mélodie était devenue plus forte, Gaïg avait eu l'impression que la bague s'adaptait à son doigt, et que la Reine des Murènes lui souriait.

4

S'il n'y avait pas eu le bijou pour lui prouver le contraire, Gaïg aurait cru avoir rêvé la scène. Elle était restée un long moment sur la plage, à l'abri des rochers, à contempler son doigt. La bague était formée en réalité de deux anneaux entrelacés, qui semblaient n'en former qu'un seul quand elle l'enfilait. Si elle la tenait dans sa main et que les anneaux étaient séparés, ils formaient un huit. Gaïg s'était amusée à enfiler les anneaux dans deux doigts différents, un pour chaque doigt, puis à les remettre dans le même doigt. Le joyau n'était fait d'aucun métal qu'elle connaissait, même de nom : il semblait fait de lumière. Et toujours cette musique marine dans la tête, composée de rires, de vagues, de vent dans une conque, comme si quelque chose d'important venait d'avoir lieu.

Gaïg s'était sentie apaisée, en harmonie avec elle-même et avec l'univers aquatique qui l'entourait. Mais elle se rendait compte qu'elle ne pouvait garder le bijou, ayant décidé que c'était la couronne de la Reine des Murènes. Il se faisait tard, mais elle avait plongé une dernière fois pour la lui rapporter : il n'y avait personne dans la caverne royale.

C'était un cadeau, il était impossible de s'y tromper. Gaïg avait le cœur rempli de joie, et ne pouvait détacher son regard de la bague. En attendant, il lui fallait la cacher, car personne ne la croirait si elle racontait ce qui lui était arrivé. Non seulement le précieux objet lui serait confisqué, mais en plus, elle se ferait traiter de voleuse. Comme s'il y avait eu quelqu'un d'assez riche au village pour posséder un tel bijou...

Gaïg savait où dissimuler son fabuleux présent. Elle avait un repaire secret, pas très grand, certes, mais quasi invisible de l'extérieur. Zoclette, avec sa prodigieuse intuition de Naine, avait découvert une petite caverne pas très loin de chez elle, et elle l'avait en quelque sorte offerte à sa jeune amie. Quand Gaïg, si jeune, trouvait que la vie était un fardeau bien lourd à porter, elle se réfugiait dans sa grotte, dans sa coquille, comme elle disait. Là, elle se pelotonnait à même le sol, essayant de disparaître, de ne plus exister que par le léger souffle qui sortait de ses narines, et elle devenait une ombre ténue qui n'existait plus que par la pensée, une ombre de pensée.

« Si on n'existe pas, on ne souffre pas, se disait-elle. Je ne peux pas mourir, je suis trop jeune pour ça. Mais je peux diminuer mon existence. Moins j'existe, moins j'ai mal. »

Le raisonnement était simpliste, mais Gaïg, championne d'apnée, diminuait sa respiration et ce qui la reliait à la conscience d'exister. Au bout d'un moment, la souffrance s'atténuait, jusqu'à devenir aussi déliée que son souffle, et elle pouvait alors recommencer à vivre.

C'est dans cette caverne qu'elle cachait ses trésors, presque tous venus de la mer. Son refuge n'était pas inexpugnable, il était simplement très bien dissimulé, en contrebas d'épais fourrés qui poussaient dans un amas rocheux. Gaïg n'y accédait jamais de face : elle longeait un étroit passage, indécelable entre la falaise et les buissons, sur une quinzaine de pas avant d'arriver à l'orée de la grotte. Un éperon rocheux s'avançait au-dessus de l'entrée et garantissait une certaine invisibilité depuis le haut. Gaïg, pour s'assurer qu'elle n'était pas suivie, restait toujours assise un moment au pied d'un chêne plus que centenaire qui poussait à proximité du chemin, dérobée à la vue entre les racines noueuses du tronc. Quand elle était sûre d'être seule, elle s'engageait dans les fourrés en faisant mine de se promener, et elle attendait encore un moment, prête à ressortir comme s'il n'y avait là rien d'intéressant, dans le cas où quelqu'un surgirait. Elle faisait attention d'utiliser un chemin différent chaque fois qu'elle s'engageait dans les broussailles afin de ne pas piétiner la terre, ce qui indiquerait l'existence d'un sentier à partir du chemin principal.

Gaïg était consciente de la précarité de son repaire, mais elle n'avait rien de mieux à sa disposition pour protéger sa solitude. Elle n'aurait pas été davantage à l'abri chez Garin et Jéhanne, qui lui auraient immédiatement trouvé une occupation, et encore moins n'importe où dans le village. Quant à espérer trouver une cachette dans la maison ou dans les alentours, il n'y fallait même pas songer: Gaïg, sujet de moqueries pour les enfants, passait rarement inaperçue, où qu'elle aille.

Cette caverne était le seul endroit où elle pouvait laisser l'anneau: le porter à son doigt, c'était la confiscation assurée, ne serait-ce que par les adultes qui l'entouraient. Qui sait, peut-être qu'elle avait une très grande valeur, cette bague? Même si Gaïg n'avait qu'une notion très relative du coût des choses, elle savait que tout avait un prix. Elle pressentait que Garin et Jéhanne argueraient de ce qu'elle leur coûtait en vêtements et en nourriture pour réclamer le joyau. Or, c'était un cadeau de la Reine des Murènes, Gaïg en était sûre.

Elle l'avait caché dans une coquille vide ramassée sur la plage, avait négligemment posé des algues dessus, et l'avait transporté ainsi en lieu sûr.

* * *

Cela faisait maintenant deux ans que son trésor était en sécurité dans sa cachette, sans avoir rien perdu de son éclat : Gaïg ne l'avait jamais montré à personne, n'en avait jamais parlé non plus, même pas à Zoclette. C'était son secret, son remède. Qu'elle se sente triste et seule, ou en colère contre tout le village, elle trouvait un apaisement dans la contemplation de la bague. Elle l'enfilait successivement dans chacun de ses dix doigts, dans ses orteils; elle la prenait, la soupesait, la tournait, l'examinait, jouait avec les deux anneaux entrecroisés, la plaçait dans un rayon de soleil, jusqu'à ce qu'elle oublie pourquoi elle avait eu besoin de se réfugier dans sa caverne. Et le joyau, docile, semblait chaque fois s'adapter à la circonférence nouvelle qui lui était offerte.

La bague gardait son mystère quant à la matière dont elle était faite. Elle scintillait autant qu'au début, envoyant des feux comme un diamant en plein soleil, même si elle était dans la pénombre ou l'obscurité totale. La brillance émanait d'elle, pas de la lumière environnante. Gaïg avait discrètement interrogé Zoclette sur les fouilles effectuées par les Nains dans le sol, espérant ainsi résoudre l'énigme du matériau. Zoclette était restée vague, déclarant que les Nains trouvaient dans la terre des pierres précieuses et différents métaux, certains plus rares que d'autres.

— C'est tout ? avait insisté Gaïg.

— Que veux-tu y trouver d'autre ?

— Je ne sais pas, moi, des choses magiques et rarissimes, qu'eux seuls peuvent découvrir.

— Il y a aussi ce qu'on appelle les Terres singulières et le Minerai sacré.

— C'est comment ?

— Ils ont des propriétés particulières. Depuis quand t'intéresses-tu aux activités des Nains, princesse curieuse ?

Gaïg avait saisi une lueur d'intérêt dans les yeux de la Naine et avait jugé plus prudent de ne pas éveiller davantage son attention.

— Oh, pour rien. Comme ça. Tu crois que je pourrais appartenir au peuple des Nains, si je le voulais ? avait-elle demandé pour changer de conversation.

S'en était suivi une longue discussion avec Zoclette sur l'acceptation de soi et de son destin, même quand il semblait contraire à ce qu'on désirait. Gaïg aurait aimé en savoir plus sur les Nains, mais Zoclette ne paraissait pas désireuse d'approfondir la conversation, même sur un sujet apparemment aussi neutre que les pierres précieuses et les métaux. Gaïg n'avait plus osé poser de questions sur les Terres singulières et le Minerai sacré. Zoclette avait aussi son jardin secret, et ne révélait que ce qu'elle voulait bien. Son pays d'origine était sous la terre, sous les montagnes de Sangoulé, caché aux yeux du monde extérieur. Les Nains sont taciturnes de nature, il ne fallait pas l'oublier.

Elle s'était promis de reprendre la conversation une autre fois, en partant d'un sujet très éloigné pour ne pas éveiller les soupçons. Bien que colérique et impulsive, Gaïg était capable de patience et de finesse. La vie n'était pas facile pour elle, et elle avait acquis une maturité précoce pour son âge, ayant dû plus d'une fois affronter l'adversité. À la fois naïve et intelligente, Gaïg, à dix ans, était un mélange d'enfant et de femme mûre, avec un rien d'amertume dans le cœur.

L'amitié que lui portait Zoclette l'avait aidée plusieurs fois à accepter sa situation. Elle avait toujours en tête l'arrière-pensée de quitter le village, mais Zoclette l'en avait dissuadée.

— Pour aller où, ma princesse ? Tu n'es qu'une fillette. Qui s'occuperait de toi ? De quoi vivrais-tu ?

Gaïg se rendait compte que Zoclette avait raison, tout au moins au début, quand elle était encore toute petite. Mais, au fur et à mesure qu'elle grandissait, elle se sentait de plus en plus autonome, capable de subvenir elle-même à ses besoins.

— Tu pourrais venir avec moi, Zoclette. Si tu me protèges, je ne crains personne. Je travaillerai pour nous deux. Ou bien je pêcherai, et tu creuseras la terre. Tu trouveras des pierres précieuses, et nous les vendrons, et nous deviendrons riches. Tu achèteras un palais dans une ville loin d'ici, mais près de la mer, et tu diras que je suis ta fille, et nous serons heureuses.

Zoclette finissait toujours par éclater de rire.

— Comme tu arranges bien ma vie, sans me consulter! Qui te dit que je ne suis pas heureuse ici? J'ai un métier, j'ai déjà un palais derrière ma maison, et je peux creuser la terre si je veux.

— Oui, mais les habitants du village ne sont pas gentils avec toi. Ils ne t'aiment pas vraiment: ils se servent de toi parce que tu les soignes, c'est tout. En plus, ils croient que tu utilises des plantes. S'ils savaient que la majeure partie du temps, tu utilises des poudres de pierre, ils feraient exprès de ne pas aller mieux, pour prétendre que tu n'es pas une vraie guérisseuse. Tu ne veux pas m'apprendre les secrets des pierres, dis? Je suis sûre que je ferais une bonne Naine. Mais la mer me manquerait, quand même...

— Tu es ce que tu es, ma princesse, pourquoi veux-tu changer? Tu aimes le soleil et la mer, et tu voudrais vivre sous terre? Comment ferais-tu, dans l'obscurité, avec des lacs d'eau sombre et froide, presque sans habitants? Le temps de partir n'est pas encore venu. Quand ce sera le moment, je m'en irai. Et toi aussi, ma princesse.

Zoclette était toujours un tantinet mystérieuse, elle s'exprimait parfois par des sous-entendus, puis se taisait.

5

Ce matin-là, Gaïg avait dû, comme d'habitude, s'occuper de Colin et d'Ermeline, tout en faisant le ménage. Elle vit arriver l'heure de la sieste avec soulagement : elle serait enfin libre. Jéhanne, dont la taille se faisait de plus en plus imposante, se couchait avec ses petits, et dormait une bonne partie de l'après-midi.

La vaisselle faite, les plats rangés, la table nettoyée, Gaïg fonça chez Zoclette. Ne trouvant personne, elle s'installa, un peu indécise, sur une pierre près de l'entrée. Zoclette était parfois appelée en urgence auprès d'un malade ou d'une femme en gésine, et son absence pouvait se prolonger.

Gaïg contemplait ses pieds, et les trouvait larges et plats. Ses orteils lui semblaient très écartés : peut-être parce qu'elle marchait toujours pieds nus... Elle se promit de s'acheter des chaussures quand elle serait riche. Puis elle examina ses mains : courtes et larges, aussi, avec une fine membrane de peau entre les doigts. Celle-ci se déployait quand elle écartait les doigts. Mais c'était bien pratique, pour avancer dans l'eau, comme de petites nageoires discrètes. Elle savait qu'elle avait la même membrane entre les orteils. Est-ce que tout le monde était comme ça ? Peut-être que les autres avaient raison, qu'elle n'était pas normale...

Elle ne s'était jamais trop attardée sur son surnom, l'attribuant à la méchanceté des enfants, mais peut-être qu'elle était réellement une *poissonne*. Elle n'ignorait pas qu'elle avait la bouche large et les yeux écartés, on le lui avait assez répété, mais elle ne s'était jamais perçue comme fondamentalement différente de Guillaumine ou des autres. Il faudrait qu'elle examine leurs mains et leurs pieds, pour comparer. Ce ne serait pas facile, Gaïg les évitant le plus souvent possible.

Elle avait bien essayé de se joindre à leurs jeux, dans le passé. Toute petite, elle n'avait pas éprouvé de difficulté. Mais en grandissant, ils l'avaient tenue de plus en plus à l'écart, sous prétexte qu'elle était grosse et maladroite, et qu'elle sentait la mer à force d'y tremper. Gaïg ne comprenait pas où était le problème : ça sentait bon, la mer, et l'océan, c'était un voyage en soi. Le fait qu'elle soit grassouillette en avait fait un objet de risée, et elle s'était éloignée d'eux petit à petit, préférant la tranquillité de la solitude aux railleries. Les galopins s'étaient alors enhardis, et avaient commencé à la maltraiter physiquement. Rien de bien grave, mais Gaïg s'était défendue, et son attitude avait mis le feu aux poudres.

Les drôles voulaient seulement s'amuser à ses dépens. Comme elle avait été trouvée et recueillie, ils ne s'attendaient pas à ce qu'elle fasse preuve de résistance et qu'elle se défende.

— Mais pour qui se prend-elle, la Poissonne ? D'où sort-elle ? On ne sait même pas qui elle est. Hé, la Poissonne, t'as vu ta bouche ? C'est pour casser les coquilles d'huîtres, tes dents ? Tu es laide et tu nous fais mal. Va-t'en, retourne chez les baleines !

Et ça avait été l'escalade. Maintenant, c'était la guerre ouverte. Chacun considérait que c'était l'autre qui avait commencé, et il y avait toujours une vengeance de retard.

Grande pour son âge, costaude malgré sa graisse, aussi à l'aise dans l'eau que sur terre, Gaïg attendait de se retrouver dans la mer pour se venger. Quand ses ennemis se baignaient, elle nageait sous la surface et les tirait par les pieds pour les effrayer. Au début, elle réapparaissait au milieu d'eux, pour savourer sa victoire, avec l'espoir de se faire respecter.

— T'as eu peur, hein ? Oui, c'est moi. Et chaque fois que tu me pinceras ou me tireras les cheveux, je recommencerai. À partir de maintenant, gare à toi !

Les enfants s'étaient plaints à leurs parents. Les adultes s'en étaient mêlés, et Gaïg avait eu tous les torts.

Elle avait arrêté, comprenant qu'ils n'avaient pas son aisance dans l'eau, et que ça pouvait devenir dangereux. Mais avec l'assurance de ceux qui ont gagné alors qu'ils ont tort, les enfants avaient continué ; Guillaumine avait transformé la Poissonne en la Poisse, et Gaïg était devenue leur souffre-douleur. Elle avait donc affiné ses techniques de défense en développant des itinéraires parallèles pour éviter les rencontres désagréables, et en se trouvant des cachettes multiples, toutes aussi peu sûres les unes que les autres. Son ultime recours, quand elle les sentait déchaînés, consistait à se précipiter à l'eau, là où elle était certaine qu'ils ne la suivraient pas.

Malheureusement, ce n'était pas toujours possible : si elle avait un paquet en main pour Garin ou Jéhanne, elle ne pouvait risquer de le mouiller. Auquel cas, Gaïg remettait sa vengeance à plus tard. La baignade avec les autres enfants lui était interdite, mais elle plongeait très loin d'eux et accomplissait son trajet entre deux eaux. Lorsqu'elle arrivait à leur niveau, elle leur égratignait les jambes avec une coquille fraîchement cassée, ou les enfermait dans un cercle d'algues assez vaste pour qu'ils ne s'en aperçoivent qu'au moment de sortir du bain. Une fois, elle avait transporté des oursins dans un tissu jusqu'à l'endroit où ils se baignaient, et s'était réjouie un moment de leurs hurlements quand ils avaient posé les pieds dessus.

Mais Gaïg n'était pas foncièrement méchante, et elle avait légèrement regretté sa vengeance. Elle n'avait plus utilisé les oursins. Elle avait alors eu recours aux méduses, avec le même succès et les mêmes remords. Le visage boursouflé de Colombe et les brûlures sur les jambes de Pélage, un garçon blond et stupide, prétendument amoureux de Guillaumine – qui l'ignorait superbement sauf quand elle avait besoin de lui comme factotum –, l'avaient un peu bouleversée. Un peu, seulement. Après tout, ils l'avaient bien cherché. Et parfois, c'était elle qui les avait, les égratignures de ronces et les brûlures d'orties.

Gaïg se sentait victorieuse, elle savait que même pousser un banc de poissons minuscules au milieu des enfants effrayait ces derniers, et elle se contentait désormais de vengeances de ce type, provoquant des frayeurs innocentes. Même si elle n'avait jamais été prise sur le fait, les enfants se doutaient qu'elle était à l'origine de ce qui se passait sous la surface. Ils prétendaient qu'elle commandait aux poissons, et que ceux-ci lui obéissaient.

— Au fond, c'est toi la plus puissante, lui disait Zoclette. Ton pouvoir est caché, mais réel. Le pouvoir, ce n'est pas ce qu'on a, c'est ce que les autres croient qu'on a.

Gaïg avait mis du temps à comprendre ces paroles. Une fois qu'elle en avait saisi la portée, elle avait laissé s'amplifier les bruits qui couraient sur son compte, et en avait même rajouté.

— Les murènes sont mes amies. Elles m'obéissent. Et elles mordent très fort, vous le savez. Et je peux dire aux poissons venimeux de venir là où vous vous baignez. Et il y a des monstres que je peux faire remonter des grands fonds, comme les poulpes géants. Et les sirènes me parlent aussi.

Les enfants n'étaient pas totalement dupes, mais ils se méfiaient suffisamment pour n'attaquer Gaïg que sur la terre ferme. Ils se baignaient de moins en moins, sans s'éloigner de la plage, ce qui agrandissait le domaine marin de Gaïg.

Zoclette avait essayé de lui faire entendre raison.

— Tu dois dépasser tout cela, ma princesse. On ne peut plaire à tout le monde. Défends-toi quand tu es attaquée, mais ne te laisse pas posséder par la rancœur. Tu dois apprendre à vivre sans tenir compte des autres, au lieu de raconter des histoires.

— Ce ne sont pas des histoires, Zoclette. Les poissons sont mes amis, et les murènes ne m'ont jamais mordue. Et il y a une sirène qui me rend visite parfois. Elle ne me parle pas, mais elle me regarde, et je l'aime. Et le poulpe à sept tentacules et demi est mon allié, il s'est enroulé une fois autour des jambes de Guillaumine pour me défendre. Et la Reine des Murènes m'a fait un cadeau...

Gaïg s'était mordu les lèvres. Zoclette la regardait, une lueur interrogative dans le regard.

— Et ensuite, ma princesse ?

Mais Gaïg s'était tue, elle en avait déjà trop dit, et si elle en doutait, le regard perçant de Zoclette levait ses dernières incertitudes.

Gaïg se remémorait cette conversation alors qu'elle se trouvait dans la cour de Zoclette, qui n'était toujours pas arrivée. Elle lui semblait tout à coup bien mystérieuse, cette Nihassah, détentrice d'un savoir que Gaïg supposait immense, sans pour autant arriver à le cerner.

Elle ne s'était jamais posé beaucoup de questions sur Zoclette, mais tant qu'à s'interroger sur elle-même, elle pouvait aussi bien essayer d'élucider le mystère de cette *princesse noire*.

D'abord, où était-elle ? Pourquoi n'était-elle pas encore rentrée ? Cela lui arrivait de plus en plus fréquemment de disparaître sans qu'on sût où elle se trouvait. Elle prétendait toujours avoir été appelée au chevet d'un malade, et Gaïg n'avait jamais pensé à vérifier. Mais était-il vraisemblable qu'elle reste absente plusieurs jours, à cause d'un patient ? Et qui étaient-ils, ces patients présumés, alors que le village semblait en bonne santé ? Et pourquoi Zoclette était-elle si gentille, si attentionnée envers elle, alors que les villageois la repoussaient ? Non seulement elle lui avait confié le secret de sa maison, mais elle lui avait également montré une caverne, dont elle lui avait laissé l'entière jouissance. Elle était là, aux côtés de Gaïg, présente et discrète en même temps, remplie d'une sollicitude sans indulgence, mais affectueuse quand même.

Mais pourquoi parlait-elle toujours comme si elle connaissait l'avenir ? « Sans doute à cause de l'expérience acquise au cours des ans, se dit Gaïg. Les Nains vivent très longtemps, plusieurs centaines d'années, et Zoclette est très vieille. Elle a connu le Premier Exode des Nains, qui a eu lieu il y a plus d'un siècle, maintenant. Quel âge peut-elle avoir ? Trois cents ans ? Quatre cents ? Cinq cents ? Quel est l'âge maximum atteint par les Nains ? » Les nombres étaient trop grands, ils ne signifiaient plus rien pour Gaïg.

Toutes les connaissances qu'elle possédait sur le peuple des Nains lui avaient été inculquées par Zoclette, mais elle se rendait compte à quel point elles étaient superficielles : elle en savait à peine plus que tout le monde, finalement. Mais s'était-elle réellement intéressée à ces gens ? Avait-elle jamais interrogé Zoclette de façon sérieuse sur son passé, sur son histoire et sur celle de son peuple ? Gaïg se vit tout à coup comme un monstre d'égoïsme, qui trouvait normal l'intérêt que Zoclette lui portait : un vampire, une petite lamproie qui se nourrissait de l'autre par succion.

Pauvre Zoclette ! Comme elle avait dû se sentir seule, parfois, dans ce monde qui n'était pas le sien, loin de son village de Jomo, dans les monts d'Oko. Gaïg, qui s'était parfois moquée d'elle et de son aversion pour la mer, n'avait pas agi de façon plus intelligente que Guillaumine, Pélage, et les autres : elle avait fait de la différence un objet de dérision, au lieu d'essayer d'accepter et de comprendre.

Elle se promit de faire mieux à l'avenir, et comme Zoclette arrivait sur ces entrefaites, elle lui sauta au cou dans un élan d'amour et de culpabilité mélangés.

— Ô, ma Zoclette, toi aussi, tu es ma princesse, ma princesse noire, et je t'aime plus que tout au monde. Tu me raconteras ta vie, dis ? Tu me parleras du peuple des Nains ? Tu peux me demander ce que tu veux, tu sais. J'irai pêcher pour toi. As-tu besoin de quelque chose ? Tu dois être fatiguée. Quel âge as-tu, au fait ? Est-ce vrai que les Nains vivent très longtemps ? Jusqu'à quel âge ? Et comment vit-on, sous la terre ? Tu me montreras, dis ? Tu me raconteras ta vie ?

L'ébahissement manifesté par Zoclette fit réaliser à Gaïg l'impétuosité dont elle faisait preuve. Elle abandonna sa fougue pour une attitude plus réfléchie, non sans avoir serré et embrassé son amie une dernière fois.

— Hé bé, ma princesse, quel accueil ! Je devrais te faire attendre plus souvent... C'est bien agréable, remarque. Et moi aussi, je t'aime beaucoup. Mais que de questions ! Que de points d'interrogation ! Que veux-tu savoir sur les Nains ?

— Tout ! Je veux tout savoir. Sur toi et sur les Nains. Tout.

— Hum ! Oui, d'accord. Et tout de suite, je suppose, là, maintenant, en l'espace de quelques minutes ? Mais pourquoi ce subit intérêt ?

Gaïg, un peu honteuse, n'osait parler de la prise de conscience de ce qu'elle considérait comme de l'égoïsme de sa part.

— Comme ça. Parce que j'ai envie de savoir des choses sur toi. Tu me feras visiter ta caverne, dis ? Tu me la montreras ? Je ne l'ai vue qu'une fois...

— Qu'est-ce qui t'intéresse, dans ma caverne ? Elle me sert à ranger des choses, entre autres. Il y fait sombre, tu sais. Les Nains voient dans le noir, mais pas les princesses des mers. Tu aurais peur.

— Pas si tu es avec moi. Et je m'habituerai à l'obscurité, c'est tout.

— Tu veux la voir maintenant ?

Le sautillement sur place de Gaïg, le sourire qu'elle afficha, l'éclair d'allégresse dans ses yeux constituèrent déjà sa réponse avant l'émission d'un oui ravi et impatient.

6

La maison de Zoclette était l'une des rares du village à posséder des murs de pierre. À l'arrière, la jonction avec la falaise ne se voyait pas: une abondante végétation avait envahi les côtés de l'habitation.

De face, c'était une demeure assez ordinaire, qui, mis à part l'utilisation de la roche comme matériau de construction, ne se distinguait en rien des autres: un toit de chaume, des fenêtres exiguës et une porte en bois, assez basses puisque Zoclette n'était pas bien grande. Gaïg eut l'impression de découvrir la maison avec un œil neuf: maintenant, elle lui paraissait petite. La présence des murs de pierre s'expliquait par les origines de Zoclette; c'était déjà étonnant qu'elle ait fait cette concession au monde extérieur en n'habitant pas une caverne. Et de toute façon, elle habitait une caverne, même si Gaïg était la seule à le savoir.

Elle pénétra dans le logis à la suite de Zoclette et fut saisie par la taille des lieux. La maison semblait beaucoup plus modeste vue de l'extérieur.

Zoclette laissa à Gaïg le temps de s'habituer à la pénombre environnante. Il était évident que la Naine avait voulu créer une ambiance souterraine dès l'entrée, afin de se sentir vraiment chez elle. Le choix d'ouvertures étroites dans les murs n'était pas dû seulement à la taille de l'occupante…

Un certain désordre régnait dans la pièce, Zoclette ne semblait pas très à cheval sur le nettoyage. Après tout, la poussière, c'est de la pierre en poudre, pensa Gaïg. Si Jéhanne pouvait accepter cette idée, elle ne me ferait pas épousseter ses horribles meubles. Heureusement qu'elle n'en a pas beaucoup...

Gaïg ne fut pas trop étonnée par les nombreuses plantes qui séchaient, accrochées au plafond. Chez une guérisseuse, c'était normal, après tout. Et la demeure de la Naine, sombre et fraîche, se prêtait bien à cet emploi. Une multitude de sacs en tissu étaient suspendus un peu partout, sur les murs comme au plafond. Gaïg supposa qu'ils contenaient aussi des plantes séchées. Elle fut un peu plus étonnée par l'abondance des pierres éparpillées sur le sol, sur les meubles, et leur surprenante diversité. Des échantillons innombrables de roches étaient disséminés sur tout ce qui pouvait servir de support, les gros supportant les petits.

Elle suivit en silence Zoclette dans la pièce du fond. Zoclette aussi était silencieuse. Gaïg se demanda si elle avait été indiscrète. Mais la curiosité était la plus forte. Elle saisit la main de la Naine, comme pour se faire pardonner ce vilain défaut en lui témoignant de l'affection. Zoclette était son amie, les amis partagent tout, et Zoclette partageait avec elle un peu de son intimité. Gaïg se promit, en échange de ce témoignage de confiance, de lui parler de la bague et de la lui montrer. Après...

La deuxième pièce était beaucoup plus exiguë, mais aussi mal rangée que la première. Gaïg sourit en pensant que sa grande amie était désordonnée. L'impression générale était celle d'un bric-à-brac, d'un fouillis uniforme de plantes, de roches et de sacs en tissu de toutes les tailles. L'idée que Zoclette n'était pas parfaite lui plaisait énormément, et elle l'en aima davantage.

Gaïg fut surprise de ne pas voir l'entrée de la caverne. Ses souvenirs, même imprécis à cause du temps écoulé, plaçaient celle-ci dans le mur du fond, au milieu, le mur étant composé par la falaise elle-même.

— Alors, tu es prête, ma princesse ? On y va ?

— Oui, mais où ? Je ne vois rien. Où est l'entrée ?

— Là, devant toi.

— Où ?

Gaïg était perplexe : elle ne voyait rien qui, de près ou de loin, pouvait ressembler à une ouverture, et encore moins à une grotte.

— Alors, c'est que j'ai bien réussi à la dissimuler. Viens, chuchota Zoclette en la tirant en avant.

C'est quand elle eut le nez dessus que Gaïg comprit : l'entrée était effectivement là, devant elle. Les deux parois du fond n'étaient pas au même niveau ; il y en avait une devant et une derrière, séparées par un boyau qui partait sur la droite. De loin, les parois semblaient n'en former qu'une seule. Cette impression était accentuée par les trois couches de pierre qui formaient des strates légèrement inclinées, de couleurs différentes, se prolongeant de part et d'autre. L'orientation vers la droite du tunnel d'entrée donnait l'impression d'une surface unique.

— Comment tu as fait ça ? C'est incroyable, s'écria Gaïg.

— Le travail de la pierre, c'est la spécialité des Nains, je te rappelle, rétorqua Zoclette.

Gaïg examinait le mur du fond, avec ses trois couches de roches différentes : il avait un aspect tout à fait naturel. Elle savait que la Naine utilisait des poudres de pierre pour soigner les gens, qu'elle aimait tout ce qui venait du sol et qu'elle avait une vaste connaissance de tous les constituants du sous-sol. Mais pour obtenir quelque chose d'aussi artistiquement naturel, il fallait être un peu sorcière. Ou fée. Ou Naine.

— Le tunnel allait tout droit, avant, il me semble. Il s'enfonçait directement dans la falaise, non ?

— Oui, *avant*, comme tu le dis si bien. J'ai un peu changé la disposition des lieux.

— Mais comment tu as fait ? Tu as creusé ?

— Les pierres, ça se déplace, ma princesse.

— Oui, les pierres. Mais pas un mur. Pas une falaise. Pas une montagne.

— Eh, qu'en sais-tu ? Tout dépend du temps qu'on est prêt à y passer...

Gaïg regarda Zoclette, se demandant si elle plaisantait.

— Il n'y a pas que ce que tu connais qui existe, ma princesse. Ce monde est bien plus grand que tu ne le crois. Et il est vieux, très vieux. Toutes sortes de choses ont eu le temps d'apparaître et de disparaître. Ce village n'est qu'une infime partie de ce qui existe. Et ce que tu connais est dérisoire, par rapport à ce qui est.

Gaïg se tut. Elle se sentait dépassée. Elle ne savait plus qui était Zoclette, et cette dernière accroissait encore le mystère qui l'environnait. Elle avança, précédée de la Naine qui ne lui avait pas lâché la main, surprise par l'étroitesse du boyau qui l'entourait.

— C'est juste à ma taille, tu vois. Quand tu étais venue, tu étais plus petite, et ça t'avait peut-être semblé plus grand, lui dit Zoclette, comme si elle avait lu dans ses pensées.

Gaïg n'avait pas peur. Elle était seulement stupéfaite. Le conduit n'était pas très long, quelques pas suffirent pour arriver dans une caverne obscure.

— Je ne vois rien, Zoclette.

— Ah bon ? Moi je vois tout, répondit Zoclette, un peu moqueuse. Attends, je reviens.

Elle lâcha la main de Gaïg et s'éloigna. Il ne fallut pas cinq respirations à Gaïg pour se liquéfier sous l'emprise de la peur. Les ténèbres qui régnaient autour d'elle lui semblaient vivantes. Elles avaient avalé Zoclette, et Gaïg n'avait plus aucun repère. Même si elle n'avait pas bougé, elle ne savait plus où elle était. Elle se sentait gelée à l'intérieur, en sueur à l'extérieur, dans l'attente terrorisée d'une suite qu'elle ignorait, mais qu'elle pressentait horrible. Elle s'apprêtait à hurler de terreur et à courir n'importe où, quand Zoclette revint avec de la lumière.

Gaïg, terrifiée, ne dit rien : c'était elle qui avait demandé à visiter la caverne, après tout, et Zoclette n'avait pas été absente longtemps. La Naine lui tendit ce qui semblait un caillou brillant :

— Tiens, c'est une pierre lumineuse. Elle brille dans le noir. Les Nains en mettent dans les cavernes : elles sont parfois disposées en tas, aux intersections. Chacun se sert comme il veut et les dépose quand il n'en a plus besoin. Je n'ai pas voulu en mettre ici, pour décourager les visiteurs indésirables. Je les laisse dans un panier de bambou, à l'entrée, sous une couverture noire. En plein jour, elles ne sont pas différentes des autres roches. Il y en a d'autres plus loin.

L'éclat dégagé était faible, à peine une lueur, mais c'était mieux que rien, pensa Gaïg, rassurée par la présence de Zoclette.

— On s'habitue à tout, ma princesse. Si tu restais assez longtemps ici, tu finirais par y voir comme en plein jour. Après quelque temps, tu te déplacerais aussi bien que moi. L'important, c'est de ne pas avoir peur. Si on s'affole, on est perdu, parce qu'on donne vie à ses propres cauchemars : on s'invente des monstres et on les fait exister. Les cavernes sont vides, en réalité. Bon, il y a les Nains. Mais nous ne sommes pas si nombreux. Il y a quelques rares créatures aussi. Mais pas ici. Pas avec moi.

Les yeux de Gaïg s'habituaient petit à petit à l'obscurité, elle distinguait des formes vagues, mais aurait été bien incapable de les identifier.

— Combien de temps faut-il pour voir dans le noir, Zoclette ?

— Plus tu as peur, plus ça prend du temps, parce que ton imagination te fait voir des choses qui n'existent pas. Si tu es calme et confiante, ça peut aller assez vite. Viens.

Gaïg se demanda s'il y avait un endroit où aller dans ces ténèbres. Pour ce qu'elle en percevait, la grotte de Zoclette ne ressemblait à aucun de ses souvenirs : elle n'était pas si grande, c'était juste une cavité derrière la maison, « pour ranger mes affaires », avait précisé la Naine, quand elle la lui avait montrée la première fois. Gaïg avait l'impression d'un immense espace, mais ses perceptions étaient faussées par la nuit ambiante. « Dommage qu'il n'y ait pas de lune sous terre », pensa-t-elle.

— Je vais te montrer ma deuxième caverne, ma princesse.

— Tu en as une deuxième ? Tu en as trouvé une autre ?

— Une autre, oui, et même beaucoup plus. Cette terre est pleine de trous, comme la mie du pain. Ou une éponge, si tu préfères. Il faut que tu t'habitues aux grottes, ma princesse, c'est important.

— Mais pourquoi, Zoclette ? Je ne suis pas une Naine.

— On ne sait jamais vraiment ce qu'on est, au fond. Et si tu devais voyager sous terre ?

Gaïg ne sut que répondre. Il était rare qu'elle ait le dernier mot avec Zoclette.

— Tu dois faire attention à la température. Cherche toujours le courant d'air froid. Aux intersections, ne prends jamais le boyau qui est tiède, surtout quand il descend, si tu ne connais pas les lieux. Ça te rapprocherait de la roche liquide. Si tu es perdue, choisis toujours le conduit qui est froid, c'est celui qui est le plus susceptible de te ramener à la surface.

— Zoclette...

— Oui ?

— Je ne crois pas que j'irai me promener sous terre sans toi.

Zoclette ne répondit pas. Elle tenait la main de Gaïg et avançait sans hésitation, droit devant elle. Cette dernière se laissait conduire, à la fois confiante et apeurée. Elle pressentait qu'elle serait perdue sans Zoclette, tout à fait incapable d'estimer la température d'un lieu ou la pente d'un chemin dans le noir.

— Nous arrivons. Ferme les yeux.

Gaïg serra docilement ses paupières, se demandant ce que cela changerait. Mais ce n'était pas le moment de contrarier Zoclette, alors qu'elle se trouvait en son pouvoir... Elles firent encore quelques pas.

— Regarde, maintenant!

Gaïg ouvrit les yeux et en eut le souffle coupé. L'obscurité avait disparu, et un spectacle enchanteur s'offrait à elle. Elle comprit en un instant l'amour que Zoclette portait aux grottes. C'était aussi beau que sous la mer. La pierre vivait, elle s'attendait à la voir remuer. Le mouvement était partout, dans les colonnes, les draperies, les stalagmites montant à l'assaut des stalactites.

Charmée par les couleurs, les jeux d'ombres et de lumières, elle mit un moment à s'apercevoir que rien ne bougeait. C'était un monde purement minéral qui se révélait à elle, figé, avec de grandes plages d'obscurité. Les pierres lumineuses avaient été disposées aux endroits clés, là où la nature avait donné libre cours à son imagination, ce qui produisait une impression de vie et de mouvement. En réalité, l'immobilité était totale.

— C'est beau, Zoclette.

— Oui. Mais ce n'est pas partout comme ça. Il y a de tout sous terre. Y compris du danger. Si nous sortions, maintenant?

Elles firent demi-tour et se retrouvèrent dans la première caverne. Gaïg s'aperçut qu'elle avait lâché la main de Zoclette et qu'elle voyait un peu mieux où elle allait. Qu'y avait-il encore dans la grotte? Et ensuite, jusqu'où continuait-elle? Que trouvait-on après? Pourquoi Zoclette la lui montrait-elle seulement maintenant?

7

Gaïg fut saisie par la luminosité qui régnait au dehors. Il faisait encore jour. Sous terre, elle avait perdu la notion du temps, et elle se rendit compte à quel point le déplacement du soleil dans le ciel, son lever et son coucher, l'allongement des ombres sur le sol et l'apparition de la lune ponctuaient ses journées. La lumière du soleil éclairait la terre, et même celle de la lune l'éclairait, quand elle établissait la comparaison avec les ténèbres complètes du monde souterrain.

— Nous ne sommes pas restées absentes très longtemps, tu sais, intervint Zoclette. Sous terre, on a une autre notion du temps, c'est tout. Il s'efface. C'est pourquoi les Nains vivent si longtemps, ils sont comme les pierres, ajouta-t-elle en riant. Mais tu as perdu la parole, ma princesse. C'est incroyable, tu ne me poses même pas de questions. Serais-tu malade ? plaisanta-t-elle.

Gaïg reprenait ses esprits petit à petit. Elle avait l'impression de redécouvrir la surface de la terre, les arbres, les fleurs, les oiseaux, les maisons, les gens, le vent, le bruit : elle n'avait entendu aucun bruit sous terre. Et le soleil : que c'était bon, de retrouver le soleil ! Elle ne s'était jamais rendu compte, avant ce moment, combien elle l'aimait. Dorénavant, elle serait une adoratrice du dieu Soleil. Et de la déesse Lune, également.

Elle avait aussi découvert un aspect ignoré de Zoclette : Nihassah, la Naine née de la Terre, qui pouvait, semblait-il, commander aux pierres.

— Je reviendrai peut-être te voir. Garin et Jéhanne m'attendent, je dois préparer le dîner. Il me faut partir, maintenant. Merci, Nihassah.

C'était la première fois que Gaïg appelait Zoclette par son nom de Naine. Quelque chose avait changé, même si elle ne pouvait expliquer quoi.

Gaïg alla discrètement prendre son matériel de pêche, puis se dirigea vers la mer : elle voulait être seule. Elle retrouverait bien assez tôt les criailleries des villageois, les huées des enfants, les plaintes et les récriminations de Jéhanne.

Elle passa devant sa propre caverne, qu'elle jugeait minuscule maintenant, mais claire et aérée, et remarqua le mouvement dans les buissons. Comme c'était bon, le vent, et le soleil, et la mer, et la lune, et même les bruits environnants.

Y avait-il beaucoup de lacs sous la terre ? Y avait-il des poissons ? Ou d'autres animaux ? Existait-il des mers souterraines ? Y faisait-il toujours aussi sombre ? Comment pouvait-on vivre sans la lumière du jour ? Que mangeaient les Nains ? Où se procuraient-ils la nourriture ? Et les vêtements ? Comment reconnaissaient-ils les différentes roches ? Nihassah avait parlé de la roche liquide. Les Nains allaient-ils très loin, à l'intérieur des montagnes ? Qu'est-ce qu'ils y trouvaient ? Ils forgeaient des armes et des outils d'excellente qualité, que les gens de la surface achetaient très cher. Mais comment avaient-ils commencé ? Qui leur avait montré ce qu'il fallait faire ? Et les bijoux ? Comment ces petits êtres, courtauds et bedonnants, pouvaient-ils réaliser des objets d'une telle finesse ?

Gaïg n'avait pas vu de Nains souvent. Il en passait quelquefois chez Nihassah, rarement, et ils ne semblaient guère désireux de s'attarder ou de lier connaissance. Tout au plus, certains lui jetaient-ils un bref regard intéressé, si Nihassah la présentait. Le plus souvent, Gaïg, par discrétion, s'éloignait d'elle-même afin de laisser son amie avec ses semblables. Elle ne les avait jamais vus arriver ou repartir, peut-être qu'ils voyageaient sous terre...

Ils avaient la peau sombre, les cheveux noirs le plus souvent, les jambes courtes, un peu torses, et une tendance certaine à l'embonpoint. Il était difficile de leur donner un âge, ils avaient tous la même apparence. Les femmes s'habillaient comme les hommes, on avait du mal à les reconnaître dans cet uniforme de marron et d'ocre, aux couleurs de la terre, pensait Gaïg. Elles étaient à peine moins grosses que les hommes, et tout aussi gauches en apparence. Seule l'absence de barbe permettait de les reconnaître, à condition de les voir de face.

Gaïg pêchait, plongée dans ses pensées. Elle vida de façon mécanique les poissons qui s'étaient laissé prendre, et elle accomplit toutes ses tâches de la soirée de la même manière : absente, perdue dans une réflexion rêveuse sur ce peuple qu'elle connaissait si peu. Elle aperçut les enfants du village qui passaient et repassaient devant la cour de la maison, mais ne leur prêta aucune attention : elle savait qu'ils ne l'attaqueraient pas devant Jéhanne et Garin. En général, ils faisaient bien attention à ce qu'il n'y ait aucun témoin, quand ils avaient décidé de lui faire du tort. Guillaumine arborait un sourire narquois en la regardant, imitée servilement par Colombe et Irénice. Gaïg s'en fichait.

Elle avait hâte de retrouver son lit : la journée avait été riche en découvertes. Elle se laissa tomber sur sa couche, exténuée, et rêva de cavernes et de villes souterraines, avec des tunnels et des escaliers innombrables.

Dans son rêve, un Nain, pour le moins inhabituel avec sa peau claire et ses cheveux d'un blond presque blanc, encore jeune, était assis sur une plate-forme couverte d'une multitude de différentes pierres, en haut d'un escalier qui n'allait pas plus loin. Au fond de la plate-forme, sculptée dans un rocher, une statue représentait une Naine en taille réelle, avec cinq Nains adultes, mais de taille inférieure, s'accrochant à sa ceinture. La statue s'adressait à Gaïg dans une langue qu'elle ne comprenait pas. Le Nain blanc saisit alors une pierre opalescente d'un ovale parfait, et la lui tendit. Une fois qu'elle l'eut en main, Gaïg sentit son esprit se modifier. Elle n'aurait pu expliquer ce qui se passait, elle n'était plus la même, c'est tout.

— Wolongo. Wolongo, Filledel'Eau. VoicilaPierredesvoyages. Pourtonpeuple etpour-MonPeuple.

La statue se tut, redevint rocher. Le Nain blanc se leva et descendit l'escalier. Gaïg le suivit, et se retrouva à l'air libre, au pied de hautes montagnes aux sommets enneigés se détachant dans le lointain. Devant elle s'étendait une forêt aux arbres séculaires. Elle savait qu'elle devait la pénétrer, et que l'aventure commençait. Elle se réveilla.

* * *

Le jour commençait à poindre. Gaïg se livra à ses activités habituelles dans un état second. La surveillance d'Ermeline et de Colin lui pesa, elle avait hâte d'arriver à l'après-midi, seul moment de la journée pendant lequel elle pouvait prétendre à un peu de solitude. La sieste s'imposait de plus en plus rapidement à Jéhanne, qui dodelinait de la tête à la fin du repas et s'endormait le plus souvent avant les enfants. Son ventre énorme laissait supposer que sa grossesse était arrivée à terme, elle accoucherait sous peu, remarqua Gaïg. Du travail en perspective...

Gaïg avait l'esprit en ébullition. Les questions se bousculaient dans sa tête, et son rêve lui occupait l'esprit malgré elle. Ça ne semblait guère lui réussir, les visites de grottes en compagnie de Nihassah.

Une fois les corvées ménagères expédiées, elle se dirigea vers sa caverne, désireuse de s'isoler. Elle en avait assez, de cette vie chez Jéhanne et Garin, à s'occuper d'enfants qui n'étaient pas les siens, ni même ses frères et sœurs. S'y ajoutait l'accomplissement de toutes ces besognes quotidiennes qui ne lui valait aucune reconnaissance de leur part. La plupart du temps, elle se faisait gronder, parce que rien n'était jamais assez bien fait pour Jéhanne ou assez rapide ou bon ou joli.

Les regards que lui jetait parfois Garin la gênaient de plus en plus : Gaïg n'était pas totalement ignorante quant à leur signification, et elle ne se sentait pas rassurée en sa présence. Elle l'évitait au maximum, mais ne se faisait guère d'illusion sur le contenu de ses pensées. Elle savait qu'un jour ou l'autre, le plus tard serait le mieux, elle devrait se défendre de lui, et qu'elle devrait gagner dès le premier affrontement, afin d'éviter toute récidive de sa part. Elle n'aurait pas de seconde chance.

Elle fit une première pause au pied de son chêne habituel, pour s'assurer que personne ne la suivait. Elle se recroquevilla en voyant passer Guillaumine, l'air affairé, en compagnie de Clovis et de Béranger. Tiens donc, en grandissant, Guillaumine abandonnait ses suivantes pour des suivants... Une fois le danger écarté, elle s'enfonça dans les buissons, attendit encore, puis marcha vers la caverne.

Le désastre lui sauta aux yeux en arrivant. Tous ses trésors étaient éparpillés par terre, soigneusement brisés : visiblement, ils avaient été piétinés avec minutie. Les coquillages aux reflets nacrés avaient été réduits en poussière, les petits crabes secs n'étaient plus qu'un souvenir, les étoiles de mer séchées étaient cassées, perdues dans les coquilles d'oursins écrasées. Il fallait le savoir marin de Gaïg pour reconnaître ce qui avait été dans ce qu'elle avait sous les yeux.

Son esprit fonctionnait à toute vitesse. Le mouvement dans les buissons, la veille, ce n'était pas le vent. Et les sourires narquois des trois filles, la veille encore, passant et repassant devant la maison, n'étaient pas innocents. Et Guillaumine se promenant dans les environs, il y avait un instant...

Une forte bourrade dans le dos la projeta sur le sol :

— Alors, la Poissonne, ça va? s'exclama Pélage, hilare. Tu contemples tes trésors?

— Oh! tu ne t'es pas fait mal en tombant? s'enquit Guillaumine, l'air faussement inquiet. C'est chouette, cette caverne, comme lieu de réunion. Tu veux bien la partager avec nous, n'est-ce pas? fit-elle semblant de supplier. Et même si tu ne veux pas..., ajouta-t-elle, méprisante, en haussant les épaules.

Colombe et Irénice piétinaient le sol avec une application stupide, pendant que Pélage et Béranger maintenaient fermement au sol une Gaïg qui ne se débattait même pas.

— La Poissonne est muette comme une carpe, lança Guillaumine, ce qui provoqua les rires et les cris de ses comparses.

— Elle ne gigote même pas. Elle étouffe peut-être, mais ce n'est pas l'air qui lui manque, c'est l'eau, insinua Clovis, en lui tirant les cheveux.

— Ou elle étouffe de rage. La Poissonne a la rage, c'est un chien enragé. Quelle poisse, alors! reprit Guillaumine, en enfilant avec des gestes étudiés un collier de coquillages qui avait échappé aux dégâts. Si elle nous mord, elle va nous empoisonner. Hé, la Poisonne!

Gaïg, dans sa stupéfaction et sa détresse, ne réagissait toujours pas. Elle se savait perdante en cas de bataille, seule contre tous, mais ce n'était pas la raison de son inertie. Une chose incroyable se déroulait sous ses yeux, bien au-delà de la réalité du saccage. Une chose qu'elle ne comprenait absolument pas.

Les enfants commençaient à se lasser de son indifférence. Ils avaient espéré des pleurs, des cris, une bataille qu'ils étaient sûrs de gagner, mais qui justifierait les coups qu'ils lui donneraient, une colère monstrueuse et un désespoir profond. Et Gaïg était là, les yeux écarquillés, passive et silencieuse, comme anesthésiée, incapable de réagir.

— Peut-être qu'elle est en train de devenir folle..., émit Béranger en la lâchant. À force de fréquenter la vieille Zoclette...

— Si c'est ça, elle va nous jeter un sort, prévint Guillaumine qui savait toujours tout. Mes parents affirment que Zoclette est une sorcière. C'est pour ça qu'elle est noire.

— Mes parents aussi disent qu'elle fait de la magie, et que ses remèdes viennent du diable qui vit sous la terre, insista Béranger.

— Alors, nous devrions rentrer, avant qu'elle nous transforme en crapauds de mer, suggéra Colombe, apeurée.

Gaïg assista au départ des enfants sans un mouvement, sans un mot. Puis ses yeux se reportèrent sur le Cadeau de la Reine des Murènes, là, sur le sol, scintillant de tous ses feux.

Il lui fallut un moment pour reprendre le contrôle d'elle-même et ramasser le bijou. Elle ne comprenait toujours pas. Pourquoi n'avaient-ils pas pris la bague? Elle était là, au milieu d'eux, jetant mille éclats de lumière parmi les débris: il était impossible qu'ils ne l'aient pas vue.

Que s'était-il passé? Ils n'en avaient pas voulu parce qu'elle lui appartenait? Guillaumine ne s'était pas gênée pour faire main basse sur son collier de coquillages, et Clovis, en partant, s'était approprié une petite branche de corail miraculeusement entière.

Plus rien ne subsistait; son repaire avait été mis à sac, le pillage avait été total et organisé. Mais l'objet le plus précieux de tous, son seul véritable trésor, n'avait pas été dérobé. Le Cadeau de la Reine des Murènes reposait là, sous ses yeux, dans sa petite main palmée.

8

Gaïg quitta son repaire, complètement décontenancée. Ce n'était plus la peine de prendre les précautions d'usage, puisque son secret avait été éventé : sous peu, tout le village aurait visité la caverne, qui deviendrait sans doute un lieu de rendez-vous pour les amoureux.

Comment les autres enfants avaient-ils découvert son refuge ? Par hasard ? En la suivant ? Elle ne le saurait sans doute jamais. Et la même question revenait, insistante et sans réponse : pourquoi n'avaient-ils pas pris la bague ? Cette interrogation effaçait tout le reste : sa cachette dévoilée, la razzia qui avait été faite, le vandalisme de ses tourmenteurs, leur brutalité et leurs moqueries. Pourquoi n'avaient-ils pas pris la bague, alors qu'elle leur sautait aux yeux ?

Gaïg, plongée dans ses réflexions, faillit percuter Garin, qui lui saisit les poignets.

— Hé bien, la Poissonne, tu rêves ? Où as-tu la tête, pour entrer ainsi dans les gens ?

Ramenée brutalement à la réalité, Gaïg se rendit immédiatement compte que Garin avait déjà commencé à boire, et qu'il était un peu ivre. Il lui soufflait une haleine aigre dans le visage, et ses yeux étaient injectés de sang. Sa chemise était ouverte sur un buste poilu d'homme dans la force de l'âge, et ses aisselles dégageaient une puissante odeur de sueur. Gaïg, au bord de la nausée, essaya de se libérer, mais il la maintint avec force.

— Lâche-moi. Tu es soûl.

— Pas encore. Seulement un peu. Laisse-toi faire.

Garin la poussa vivement, dos contre le chêne, entre deux nœuds du tronc. « Cette fois, ça y est, pensa Gaïg. Comme si j'avais besoin de ça maintenant. » La peur explosa en elle. Elle se contorsionnait, tout en sachant qu'elle ne ferait pas le poids. Le chemin était désert, et Garin, appuyé contre elle, la coinçait fermement contre l'arbre.

Gaïg n'avait aucune arme, elle sentait que la situation lui échappait. Un épouvantable sentiment d'impuissance l'envahit. Elle ne s'en sortirait pas par la force, il lui fallait ruser et gagner du temps.

— Regarde, Garin, j'ai un cadeau pour Jéhanne. Si tu me laisses, je te le donne, et tu pourras le lui offrir le jour de la naissance de ton enfant.

Garin proféra un « quoi ? » qui était davantage le résultat d'une curiosité momentanée que le désir de porter attention au marché qui lui était proposé.

— Ma bague. Je l'ai trouvée dans la mer. Lâche-moi la main, si tu veux la voir.

Garin lui libéra les mains, appuyant les siennes contre le tronc, de chaque côté de Gaïg. Il ne voyait rien. La Poissonne agitait sa main devant son visage, comme si elle faisait miroiter un anneau qu'elle n'avait pas.

— Regarde, elle est belle, hein ? Je te la donne si tu me laisses partir.

Gaïg, tremblant de tous ses membres, montrait la bague à Garin et s'étonnait de son regard vide. Il était peut-être plus ivre qu'elle ne l'avait jugé au premier abord, incapable de faire la différence entre un chat et un chien. Le bijou scintillait dans la lumière, et Gaïg se résignait, la mort dans l'âme, à l'abandonner. C'était peut-être la raison d'être du cadeau de la Reine des Murènes : la sortir d'une situation inextricable, la protéger des autres, la sauver, en un mot.

— Tu te paies ma tête ou quoi ? Où est-elle, cette bague ? s'exclama Garin en la secouant violemment.

Sa vision avait beau être floue, il ne voyait absolument rien. Il devait mobiliser toute son énergie pour se concentrer, et avait un peu relâché sa pression sur Gaïg. « C'est le moment ou jamais, dit une voix dans sa tête. Pousse-le avec les deux mains, de toutes tes forces, et fuis. Va chez Nihassah. »

Sans réfléchir, Gaïg, en appuyant son dos sur le tronc du chêne, posa fermement ses deux mains sur la poitrine velue de son agresseur, et poussa avec l'énergie du désespoir, tout en se baissant rapidement pour passer sous son bras. Elle entendit un étrange hurlement de douleur quand elle le toucha, mais ce n'était pas le moment de chercher des explications. Elle s'élança et prit ses jambes à son cou, afin de s'éloigner le plus vite possible.

Gaïg détala sans se retourner, sans s'arrêter pour reprendre son souffle. Ne sachant pas si Garin la poursuivrait ou non, elle profitait de ces quelques secondes d'avance pour mettre de la distance entre elle et lui. Mais pourquoi avait-il crié ainsi quand elle l'avait touché ? Il n'était pas encore tombé, il ne pouvait avoir heurté quelque chose sur le sol. Quel porc, quand même. Elle n'avait que dix ans. Et sa femme, enceinte, était sur le point de mettre au monde leur troisième enfant. Non, c'était fini, elle ne reviendrait plus chez eux. Pour elle, le temps était venu de partir. Les pensées défilaient à une vitesse folle dans la tête de Gaïg, tandis qu'elle galopait.

Elle était à bout de souffle quand elle arriva chez Nihassah, elle avait l'impression que ses poumons allaient éclater. Garder son souffle sous l'eau en étant immobile ou en nageant doucement n'avait rien à voir avec l'effort qu'elle venait de fournir. Peut-être qu'elle aurait dû se sauver dans la mer, après tout, c'était plus près, et il ne l'aurait pas suivie dans l'eau. Pourquoi était-elle venue ici ? Ah oui, la voix… Sans doute l'instinct de survie, qui lui avait dicté ce qu'elle devait faire.

De toute façon, où aurait-elle pu aller ? Pour rien au monde, elle ne serait retournée chez Garin et Jéhanne, et son seul refuge, sa caverne, n'en était plus un. Elle pourrait partir tout de suite, mais elle voulait voir Nihassah avant.

— Nihassah ! Nihassah ! Où es-tu ?

Personne ne répondit. Et si Garin arrivait ? Elle ne pouvait rester là, il lui fallait absolument se cacher. Elle tambourina à la porte de la maisonnette, et s'aperçut qu'elle n'était pas fermée à clé. Vu les circonstances, Nihassah lui pardonnerait cette intrusion. Mais même la maison ne lui paraissait pas un lieu assez sûr. Gaïg se dirigea vers le mur du fond, saisissant au passage une pierre lumineuse dans le panier de bambou, et s'engouffra dans le noir. Elle ne voyait pas grand-chose dans l'obscurité, mais elle avait une priorité : se cacher pour échapper à Garin. Il était capable de la poursuivre jusqu'ici, pensait-elle en s'enfonçant dans la caverne. Peut-être qu'en continuant tout droit, elle arriverait à la deuxième caverne... Elle se sentirait plus en sécurité. Mais c'était où, tout droit ?

Gaïg se laissa tomber sur le sol, exténuée. Elle ne voyait rien, la lueur dégagée par la pierre était dérisoire. Pourtant, les ténèbres ne l'effrayaient plus : elle craignait Garin bien davantage. Elle entendait sa respiration essoufflée, son cœur qui battait la chamade dans sa poitrine, et les larmes commencèrent à couler. En silence, abondamment, sans discontinuer. Elle avait fait front tout l'après-midi, montrant une résistance peu commune pour son âge, mais elle avait atteint ses limites. Il lui semblait qu'elle n'aurait pas assez de toute la vie pour pleurer. L'horreur de ce qu'elle venait de vivre s'imposait à elle, et elle n'avait d'autre recours que les larmes pour se calmer.

Elle sanglota longtemps, sans aucune notion du temps. Où était Nihassah ? Pourquoi ne venait-elle pas ? Pourquoi les enfants n'avaient-ils pas pris la bague ? Et Garin, on aurait dit qu'il ne la voyait pas... Pourquoi avait-il crié aussi fort ? Gaïg, épuisée, l'esprit bouillonnant, s'endormit sur ces questions en contemplant, les yeux mi-clos, son bijou qui luisait dans le noir.

9

— Gaïg, ma chérie, réveille-toi. Allez, ma princesse, réveille-toi. Il faut partir.

Gaïg émergea en sursaut d'un sommeil encore rempli de grottes, de Nains, de monstres velus la poursuivant et de bagues brillant dans l'obscurité. Nihassah la secouait gentiment. Elle avait posé une couverture sur elle. Gaïg n'eut pas besoin de beaucoup de temps pour retrouver ses esprits : les souvenirs affreux du jour précédent lui revinrent immédiatement en mémoire.

— Oh, Nihassah, si tu savais. Ils ont découvert ma caverne. Ils ont tout détruit. Et Garin a essayé de...

Elle ne put continuer. Elle éclata en sanglots. Des tremblements nerveux l'agitaient.

— Du calme, ma princesse. Tu me raconteras après. Il faut partir. J'ai tout préparé.

La Naine, apparemment très calme, attendit que Gaïg se lève, et l'entraîna en silence vers ce qui devait être la deuxième grotte.

— Mais où m'emmènes-tu ? Ce n'est pas là, la sortie. Je veux partir, Nihassah, je veux quitter ce village. Je n'y resterai pour rien au monde. Je suis assez grande, maintenant.

— Tu la sens, cette odeur de fumée ? Ils ont mis le feu à ma maison. Elle a beau être en pierre, le toit est en paille, il y a du bois, et les plantes séchées font un excellent combustible. Sous peu, la chaleur et la fumée rempliront les lieux.

— Mais pourquoi ont-ils mis le feu, Nihassah ? C'est à cause de moi, n'est-ce pas ? conclut Gaïg d'une voix étranglée.

— Oh, pas seulement. Ils en ont après moi, aussi. Ça couvait depuis longtemps.

— Où allons-nous ? Nous sommes prisonnières, n'est-ce pas ? Comment sortirons-nous ?

— Calme-toi, ma princesse, fais-moi confiance. Je t'expliquerai tout dans la deuxième caverne. Elle est bien jolie, ta bague, ajouta-t-elle malicieusement.

Gaïg sursauta. Elle commençait à croire que cette bague que personne ne semblait voir n'existait que dans son imagination.

— Tu la vois ? demanda-t-elle, interloquée. C'est un cadeau de la Reine des Murènes, crut-elle bon d'ajouter.

Elles étaient arrivées dans la deuxième cavité. Nihassah avança encore un peu et s'arrêta près de deux sacs de toile posés sur le sol, au pied d'une colonne de pierre. Elle posa sur Gaïg un regard grave.

— Bien sûr que je la vois, ma princesse. C'est du Nyanga, le Minerai sacré des Nains. Les Hommes ne peuvent pas le voir. Attends-moi ici.

Gaïg, baignant dans la noirceur depuis la veille, distinguait un peu mieux ce qui l'entourait. Elle vit la Naine revenir sur ses pas et s'arcbouter contre un énorme rocher devant l'entrée. Sous les yeux ébahis de Gaïg, elle poussa ce dernier qui se déplaça lentement, avec un crissement exaspérant, et elle l'inséra dans l'ouverture. Il obturait l'accès de la deuxième caverne.

— C'est de la pierre ponce, ma princesse, c'est léger. C'est la seule pierre qui flotte sur l'eau. C'est bien pratique, tu vois. Ça nous protégera de la fumée.

Gaïg comprit que le rocher ne jouait pas seulement un rôle protecteur contre la fumée : l'absence de lumière était un élément fondamental pour dissimuler le passage et ce roc différent des autres. Personne ne pouvait deviner, même avec une torche pour éclairer, qu'il y avait là une trouée.

— Quand la partie du toit qui est contre la falaise aura brûlé, il y aura un effondrement devant l'entrée de ma grotte. Les poutres de la toiture se prolongent profondément dans la falaise : elles se consumeront dans la roche, qui deviendra creuse et ne pourra supporter son propre poids. Ce ne sera que de la caillasse, mais il y en aura beaucoup... Énormément. Une fois que la végétation aura repoussé, bien malin celui qui saura ce qu'il y a derrière... Ça ne devrait pas tarder...

Gaïg se taisait. C'en était trop, pour elle. Elle constatait, quelque part au fin fond de sa conscience, qu'elle était enfermée sous terre, prisonnière, et cette idée lui semblait tellement effrayante qu'elle ne voulait pas l'envisager. Trop de choses arrivaient en même temps, et elle ne pouvait pas les assimiler, d'autant plus qu'elles étaient, pour certaines, parfaitement incompréhensibles. Penser qu'elle était enterrée vivante en compagnie de Nihassah lui paraissait incroyable. Pourquoi Nihassah agissait-elle ainsi ? Gaïg ne voulait pas mourir. Pas encore. « La mort, c'est pour les vieux, se dit-elle. Mais pas moi. Pas maintenant. Je préfère encore affronter le village tout entier, et même Garin. » Les idées se bousculaient dans sa tête, elle ignorait si elle avait chaud ou froid, mais elle avait soif, et peut-être même faim, n'ayant rien avalé depuis la veille. Et sa bague était faite de Nyanga, elle le savait maintenant.

— Nous sommes un peu plus en sécurité, ici. Ça va mieux, ma princesse ? Tu as beaucoup dormi, tu sais.

Comme Gaïg se taisait, incapable d'articuler une parole, Nihassah continua.

— Il s'est passé des choses pendant que tu dormais. Jéhanne a accouché dans l'après-midi : trois enfants d'un seul coup. Deux garçons : Féodor et Victoric, et une fille. Elle n'a pas survécu, pauvre petite chose. Garin est rentré fou furieux : j'ai reconnu la brûlure du Nyanga sur sa poitrine. C'est toi qui la lui as faite, je suppose. Le décès de sa fille a mis le feu aux poudres : il a décrété que c'était de ta faute, que tu portais la guigne, puis il s'est retourné contre moi, en me traitant de sorcière et de diablesse. Il m'a mise à la porte sauvagement. Je pense qu'il était surtout effrayé par l'idée d'avoir des jumeaux : deux bouches de plus à nourrir !

« Je rentrais à la maison, quand Fréjus est venu me chercher pour Guillaumine, qui avait failli se noyer. Elle certifiait que c'était à cause de toi, que tu l'avais tirée par les pieds sous l'eau. Pour elle, tu voulais te venger, parce qu'elle avait découvert ta caverne, et la faire disparaître sous l'eau. Elle assurait que tu portes malheur au village et qu'il fallait te chasser, et moi aussi par la même occasion. On nous accuse de beaucoup de choses, ma princesse. J'ai quand même passé une partie de la nuit auprès d'elle, pour essayer d'arranger les choses, en allant voir Jéhanne de temps en temps, puisque Garin dormait, comme la brute qu'il est.

« Ce matin, en sortant dans le village pour rentrer chez moi, j'ai compris que la situation se gâtait : les esprits avaient travaillé pendant la nuit, et nous étions de trop. Les gens me jetaient de drôles de regards, ils avaient l'air de conspirer... Ça devenait dangereux, il nous fallait partir. Je t'ai cherchée un peu partout, et puis j'ai eu l'idée de venir ici. »

Gaïg écoutait de toutes ses oreilles, essayant d'imaginer l'enchaînement d'événements qui l'avait rendue prisonnière de la grotte. La situation avait évolué très rapidement.

— Je n'ai pas essayé de noyer Guillaumine, se justifia-t-elle. Et Garin a voulu...

Elle s'arrêta. Elle n'en pouvait plus. Les larmes avaient recommencé à couler, intarissables, lourdes et silencieuses.

— Tiens, bois ça, ma princesse, ça te fera du bien. Tu vas manger un morceau, et on partira.

— Mais où veux-tu aller, Nihassah ? Nous sommes prisonnières.

Gaïg était désespérée, mais elle accepta la nourriture.

Il lui sembla soudain sentir une vibration dans le sol même de la caverne.

— Qu'est-ce que c'est ? demanda-t-elle, en sursautant.

Le bruit tonitruant qui l'avait surprise continuait, en s'amenuisant.

— C'est l'éboulement. J'attends un moment, pour que les poussières retombent un peu, et j'irai voir.

Du coup, Gaïg ne pouvait plus rien avaler de solide. Malgré ses efforts pour avaler, elle sentait une boule lui obstruer la gorge. C'était fini, elle n'était plus en mesure de sortir, elle était enterrée vive. Nihassah, comme si elle ne se rendait pas compte de l'horreur de la situation, se leva et se dirigea vers l'entrée. Elle déplaça l'énorme pierre ponce qui bloquait le passage, et avança dans la nuit de la première grotte. Avec horreur, Gaïg entendit alors le fracas confus de ce qu'elle reconnut comme un deuxième éboulement, en même temps qu'un cri étouffé, puis plus rien.

10

À défaut de le voir, Gaïg sentit le déplacement du nuage de poussière qui envahissait la seconde caverne. Elle essayait de se convaincre qu'elle n'avait pas entendu crier, mais elle savait que c'était peine perdue : il y avait bel et bien eu un deuxième éboulement, et Nihassah avait jeté un cri. Elle se leva lentement, presque à contrecœur, et vint se placer près de l'entrée.

— Nihassah ? Nihassah ?

Seul le silence lui répondit. Gaïg sentait la poussière de roche en suspension dans l'air qui s'introduisait dans ses narines. Elle éternua et fit quelques pas en avant.

— Nihassah ! Tu es là ? Où es-tu ?

Un gémissement se fit entendre, en face d'elle. Gaïg, sous l'emprise de l'émotion, ne voyait plus rien. Elle percevait confusément le scintillement de la bague dans l'obscurité. Comment pouvait-elle briller ainsi, alors qu'il n'y avait pas la moindre lueur autour d'elle et que la situation était désespérée ?

Une plainte émergea de sous les décombres.

— Nihassah ! Je te cherche, mais je ne vois rien. Où es-tu ?

— Ici, ma princesse. À tes pieds.

Gaïg se pencha pour tâter le terrain et rencontra un bout de tissu. Elle continua en tâtonnant, et devina les contours de ce qui devait être le corps couvert de gravats de Nihassah. Sans un mot, elle se dépêcha d'ôter les cailloux afin de dégager son amie qui ne bougeait pas. Elle se leva pour aller chercher sa couverture et les sacs : il ne fallait pas que Nihassah se refroidisse, et peut-être qu'un peu d'eau l'aiderait à se remettre. Mais qu'il faisait sombre ! Si seulement sa bague brillait davantage ! Juste de quoi l'éclairer un peu...

Comme cette pensée lui traversait l'esprit, elle distingua plus nettement les choses autour d'elle : l'éclat de l'anneau semblait avoir augmenté de façon sensible. « Merci, la bague », fut tout ce qui lui vint à l'esprit. Le temps pressait, elle réfléchirait après.

Il n'y avait aucun bruit autour d'elle et rien n'arrivait du dehors. L'obscurité s'était transformée en pénombre, et elle se dirigea sans hésitation vers la colonne de pierre au pied de laquelle se trouvaient les sacs et la couverture. Elle saisit ces derniers et revint auprès de Nihassah.

— Attention, je vais te recouvrir, chuchota-t-elle. Nihassah, tu m'entends ?

Avec mille précautions, elle posa le tissu sur le corps de la Naine : elle n'osait pas la bouger. Il valait mieux attendre qu'elle ait repris ses esprits. Nihassah étant guérisseuse, elle saurait ce qu'il était recommandé de faire. Sauf si elle était... Mais non, ce n'était pas possible, on ne meurt pas ainsi ! C'était la deuxième fois que Gaïg pensait à la mort. Une angoisse profonde l'envahit à cette idée ; elle se pencha sur le buste de son amie et écouta. Nihassah respirait.

— Nihassah, je suis là, ne t'inquiète pas. Je vais te sauver. Il suffit de creuser un tunnel dans les pierres qui sont tombées. Je vais aller chercher du secours. C'est tout près, dehors. Il n'y a que quelques roches. Je vais les déplacer.

Gaïg s'apprêtait à se lever pour commencer son travail de fourmi quand un faible mouvement de Nihassah l'arrêta.

— De l'eau, s'il te plaît, chuchota cette dernière.

Gaïg prit une gourde dans le sac et lui versa un peu d'eau entre les lèvres, en soulevant avec précaution sa tête. Peut-être qu'elle avait le cou cassé... Ou les deux jambes... Ou les deux bras... Gaïg luttait contre la panique, elle refusait de toutes ses forces la réalité qu'elle entrevoyait : deux enterrées vivantes, dont une grièvement blessée, qui allait mourir, peut-être... Elle ne voulait pas s'appesantir sur toutes les idées abominables qui surgissaient dans son esprit angoissé. Elle creuserait, elle s'userait les mains jusqu'au sang s'il le fallait, mais elle dégagerait l'entrée et... non, les villageois ne refuseraient pas de leur porter secours, quand même, ce serait trop affreux... Une partie de l'eau se répandait sur les joues de Nihassah, qui en absorbait un peu en même temps. Un moment s'écoula, dans le silence. Gaïg sentait son esprit tendu comme la corde d'un arc. Il ne tenait qu'à elle que Nihassah survive. Il était en son pouvoir de la sauver, il suffisait de le vouloir vraiment. Nihassah était son unique amie, la seule personne à s'être jamais intéressée à elle dans ce village de fous, elle ne la laisserait pas périr. Et elle se sauverait en même temps.

— Ça va mieux, Nihassah ? Je vais commencer à creuser. Ça sera long, mais j'y arriverai.

— Non, ma princesse, pas par là. Tu vas aller chercher du secours chez les Nains.

— Chez les Nains ? Dans la terre ? s'écria Gaïg, incrédule.

Le désespoir la submergea : son amie délirait. C'était la fin. Gaïg sentit une grande lassitude l'envahir, une sorte de résignation avec un fond de révolte. Son univers, déjà si instable, avait basculé en l'espace d'un jour, et sa colère était impuissante à changer la situation. Tant pis, elle creuserait quand même : il valait mieux mourir d'épuisement que rester là, sans rien tenter, dans l'attente de la fin.

— Oui, chez les Nains. À Jomo. C'est à deux jours de marche. Tu comptes le temps avec les nuits, quand tu dors.

Nihassah, épuisée, avait du mal à articuler.

— C'est toujours tout droit. Dans les tunnels, tu ne peux pas te perdre, il n'y a qu'un seul chemin, même s'il serpente. En général, les intersections sont dans les cavernes. C'est là qu'il ne faut pas te tromper. Tu suis la rivière.

Elle se tut. Gaïg, interdite, ne trouvait rien à dire. C'était comme ça qu'on mourait ? On avait mal physiquement, puis on perdait la tête ?

Pauvre Nihassah. Les larmes inondèrent son visage, sans qu'elle fît rien pour les retenir. Au moins pouvait-elle accompagner son amie dans ses derniers moments, malgré l'effroi qui l'enveloppait.

— Je suis là, Nihassah. Je suis avec toi. Je ne t'abandonnerai pas.

La Naine, comme si elle lisait les pensées de Gaïg, se redressa imperceptiblement. Gaïg vit qu'elle avait les yeux grands ouverts dans le noir et qu'elle la fixait gravement.

— Tout droit, je te dis. Ne tourne ni à droite ni à gauche dans les cavernes. Suis la rivière. Il y aura deux grands lacs souterrains. Ne t'y baigne pas. Tu arrives au premier par un escalier qui descend : c'est le lac de Fary. Le sentier contourne le lac par la gauche. Il y aura des galeries sur la gauche, ne les prends pas. Continue jusqu'au deuxième escalier, et monte. Tu dormiras après. Le second lac, c'est celui de Fikayo : tu le traverses sur les rochers qui émergent. Ça serpente un peu, mais tu n'auras pas de choix quant à la direction, et tu arriveras en face. Ne te baigne pas dans les lacs. Le village n'est pas très loin.

— Repose-toi, Nihassah. Ne parle pas, ça te fatigue. Je resterai avec toi. Je creuserai quand tu te seras endormie.

— Gaïg...

Nihassah ne put continuer, elle avait déjà trop parlé. Gaïg réfléchissait : elle avait beau analyser le discours de son amie, elle ne pouvait lui accorder le moindre crédit. Nihassah délirait, elle avait dû recevoir un coup sur la tête, et elle revivait, comme dans un rêve, des itinéraires de son enfance. Gaïg s'allongea contre elle, à même le sol, pour lui tenir chaud. Dire que Nihassah avait l'air si sérieux, si convaincu, dans son délire.

— Tu dois y aller, ma princesse. Maintenant. J'ai une jambe cassée, je pense. Prends le petit sac, et laisse-moi l'autre, ici, tout près. Crois-moi. Il y a un chemin qui mène à mon village souterrain, où tu pourras trouver de l'aide. Va. Toujours tout droit. Suis la rivière quand elle est là. Méfie-toi quand même.

Nihassah s'arrêta. Gaïg comprit que son amie était sérieuse, qu'elle n'avait pas perdu la tête, et qu'elle voulait vraiment l'envoyer chercher du secours dans un village de Nains, à des lieues de là, sous la surface de la terre. Une sueur froide lui coula dans le dos, entre les omoplates, et la glaça instantanément. Elle était partagée entre ce que lui dictait sa raison, à savoir qu'elle n'était pas une Naine, qu'elle ne serait jamais capable de se déplacer sous terre, que c'était la mort assurée, et le désir de sauver son amie.

— Va, Gaïg. Il n'y a pas d'autres solutions. L'éboulement est trop important. J'attendrai ici, il y a des vivres dans le sac. Et des plantes médicinales. Tu peux manger ce qu'il y a dans le tien.

Nihassah insistait. Gaïg se disait que mourir sur place ou mourir en allant chercher de l'aide, ça revenait au même. Il valait peut-être mieux rester avec son amie.

— Le Nyanga t'aidera, ma princesse.

Ce fut cette petite phrase qui décida Gaïg, peut-être parce qu'elle lui fit penser à la Reine des Murènes, à la mer, à la vie.

11

Gaïg embrassa tendrement la Naine. Elle avait le cœur serré, une boule dans la gorge qui la gênait pour respirer, et aucune parole ne pouvait sortir.

— Je vais essayer, fut tout ce qu'elle réussit à articuler.

Elle contempla son amie allongée dans le noir sur le sol, au milieu des pierres, avec une jambe cassée. Elle n'avait pas vraiment le choix...

Elle saisit le plus petit sac, rapprocha l'autre de Nihassah, et se pencha une dernière fois sur elle pour l'embrasser.

— Au revoir, Nihassah.

— Va. Tu peux le faire, j'en suis sûre, dit Nihassah. Ma princesse..., ajouta-t-elle dans un murmure rempli d'affection.

Gaïg sentit les larmes lui monter aux yeux, pendant que la boule augmentait de volume dans sa gorge. Elle s'éloigna pour ne pas laisser éclater son désespoir devant Nihassah.

La traversée de la deuxième caverne lui sembla trop courte. Très vite, elle se retrouva devant l'entrée d'une galerie, dont elle ne supposait même pas l'existence un moment plus tôt. Elle s'y engagea d'une démarche qu'elle voulait décidée, presque rassurée par l'étroitesse du boyau qui l'enveloppait, la pierre lumineuse à la main. Mais elle ne voyait pas très loin devant elle et, presque tout de suite, elle ralentit l'allure. Elle posait un pied devant l'autre, tâtant le terrain avant de s'engager. En écartant légèrement les bras, elle sentait les parois de la galerie, froides et minérales. La voûte du tunnel était assez basse, à hauteur de Nain : un homme normal qui voudrait s'y engager devrait se courber. Gaïg ne pouvait s'empêcher de rentrer la tête dans les épaules et de se pencher en avant, même si elle n'atteignait pas le plafond en se tenant droite. Il était si proche... Le sac qu'elle portait en bandoulière sur le côté raclait la muraille, et elle le fit glisser dans son dos. Ce n'était pas facile de progresser ainsi à l'aveuglette, sans savoir ce qu'il y avait devant. Elle ne voyait pas très loin, et les ténèbres commençaient trop près à son gré. Il y avait peut-être des bêtes...

L'affolement gagnait Gaïg. Non, c'était impensable, jamais elle ne pourrait accomplir ce que Nihassah lui avait demandé. Elle s'arrêta, accablée par l'ampleur de la tâche qui l'attendait. Une angoisse insurmontable s'était emparée d'elle et lui coupait la respiration. Elle se sentait complètement nouée à l'intérieur d'elle-même, incapable d'avancer.

Gaïg se redressa et respira consciemment un grand coup. Peut-être serait-il plus sage de faire demi-tour, et de creuser un chemin vers l'extérieur ? Si elle revenait en arrière, Nihassah comprendrait. Elle n'était pas une Naine, elle ne pouvait se déplacer dans le noir, sous terre, dans un réseau de galeries dont elle ignorait tout...

Elle se demanda combien de temps il lui faudrait pour creuser un tunnel. En espérant que le dessus ne s'effondre pas au fur et à mesure... Sans doute Nihassah avait-elle raison : il y avait trop de caillasse, et elle ne pourrait jamais en venir à bout en deux jours, le temps nécessaire à l'acheminement vers le prochain village. Mais en quatre ? Après tout, il fallait compter deux jours aussi pour revenir auprès de Nihassah. En quatre jours, elle aurait eu le temps de dégager une ouverture dans l'éboulis. Mais les Nains connaissaient leurs galeries, et ils lui porteraient secours en moins de deux jours.

Comment comptait-on les jours, sous terre ? Avec les nuits, avait dit Nihassah, quand on dort. Drôle de manière, dans cet univers sans lune et sans soleil... Il fallait espérer que ce n'était pas simplement une sieste qu'on avait faite...

Gaïg avançait, en frôlant les parois du boyau. C'était un peu rassurant de les sentir là : elle ne pouvait pas se perdre. Nihassah avait dit : « Toujours tout droit ». Mais comment ferait-elle, pour savoir ce que serait « tout droit », dans les cavernes ? Y en aurait-il beaucoup ?

Maintenant, c'étaient les grottes qui lui faisaient peur, avec leur espace, leur vide, leur absence de repères. Elle pouvait se tromper et se perdre, ignorant si, dans le noir, elle avait progressé en ligne droite. Elle en vint même à craindre une attaque : rien ne disait qu'il n'y avait pas des monstres ou des animaux dans les cavernes... Des insectes velus avec un dard empoisonné sur les murs, des reptiles venimeux dans les anfractuosités... Elle serra les bras contre son corps, essayant de ne plus effleurer les parois du passage.

Le sol avait changé sous ses pieds. Elle se fit la réflexion que ce n'était plus du sable et des cailloux, mais de la pierre nue. Les murs étaient tour à tour relativement lisses ou rugueux, avec parfois des aspérités qui l'égratignaient légèrement: elle était de corpulence plus large que Nihassah. Mais Nihassah n'était peut-être pas représentative du peuple des Nains. Est-ce qu'elle reverrait la lumière du soleil, un jour?

La peur l'envahit de nouveau. Tout ça n'avait pas de sens. Elle marchait depuis un moment déjà, mais il était impossible d'estimer la distance parcourue. Elle savait seulement qu'elle ne se déplaçait pas très vite. Nihassah était blessée, il fallait lui porter secours, sans délai. Elle devait continuer et avancer le plus loin possible. Courir dans le noir? Il ne fallait pas y songer. Comment repérerait-elle les obstacles?

Les idées défilaient à toute vitesse dans sa tête, mais elle ne pouvait se concentrer sur aucune. Et si son cerveau fonctionnait à plein régime, son corps, lui, tournait au ralenti. Elle posait soigneusement un pied devant l'autre, inspectait les alentours, du moins ce qu'elle en percevait, et recommençait.

Gaïg constata avec surprise qu'elle voyait légèrement mieux depuis un moment. Ce n'était pas le grand jour, évidemment, mais ce n'était pas non plus l'obscurité totale. Elle ne distinguait rien devant elle, parce qu'il n'y avait rien à voir. Enfin... Elle n'en savait rien. Elle discernait les parois du tunnel quelques pas en avant. C'était drôle, cette bague qui lui avait obéi. Que se passait-il avec elle?

Elle regarda sa main. Pourtant, le bijou n'avait pas changé: il émettait une lueur diffuse, venue de sa matière même, puisqu'en l'absence de source de lumière extérieure, on ne pouvait lui attribuer de pouvoir réfléchissant. Peut-être que ce n'était pas lui qui avait éclairé la caverne tout à l'heure. Pourtant, elle avait clairement noté une différence, quand elle lui avait «parlé». Peut-être que ce n'était pas le joyau qui avait changé, mais sa vue à elle. Sa vision s'était affinée, elle en était sûre. Nihassah avait dit aussi que le Nyanga l'aiderait. Peut-être qu'il était magique...

Gaïg avait peu de connaissances en matière de magie. Elle savait que ça existait, mais dans sa tête, c'était pour les autres : des mages puissants vêtus de somptueuses robes brodées d'or et vivant dans les tours fortifiées de châteaux lointains et inaccessibles. Ce n'était pas pour tout le monde, la magie, et sûrement pas pour elle.

Pourtant, en y réfléchissant, il s'était passé de drôles de choses : la bague s'était toujours adaptée au doigt dans lequel elle le passait. Les enfants ne l'avaient pas ramassée, comme s'ils ne l'avaient pas vue. Garin non plus ne semblait pas la voir, et elle l'avait brûlé, selon les dires de Nihassah. C'était donc ça, l'explication de son cri... Et cette voix, dans sa tête, qui lui avait dicté ses actions...

Gaïg s'arrêta et regarda l'anneau. Il luisait dans l'obscurité, mais elle n'aurait pas pu affirmer que son éclat avait augmenté. Peut-être qu'il avait un effet sur ses perceptions à elle, tout simplement.

Est-ce qu'elle entendait mieux ? Mais entendre quoi ? Il n'y avait aucun bruit. Gaïg fut tout à coup saisie par l'immensité du silence environnant et se rendit compte que sous terre, c'était le bruit qui devenait inquiétant, puisqu'il signifiait une présence. Peut-être que la bague n'avait aucun effet sur elle, et qu'elle s'était imaginé tout cela... Non, elle n'avait pas rêvé, elle en était sûre.

Elle se laissa glisser lentement sur le sol et enleva l'anneau de son doigt. Elle l'examina en pensant à la Reine des Murènes. Elle ne la reverrait sans doute jamais. Pourquoi le lui avait-elle donné ? Elle découvrit que de penser à la mer la calmait : elle ressentait un apaisement certain à visualiser les fonds sous-marins. Les algues, les rochers, les poissons, le poulpe à sept tentacules et demi, les crabes, les oursins, les coquillages : comme tout cela était loin, maintenant. Est-ce qu'elle se baignerait de nouveau, un jour ?

La mer avait été son univers depuis son plus jeune âge. Elle pensa à Nihassah qui l'avait découverte sur le rivage. Elle lui devait la vie. Si elle voulait lui porter secours, ce n'était pas en s'asseyant par terre qu'elle le ferait. Elle jeta un coup d'œil rapide dans son sac, saisit la gourde et but quelques gorgées. Elle pressentait qu'aucune nourriture solide ne passerait encore.

Elle se releva et commença à cheminer : elle s'arrêterait quand elle aurait faim. Peut-être qu'elle devrait se concentrer sur les fonds sous-marins, au lieu de laisser s'épanouir son imagination, si fertile. Nihassah avait bien dit que sous terre, on donnait vie à ses propres cauchemars, qu'on s'inventait des monstres et qu'on les faisait exister.

C'était exactement ce qu'elle avait fait, finalement. Toujours selon Nihassah, les cavernes étaient vides. Enfin, presque... Mais elle n'allait pas recommencer à se représenter toutes sortes d'êtres malfaisants, embusqués dans de sombres anfractuosités avec l'intention de l'attaquer.

Gaïg se sentait ragaillardie, ses enjambées augmentèrent, et elle progressa dans un rêve: elle nageait sous l'eau, absorbée par l'exploration d'une cavité sous-marine. Elle ne sentait même pas la fatigue : l'eau la portait. Elle parcourut ainsi une bonne distance, examinant les parois de la galerie au fur et à mesure qu'elles émergeaient de l'ombre, les décorant à son gré d'algues et d'anémones de mer.

Leur aspect changea assez brutalement, laissant apparaître des irrégularités qui ne pouvaient être que naturelles. Le plafond était légèrement plus haut, et ce qui avait été un boyau pour Nains se transformait en un tunnel aux parois un peu plus espacées. Le sol devenait inégal, les accidents du terrain se multipliaient, et les cailloux roulaient sous ses pieds. En fait, les Nains devaient utiliser comme point de départ un réseau de failles et de galeries naturelles, qu'ils élargissaient selon les besoins, quitte à creuser un tunnel pour se rendre en un lieu précis. Gaïg se doutait qu'elle déboucherait sous peu dans une caverne. Elle avançait, c'était le principal.

Elle ignorait depuis combien de temps elle marchait, et elle ne perçut pas tout de suite le bruit. Il devait se faire entendre depuis un moment, étant donné son intensité. Il était maintenant assez fort pour que Gaïg distingue sans hésitation le clapotis d'une eau s'écoulant sur des rochers. La rivière. Nihassah lui avait dit: « Suis la rivière. » Elle était donc sur la bonne voie. Il est vrai qu'aucune alternative ne s'était présentée à elle depuis le début de sa progression, elle avait simplement suivi le boyau. Mais elle trouva agréable ce premier repère, qui la rassura.

Elle dut progresser encore un bon moment avant de découvrir une petite cascade qui débouchait d'un orifice en hauteur, sur sa droite, et se poursuivait par un ruisseau serpentant entre les rochers. Gaïg vérifia tant bien que mal qu'elle n'était pas dans une caverne, les murs du tunnel étant de plus en plus éloignés maintenant, avant de s'approcher de la chute. Que c'était bon, l'eau. Elle se déchaussa pour se tremper les pieds, puis les jambes, et finit par s'allonger tout habillée dans le cours d'eau. Il n'était pas profond, et elle ne pouvait pas plonger, mais cela faisait si longtemps qu'elle ne s'était pas baignée! Couchée dans le ruisseau, elle se tournait sur le ventre, sur le dos, laissant l'eau couler le long de son corps.

Elle sursauta en apercevant une lueur qu'elle n'avait pas remarquée plus tôt, assez loin devant elle. Il y avait quelqu'un ! Sans doute un Nain, qui pourrait secourir Nihassah et l'accompagner au village souterrain. Peut-être même qu'ils étaient plusieurs. Gaïg se redressa, attrapa en vitesse son sac et sa pierre lumineuse, et se précipita vers la lueur. Elle était tellement soulagée qu'elle ne pensait même pas à appeler pour se signaler. Les rochers lui écorchèrent les pieds à plusieurs reprises, mais elle n'y prit pas garde. Elle les soignerait après, c'était fini, ce cauchemar souterrain, elle se rapprochait du Nain. Elle se trouvait maintenant dans une grotte. L'immobilité de la lueur finit par l'intriguer. C'est presque le nez dessus qu'elle discerna ce qui n'était qu'un lot de pierres lumineuses, comme Nihassah le lui avait décrit. Elle s'assit, accablée.

12

Emportée par son élan, Gaïg n'avait prêté aucune attention au trajet emprunté pour accéder à la lueur, et une vague de découragement se coula en elle. Elle pensait avoir avancé en ligne droite, mais elle n'en était plus très sûre. Une galerie s'ouvrait dans la muraille, derrière l'amas de pierres, mais était-ce la bonne ? Elle ignorait la taille de la caverne, et il y avait peut-être plusieurs chemins. Elle supposait que les pierres avaient été placées là, à dessein, pour indiquer la direction du village… Mais, si c'était une route qui menait à une vieille mine abandonnée, à un filon de minerai épuisé ou, pire, à un piège pour égarer les indiscrets ?

Le clapotement de l'eau l'entourait d'un murmure insistant, son intensité avait augmenté. Tout à coup, elle se redressa : « Suis la rivière… », avait dit Nihassah. Mais où était-elle ? Gaïg chercha à se repérer : si elle localisait la cascade, elle reviendrait à son point de départ, elle pourrait se réorienter et longer le ruisseau. Elle tendit l'oreille et fit quelques pas dans la direction d'où lui semblait provenir le bruit. Mais c'était difficile, avec la résonance de la caverne, de situer l'origine du son : la peur aidant, elle avait l'impression qu'il venait de partout à la fois. Gaïg sentit l'affolement la gagner, une fois de plus. En un geste d'anxiété et de désespoir mélangés, elle joignit les mains et joua machinalement avec la bague, la faisant tourner autour de son doigt. Le gargouillement aquatique qu'elle entendait se différencia, et elle reconnut la clameur de la chute, vers laquelle elle se dirigea. La cascade était là, et le boyau d'où elle était sortie s'ouvrait à côté.

Gaïg poussa un soupir de soulagement. Elle ressentit alors une intense fatigue, ses deux jambes ne la supportaient plus, c'était trop d'émotions à la fois : elle se laissa tomber sur le sol, désireuse de se reposer, et glissa dans le sommeil. Elle se figura que quelqu'un lui chuchotait : « Ne t'endors pas ici ». Mais elle savait qu'il n'y avait personne, c'était encore un tour de son imagination trop féconde, comme pour les pierres. Elle sombra dans une inconscience réparatrice et bienfaisante.

Ce fut la sensation de froid qui la réveilla. Elle était gelée. Tellement gelée qu'elle ne pouvait pas remuer les membres. Avec ce refrain lancinant dans la tête : « Wolongo, Filledel'Eau. Wolongo, Filledel'Eau. » Où avait-elle déjà entendu ça ? Ah oui, dans son rêve avec le Nain blanc et... la Reine des Nains. Gaïg baptisait Roi ou Reine tous les personnages qui sortaient un peu du commun et qui lui semblaient posséder une certaine importance, laquelle se percevait à la majesté qui se dégageait d'eux et qui s'imposait à elle. Dans le rêve, la Reine des Nains l'avait appelée Wolongo, Filledel'Eau. Le refrain continuait, incessant et distinct : « Wolongo, Filledel'Eau », et Gaïg sentit alors la froidure de l'eau qui l'entourait de toutes parts. Elle était transie et trempée, immergée dans un courant d'eau glaciale.

Elle dut faire un effort phénoménal pour briser la gangue d'inertie qui l'enveloppait et pour se relever. Que s'était-il passé ? Est-ce que le niveau de l'eau était monté subitement ? Y avait-il eu un orage là-bas, très loin à la surface ? Gaïg fut tentée de se laisser aller de nouveau, fascinée par l'étendue liquide qui l'environnait. Il suffisait de se laisser emporter, de se fondre dans le courant... « Wolongo, Filledel'Eau. » Le refrain continuait, étrange et insistant. Gaïg était partagée entre deux désirs contradictoires : rester dans l'eau, s'y mélanger et s'y dissoudre jusqu'à devenir liquide elle-même ; ou en sortir, ce qui était la voix de la raison. Mais le cours d'eau semblait animé d'une volonté propre, à la fois accueillante et glaciale, qui l'attirait invinciblement. Elle fut la première surprise en entendant sa propre voix résonner dans les ténèbres, avec un accent qu'elle ne se connaissait pas : « Wolongo, Filledel'Eau. Jecommandeàl'Eau. »

C'est quand elle vit l'eau se retirer, quand elle eut constaté la diminution de la rivière qui retrouva son débit initial en peu de temps, qu'elle admit sa frayeur. Gaïg tremblait de tous ses membres mais ce n'était plus à cause du froid. La rivière était vivante, et elle avait essayé de l'emporter. Était-ce possible ?

Sidérée, elle considérait le cours d'eau à ses pieds. « Il y a de tout sous terre, avait dit Nihassah. Y compris du danger. » Mais Gaïg se représentait celui-ci comme quelque chose de compréhensible, de prévisible, émanant de choses vivantes, comme Garin ou les autres enfants. Ou la mer, le feu, un affaissement de terrain. Mais pas ça. Pas une rivière vivante ! Il lui fallait s'éloigner, très vite.

La pierre lumineuse apparaissait là où elle l'avait laissée, mais son sac avait disparu, sans doute entraîné par le courant. Elle scruta les alentours, du moins ce qu'elle pouvait en discerner, et avança dans la direction qu'elle considérait être le « toujours tout droit » de Nihassah. La rivière coulait, à sa droite, dans un clapotis qu'elle jugeait maintenant inquiétant. Gaïg faisait un pas à la fois, afin de ne pas dévier de sa route. Elle s'inquiétait de la présence de multiples tunnels, et elle faillit hurler de colère et de découragement quand elle constata qu'elle allait aboutir en plein milieu de la muraille, avec une ouverture de chaque côté, à quelques pas de l'endroit où elle se trouvait. Laquelle choisir ? La rivière s'enfonçait dans le sol devant la galerie de droite, et Gaïg se dit que si elle réapparaissait, ce serait dans celle-là. Optant pour la droite, elle posa le pied sur quelque chose de mou et de mouillé qui la fit se liquéfier instantanément sous l'emprise de la terreur, avant qu'elle ne reconnaisse son sac. C'est en le retrouvant que Gaïg fut saisie de ce qu'aurait représenté sa perte, puisqu'elle se serait retrouvée sans nourriture.

Jetant un coup d'œil autour d'elle, elle vit plus loin la lueur dégagée par l'amas de pierres lumineuses. Elle frémit en pensant qu'elle avait failli s'engager dans cette lointaine galerie. Comme tout était trompeur, sous terre, et comme on pouvait se perdre facilement ! À moins d'appartenir au peuple des Nains...

Gaïg s'engagea dans le boyau de droite, méfiante, les sens en alerte. Elle progressait avec circonspection, et quand elle entendit de nouveau le clapotis de l'eau, elle se réjouit. La résurgence ne devait pas être loin, elle était sur la bonne voie. Son intuition se confirma un instant plus tard, et elle suivit le trajet de l'eau un bon moment. Elle était partagée entre deux prudences contradictoires : celle qui lui conseillait de se tenir à l'écart du cours d'eau et celle qui lui dictait de se raccrocher à ce fil directeur. Elle avait mal aux pieds, et la fatigue commençait à se faire sentir. Quelle distance avait-elle parcourue ? Elle n'en avait pas la moindre idée. Combien de temps s'était écoulé ? Tant de choses s'étaient passées depuis son réveil dans la petite caverne de Nihassah...

Elle décida de faire une pause pour se restaurer et reprendre des forces. Le contenu du sac était trempé, mais tant pis : elle dévora son pain mouillé, avec un morceau de fromage. Elle mangea tout le pain, craignant qu'il ne soit moisi le lendemain. Il y avait des herbes dans le sac, sans doute des plantes pour soigner. Mais pourquoi Nihassah les avait-elle mises dans sa besace ? À tout hasard, elle mâchonna quelques feuilles, en rêvant au monde extérieur. Comme c'était beau, le vert de la nature ! Et le bleu du ciel, avec le blanc des nuages. Et le bleu-vert de la mer. Et la diversité colorée des fleurs et des poissons. Peut-être que les poissons étaient les fleurs de la mer...

Gaïg se fit la remarque qu'elle découvrait la couleur par son absence. Ici, tout était marron, sombre, noir. Elle décida que si elle survivait et revoyait le soleil un jour, elle s'habillerait toujours de couleurs vives et franches : des rouges flamboyants, des bleus éclatants, des jaunes éblouissants contrastant avec des verts vibrants et lumineux. Elle aurait une surabondance de couleurs autour d'elle et sur elle, pour oublier ce monde de l'ombre.

Se sentant revigorée, elle repartit d'un pas alerte, beaucoup plus confiante qu'auparavant. Peut-être qu'elle avait trop attendu pour manger, qu'elle aurait dû se nourrir plus tôt, puisque ça lui avait fait tant de bien. Et quelles étaient les plantes qu'elle avait mâchouillées ? Elle ne les identifiait pas, mais elle connaissait suffisamment Nihassah pour savoir qu'elle n'aurait rien mis de nocif dans son sac. D'ailleurs, c'était peut-être les plantes, qui la faisaient se sentir aussi bien... Tout lui semblait possible, maintenant : elle s'en sortirait. Elle arriverait au village souterrain, les Nains iraient chercher Nihassah par des raccourcis connus d'eux seuls, ils la soigneraient et ramèneraient Gaïg au grand jour. Elle ne reviendrait pas au village, ça, c'était sûr : plus jamais elle ne voulait revoir Garin. Une vague d'euphorie l'envahit, avec un enivrant sentiment de liberté.

Le tunnel était assez vaste depuis un moment déjà et elle entrevoyait parfois des galeries latérales, qu'elle se gardait bien d'emprunter. Même si la rivière était redoutable, tant qu'elle la suivrait, elle serait sur le bon chemin. Elle éprouva une frayeur en pensant à ce qu'elle avait vécu. Elle avait réellement eu la perception que la rivière était vivante, qu'elle possédait un esprit. Différent de celui des humains : vaste, insaisissable parce que liquide et coulant, et glacé. Ça avait quelque chose de commun avec la mer. Est-ce que la mer avait un esprit, elle aussi ? En tout cas, elle était entrée en communication avec cet esprit, puisqu'il lui avait obéi. Elle avait dit : « Wolongo, Filledel'Eau. Jecommandeàl'Eau », et l'eau s'était retirée.

Gaïg était perplexe. D'où lui était venue cette phrase ? Pourquoi l'avait-elle prononcée de cette façon-là ? Et la rivière, cet esprit glacial et accueillant, dans lequel elle avait voulu se dissoudre...

13

Le boyau se resserrait, ce n'était plus une galerie naturelle aux aspérités tranchantes. La proximité de parois à peu près lisses et le sol régulier lui révélaient que les Nains l'avaient creusé. La rivière avait de nouveau disparu, se frayant son propre trajet sous terre. Gaïg se rappela que Nihassah lui avait dit de dormir après le premier lac, celui de Fary.

Mais où se situait ce premier lac? Elle marchait depuis une éternité et bientôt, elle n'en pourrait plus. Comment se repérer? Les indications de Nihassah se révélaient assez vagues: les noms, Fary et Fikayo, que Gaïg s'était efforcée de retenir, ne lui étaient d'aucune utilité, puisqu'il n'y avait pas de panneaux indicateurs.

Gaïg envisageait de s'arrêter pour dormir, quand elle faillit tomber: une marche, qu'elle avait ratée. C'était d'autant plus maladroit de sa part qu'il y avait une pierre lumineuse de chaque côté. Elle avait cru que les pierres signalaient l'entrée de deux galeries opposées et ne s'était pas méfiée. «Ne jamais rien tenir pour acquis, se dit-elle. Les pierres lumineuses ne se trouvent pas seulement à l'entrée des galeries. Elles peuvent signaler autre chose. Peut-être que la marche a été placée là pour avertir que l'escalier n'est pas très loin.» C'était la première fois qu'elle en rencontrait une: d'habitude, le terrain était simplement inégal, en pente douce puisqu'il suivait la rivière. Gaïg redoubla de précautions et ralentit l'allure, de crainte de basculer dans le vide si un escalier se présentait.

Elle continuait d'avancer, consciente de la fatigue qui allait en augmentant. L'envie de s'arrêter pour se reposer se faisait pressante. Elle se concentra sur l'image de Nihassah allongée dans l'obscurité avec une jambe cassée afin de se motiver. La vie de son amie dépendait d'elle maintenant, de sa persévérance et de son endurance. Il ne fallait pas qu'elle faiblisse, ni même qu'elle ralentisse, malgré sa lassitude croissante. Si petits que soient ses pas, ils la rapprochaient du but. Plus le temps passait, plus elle faisait du chemin. Si seulement elle parvenait à ce premier lac...

Elle distingua une lueur dans le lointain et refoula immédiatement l'espoir ténu qu'elle sentait sourdre en son cœur : pas de Nain en mission, en promenade ou en train de l'attendre, elle ne céderait plus aux illusions. Sans doute une intersection avec de nombreuses galeries. Ou une marche. Ou *des* marches, beaucoup de marches...

Gaïg accéléra le pas. La galerie donnait sur une caverne immense, avec un vaste lac en contrebas. Ce qui la surprit, ce fut non seulement la taille de la grotte, mais la clarté qui y régnait. Tout au moins dans une bonne partie, le reste se perdant dans le noir. Il y avait de nombreuses pierres lumineuses placées en hauteur sur le côté gauche du lac, et un peu à sa droite. Elle entendait le bruit d'une cascade, sans doute une résurgence de la rivière, se jetant dans le lac. Enfin ! Elle était arrivée au lac de Fary, elle pourrait se reposer après avoir longé la rive et monté l'escalier, ainsi que le lui avait conseillé Nihassah.

Ce dernier lui donna le vertige : elle ne s'était pas interrogée sur sa longueur, ayant imaginé inconsciemment qu'il serait comme ceux qu'elle connaissait, avec une vingtaine de marches au maximum. Celui-ci se déroulait comme une dentelle géante sur la concavité de la paroi, avant d'atteindre le niveau du lac. Plusieurs galeries débouchaient sur des plates-formes disséminées sur sa longueur, et des pierres lumineuses étaient disposées en guise de rambarde au bout de chaque galerie, afin de prévenir une chute éventuelle dans le vide. Gaïg frémit. Elle venait de constater l'étroitesse de l'escalier. On ne pouvait y progresser qu'à la file, tout croisement se révélait incroyablement dangereux. Comment faisaient les Nains ? Des corniches encore plus étroites reliaient entre elles des galeries qui étaient au même niveau, afin de les raccorder à l'escalier. Gaïg, ébahie, ne bougeait pas. Le spectacle impressionnant qui s'offrait à elle lui donnait un aperçu du peuple des Nains : il fallait qu'ils aillent partout sous la terre, aucun trou, aucun boyau, aucune caverne ne leur était inaccessible. « Le travail ne les effraie pas », se dit-elle, en pensant au temps nécessaire pour tailler cet escalier à même la roche. L'aménagement de la grotte avait visiblement nécessité du temps et de l'énergie. Elle devinait, plus qu'elle ne voyait, un autre escalier dans le lointain, de l'autre côté du lac. Il fallait descendre.

Gaïg jeta les yeux sur les marches qui étaient devant elle : elle fut saisie par le vertige, et la peur latente qui l'habitait explosa de nouveau en elle. Cette fois-ci, ce n'était pas des créatures imaginaires qui l'effrayaient, mais l'idée de la chute et de la mort qui s'ensuivrait. Elle s'assit à même le sol sur le premier degré, captivée et troublée par l'appel du vide. Une volée interminable de marches aussi étroites en largeur qu'en longueur dévalait la paroi, presque à la verticale. Il suffisait d'un faux pas pour perdre l'équilibre et tomber, avant de s'écraser sur les rochers, beaucoup plus bas.

Un tremblement avait saisi Gaïg, qui s'obligea à attacher son regard à la muraille. Elle ne pouvait rester là, pourtant. Pourquoi Nihassah ne l'avait-elle pas avertie ? Gaïg avait l'impression qu'elle n'avait aucun choix, que les événements se succédaient à un rythme accéléré sans qu'elle pût y changer quelque chose. Colérique et impulsive de nature, elle sentait de façon intuitive qu'elle était embarquée dans une histoire qui la dépassait, qu'elle ne pouvait pas diriger à son gré. Sans avoir rien demandé, elle subissait plus qu'elle ne vivait une série d'aventures dont elle se serait bien passée.

« Le Nyanga t'aidera... », avait dit Nihassah. Elle contempla pensivement sa main, avec l'anneau lumineux de la Reine des Murènes... « Descends assise, fut la réponse. Ne regarde pas en bas, fixe la muraille. Ne la quitte pas des yeux. »

Gaïg obéit immédiatement, pour ne pas être tentée de résister, ne serait-ce qu'en raisonnant. Elle tourna la tête vers la paroi à sa gauche et se traîna sur le derrière pour atterrir sur la deuxième marche. Puis la troisième. La quatrième. La cinquième. Une autre encore. Une de plus. Encore une. Gaïg fixait intensément la muraille, la considérait, l'examinait, la scrutait : elle en avait mal aux yeux. Mais elle savait que cette concentration-là annihilait le reste : la détresse, le doute, l'angoisse de la chute, les affres de la peur, tout simplement. Assise sur un degré, elle plaçait les pieds deux marches plus bas, puis traînait les fesses et les posait sur la prochaine juste avant ses pieds, avant de tendre encore les jambes pour mettre les pieds sur la suivante. Le mouvement devenait mécanique, mais Gaïg n'avait rien perdu de sa concentration : la muraille était sa rambarde à elle, elle s'y accrochait par le regard, s'y agrippait, c'était sa corde de sécurité. Surtout ne pas regarder vers le bas, ne pas penser au vide, à la chute. Une marche, puis une autre.

Elle accéda à la première plate-forme et ne s'y arrêta que quelques secondes. Si elle s'interrompait pour reprendre son souffle, elle serait tentée de jeter un coup d'œil en bas, devant ou sur le côté, et tout serait à recommencer. Elle continua, regrettant de ne pas avoir compté le nombre de plates-formes qui la séparaient du lac. Son cou devenait douloureux, à orienter ainsi la tête vers la gauche, et ses fesses également. Mais la méthode préconisée était bonne, puisqu'elle progressait.

La descente était astreignante, interminable, et Gaïg ferma un moment les yeux, pour ne pas être tentée de regarder où elle se situait par rapport à l'eau. Mais c'était pire, elle sentit revenir le vertige et se dépêcha d'observer la paroi. Les plates-formes se succédaient, elle en avait déjà compté cinq. Sa douleur fessière s'était transformée en une brûlure aiguë, et les muscles auxquels elle demandait cet effort inhabituel lui causaient d'énormes souffrances lors de la contraction. Ses jambes se mirent à trembler, et au moment où elle se préparait mentalement à évaluer sa position, ses pieds lui firent savoir qu'elle était arrivée : il n'y avait plus de marche, c'était du sable, un sable fin et noir qui formait une plage s'étalant en pente douce vers le lac.

Gaïg se mit debout et s'aperçut immédiatement que le fond de son pantalon n'avait pas résisté à cette séance prolongée de frottement. Elle avait la peau des fesses à vif et éprouvait une chaleur cuisante à cet endroit. Un peu d'eau fraîche lui ferait le plus grand bien.

Gaïg n'était pas foncièrement désobéissante. « Ne te baigne pas », avait stipulé Nihassah. Se baigner, pour Gaïg, c'était entrer dans l'eau, nager et plonger. Mais après l'expérience de la rivière, elle n'avait nulle envie de plonger dans cette étendue d'encre noire, et d'affronter encore l'esprit froidement séducteur de l'eau. En revanche, se mouiller les pieds et se rafraîchir le postérieur était tentant, et même recommandé, pour neutraliser le feu qui s'y était allumé.

Tout en se dirigeant vers le lac, Gaïg inspecta les alentours. Plusieurs galeries s'ouvraient directement sur la rive, mais elle pouvait distinguer un escalier dans le lointain, celui qu'elle était censée emprunter pour la remontée. Elle fut soulagée de constater qu'il était beaucoup moins long que celui qu'elle venait d'utiliser. Elle se retourna pour considérer ce dernier, et découvrit avec horreur qu'elle arrivait de très très haut, et qu'elle avait eu de la chance de ne pas se rompre le cou en dégringolant d'une telle hauteur. « Merci, la bague ! », émit-elle en pensée.

La descente était finie, elle ne voulait plus y songer, et n'avait qu'une envie : sentir la fraîcheur de l'eau sur sa peau enflammée.

Elle mouilla d'abord ses mains et ses pieds, puis s'assit dans l'eau, éprouvant un plaisir incommensurable au contact du liquide froid. « Wolongo, Fille de l'Eau ». Oui, elle était une fille de l'eau, profondément, charnellement, de tout son être. « La mer est ma mère, après tout, puisqu'on m'a trouvée sur une plage », conclut-elle avec un sourire triste.

Elle ne voulait plus réfléchir, seulement s'abandonner un moment pour se reposer et recouvrer ses forces. L'eau était son élément vital tout autant que l'air, elle lui était physiquement nécessaire, et l'en priver équivalait à une condamnation à mort. Depuis son aventure avec la rivière, elle comprenait mieux la raison de la mise en garde de Nihassah quant au bain. Mais le lac lui faisait du bien, la réconfortait : il s'adaptait à elle, à sa forme, pour mieux la soigner et la revigorer. Il lui faisait oublier ses fesses endolories, et sa fraîcheur bienfaisante anesthésiait la sensation de brûlure.

Pourquoi ne pouvait-elle pas se baigner ? Si elle demeurait à proximité de la rive, elle ne risquait rien. Est-ce que le lac avait un esprit, lui aussi ? Sans doute, puisque c'était de l'eau. Gaïg, de plus en plus fatiguée, sentait le sommeil l'envahir. Il lui fallait sortir et monter l'escalier, Nihassah lui ayant préconisé de dormir après le premier lac. Elle se découvrait étrangement confiante, et la masse sombre du lac de Fary ne l'effrayait nullement. Elle se sentait en accord avec les éléments qui l'entouraient : la caverne, les pierres, le sable, et l'eau, surtout. Peut-être qu'elle devenait Naine, comme Nihassah...

Même la rivière lui semblait moins redoutable, avec son esprit liquide et glacé. Ce dernier n'avait pas voulu lui nuire, après tout : l'Esprit de l'Eau avait senti en elle une alliée et avait voulu se rapprocher. Ce n'était pas un ennemi, il possédait une personnalité différente, envahissante, certes, parce que liquide : c'était dans sa nature même de cerner, d'entourer, d'inonder. Gaïg était en mesure de comprendre cela et se laissait aller à une rêverie lénifiante sur l'eau, imaginant ce que serait un monde sans terre, une planète uniformément recouverte d'eau. Avec quelques îles, quand même, pour se reposer de temps en temps ; et pour les fleurs...

* * *

L'Esprit de l'Eau lui parlait. Il lui racontait l'histoire de l'eau : les ruisseaux de montagnes qui devenaient parfois torrents à la fonte des neiges, les rivières et les fleuves qui se jetaient dans la mer, les marées et les courants marins, les profondeurs abyssales, les vagues, les océans, les atolls et les lagunes. Les banquises et les névés. Les affluents et les estuaires, les deltas et les marigots. Les mares, les lacs et les étangs. Les marais, les mangroves et les marécages. Les nuages et les pluies, les typhons et les cyclones, les moussons et les inondations, les sources dans les forêts et les nappes souterraines. Et grâce à toute cette eau, un monde se créait : un univers aquatique composé de milliers de créatures dont l'existence était étroitement liée à l'eau. Le rêve se termina sur la vision d'une sirène aux reflets d'un vert métallique. Soudainement, sans transition, trois hideuses créatures au visage bouffi, à la peau verdâtre et au corps gonflé comme celui d'un noyé prirent sa place...

14

Gaïg se réveilla en sursaut et fut frappée d'épouvante en apercevant les trois monstres, dans l'eau, à quelques pas d'elle. Elle hurla de terreur, attrapa son sac et prit ses jambes à son cou. La peur lui donnait des ailes. Elle n'avait jamais été confrontée à une telle hideur, il se dégageait de ces êtres une impression de pourriture répugnante, et même l'air autour d'elle avait une puanteur de décomposition. Elle courait en criant, affolée à l'idée que ces cadavres vivants la poursuivraient peut-être afin de la contaminer avec leur putréfaction repoussante.

Elle arriva en trombe au pied de l'escalier et l'escalada à toute vitesse, aux prises avec un effroi sans nom. Saisissant une pierre lumineuse à l'entrée de la galerie, qui s'ouvrait en haut de l'escalier, elle s'engouffra dans le tunnel, horrifiée. Sa fuite se prolongea un bon moment, elle ne voulait surtout pas penser, car son esprit la ramenait toujours à l'image des créatures entrevues. Il lui fallait mettre le plus de distance possible entre elle et ces monstres, et elle était prête à marcher sans s'arrêter jusqu'au village. Mais l'idée du deuxième lac à venir l'effrayait et sa traversée lui semblait quelque chose d'insurmontable. Jamais plus elle ne pourrait s'asseoir au bord d'un lac souterrain, elle chercherait un autre chemin, elle explorerait les galeries environnantes, mais pour rien au monde, elle ne traverserait ce second lac.

L'Esprit de l'Eau lui avait parlé, c'était une entité inhabituelle, différente d'elle, de sa psyché, mais qui ne l'effrayait plus vraiment. Elle s'était même sentie apaisée par lui, avec un étrange sentiment de sérénité au fond du cœur. Son intuition s'était trouvée confirmée : elle n'était pas totalement terrestre, elle était aussi une créature de l'eau. C'était ça, le message de l'Esprit de l'Eau… Il lui signifiait qu'il l'avait reconnue. Mais l'eau était ambivalente et comportait un côté obscur, qui recelait des créatures malfaisantes, des êtres terrifiants.

Au bout d'un moment, Gaïg ralentit l'allure, à cause de la faim et de la fatigue. Un peu calmée, elle s'arrêta près d'un tas de pierres lumineuses et s'assit pour manger. Son sac avait dû se vider pendant sa course effrénée, il ne lui restait que la gourde d'eau, du fromage et les plantes de Nihassah. Elle grignota le fromage, sans pain, et mâchouilla quelques herbes, n'ayant rien d'autre à se mettre sous la dent. Elle se sentait toute molle et ensommeillée.

Gaïg reprit sa marche, mais la lassitude gagnait du terrain. Il était temps pour elle de chercher un endroit où s'assoupir, elle n'en pouvait plus. Hantée par le souvenir de son réveil abominable près du lac, elle ne voulait pas s'endormir profondément et attendit de rencontrer un nouveau tas de roches lumineuses pour s'installer. Elle les disposa à quelques pas d'elle, de chaque côté, afin d'éclairer un espace plus vaste. « Il vaut mieux voir venir le danger de loin », se fit-elle comme réflexion. Heureusement que les Nains avaient découvert les propriétés de ces pierres ! Elle se demanda ce qu'elle serait devenue sans ces dernières. Elles ne possédaient pas l'éclat du soleil, bien sûr, mais leur rayonnement lumineux l'avait accompagnée tout au long de son équipée, et rassurée plus d'une fois. S'adossant à la muraille, elle s'assit, jambes croisées et fesses endolories, et pensa aux Nains. « Quel peuple singulier ! » fut sa dernière pensée.

* * *

Ce fut la sensation d'une présence qui la réveilla. Elle resta d'abord immobile, terrifiée à l'idée que les trois monstrueuses créatures l'avaient suivie et rattrapée. Le silence était absolu. Sans bouger, elle entrouvrit les yeux de façon imperceptible et scruta discrètement les alentours. Ne voyant rien, elle ouvrit complètement les yeux et tourna doucement la tête à droite et à gauche. Rien ne bougeait. Pourtant, elle avait toujours l'impression d'une présence, d'un regard posé sur elle. Elle considérait, l'esprit ailleurs, la muraille en face d'elle, décidée à reprendre sa route, afin de s'éloigner de ces lieux et d'arriver le plus vite possible au village.

Gaïg en avait assez d'avoir peur, elle détestait les souterrains et tout ce qu'ils contenaient, les cavernes et les galeries, les boyaux, les tunnels, les trous, les crevasses, les fentes, les cavités, les Nains, et tout ce qui avait trait à ce séjour sous terre. Depuis le début de son périple dans ce ténébreux univers minéral, la peur avait toujours été là, plus ou moins forte, certes, mais Gaïg était consciente de son existence. Ce qui l'effrayait maintenant, c'était la certitude qu'il existait des choses bien plus redoutables que celles qu'elle connaissait. Et elle ne se sentait pas du tout courageuse, elle n'était qu'une petite fille, un peu inhabituelle peut-être. En tout cas, elle ne se sentait pas l'âme d'une héroïne qui accomplit des exploits.

Elle se leva avec précaution, comme si des mouvements brusques avaient pu déclencher quelque chose de terrible. Elle se mit en route, notant au passage que la paroi en face d'elle avait changé d'aspect. Lisse maintenant, elle présentait, au moment de son réveil, une convexité qui, Gaïg le constatait *a posteriori*, avait forme humaine. Comme si un homme en creux s'était tenu debout là, et avait disparu en s'enfonçant dans la pierre. « Bon, ça au moins, ce n'est pas possible », se dit-elle.

Elle avança d'un bon pas : il lui sembla que les tas de pierres lumineuses devenaient plus nombreux, comme si les intersections se multipliaient. Les cavernes étaient plus fréquentes, aussi, mais comme elles étaient plus éclairées, Gaïg n'avait pas trop de mal à s'orienter. Elle pensa que les lieux devaient être davantage fréquentés, puisque les traces de la présence des Nains augmentaient. Si seulement elle avait la chance de rencontrer un Nain, de préférence avant le lac...

N'ayant aucun repère temporel, Gaïg ignorait si elle avait dormi longtemps, si c'était encore la nuit ou le matin pour elle, et si le trajet restant à parcourir serait long. Elle cheminait, orientant volontairement le fil de sa pensée vers des choses rassurantes et agréables. Une fois de plus, elle s'imagina nageant entre deux eaux dans la baie de son village, visualisant les rochers et leurs habitants, ceux qu'elle connaissait aussi bien que les inconnus. En fait, les seuls qu'elle identifiait étaient ceux qui avaient un habitat fixe...

Elle se revit pêchant au bord de l'eau, puis cuisant et dégustant le produit de sa pêche. Ce souvenir lui fit prendre conscience de sa faim et, surtout, de l'absence de nourriture. Elle avait mangé son dernier morceau de fromage avant de s'endormir et il ne lui restait que des herbes.

Au fur et à mesure de sa progression, elle sentait son estomac la tirailler. Heureusement qu'elle avait encore de l'eau. Peut-être qu'elle devrait manger le reste des herbes de Nihassah, elle aurait toujours ça dans l'estomac. Elle en avait déjà mâchouillé quelques-unes et n'avait pas été malade. Après tout, les brebis et les chèvres se nourrissaient d'herbe, et une multitude d'autres animaux également. Elle prit deux tiges feuillues dans son sac et les mastiqua le plus longtemps possible, afin de tromper sa faim. Puis elle but ce qui restait d'eau dans la gourde.

Un moment après, elle se sentit ragaillardie, revigorée, et trotta d'un bon train. Peut-être que c'étaient des plantes médicinales qui chassaient la fatigue, effaçaient la faim et redonnaient de la force...

Gaïg accéléra, comme un cheval qui sent l'écurie et veut rentrer au bercail. Pourtant, le village des Nains, s'il était le but de son équipée, n'était pas son chez-soi, et elle ignorait comment elle y serait reçue. Les Nains étaient réputés pour leur sécheresse et leur froideur: leur mécontentement perpétuel en faisait des êtres grognons et ronchons, toujours en train de bougonner. Elle leur dirait tout de suite que c'était Nihassah qui l'avait envoyée et qu'il fallait la sauver. Gaïg ne s'était pas beaucoup attardée à la pensée de sa vieille amie blessée, et elle se demanda comment les choses se passaient pour elle. Peut-être qu'elle avait crié, que les villageois avaient entendu et qu'ils avaient déblayé l'entrée de la caverne pour la secourir... Gaïg n'y croyait pas trop, mais envisager la mort de Nihassah était insupportable. Non, elle n'aurait pas fait tout ce chemin pour rien, elle n'aurait pas eu peur pour rien, et la Naine aurait la vie sauve. Mais peut-être qu'elle avait soif, ou faim, ou qu'elle se vidait de son sang...

Gaïg aurait bien voulu accélérer, mais la fatigue l'en empêchait. Ses pieds étaient douloureux, et ses jambes, ses hanches, son dos, ses épaules, tout son corps était épuisé. Elle avait faim et soif, et si les plantes de Nihassah lui donnaient un coup de fouet, leur effet était limité dans le temps. Elle prit encore une tige qui lui sembla former un bloc pâteux dans la bouche, et qu'elle avala en fermant les yeux. Elle n'avait plus d'eau, et il fallait continuer...

Après un temps qui lui parut interminable, Gaïg arriva enfin au deuxième lac, celui que Nihassah avait appelé Fikayo, et elle constata avec soulagement qu'il était de dimensions plus modestes que le précédent. Malheureusement, il ne comportait aucune plage, aucune corniche où poser le pied pour le contourner. Les falaises tombaient abruptement dans l'eau. Elle nota la présence de planches en bois, en tas près de l'entrée. Peut-être que les Nains avaient l'intention de construire un pont... Le seul accès à la galerie qu'elle discernait en face était une série d'énormes rochers, presque des îlots, qui émergeaient de la surface comme des dos de tortue défilant à la queue leu leu.

Gaïg frémit à l'idée de glisser et de tomber dans le lac. C'était bien la première fois de sa vie qu'elle redoutait un plongeon. Mais le souvenir des trois créatures infernales la hantait encore, et seule la proximité du village la motivait pour avancer. Peut-être qu'elle pourrait s'arrêter là et attendre le passage d'un Nain. Peut-être qu'il n'y avait pas de communication entre les deux lacs. Mais elle avait parfois entendu le clapotis de l'eau sous la pierre... Peut-être que les créatures ne quittaient pas le lac de Fary !

Elle se dit que moins elle penserait, mieux cela vaudrait ; plus elle réfléchirait, plus elle hésiterait. Pendant ce temps, les minutes s'écoulaient, et Nihassah souffrait. Si elle avait pu, elle aurait foncé sur les rochers, les yeux fermés, en courant, pour abréger la traversée. C'était aussi le plus sûr moyen de finir dans l'eau...

Le plus silencieusement possible, Gaïg posa le pied sur le premier rocher, rétablit son équilibre et se prépara pour le suivant. Elle fit ainsi plusieurs pas, qui se transformèrent bientôt en sauts : les rochers, assez rapprochés au début, étaient maintenant un peu plus espacés. Le passage d'un rocher à l'autre nécessitait des bonds plus importants, et elle se concentrait avant de prendre son élan.

Elle voyait se rapprocher la galerie d'en face avec un soulagement indicible, quand elle entendit un bruit dans l'eau, comme celui que ferait un poisson en sautant. Un gros poisson... Elle se figea sous l'emprise de la peur, puis la panique la saisit : elle sauta en hurlant sur plusieurs rochers successifs et, ayant mal calculé son élan, tomba à l'eau avant d'atteindre le dernier rocher. Comme elle n'avait pas pied, elle se dépêcha de remonter à la surface. L'eau était noire et glacée. Elle ressentit une piqûre brûlante au-dessus de la cheville alors qu'une des hideuses créatures du premier lac émergeait simultanément à ses côtés et lui attrapait d'une main molle et gluante le poignet qu'elle posait sur le roc.

Avec l'énergie du désespoir, elle réussit à y grimper, sans que la créature lâchât son poignet. Gaïg utilisa alors son autre main pour se libérer de l'emprise du monstre : elle fut éblouie par un fulgurant éclat de lumière, entendit un cri déchirant, sentit l'exhalaison d'une haleine putride, et constata qu'elle était libre. Reprenant immédiatement son élan pour sauter sur la berge, elle s'engouffra dans la galerie, imaginant que les créatures la poursuivaient. Elle s'enfuit en hurlant de nouveau et percuta de plein fouet une masse molle, mais vivante, dans le couloir.

Elle s'évanouit.

15

Le Nain la ramassa en grommelant, la chargea avec douceur sur son épaule comme un vulgaire sac de charbon et fit demi-tour, toujours en bougonnant. Décidément, les temps avaient changé, et on trouvait de tout sous terre, y compris des fillettes aux vêtements mouillés. Le plus urgent était de s'occuper d'elle et de la réchauffer, elle semblait en piteux état.

Il l'avait entendue crier. Il lui semblait bien reconnaître la jeune amie de sa fille dans ce paquet de chair qu'il portait sur l'épaule. Il avait déjà eu l'occasion de la voir plusieurs fois, là-haut, dans le village de la surface. Mais où était Nihassah ? Et cette bague en Nyanga à son doigt... « M'est avis qu'il s'est passé quelque chose là-bas », se répétait Mukutu, en se dirigeant à grandes enjambées vers le village.

Son arrivée ne passa pas inaperçue et en un instant, il se retrouva entouré de Nains.

Gaïg reprit ses esprits sous la violence de la friction qui lui était faite, et faillit hurler de nouveau en découvrant ces visages inconnus, tous barbus, penchés sur elle. Elle comprit immédiatement où elle se trouvait et se redressa.

— Nihassah ! Il faut la sauver. Elle est blessée. Sa jambe est cassée. Il y a eu un éboulement.

Les Nains se consultèrent brièvement du regard.

— Où? demanda Mukutu.

— Chez elle. Les villageois ont mis le feu à sa maison. L'entrée de la grotte s'est effondrée. Elle ne peut plus sortir. Elle est prisonnière.

— On est moins prisonnier sous terre qu'au-dessus, maugréa quelqu'un.

Gaïg prenait maintenant conscience d'une douleur qui naissait dans sa cheville, irradiait dans sa jambe et allait en remontant jusque vers sa tête. Son front se couvrit de sueur, les visages lui apparurent de plus en plus flous, et les voix plus lointaines. Elle lutta un moment puis sombra dans l'inconscience.

— M'est avis qu'les Vodianoïs sont de r'tour, déclara Mukutu. Sal'tés d'bestioles...

— Et qu'elle a été mordue, ajouta une Naine à la voix chaude, qui venait d'arriver. Laissez-la-moi, je m'en occuperai.

— Amène-la chez moi, Keyah, ordonna Mukutu, et soigne-la bien. Afo t'aid'ra. J'te donn'rai d'la glaise d'Bakari. M'est avis que j'suis bon pour un départ... Qui vient avec moi?

Cinq Nains trapus et costauds se détachèrent immédiatement de l'attroupement et s'approchèrent, bedonnants et chevelus, un pic ou une pioche coincés dans la ceinture. Mukutu émit un grognement de satisfaction qui pouvait passer pour un remerciement. Il n'était pas étonné du nombre de volontaires: les Nains avaient pour habitude de se déplacer toujours en bande, aussi bien sous terre qu'à l'extérieur. Une grande solidarité les unissait et pour eux, le groupe était non seulement un microcosme du clan, mais également un moyen de parer aux impondérables de la vie, que ce soient des catastrophes naturelles imprévues ou des affrontements corps à corps avec des ennemis d'en haut.

Ils ne jouissaient pas d'une bonne réputation à la surface: on les disait impatients, ombrageux et batailleurs, et les bagarres étaient effectivement fréquentes. Non qu'ils cherchassent noise aux gens de la surface, mais ces derniers étaient toujours prêts à discuter les prix. Or, pour les Nains, la qualité avait un prix. Leurs outils et leurs armes étaient ce qui se faisait de mieux en la matière et coûtaient de ce fait très cher. Les Nains étaient forgerons dans l'âme, et une épée ou une faux forgée par l'un d'eux durait une vie, quand ce n'était pas plus. Leurs épées les plus célèbres étaient entrées dans la légende depuis des siècles, entourées d'un halo de mystère qui ajoutait au secret de leur fabrication. Ils possédaient un don certain pour le travail de la forge.

Ce n'était pas le commerce qui les intéressait particulièrement : il était dans la nature des Nains de s'investir corps et âme dans la fabrication d'un objet, qui devenait leur création propre, artisanale, leur enfant et, *a priori*, ledit objet n'était pas destiné à la vente. Seule la nécessité les poussait à commercialiser certains de leurs ouvrages, pour se procurer ce qu'ils ne pouvaient extraire de leurs souterrains, principalement la nourriture et les vêtements.

Or, il y avait une importante demande pour les instruments issus de leurs brûlants ateliers. D'où les accrochages : les Nains vendaient leur production au plus offrant, considérant que le prix élevé payé par l'acheteur était la reconnaissance implicite de la grande valeur de leur œuvre. Les crises de jalousie étaient fréquentes entre riches et gens moins fortunés, d'autant plus que les vols se révélaient impossibles : les articles vendus à un particulier étaient soumis à un enchantement, qui faisait de ce dernier l'unique propriétaire de la chose. À son décès seulement, l'outil ou l'arme pouvait passer à un de ses descendants. En cas de vol, l'article subissait une désintégration accélérée sous l'action de la rouille et était perdu aussi bien pour le voleur que pour le propriétaire négligent qui n'avait pas suffisamment veillé sur lui. Chaque Nain était capable de reconnaître les instruments par lui forgés, et avait en mémoire tout ce qu'il avait pu créer depuis son jeune âge, ce qui représentait pour les plus âgés quelque neuf cents ans de labeur parfois...

À cela s'ajoutait, curieusement, un travail d'une grande finesse en orfèvrerie : sous des dehors frustes et grossiers, les Nains possédaient un sens artistique très développé en matière de bijoux, et obtenaient du métal ce qu'ils désiraient. Les pierres précieuses ne leur faisaient pas défaut, puisqu'ils les extrayaient du sol, et ils les sertissaient dans d'arachnéennes dentelles de métaux rares et recherchés. Mais leur production de joyaux atteignait rarement la surface : les Nains créaient des chefs-d'œuvre de joaillerie uniquement par amour de l'art, et ils gardaient jalousement leurs créations pour eux. Ils détenaient des merveilles d'une valeur inestimable, cachées dans les profondeurs de leurs cavernes les plus inaccessibles, sans compter les collections personnelles entassées dans les habitations pour le plaisir des yeux, jusqu'à ce qu'elles aillent rejoindre le trésor commun.

Ces talents pour la forge et l'orfèvrerie ne constituaient pas leurs seuls atouts : le travail de la pierre faisait également partie de leurs aptitudes et ils avaient la réputation d'être d'excellents tailleurs de pierres.

Ils restaient quelquefois plusieurs mois à la surface pour travailler à l'érection d'une maison, d'un château, d'un lieu de culte, et leurs constructions défiaient les siècles.

Les Nains n'étaient pas agressifs, ils désiraient simplement vivre en paix, dans la simplicité de relations saines et franches. Les règles de vie en surface leur semblaient outrageusement compliquées et parfois dénuées de bon sens. Rustiques et efficaces, primitifs aux yeux de l'extérieur avec leur désarmante franchise, les Nains avaient simplement réussi à conserver la pureté originelle de leur peuple, telle qu'elle leur avait été léguée par leur mère à tous, Mama Mandombé, la Déesse Magnifique. Et la solidarité était une de leurs valeurs primordiales.

C'est pour cette raison que Mukutu ne fut pas plus surpris par l'engagement de Babah, Bassirou et Gotoré, ses amis de toujours, que par celui de Bandélé et Toriki, qui appartenaient à la *jeune* génération, celle de Nihassah.

— M'est avis qu'plus vite on part, plus vite on s'ra de r'tour, lança-t-il à leur intention. On se r'trouve ici dans un moment, et on y va. Bandélé, tu t'occupes d'la civière, s'il t'plaît.

Keyah s'apprêtait à emporter Gaïg inanimée dans ses bras, mais Mukutu l'arrêta d'un geste, saisit Gaïg et la plaça sur son épaule pour la transporter. Keyah sourit intérieurement en pensant au drôle de père qu'il avait dû être, et imagina Nihassah bébé en train de rendre son rot sur l'épaule paternelle : sûr qu'avec un traitement pareil, ce n'était pas seulement son gaz qu'elle rendait... Mais il lui fallait s'occuper de Gaïg avant que le mal ne s'étende et fasse des ravages.

Mukutu installa Gaïg sur un solide lit en bois placé au milieu de la pièce qui servait jadis de chambre à Nihassah, et s'éloigna. Il remplit rapidement un sac de toile de différentes denrées, y ajouta quelques plantes et poudres médicinales soigneusement choisies sur une étagère, prévoyant qu'il faudrait redonner des forces à Nihassah avant de prendre le chemin du retour. Il se munit également de baguettes de bois, pour la fabrication d'une attelle, et d'un coupon de toile qui servirait de couverture. Il consulta le contenu d'un placard plein de roches, sembla hésiter, puis attrapa délicatement ce qui devait être une pierre enveloppée dans un épais chiffon noir. « On n'sait jamais », murmura-t-il pour lui-même. Il attrapa un flacon, qu'il tendit à Keyah.

— Tiens, c'est d'la Glaise d'Bakari. Tu en mets sur la plaie et tu la brûles après l'avoir utilisée.

Quand il arriva au lieu de rendez-vous, ses compagnons de route étaient déjà là, attendant en silence, Bandélé s'appuyant sur ce qui devait être la civière : deux bâtons assez longs enroulés dans une toile rustique, mais solide.

Ils se mirent en route immédiatement, à la manière des Nains quand ils se déplacent, c'est-à-dire à la queue leu leu, adoptant immédiatement ce qui serait leur vitesse définitive : un pas alerte et régulier, qui leur permettrait de couvrir une grande distance en peu de temps. Ils savaient qu'ils ne s'arrêteraient pas avant d'avoir retrouvé la fille de leur chef, Mukutu. Leur endurance à l'effort compensait leurs courtes enjambées, et la longueur d'un trajet ne les effrayait pas : ils pouvaient voyager plusieurs jours d'affilée dans les entrailles de la terre. Ils étaient d'ailleurs souvent en déplacement.

Ils arrivèrent rapidement au lac et, sans se consulter, se divisèrent en trois groupes, Babah, Gotoré et Toriki ramassant chacun une planche dans un tas sur la berge. Ce que Gaïg avait interprété comme un projet de pont était en réalité un système de pont déjà bien installé. Les Nains posaient la planche entre deux rochers, traversaient l'eau sur ce pont improvisé et, une fois arrivés, relevaient la planche pour relier le deuxième rocher au troisième, et ainsi de suite. À cause de l'exiguïté de la surface émergeant de l'eau, ils durent passer par groupes de deux à la fois.

Mukutu et Babah, les derniers à s'engager, s'immobilisèrent un moment au milieu du lac, tendant l'oreille. Aucun son n'était audible.

— C'est mauvais signe, qu'elles soient revenues, maugréa Babah.

Mukutu comprit qu'il faisait allusion aux Vodianoïs et haussa les épaules avec lassitude.

— M'est avis qu'il y aura d'l'agitation sous peu... Mais pourquoi l'ont-elles mordue ? C'est c'que j'comprends pas. Il n'est pas du tout sûr qu'elle s'en tire... répondit Mukutu, d'une voix sombre.

— Tu as vu sa bague ? demanda Babah.

— Évidemment que j'l'ai vue, lâcha-t-il. M'est avis qu'c'est la proximité du Nyanga qui m'a alerté. J'étais à la forge quand j'ai ressenti l'besoin d'aller voir c'qui s'passait là-bas. Ma propre bague avait la bougeotte. J'l'ai entendue crier, puis la Vodianoï a hurlé. M'est avis que l'Nyanga l'a brûlée quelque part... et puis la p'tite m'est rentrée d'dans et s'est évanouie. Elle a dû avoir peur d'moi...

— Ce qui se comprend, plaisanta Babah avec un rire gras et épais, en se tapant les cuisses. N'empêche, venir toute seule depuis chez Nihassah, elle a du répondant, la gamine.

— Encore une qui n'est pas c'qu'elle croit être... Cette bague...

Il ne termina pas sa phrase et reprit sa route avec Babah. Lorsqu'ils furent arrivés sur l'autre berge, Babah déposa la planche sur le tas existant. La marche recommença : ils accomplissaient le même trajet que Gaïg, en sens inverse, mais de façon rapide et sûre, sans se trouver ralentis par la peur ou l'obscurité. Ils connaissaient par cœur le réseau de galeries, et des siècles de vie souterraine avaient affiné leur vision. Les heures se succédaient, sans pause. Ils buvaient tout en marchant, échangeaient quelques rares informations au passage d'une galerie transversale, d'une caverne, mais la majeure partie du trajet s'effectua dans le silence.

Les Nains étaient d'autant moins loquaces qu'ils avaient besoin de garder leur souffle pour maintenir leur rythme de marche. Leur esprit était relié à une source commune, ancienne de plusieurs millénaires, qui les faisait constater les mêmes choses au même moment, sans avoir besoin de communiquer oralement. L'art de la conversation leur semblait suprêmement inutile et ils cheminaient silencieusement, ce qui leur permettait de se concentrer sur leur progression.

Ils mirent moitié moins de temps que Gaïg pour arriver à la caverne de Nihassah. À leur grand étonnement, elle était vide.

16

Keyah, avec l'aide d'Afo, sa sœur jumelle, déshabilla Gaïg pour localiser la morsure de la Vodianoï. Elle fut un peu surprise par l'état de son derrière, se demandant ce qui avait pu provoquer ces lésions.

— Elle a dû glisser sur les rochers, fut la réflexion d'Afo. Faudra désinfecter... Pauvre gamine. Regarde un peu ses pieds.

Toutes les deux avaient le cœur serré et examinaient le corps de Gaïg avec soin.

— C'est là, dit Keyah, en montrant le haut de la cheville.

Sans un mot, Afo lui tendit un petit couteau à lame fine et aiguisée et, d'un coup sec, Keyah fit une incision afin d'ouvrir la plaie. Gaïg tressaillit pendant qu'un sang épais et grenat jaillissait de la plaie, aussitôt épongé par Afo. Keyah, enserrant la cuisse de Gaïg de ses deux mains, descendit tout le long de la jambe, jusqu'à la cheville. Elle recommença le manège plusieurs fois, resserrant la pression au fur et à mesure qu'elle s'approchait de la blessure. Le sang coulait, chaque fois un peu moins épais, un peu plus clair, mais Keyah ne semblait pas désireuse de s'arrêter.

Afo s'éloigna un moment et revint avec un verre plein qu'elle essaya de faire boire à Gaïg qui reprenait conscience. Keyah approuva, se contentant de dire : « Il en faudra beaucoup plus, vu ce que je tire. »

Gaïg avala de travers, toussa et gémit. Une série de spasmes l'agita, comme si elle allait vomir, mais elle ne rendit que de la bile diluée, n'ayant rien dans l'estomac. Elle fut surprise par la présence des deux Naines, mais ne dit rien.

— Bois, petite princesse, insista doucement Afo. Il te faut absorber beaucoup de liquide pour renouveler le sang.

Gaïg essayait de comprendre, malgré les brumes de son esprit, ce qui lui rappelait Nihassah dans les paroles prononcées. Mais c'était trop difficile de réfléchir, elle ferma les yeux et se laissa faire, se contentant d'avaler les différents liquides que lui présentait Afo. Au bout d'un moment, elle eut l'impression qu'elle ne pouvait plus rien absorber, mais Afo continuait à lui présenter verre sur verre, pendant que Keyah, tout en parlant, lui massait la jambe pour faire saigner la plaie, bien que le débit du sang eût diminué.

— C'est une Vodianoï qui t'a mordue. De sales bêtes. Un genre de mauvaises sirènes. D'habitude, elles ne sont pas là.

Gaïg se rendormit, elle ne voulait rien savoir des monstres qui l'avaient épouvantée. Afo regarda Keyah :

— Si elle s'en sort, elle sera immunisée à vie contre tous les poisons. Mais encore faut-il qu'elle s'en sorte...

— Elle avait le Nyanga, regarde sa bague. Peut-être qu'elle a pu les toucher avec... Ça les aura brûlées... Sans doute, même, sinon elle ne serait pas là. Une Vodianoï ne lâche jamais sa proie.

— Ça ne veut pas dire qu'elle aura la vie sauve...

Keyah se redressa, les mains sur les hanches, et fixa sévèrement sa jumelle, sourcils froncés, deux plis sur le front.

— C'est fini, oui, madame je-sais-tout ? Et qui te dit qu'elle ne t'entend pas ? Donne-lui à boire, au lieu de dire des bêtises.

— Des bêtises, des bêtises... Je répète ce que je sais, moi, maugréa Afo.

Keyah haussa les épaules, exaspérée, et considéra Gaïg avec tendresse.

— Trouve-lui des vêtements à sa taille, à cette petite fille, au lieu de jouer les oiseaux de mauvais augure. Elle a de la chance, Nihassah, d'avoir une amie pareille. Je n'en connais pas beaucoup qui auraient fait ce qu'elle a fait...

Tout en parlant, elle appliquait une épaisse couche de Glaise de Bakari sur la morsure.

* * *

Gaïg se réveilla plusieurs fois dans les heures qui suivirent, chaque fois plus consciente de son environnement, étonnée par une nouvelle découverte. Mais elle finissait toujours par se rendormir d'un sommeil lourd et profond.

Elle eut le temps de constater que l'habitation souterraine de Mukutu était confortable, aménagée comme n'importe quelle demeure de la surface, avec partout des poutres en relief. Différents objets traînaient sur des meubles en bois. Keyah lui avait expliqué où elle se trouvait, et le désordre de Nihassah lui était revenu en mémoire : c'est une caractéristique familiale, pensa-t-elle. Elle ne parlait pas encore aux deux sœurs, voulant mettre de l'ordre dans ses idées d'abord. Elle était arrivée enfin chez les Nains. Mukutu, le père de Nihassah, l'avait trouvée : c'était lui qu'elle avait violemment percuté quand elle fuyait les Vodianoïs. L'une d'entre elles l'avait mordue, et Keyah et Afo la soignaient. On était parti à la recherche de Nihassah. Cette dernière serait sauvée.

Ses réveils étaient entrecoupés de longues périodes de sommeil. Mais la douleur à la jambe la réveillait régulièrement. Afo lui donnait alors à boire, pendant que Keyah la soutenait. C'était la première fois de sa vie qu'elle était l'objet d'une attention constante et elle en éprouvait un grand bien-être. Pourquoi les Nains avaient-ils cette mauvaise réputation ? En ce qui la concernait, elle n'avait pas à se plaindre d'eux. Mais quel jour était-on ? Depuis combien de temps se trouvait-elle sous terre ? Et au village ? Est-ce que Nihassah reviendrait bientôt ? Est-ce qu'elle serait longtemps malade ? Combien de temps mettait une morsure de Vodianoï pour cicatriser ?

Au milieu de ces questions, elle découvrit qu'elle avait faim et réclama poliment à manger.

— C'est bon signe, petite princesse, se réjouit Keyah, pendant qu'Afo se précipitait à la cuisine. Mais tu seras au régime liquide pour quelque temps encore, tu sais. Tu dois éliminer le venin de la Vodianoï.

Gaïg engloutit le bol de soupe que lui rapporta Afo : elle aurait été incapable de dire de quoi elle était faite, sinon qu'elle était fortement épicée. Elle sentit une torpeur l'envahir de nouveau.

— Est-ce que je vais dormir beaucoup ? J'ai encore sommeil.

— Ne t'inquiète pas pour ça, lui répondit Keyah sur un ton qu'elle essayait de rendre rassurant, alors qu'elle échangeait un coup d'œil avec Afo. Tu as besoin de te reposer, on ne guérit pas en quelques instants d'une morsure de Vodianoï.

Gaïg dormait déjà. Afo poussa un soupir qui en disait long : elle savait que c'était un symptôme qui ne trompait pas et que c'était mauvais signe.

— Tu ne crois pas qu'on devrait la saigner encore ? demanda-t-elle à sa sœur.

— J'hésite, je lui ai déjà pris tellement de sang. Regarde comme elle est pâle.

— Oui, mais en tout cas, elle a mangé un peu de soupe. Il faut éliminer toute trace de venin, sinon elle ne survivra pas.

Keyah la fusilla du regard. Ce n'étaient pas là des paroles rassurantes. Et si Gaïg l'entendait ?

— Inutile de la réveiller, je le ferai à son prochain réveil. Laisse la Glaise de Bakari faire son effet, aussi... Elle est bien jolie, avec ses vêtements de Naine.

— Moi, je te dis que ça ne va pas s'arranger. Elle ne devrait pas dormir comme ça. Nous devrions l'amener chez WaNguira.

— Qu'est-ce qu'un prêtre peut faire pour elle ? C'est de soins dont elle a besoin.

— WaNguira n'est pas un simple prêtre, je te rappelle. C'est le grand prêtre des Lisimbahs. Il a étudié longtemps la magie. Et les Vodianoïs... On ne sait pas bien d'où ça vient, ces bêtes-là..., objecta Afo d'un ton lourd de sous-entendus. Il nous dira au moins ce qu'on peut faire.

Keyah était perplexe : le sommeil prolongé de Gaïg devenait effectivement inquiétant, malgré ses périodes d'éveil, pendant lesquelles elle faisait preuve de lucidité. Si seulement Nihassah était là ! C'était une merveilleuse guérisseuse. Mais peut-être qu'elle ne serait pas en état de soigner quelqu'un, si elle-même était malade. Et elle se sentirait responsable de la mort de Gaïg, puisque c'était elle qui l'avait envoyée. Mais comment aurait-elle pu savoir que les Vodianoïs étaient de retour, et surtout, qu'elles auraient mordu la petite ? Pourquoi s'en étaient-elles prises à elle, d'abord ? D'habitude, elles étaient repoussantes, certes, mais pas agressives, à moins d'être attaquées. En tout cas, Nihassah ne leur pardonnerait pas, à Afo et à elle, si Gaïg venait à disparaître. Et peut-être que WaNguira serait de bon conseil, après tout...

Gaïg se réveilla une fois de plus : elle avait l'air presque bien, sauf pour l'œil exercé des jumelles, qui l'examinaient discrètement, notaient le brillant de ses yeux, le bleu de ses lèvres et de ses doigts, presque violets sous les ongles, et la gangrène naissante, à peine visible, de la plaie. Afo lui servit un autre bol de soupe et Keyah s'apprêtait à lui annoncer la visite chez WaNguira, quand ce dernier entra dans la pièce. Les deux sœurs ne furent guère étonnées: ayant parlé de lui, ayant prononcé son nom, ayant pensé à lui, il était quasi inévitable qu'il se présente en personne. C'était cela, un mage: une personne qui sait tout avant tout le monde. Comme par magie...

— Gotoré m'a mis au courant avant de partir. J'attendais de voir la tournure prise par les événements avant de venir. Sois la bienvenue ici, Wolongo! Quoi, tu es surprise? Tu n'aimes pas ton prénom en langage nain? Wolongo... Ça veut dire *Fille de l'eau!* C'est une mauvaise blague, hein? Tu aurais préféré ne pas tomber...

Gaïg était stupéfaite. Elle contemplait WaNguira de ses yeux trop brillants, se demandant s'il plaisantait réellement, si c'était une simple coïncidence, si... si... si..., et elle éclata en sanglots, de gros sanglots lourds de toute la désespérance de la terre. La situation la dépassait: elle faisait de drôles de rêves, elle se déplaçait malgré elle sous terre, l'eau avait un esprit qui voulait l'emporter puis qui sympathisait avec elle, elle possédait une bague magique, des monstres si terrifiants qu'elle n'aurait même pas pu les inventer l'attaquaient, l'un d'eux l'avait même mordue, et..., et..., et ce Nain, oui, ce Nain tout noir avec son horrible visage tout couvert de poils frisés à reflets de feu, ses deux nattes emmêlées et son gros ventre, il avait l'air de trouver cela drôle. En plus, il avait le culot de l'appeler Wolongo, Fille de l'Eau.

Keyah et Afo s'étaient rapprochées et, assises de chaque côté de Gaïg, elles l'entouraient de leurs bras, sans un mot, simplement présentes. Afo lui frottait doucement le dos pendant que Keyah lui caressait tendrement les cheveux, mais ces gestes affectueux lui donnaient encore plus envie de pleurer. WaNguira ne disait rien, il se contentait d'observer «avec ses petits yeux de crabe», se dit Gaïg, qui finit par se calmer. Le contact des deux Naines la faisait fondre, tout en la rassurant. Cela dura un moment, jusqu'à ce qu'elle soit totalement apaisée.

Après coup, elle se trouva un peu ridicule. WaNguira, comme s'il avait déchiffré ses pensées – «Décidément, c'est une manie chez les Nains», pensa Gaïg – lui parla doucement.

— Tu as de la chance de pouvoir pleurer ainsi. J'aimerais bien pouvoir en faire autant, quand je trouve ma vie trop lourde.

Gaïg ne répondit pas : elle avait du mal à imaginer ce vieux Nain en train de pleurer. Pourtant, il avait peut-être des soucis, lui aussi... Elle bâilla, la main devant la bouche, et s'excusa.

— Je crois que j'ai encore sommeil...

Les trois adultes se consultèrent du regard. Gaïg s'était déjà endormie. WaNguira s'adressa à Afo et Keyah avec une voix grave qu'elles ne lui connaissaient pas.

— Il faut l'amener chez les Licornes.

Les deux sœurs se levèrent d'un même mouvement, l'air médusé, la bouche ouverte sur des paroles qui ne voulaient pas sortir.

— Et sans tarder. J'ai communiqué avec les Vodianoïs. Seules les Licornes peuvent la guérir. Mais il ne faut pas perdre de temps. Préparez-vous, lança-t-il en s'en allant.

17

Mukutu, après avoir inspecté rapidement l'éboulis, puis les alentours, dut se rendre à l'évidence : Nihassah n'était pas dans cette caverne.

— M'est avis qu'avec une jambe cassée, on n'peut pas aller très loin... Cherchons.

Perplexes et inquiets, les six Nains firent demi-tour et revinrent dans la caverne précédente. La même pensée leur était venue à l'esprit : les Hommes d'Aumal, communément appelés les Hommes creux.

Si les Nains étaient par excellence les enfants de la Terre, vivant en symbiose avec la pierre, ils n'étaient malheureusement pas les seuls. Les Hommes d'Aumal étaient aussi des créatures issues de la roche, des entités creuses qui en étaient nées, des corps caverneux qui n'avaient d'humain que la forme. Ils étaient vides, perceptibles seulement dans le roc par leur forme humaine, quand ils approchaient de la surface de celui-ci. La lumière leur était fatale, ce qui expliquait leur vie souterraine.

N'ayant aucune densité, aucune masse, ils se déplaçaient lentement, mais sans problème, à travers la roche la plus dure, n'existant que par leur forme, qui écartait la structure pierreuse pour se créer un espace. Les Hommes creux vivaient à l'intérieur de la pierre, et en sortir équivalait pour eux à la mort, puisqu'ils n'avaient plus rien pour contenir leur forme. Or les Nains, en creusant le sol comme ils le faisaient, mettaient leur existence en danger, en créant un vide qui leur était fatal.

Les connaissances sur eux se révélaient des plus réduites : on voyait leur forme dans le roc, mais toute communication était impossible. En revanche, on savait qu'ils capturaient les Nains, et même les êtres humains de la surface, endormis contre un rocher hospitalier. C'étaient eux qui lui donnaient cette forme accueillante, dans laquelle le voyageur fatigué allait se blottir, pris d'une irrésistible envie de dormir. S'il avait le malheur de se réveiller avant la fin de l'opération, il se découvrait à moitié enfoui dans la pierre, qui l'enveloppait comme une couverture, pour mieux l'avaler. Généralement, il assistait à sa propre mort, progressivement englouti par son linceul minéral. Le seul moyen pour lui de se sauver aurait été de casser la pierre dans son dos, afin que la créature, dépourvue de limite pour contenir sa forme, se vide de son intérieur, comme un humain se vide de son sang avant de trépasser. Mais qui le savait, à part les Nains, et quelques rares privilégiés ? De plus, bouger pour se retourner quand on était prisonnier de la roche devenait impossible si on s'y prenait trop tard. D'où l'endormissement progressif auquel étaient sujets les prisonniers.

Les Nains, ayant compris que les Hommes creux d'Aumal étaient leur ennemi naturel, s'en méfiaient comme de la peste et avaient cherché la parade. Ils mettaient à dessein du bois dans leurs maisons souterraines, sous forme de poutres ou de cloisons, afin de ne pas se laisser prendre pendant leur sommeil. Les lits, toujours en bois, n'étaient jamais en contact avec les murs. Et Mama Mandombé, la Déesse Magnifique, leur Mère à tous, leur avait fait don du Cristal de Mwayé pour se protéger. Mwayé, la lumière.

Le Cristal, conservé dans l'obscurité, se chargeait de lumière intérieure qui jaillissait comme un éclair quand on le mettait en contact avec le Nyanga. Le Cristal de Mwayé, une des trois Terres singulières, était une arme redoutable contre les Hommes d'Aumal : la puissance de l'éclair était telle que la lumière pénétrait la roche et y voyageait sur une bonne distance avant d'être usée par le frottement. Les Hommes creux qui se trouvaient sur son trajet étaient littéralement désintégrés par la fulgurance lumineuse, et ils avaient appris à se défier des Nains. Ces derniers ne pouvaient utiliser le Cristal de Mwayé, excessivement destructeur, qu'en cas d'extrême urgence, quand la vie de l'un d'eux était en danger et qu'il n'y avait aucun autre recours possible. En cas d'utilisation inappropriée, l'éclair, au lieu d'aller s'éteindre dans les profondeurs du sol, était réfléchi par la pierre et détruisait l'utilisateur frivole. De plus, le Cristal de Mwayé ne pouvait être utilisé qu'une seule fois : il avait besoin de plusieurs siècles pour se régénérer.

Les Nains avaient compris sa valeur et le recherchaient avec passion. Vu le temps nécessaire à sa réactivation en lumière, on n'en aurait jamais trop, se disaient-ils. Mais les Terres singulières méritaient bien leur nom et étaient extrêmement rares.

* * *

— Là, sur le sol ! s'écria Bassirou.

Ses compagnons accoururent.

— Les Hommes creux… laissa tomber Bandélé, qui sentait pour la première fois la très légère vibration du sol provoquée par les Hommes d'Aumal à l'œuvre.

Le corps de Nihassah, allongé sur le sol et englouti par la pierre, dépassait encore sur une petite épaisseur. Les Hommes creux avaient commencé leur travail en la tirant par le bas, puisqu'elle était couchée. La pierre lui recouvrait déjà complètement les parties les moins épaisses du corps, à savoir les chevilles, les jambes et les bras. Elle semblait inconsciente.

Babah jeta un coup d'œil interrogateur à Mukutu qui opina et consulta ses autres compagnons du regard. Tous avaient compris la question implicite et approuvèrent de la tête avec une gravité respectueuse. Les occasions d'utiliser le Cristal se présentaient rarement, et c'était aussi pour eux une opportunité de rendre hommage à Mama Mandombé, la Mère de tous les Nains. Ils se placèrent en cercle autour de Nihassah, émus et recueillis.

Mukutu, secrètement soulagé d'avoir emporté la Terre singulière, posa cérémonieusement son sac sur le sol, l'ouvrit et isola précautionneusement l'épais chiffon noir qui contenait le Cristal de Mwayé, sans le prendre. La puissance du rayon lumineux était telle qu'il ne fallait rien laisser au hasard, à commencer par l'orientation dudit rayon, qui partirait instantanément, en ligne droite, dans la direction opposée au Minerai sacré.

Mukutu ôta la bague de Nyanga qu'il portait à l'annulaire gauche et qui scintillait davantage que d'habitude, comme s'il était excité par la proximité du Cristal de Mwayé. Tenant le bijou de la main gauche, il dégagea le Cristal de sa gangue de toile de la main droite, et vint se placer au-dessus de Nihassah.

Les Nains retenaient leur respiration, sous l'emprise d'un bouleversement poignant qui les mettait en relation directe avec leur Mère à tous, leur Déesse Magnifique, Mama Mandombé, qu'ils aimaient et honoraient de tout leur cœur depuis des millénaires, et qui allait une fois de plus leur prouver son amour. Babah avait les yeux brillant de l'eau d'une émotion contenue, et on entendit Gotoré et Bassirou renifler discrètement.

Mukutu glissa le Cristal de Mwayé sous le Minerai sacré et les accola. Un éclair foudroyant jaillit, perçant brièvement les ténèbres alentour, et disparut dans le sol, entre les jambes de Nihassah. Il y eut un imperceptible tremblement dans les profondeurs de la terre, un frémissement léger qui dura quelques secondes, puis plus rien. Nihassah s'éveilla.

18

Afo et Keyah échangèrent un long regard, sidérées, avec les mêmes pensées défilant à la même vitesse dans leur cerveau. Les Licornes! De grands chevaux d'un blanc immaculé, avec une corne unique au milieu du front! Chez les Licornes, avait dit WaNguira! Mais où vivaient-elles? Dans quel pays lointain que l'on mettrait des mois à atteindre?

Un pays presque mythique, qui avait donné naissance à de drôles de légendes... Mais étaient-ce réellement des légendes? Et si c'était vrai? D'étranges histoires circulaient sur leur compte... WaNguira n'avait pas l'air de plaisanter. De plus, tous les éléments s'emboîtaient, puisque la principale légende entourant les Licornes racontait qu'elles pouvaient détecter les poisons et les guérir avec leur corne.

Les jumelles ne s'étaient jamais posé de questions sur les Licornes, leur mode de vie et leur pays. Leurs connaissances étaient superficielles et fragmentaires, les Licornes appartenant à un autre monde que le leur. Et voilà que WaNguira voulait les y amener. Quel long voyage en perspective...

Pour une fois, Keyah partageait le pessimisme de sa sœur: Gaïg aurait le temps de mourir. Dans son état, elle ne survivrait pas à un tel voyage. Peut-être qu'il suffisait d'attendre Nihassah et Mukutu? Ils sauraient guérir Gaïg, qui sait... De plus, que diraient-ils en arrivant, s'ils ne la trouvaient pas? Mukutu était le chef et il avait confié Gaïg à Keyah. De quel droit pouvait-elle partir comme cela, avec la petite protégée de Nihassah, même si c'était pour lui sauver la vie? Keyah se mordillait la lèvre inférieure, perplexe, prête à s'opposer au départ, quand Afo lui passa affectueusement le bras autour des épaules.

— WaNguira est notre grand prêtre, Keyah, et il a décidé. Nous n'avons pas le choix.

— Mais...

— Il n'y a pas de « mais », Keyah. Nous devons obéir. Et c'est sans doute ce qu'il y a de mieux pour Gaïg. Nous ne pouvons rien faire de plus pour elle. S'il y a un espoir de guérison chez les Licornes, allons-y.

Keyah ne répondit pas. Elle semblait de marbre. Afo jugea bon de prendre la direction des opérations.

— Je vais préparer nos affaires et chercher des vêtements de rechange pour Gaïg. Reste avec elle, explique-lui ce que nous avons l'intention de faire... et pourquoi.

Afo s'esquiva au moment où Gaïg se réveillait.

— Hé bien, petite princesse, dit Keyah d'un ton qu'elle voulait enjoué et dynamique, même si elle sentait son cœur enserré dans une poigne de fer, tu n'as pas fini de voyager! La morsure des Vodianoïs est venimeuse. Il faut extraire le poison de ton corps. Tu dois rendre visite aux grandes spécialistes du poison.

— Toute seule? fut l'interrogation angoissée de Gaïg, qui s'imaginait mal, une fois de plus, en promenade solitaire dans les cavernes.

— Bien sûr que non. Tu ne te débarrasseras pas de nous aussi facilement! Nous serons plusieurs à t'accompagner: il faut une suite pour une petite princesse!

Gaïg sourit, soulagée d'un poids énorme. Elle aurait préféré mourir sur place plutôt que repartir seule dans les souterrains.

— Si vous venez avec moi, je suis d'accord. Mais où irons-nous? Et Nihassah? Est-ce que c'est loin? Je pourrai marcher? Je suis si fatiguée... J'ai tout le temps sommeil. Quand est-ce que Nihassah revient?

Keyah sourit devant l'impétuosité brièvement retrouvée de Gaïg: elle comprenait pourquoi Nihassah s'était attachée à la fillette.

— C'est beaucoup de questions en même temps, petite Princesse. Par laquelle je commence?

— Nihassah?

— Elle n'est pas encore revenue. Mukutu, notre chef, celui qui t'a trouvée dans la galerie, est parti la chercher avec d'autres Nains. C'est son père. Tu as beaucoup dormi, mais la route est longue, jusqu'à la caverne de Nihassah. Deuxième question ?

— Où allons-nous ?

— Chez les grandes spécialistes du poison, je t'ai dit. Nous allons chez les Licornes.

Gaïg la regarda, ébahie, avec l'air de quelqu'un qui ne comprenait pas ce qu'on lui disait. Keyah s'approcha et lui saisit les deux mains.

— Hé bien, oui, chez les Licornes ! Ces magnifiques chevaux blancs, avec une corne sur le front. C'est avec leur corne qu'elles te guériront, dit-elle en souriant pour la rassurer.

— Elles existent vraiment ? Je croyais que c'était une légende... laissa échapper Gaïg, pensive.

— Elles existent tellement que WaNguira nous y conduit : je ne saurais pas comment y aller. Afo prépare nos affaires. Je change ton pansement et on y va.

Keyah prit le temps de brûler les compresses souillées, pleines de Glaise de Bakari, dans une bassine métallique : il ne fallait pas que le poison contamine le sol...

* * *

Afo arriva, peu après, en compagnie de WaNguira et de deux autres Nains : Témidayo et Mfuru, portant une civière. Si Témidayo était réputé pour son dynamisme et sa vivacité, Mfuru, la Tortue, était tenu à l'écart à cause de son manque de rapidité. La vitesse et la précipitation ne sont pas les qualités primordiales des Nains, mais Mfuru battait tous les records en matière de lenteur. Certains allaient même jusqu'à affirmer qu'il avait été si peu pressé de naître qu'il s'était attardé pendant quatorze mois dans le ventre de sa mère, au lieu des douze réglementaires ! La naissance elle-même avait traîné en longueur, et la guérisseuse, perdant patience, avait fermement appuyé sur le ventre maternel, depuis les côtes jusqu'au pubis, afin de mettre au monde ce bébé nonchalant. Mfuru s'était laissé expulser du domaine maternel sans même se donner la peine de crier et s'était endormi au sein dès la première tétée. Macény, sa mère, avait appris la patience par la force des choses avec ce bébé trop tranquille, qui s'était révélé plus tard être un musicien hors pair.

En effet, seule la musique était capable d'accélérer le rythme de vie de Mfuru. La musique des Nains reposait essentiellement sur la voix et les percussions, le chant étant soutenu par le son du tambour se propageant de galerie en galerie et résonnant gravement, porté par l'écho, à une grande distance de son lieu d'émission. Les pierres vibraient alors d'une vie qui leur était propre, les colonnes, stalagmites et stalactites jouant le rôle de corde ou d'archet dans une caisse de résonance magistrale constituée par la succession des cavernes.

L'entrechoquement de paires de lames composées chacune de métaux différents s'ajoutait aux sons lourds des tambours pour donner des accents d'une légèreté aérienne à cette musique de création du monde. Elle était rendue vivante par des clappements de langue d'une puissance et d'une variété phénoménales, et par le claquement des mains l'une contre l'autre sur un rythme régulier, qui pouvait s'accélérer jusqu'à atteindre de vertigineux sommets avant de redescendre en un decrescendo cassant aux éclats brefs et secs, qu'on n'aurait jamais cru produits par des êtres de chair.

Mfuru maîtrisait ses bruits de langue à la perfection, ayant développé un appareil phonatoire peu commun, capable de produire des sonorités inattendues, mais s'insérant parfaitement dans la polyphonie ambiante. Il avait ajouté le claquement des doigts au frappement des mains, ce qui avait eu pour effet de l'alléger, jusqu'à abandonner son battement sec et rythmé, pour le remplacer par un crépitement igné, dans des solos troublants et enivrants dont il possédait le secret et qui transportaient ses compagnons dans un ailleurs musical et mystique, aux pieds mêmes de Mama Mandombé, leur Mère à tous.

Keyah reconnut la sagesse de WaNguira dans le choix de ses compagnons. En sus du goût bien connu des Licornes pour la musique, c'était une occasion de faire voyager Mfuru, qui se heurtait toujours à la réticence de ses frères en matière de voyages, rebutés qu'ils étaient par sa lenteur. Il était évident qu'avec Gaïg sur une civière, on n'irait pas vite de toute manière. Témidayo, vif et enjoué, enclin à plaisanter, constituait également un bon choix : sa force et sa vivacité seraient appréciées quand le besoin s'en ferait sentir, et son dynamisme contrebalancerait l'inertie de Mfuru.

Gaïg les regardait tour à tour, se demandant pourquoi les Nains se donnaient tout ce mal pour elle. WaNguira l'impressionnait toujours un peu, peut-être à cause de l'air solennel et imposant qu'il arborait à ce moment-là, « malgré ses petits yeux de crabe », pensa-t-elle, qui laissaient transparaître un peu de malice.

— Alors, prête, Wolongo ? Keyah t'a dit que nous partions en voyage ? demanda-t-il, le regard pétillant d'un savoir qui semblait l'amuser énormément, et dont Gaïg ignorait tout.

— Je ne suis pas sûre de pouvoir marcher, répondit Gaïg en hésitant. Pourquoi n'attendons-nous pas Nihassah ?

— Tu penses que tu marcheras mieux avec sa jambe cassée pour t'aider ?

Gaïg se mordit les lèvres de honte, se disant qu'elle devait lui sembler très sotte et un peu exigeante. Elle se tut, rendue une fois de plus au bord des larmes. Et cette envie de dormir qui la reprenait... C'est dans un état très proche du sommeil qu'elle entendit Témidayo lui parler.

— Si tu ne peux pas marcher, nous te porterons. Nous sommes venus pour ça, ne t'inquiète pas.

— Merci, vous êtes gentils, parvint-elle à articuler d'une voix pâteuse, avant de s'endormir de nouveau.

Afo et Keyah la placèrent sur la civière que portaient Témidayo et Mfuru.

— Elle ne sera pas bien embêtante, si elle est tout le temps comme ça, remarqua Témidayo, en poussant Mfuru en avant avec la civière pour lui donner le signal du départ.

Les Nains se mirent en marche, WaNguira et les jumelles en tête, suivis par les porteurs.

19

La pierre qui enserrait Nihassah avait été désintégrée par le rayon lumineux et était devenue du sable : la Naine se redressa. La douleur violente qu'elle ressentit immédiatement dans la jambe la ramena brutalement à la réalité de sa condition, et elle laissa échapper un gémissement.

— M'est avis qu'tu l'as échappé belle, ma fille, fut la première parole de Mukutu.

— Oui. Merci. Merci à tous, répondit-elle, épuisée. Merci à toi, Mama Mandombé, ajouta-t-elle avec ferveur. Quand j'ai vu que les Hommes creux se déplaçaient sur les parois de l'autre caverne, je me suis traînée ici pour leur échapper. Mais l'effort a été tel que je me suis évanouie, et ils en ont profité pour s'approcher par en dessous. Je ne pouvais pas flotter dans l'air, naturellement. C'était facile pour eux. Je me suis endormie, et voilà. Merci encore. Vous êtes venus vite. Et Gaïg ?

— Elle est au village, l'informa Babah. Sacrée gamine...

— Mais toi, comment te sens-tu ? demanda Bassirou, pressentant que le temps n'était pas encore venu de la mettre au courant de la morsure de la Vodianoï.

— J'ai mal, bien entendu. Gaïg a dû vous dire que ma jambe est cassée. Au début, j'ai pris les plantes que j'avais dans mon sac pour m'aider à tenir le coup en vous attendant. Elles étaient surtout prévues pour lutter contre l'épuisement de la marche. Mais une fois que je me suis rendu compte de la présence des Hommes d'Aumal, je n'ai pensé qu'à leur échapper. Si vous n'étiez pas arrivés... Et Gaïg, comment va-t-elle ?

— Ils attendront un bon moment avant de revenir dans les parages, à présent, déclara Bassirou, têtu. Et si tu nous montrais cette jambe, qu'on voie ce qu'on peut faire ?

Nihassah la leur indiqua du doigt, et Bandélé l'examina avec des précautions infinies.

— Fracture toute simple, précisa-t-elle. Mais fort ennuyeuse. Et ça fait mal… Gaïg s'est bien débrouillée, dans les souterrains ?

— Oui… fracture toute simple, dont nous allons nous occuper immédiatement, fut la réponse de Bassirou, énoncée d'un ton laconique.

Mukutu tendit à Nihassah une préparation liquide.

— Tiens, bois. Ça endormira un peu la douleur. M'est avis qu'ça t'endormira aussi, c'qui vaut peut-être mieux, d'ailleurs...

Nihassah but avidement le contenu de la gourde, et s'endormit peu après. Avec une dextérité qui montrait une longue habitude de la médecine, Mukutu, issu d'une longue lignée de guérisseurs, remit délicatement l'os en place et fixa les attelles sur la jambe afin d'empêcher tout mouvement. Nihassah, bien que dormant toujours, gémissait dans son sommeil.

— Nous attendrons qu'elle s'réveille pour r'partir. M'est avis q'nous avons b'soin de r'pos, nous aussi.

Les Nains approuvèrent cette sage décision de leur chef et s'installèrent pour manger et dormir. Les dernières heures avaient été fertiles en émotion, et la découverte de Nihassah prisonnière de la roche les avait bouleversés. Il s'en était fallu de peu qu'elle ne mourût.

— C'est quand même extraordinaire, la puissance conjuguée du Nyanga et du Cristal de Mwayé, déclara Bandélé, encore ému. Vous avez senti la vibration du sol avant que la lumière ne s'use ?

— Hum ! on l'a même sentie avant, quand les Hommes creux s'affairaient là-dessous... rétorqua Babah.

— Sont bizarres, quand même, ces créatures. Elles ont toujours habité dans ces grottes ? demanda Toriki.

— Toujours, je n'en sais rien. Mais elles étaient là avant moi, et ça fait un moment que j'y suis, je peux te l'assurer. Je suis le plus vieux de vous tous ici, non ? Donc le plus sage, plaisanta Babah, afin d'alléger un peu l'atmosphère.

— Sal'tés d'créatures. M'est avis qu'ça d'vrait déménager d'ici, maugréa Mukutu, visiblement peu enclin à plaisanter.

Il avait le visage soucieux. D'abord les Vodianoïs, ensuite les Hommes d'Aumal. Il estimait que cette accumulation ne présageait rien de bon. Les temps changeaient. À croire qu'Idourou les poursuivait... Pourtant, Mama Mandombé, leur Déesse Magnifique, les protégeait des maléfices du diable, Idourou, celui dont il valait mieux ne même pas prononcer le nom. En tant que chef du village, il jugeait qu'il était de son devoir d'anticiper, de prévoir, afin de parer à toute éventualité. Mais tout arrivait tellement vite! Mukutu fit une brève prière dans sa tête pour conjurer le mauvais sort, en appelant la protection de Mama Mandombé sur Son peuple.

Et Nihassah, avec sa jambe cassée, qu'il faudrait transporter... Heureusement qu'ils étaient six, ils pourraient se relayer: elle n'était pas bien lourde, deux personnes suffiraient à la porter. Il se leva:

— J'vais quand même fermer la «porte» d'la pièce... Dire qu'on l'avait taillée avec elle, cette pierre ponce... Tu t'souviens, Babah? Il avait fallu la transporter, et chaque fois qu'elle n'passait pas dans un'galerie, fallait en enl'ver un bout. On croyait qu'il n'en rest'rait plus assez.

Il replaça soigneusement la pierre ponce de Nihassah afin d'obturer l'entrée de la caverne, un léger sourire aux lèvres, parce que satisfait d'avoir effectué les prévisions adéquates.

— M'est avis qu'on f'rait mieux d'dormir, maintenant, maugréa-t-il. Enfin, moi, c'est c'que j'vais faire.

Les autres Nains acquiescèrent et se préparèrent pour un sommeil réparateur. Ils savaient qu'après l'utilisation du Nyanga et du Cristal de Mwayé, ils n'auraient rien à craindre des Hommes creux pendant un moment. La route du lendemain serait longue et difficile, avec Nihassah qu'il faudrait manipuler avec précaution. Ils mettraient plus de temps au retour qu'à l'aller, mais n'étant pas d'un naturel impatient, cela ne leur posait pas de problème.

* * *

La «nuit» se passa sans incident, et Nihassah fut la première à se réveiller. Elle demeura silencieuse, songeant dans le noir.

Sa jambe ne la faisait presque pas souffrir, mais elle savait que la douleur réapparaîtrait sous peu. C'était comme si elle dormait encore, elle aussi. Heureusement que Mukutu avait prévu des plantes. Mais que se passait-il avec Gaïg ? Avec une intuition toute féminine, Nihassah pressentait quelque chose. Est-ce que Gaïg était blessée ? S'était-elle fait attaquer par les Hommes creux, elle aussi ? Pourtant, si Mukutu et les autres étaient là, c'était bien que Gaïg ne s'était pas perdue et qu'elle avait réussi à atteindre le village. Néanmoins, elle pressentait quelque chose d'anormal, pour que les autres gardent ainsi le silence et éludent ses questions.

Nihassah s'agita, tant sous l'emprise de l'anxiété que de la douleur, qui se manifestait maintenant par des élancements dans la jambe malade. Elle laissa échapper un soupir, et Bandélé, qui ne dormait pas très loin, bougea dans son sommeil. Nihassah ne voulait pas réveiller ses compagnons, ils auraient déjà assez de mal comme cela à devoir la transporter sur une civière.

Quelle frousse elle avait eue, la veille, quand elle avait vu la première silhouette d'Homme creux se découpant sur la muraille. Elle avait dû faire appel à toute sa volonté pour se traîner dans la deuxième caverne, histoire de gagner du temps. Dans son état, elle savait qu'elle pourrait difficilement leur échapper, et que sa seule chance de salut résidait dans l'arrivée de ses amis, à condition bien sûr que Gaïg ait pu rejoindre le village.

Bandélé bougea encore, il devait rêver, songea Nihassah. Elle avait toujours éprouvé une amitié particulière pour lui, peut-être parce qu'ils étaient nés le même jour. Ils avaient été élevés ensemble pour ainsi dire : Nihassah avait perdu sa mère, Batuuli, à la naissance, et c'était celle de Bandélé, Matilah, qui avait pris la relève, pendant que Mukutu s'enfonçait dans le chagrin du deuil. Bandélé avait été comme un frère pour elle, un frère aîné, arguait-il, étant né quelques heures avant elle.

Les compagnons de Nihassah s'éveillèrent peu après, presque en même temps, comme si le signal du départ avait été donné dans leur sommeil. Peu causants de nature, les Nains étaient absolument silencieux dans les instants qui suivaient leur réveil : ils avaient besoin de se mettre en train pour affronter la journée qui s'annonçait. Ils se préparèrent sans un mot, installèrent délicatement Nihassah sur la civière et se mirent en route, Bandélé et Toriki faisant office de porteurs.

20

Keyah fut la première à s'étonner de la direction que prenait WaNguira : il s'enfonçait dans les montagnes au lieu d'emprunter les galeries qui les conduiraient à l'extérieur. Pourtant, leur guide avait l'air de savoir où il allait et avançait d'un pas décidé. Afo et Keyah suivaient, et Mfuru n'avait pas le choix de son rythme de marche, poussé qu'il était par Témidayo, à l'autre bout de la civière sur laquelle reposait Gaïg. Quand il ralentissait, Témidayo lançait deux ou trois clappements de langue rythmés, Mfuru enchaînait sans même s'en rendre compte, et accélérait le pas, porté par sa propre musique.

Les Nains posaient rarement des questions à WaNguira, leur grand prêtre, comprenant qu'il était tenu par le secret sur de multiples sujets, mais Keyah, n'y résistant plus, l'interrogea sur leur direction :

— Pourquoi allons-nous par là, WaNguira ? Nous nous enfonçons sous la montagne. C'est la galerie de Ngondé. Où vivent les Licornes ?

— Elles vivent dans la forêt de Nsaï. Nous devons traverser la montagne pour arriver chez elles

Keyah était étonnée : elle avait cru que ce serait beaucoup plus loin.

— Ce n'est pas si loin que ça... Elles vivent réellement là ?

— À moins qu'elles n'aient déménagé... Mais ça ne doit pas être facile de transporter des chênes plus que centenaires avec des Dryades en colère parce qu'on déracine leur maison...

— Des Dryades ? interrogea Afo, curieuse.

— Oui, elles se sont installées là depuis la germination des premiers glands sur terre et elles n'en sont jamais parties. Elles continuent à planter des chênes, et Nsaï est la seule forêt du monde qui s'agrandit, au lieu de diminuer sous l'action des hommes. Il est vrai qu'elle est difficilement accessible, enserrée comme elle l'est entre les montagnes de Sangoulé et nos monts d'Oko. La légende veut que les montagnes s'écartent pour lui laisser place.

— Nous y avons cherché des champignons autrefois, quand nous habitions encore au village de Ngondé, se souvint Keyah.

— De l'extérieur, la forêt de Nsaï ressemble à n'importe quelle autre, répondit WaNguira. Les Nains ont l'autorisation d'y récolter de quoi manger, à condition de ne pas accomplir d'actes de vandalisme, comme casser des branches, cueillir des fruits verts ou y allumer un feu. Ils ne peuvent pas y chasser non plus. Plus on s'enfonce dans la forêt, plus les chênes prédominent et plus il devient difficile de progresser. Les branches, les racines, les feuilles, les lianes, tout cela forme un entrelacs végétal impénétrable, qui protège son cœur. On peut y tourner pendant des jours et des jours, tout en restant à la périphérie : il y a un charme qui dissimule son centre aux yeux du profane, la Clairière sacrée de Mukessemanda, Celle-où-tout-se-décide. Tout étranger est soumis au bon vouloir des Dryades ou des Licornes pour pénétrer dans la partie enchantée de la forêt.

Tout le monde écoutait WaNguira avec attention, y compris Gaïg qui s'était réveillée. La forêt de Nsaï était connue de tous, mais ils ignoraient ce qu'elle recelait et prêtaient l'oreille avec étonnement à l'enseignement de WaNguira, qui continua.

— Chaque Dryade a son chêne, et sa vie est liée à celle de son arbre. Quand ce dernier meurt, la Dryade meurt, elle aussi. Et inversement. Mais les chênes sont protégés de la mort par le charme qui encercle cette partie de la forêt. Certains sont très très anciens. En vieillissant, ils prennent un aspect humain, et on prétend qu'ils peuvent se déplacer. Lentement, bien sûr..., ajouta-t-il, songeur. Les arbres les plus âgés se trouvent à la périphérie et ils protègent la Clairière de Mukessemanda. Les Dryades continuent à y planter des glands, qui germent et donnent des chênes, ce qui explique l'agrandissement de la forêt. Mais elle croît de l'intérieur. C'est pourquoi la légende dit que les montagnes de Sangoulé et les monts d'Oko s'éloignent l'un de l'autre.

Gaïg luttait contre le sommeil. Elle trouvait passionnantes les explications de WaNguira et, couchée sur sa civière, elle se laissait aller à imaginer un monde d'eau et de bois. Elle ne pouvait oublier l'eau, la mer, et murènes et Dryades se mélangèrent dans un rêve à moitié éveillé jusqu'à devenir des sirènes. Afo et Keyah, subjuguées, se tenaient par le bras, la largeur de la galerie leur permettant d'avancer de front.

— Tu as déjà vu une Dryade ? demanda Afo, rêveuse.

— Il est quasi impossible d'en voir une si elle veut se cacher, tellement elle fait corps avec la végétation, répondit WaNguira, éludant la question. Elles sont très jolies, assez fines, pas très grandes : on dirait des poupées. Leurs habits sont en harmonie avec les tons de la forêt et leur peau prend la couleur du tronc ou des feuilles selon leur position : elles peuvent rester immobiles de longs moments, si c'est nécessaire. Mais elles sont capables de réagir très rapidement si on attaque leur chêne : ce sont des tireuses à l'arc émérites, et malgré leur petite taille, il ne fait pas bon les mettre en colère. Elles détestent le feu, à cause du danger qu'il représente pour leurs chers arbres, et la moindre fumée les met en effervescence. Il paraît qu'elles n'ont pas de mémoire... En revanche, leurs chênes en ont pour deux...

— Et les Licornes ? interrogea Keyah.

— Elles vivent avec les Dryades, dans la forêt, et sont concentrées autour de la Clairière de Mukessemanda. La Reine des Licornes s'appelle TsohaNoaï, ce qui signifie *Soleil*. Son époux est WakanTanka, le Dieu Suprême. Les Licornes sont éternelles et elles sont toutes les descendantes de WakanTanka et de TsohaNoaï. Les femelles sont les plus nombreuses : leur robe est d'un beau blanc uniforme, sans la moindre tache, alors que les mâles sont bruns, noirs ou bais. Elles se reproduisent très peu... À peine une tous les millénaires, paraît-il.

« La corne des femelles est torsadée et celle des mâles est lisse. C'est avec cette corne qu'elles détectent les poisons et les absorbent, sans en être affectées. Elles guérissent certaines maladies, ce qui explique que les hommes les chassent, pour récupérer leur corne qu'ils réduisent en poudre et vendent très cher. Ce qui est idiot : il suffit de leur demander, elles ne refusent jamais de guérir un malade. C'est leur raison d'être sur terre, et il n'est pas besoin de les tuer pour profiter de leur faculté de guérison. Néanmoins, il n'est pas facile de les approcher, parce que les Dryades les protègent. »

WaNguira se tut et continua à marcher, perdu dans ses pensées. Ses compagnons suivaient, silencieux et charmés. Comme le monde était riche de choses inconnues! «Qu'est-ce qui existe encore, en dehors du monde souterrain des Nains?» se demandait Afo, songeuse. Tant de choses qui semblaient appartenir à la légende se révélaient vraies: peut-être que c'était une façon pour elles de se protéger...

— Nous passerons d'abord au village de Ngondé, murmura WaNguira, comme pour lui-même.

Les Nains continuaient à avancer, couvrant d'un pas régulier une grande distance. Ils rêvaient à l'extérieur, ce dehors qu'ils n'aimaient généralement pas lorsque peuplé, bruyant et lumineux, mais qui les attirait quand il s'agissait de forêts enchantées habitées par des êtres merveilleux. Mfuru ne disait rien, concentré sur son allure et son désir de ne pas retarder ses compagnons, perdu dans un récital intérieur de percussions. Quand il ralentissait, de façon totalement inconsciente, Témidayo le poussait malgré lui, entonnait un air de musique, lançait quelques rapides clappements de langue, et Mfuru, se laissant entraîner, reprenait le rythme commun. Cependant, la monotonie de la marche aidant, il ralentissait de plus en plus souvent. WaNguira s'en rendit compte, et proposa une pause.

— Cela fait longtemps que nous cheminons. Nous pouvons nous restaurer un peu et faire un petit somme.

Gaïg, qui dormait, se réveilla au contact du sol, qu'elle trouva dur et froid après le balancement de la randonnée. Keyah lui servit une soupe froide. Elle la remercia, elle n'avait pas très envie de parler, un peu confuse du mal qu'elle donnait aux Nains. Pourquoi faisaient-ils cela? Et qui était WaNguira en réalité? Il avait l'air de connaître beaucoup de choses... Les autres le traitaient avec déférence, ce qui ne l'étonnait guère: il émanait de lui une puissance qu'elle n'arrivait pas à cerner. Mais comment pouvait-il savoir autant de choses sur des êtres aussi mystérieux que les Dryades et les Licornes?

Comme chaque fois qu'elle essayait de réfléchir, Gaïg se sentait envahie par l'envie de dormir. Elle se tenait beaucoup plus longtemps éveillée si elle se contentait de suivre la conversation autour d'elle, sans se poser des questions pour lesquelles elle n'avait de toute façon pas de réponse. Elle décida de se laisser aller au sommeil une fois de plus, c'était plus fort qu'elle.

Les Nains mangèrent silencieusement et s'allongèrent un moment. Mfuru, rêveur, n'avait encore rien avalé.

— Mais pourquoi passons-nous par Ngondé? demanda Keyah à WaNguira. Ce n'est pas le plus court chemin pour se rendre à la forêt de Nsaï...

— Les Licornes aiment la pureté et sont les amies des jeunes filles. Nous y prendrons Dikélédi, la fille de Doumyo et Mvoulou: c'est elle qui accompagnera Wolongo. Il y a peu de chances que nous puissions tous pénétrer dans la forêt sacrée.

— Peut-être qu'il faut les prévenir, alors, conclut Afo, avec son esprit pratique. Je peux prendre les devants, si tu veux…

— C'est déjà fait. J'ai envoyé Mdé, notre messager. Il est parti avant nous et il doit déjà y être, dit WaNguira. Merci, Afo. J'ai aussi chargé Matilah de tout expliquer à Mukutu, Nihassah et les autres, quand ils arriveront.

Le silence régna. Les Nains étaient ébahis par la facilité et la maîtrise avec lesquelles WaNguira prenait les choses en main: il pensait à tout. Ils s'assoupirent, rassurés, pendant que Mfuru entamait son repas. Il mangeait lentement et, porté par l'exemple de ses compagnons, il finit par s'endormir à côté de sa nourriture.

Gaïg se réveilla en sursaut, l'esprit un peu embrumé par un rêve dont elle n'arrivait pas à se souvenir, et voyant tout le monde endormi, n'osa pas faire de bruit. Elle décida d'essayer de marcher un peu et se leva, les jambes tremblantes. Elle réussit à tenir debout et fit quelques pas, pensant rester dans les environs. Mais une lueur toute proche attira son attention et éveilla sa curiosité. Comme c'était étrange, ce voyage souterrain sur une civière portée par des Nains... Et voilà que maintenant, elle pouvait marcher. Elle avait la sensation d'évoluer dans un songe... Autant aller voir ce qu'était cette lumière, qui l'intriguait un peu.

Gaïg avait l'impression que la lueur reculait au fur et à mesure qu'elle progressait, mais elle ne pouvait trop se fier à ses sens. Elle continua d'avancer, guidée par la lueur, et quand elle fut certaine qu'elle se déplaçait, comme portée par un Nain, elle arriva dans une caverne, baignant dans une pénombre relativement claire.

Ce qu'elle vit la figea sur place.

21

Le voyage de retour se déroula calmement. Les Nains parlaient peu, noyés dans leurs pensées. Bandélé et Toriki faisaient de leur mieux pour ne pas trop secouer Nihassah, qui ne dormait pas. Elle s'était fait un oreiller de son sac, afin d'avoir une vision approximative de la route. Mukutu et Babah allaient en tête, et Bassirou et Gotoré fermaient la marche.

De temps en temps, un des Nains s'enquérait de son état, son père lui donnait une boisson ou une plante dont la sève endormait la douleur à mâchouiller. Les porteurs se relayaient régulièrement : non que Nihassah fût lourde, puisqu'elle aurait pu avoir les mêmes porteurs d'un bout à l'autre du trajet si la situation l'avait exigé. Mais les Nains étaient prévoyants et économes : pourquoi gaspiller les forces de deux individus, alors qu'il pouvait en être autrement en se relayant ?

La descente de l'escalier du lac de Fary, dont le petit derrière de Gaïg avait gardé un cuisant souvenir, se révéla quelque peu périlleuse pour Nihassah, puisque la civière était en permanence inclinée vers le bas. Babah, qui était porteur de tête à ce moment-là, décida donc de poser les brancards sur ses épaules et les tint de chaque côté de son cou. Mukutu, qui soutenait l'arrière, garda, lui, les bras tendus, afin de diminuer au maximum l'inclinaison de la civière. Pendant ce temps, Nihassah, peu rassurée, s'accrochait.

— M'est avis qu'si on tombe, on s'écrase, grommela Mukutu, en se concentrant pour chercher du pied la marche suivante.

— Oui, et les premiers ne seront pas assez épais pour faire un matelas aux suivants, ajouta Babah, qui se voulait drôle, mais dont la remarque tomba à plat.

Passé la période d'adaptation du début, la descente se poursuivit, lentement, mais d'un pas plus assuré, les Nains n'étant pas sujets au vertige. Une fois au pied de l'escalier, ils reprirent leur cheminement, pressés qu'ils étaient d'arriver. C'était au tour de Bassirou et de Gotoré de porter la civière.

Nihassah, n'y tenant plus, rompit le silence.

— Et Gaïg, comment ça s'est passé? Elle a eu le temps de vous raconter un peu son périple souterrain? C'était la première fois pour elle, vous savez. Elle a du mérite. J'ai senti qu'elle avait très peur. Elle aurait préféré creuser sous l'éboulement. Mais ce n'était pas la bonne solution...

Personne ne répondit, chacun comptant sur un autre pour se faire le porteur de la mauvaise nouvelle et, à la fin, tous les regards convergèrent vers Mukutu. Ce dernier toussa, grommela, toussa de nouveau, fit semblant d'avoir quelque chose à cracher, se moucha, et se concentra sur le sol devant lui, considérant avec attention l'endroit où il posait les pieds, comme s'il marchait sur des œufs. Nihassah vit Babah lui lancer un coup de coude dans les côtes, en lui jetant un coup d'œil de côté.

— S'il est arrivé quelque chose, vous feriez aussi bien de me le dire, au lieu d'arborer ces airs de conspirateurs maladroits, jeta-t-elle avec une pointe de provocation. Vous êtes tous nuls pour ce genre de secrets. Alors, que s'est-il passé? Que le plus brave ait le courage de parler.

Vexés, les Nains regardèrent Mukutu, qui ne pouvait plus se dérober.

— Inutile de tousser ou de cracher, tu n'as rien dans la gorge. Et tu ne vas pas tomber, le sol est plat. Alors? interrogea Nihassah, qui sentait monter l'anxiété dans son cœur.

— Hum... Hem... Heu... M'est avis qu'les Vodianoïs sont de r'tour, laissa tomber Mukutu, acculé.

S'appuyant sur les coudes, Nihassah se redressa, atterrée.

— Ça veut dire quoi, ça? Mais parle, enfin! Elle a été mordue? C'est ça?

— M'est avis qu'oui..., murmura Mukutu.

Nihassah, dont on devinait le visage blême dans la pénombre, s'enquit d'une voix inaudible: « Et elle est... ? » sans pouvoir terminer sa phrase.

La réponse étant plutôt positive après la nouvelle précédente que personne ne voulait annoncer, les six Nains retrouvèrent l'usage de la parole pour répondre d'une seule voix: « Non, non, elle est vivante. »

Nihassah se laissa tomber sur la civière, une angoisse épouvantable lui étreignant le cœur. Son visage fut bientôt inondé de larmes qu'elle ne pouvait contenir. Gaïg allait mourir. À cause d'elle. Gaïg, sa précieuse petite princesse, allait disparaître. Toutes ces années n'auraient donc servi à rien...

Babah fut le premier à réagir devant ce chagrin d'autant plus fort qu'il était muet.

— Puisqu'on te dit qu'elle est vivante. Quand on a quitté Jomo, elle vivait. C'est elle qui nous a dit où te trouver. C'est bien la preuve qu'elle est vivante, non, si on est venu te chercher? On l'a confiée à Keyah et Afo. Elles la soignent.

— On pourrait aller plus vite, s'il vous plaît? Je ne suis pas en cristal, je ne vais pas me casser. Il nous faut arriver au village.

Sans un mot, les Nains accélérèrent le pas. Ils maintinrent leur rythme soutenu jusqu'au lac de Fikayo alors que Nihassah restait silencieuse sur sa couche.

Arrivés sur place, ils durent s'organiser différemment pour la traversée, deux Nains ne pouvant tenir avec la civière sur un même rocher. Bassirou et Gotoré installèrent des planches afin de relier tous les rochers entre eux, et Toriki et Bandélé traversèrent le lac d'une traite avec Nihassah allongée entre les brancards.

À l'entrée du tunnel qui conduisait au village de Jomo, Matilah les attendait.

— Je me doutais que vous ne tarderiez pas. Cela ne fait pas longtemps que je suis là, je viens d'arriver. Vous avez fait vite. Je m'apprêtais à attendre plus longtemps que ça... Comment ça va, Nihassah? s'enquit-elle avec une intonation pleine d'inquiétude.

— Ça va, merci. Et Gaïg?

— Ils ne t'ont pas dit? demanda Matilah.

— Si, si, je sais qu'elle a été mordue. Mais comment va-t-elle? Est-ce qu'elle est... ?

— Mais non, elle n'est pas... comme tu dis si bien ! Elle est vivante. Mais pas guérie.

Nihassah laissa échapper un soupir de soulagement, tandis que Matilah continuait :

— WaNguira est parti avec elle : seules les Licornes peuvent la guérir.

Puis, voyant la mine de Nihassah, et comprenant ce qu'elle mijotait, elle enchaîna :

— Et tu ne vas pas les suivre ! Comment crois-tu pouvoir l'aider dans ton état ? J'interdirai à quiconque de te transporter sur une civière. Tu resteras te soigner à Jomo. Wolongo est en sécurité avec WaNguira, Afo et Keyah, Mfuru et Témidayo. Au moment où je te parle, ils doivent être arrivés à Ngondé depuis longtemps. Ils y récupèrent Dikélédi avant de continuer vers la forêt de Nsaï. Je t'assure que tu ne bougeras pas de Jomo tant que ta jambe ne sera pas en parfait état de marche. Réfléchis un peu ! Serais-tu un secours pour eux, ou un poids mort ?

Ce dernier argument eut raison de Nihassah, qui dut se rendre à l'évidence : quelle aide pouvait-elle apporter à Gaïg, avec une jambe cassée ? « Gaïg, ma petite Gaïg, je ne veux pas que tu meures. Pas comme ça. Pas à cause de moi. Ma princesse. »

Elle éclata en sanglots.

22

Gaïg ne pouvait détacher ses yeux du spectacle qui s'offrait à elle. La pénombre s'était épaissie dans la caverne, comme pour mettre en relief ce qu'elle voyait sur sa droite, qui semblait par contraste parfaitement éclairé : un Nain, pour le moins inhabituel avec sa peau claire et ses cheveux frisés d'un blond presque blanc, encore jeune, était assis sur une plate-forme couverte d'une multitude de différentes pierres, en haut d'un escalier qui n'allait apparemment pas plus loin. Au fond de la plate-forme, sculptée dans un rocher, une statue représentait une Naine en taille réelle, avec cinq Nains adultes, mais de taille inférieure, s'accrochant à sa ceinture.

Gaïg se souvenait du rêve qu'elle avait fait après avoir visité les grottes de Nihassah et était pétrifiée d'étonnement. Mais elle ne ressentait aucune peur. Sa bague brillait de mille feux dans la pénombre, tour à tour s'élargissant et rétrécissant, comme si elle vivait.

Gaïg se dirigea malgré elle vers l'escalier, comme attirée par un aimant, et commença à le gravir. Arrivée sur la plate-forme, elle se rendit compte que la statue lui parlait dans une langue qu'elle ne comprenait pas. Comme dans son rêve... La statue s'adressa alors au Nain blanc qui saisit une petite pierre opalescente d'un ovale parfait, et la lui tendit. Une fois qu'elle l'eut en main, Gaïg sentit son esprit se modifier. Elle n'aurait pu expliquer ce qui se passait, elle n'était plus la même, c'est tout.

— Wolongo. Wolongo, Filledel'Eau. Voici-laPierredesVoyages. Pourtonpeuple etpour-MonPeuple.

La statue se tut et redevint rocher. Le Nain blanc se leva et descendit l'escalier. Gaïg voulut le suivre mais il disparut, absorbé par l'obscurité. Elle se heurta alors à WaNguira, qui se trouvait à l'entrée de la galerie. Il contemplait Gaïg avec respect et admiration, le visage plein d'émotion.

— C'est Mama Mandombé qui t'est apparue, Wolongo. C'est notre déesse à tous, la Mère de tous les Nains. Tu as de la chance. C'est un grand honneur pour toi.

Gaïg regardait WaNguira, l'air interrogateur. Elle aurait voulu en savoir davantage, tant de questions se pressaient dans sa tête...

— Tu l'as vue, toi aussi ? Je n'ai pas rêvé, alors. Mais c'était comme dans mon rêve...

— Mama Mandombé n'apparaît jamais à une seule personne à la fois, pour qu'il n'y ait aucun doute sur ses manifestations.

— Elle m'a donné ça, dit-elle en montrant la pierre. Elle l'a appelée la Pierre des voyages...

— C'est de l'Akil minéral, Wolongo, une des trois Terres singulières. C'est très rare. L'Akil minéral peut capter une propriété intelligente et la partager avec celui qui la possède. La Pierre des voyages, par exemple, permet de comprendre les langues des différents peuples et de communiquer avec eux. Mama Mandombé s'est adressée à toi en baalââ, le langage sacré des Nains. Tu l'as comprise à partir du moment où tu as eu la pierre en main. C'est un très beau cadeau, Wolongo. Ça veut sans doute dire que tu es appelée à voyager. Je te ferai un collier pour que tu puisses la porter autour du cou.

— Elle m'a dit : « Pourtonpeuple, etpour-MonPeuple ». Je ne sais même pas d'où je viens, à quel peuple j'appartiens..., émit Gaïg d'une voix étranglée.

— Mama Mandombé le sait, elle, et tu le sauras aussi, Wolongo, quand le temps sera venu.

— Mais Son peuple, ce sont les Nains, n'est-ce pas ?

— Les cinq Nains que tu as vus, accrochés à sa ceinture, sont ses cinq enfants, à l'origine des cinq grandes familles de Nains sur la terre. Il y a les Affés, les Kikongos, les Gnahorés, les Pongwas et les Lisimbahs. Il n'y a plus de Kikongos, malheureusement... Nous appartenons à la famille des Lisimbahs.

— Nihassah aussi ?

— Oui, et Keyah, et Afo, et presque tous ceux du village.

— Et qui est ce Nain blanc, avec elle ?

— C'est Sha Bin. Il a prédit qu'une descendante de Yémanjah allait mettre au monde une fille pour guider les Nains au moment du Grand Exode. Les Nains devront s'installer là où l'élue, descendante de Yémanjah, conduira la fille de toutes les Dryades. Sha Bin est toujours présent quand il s'agit de la prophétie.

— Qui est Yémanjah ? demanda Gaïg, avec une voix un peu lente, annonciatrice de sommeil.

— En baalâà, Yémanjah signifie *Mère-dont-les-enfants-sont-des-poissons*. Elle est la fille de Mama Mandombé et de son frère, Olokun, qui est l'Esprit de l'Eau chez les Nains.

Gaïg bâilla malgré elle. Elle avait peine à garder les yeux ouverts. La conversation de WaNguira la passionnait, une multitude de questions se pressaient dans sa tête, mais l'envie de dormir était incoercible. WaNguira s'en aperçut.

— Tu devrais te reposer maintenant. Mama Mandombé t'a insufflé un peu d'énergie parce qu'elle avait un message à te transmettre, mais tu es toujours sous l'emprise du venin des Vodianoïs. Viens.

Ils se dirigèrent vers l'endroit où ils avaient laissé leurs compagnons, qui se réveillèrent tous à leur arrivée, à l'exception de Mfuru.

— C'est curieux, dit Keyah, j'ai l'impression d'avoir dormi profondément, d'un sommeil sans rêves.

— Moi aussi, répondit Afo. Je n'ai aucun souvenir du moment où je me suis endormie. Ça m'est tombé dessus comme la misère sur les malheureux. Mais nous pouvons continuer, maintenant.

C'est à ce moment qu'elles aperçurent Gaïg.

— Tu es debout ? Tu marches ? s'écria Keyah, interloquée.

— Oui, mais je me couche maintenant, plaisanta Gaïg, facétieuse.

Elle s'installa sur sa civière, la Pierre des voyages fermement serrée dans son poing. La gemme possédait un poids surprenant pour sa modeste taille et dégageait une tendre fraîcheur. Elle semblait s'iriser de reflets mauves quand Gaïg la tenait dans la main qui portait la bague. « Je ne suis pas une Naine, mais j'ai une bague en Nyanga, donnée par la Reine des Murènes et une pierre en Akil minéral, donnée par Mama Mandombé, la Reine des Nains. Comme c'est étrange ! Mais ce n'est pas déplaisant... », pensa Gaïg en s'endormant, apaisée et sereine.

Les Nains, après avoir secoué Mfuru pour le réveiller, se mirent en route immédiatement, désireux d'arriver à Ngondé, puis à la forêt de Nsaï.

— Pourquoi devons-nous prendre Dikélédi ? demanda Afo à WaNguira. Il y a des jeunes filles aussi, à Jomo, qui auraient pu accompagner Gaïg...

— Doumyo a donné naissance à Dikélédi dans la forêt de Nsaï. Les Dryades l'ont aidée à la mettre au monde, assistées de quelques Licornes, expliqua WaNguira. Dikélédi est devenue leur petite protégée, en quelque sorte, et elle communique facilement avec elles. Elle nous sera d'une grande aide, je pense.

Afo pris conscience que c'était un des voyages les plus intéressants qu'elle avait jamais faits, et qu'elle passait de surprise en étonnement, apprenant beaucoup de choses à la fois.

Les Nains continuèrent leur cheminement régulier, Gaïg dormant sur sa civière, comme assommée par sa vision, son petit poing solidement fermé contre sa poitrine. Les galeries succédaient aux tunnels et aux cavernes, dans un univers d'ocre et de marron, avec parfois une traînée d'argile rouge ou blanche. Le contraste entre leur univers souterrain, baignant dans une pénombre perpétuelle, et ce qu'ils trouveraient au dehors n'effrayaient nullement les compagnons de Gaïg : la forêt de Nsaï n'était pas une forêt ordinaire, elle était enchantée et donnait asile à des créatures merveilleuses. Tout Nain porte en lui une attirance pour la nature, surtout celle du début de la Création, et les Licornes, les Dryades et leurs arbres séculaires renvoyaient Afo, Keyah et leurs semblables à cette époque-là.

— Nous approchons, fut la seule parole de WaNguira quand il perçut la lueur des habitations de Ngondé au tournant d'une galerie.

À l'entrée du village se trouvaient Mdé, Dikélédi et ses parents, assis à même le sol, les attendant en compagnie d'Awah, la dirigeante du village de Ngondé.

23

Gaïg se réveilla comme ils arrivaient, la main engourdie d'avoir tant serré son précieux caillou. Elle était au courant de ce qui se passait par les bribes de conversations captées lors de ses moments de veille, et elle chercha Dikélédi du regard. Elle fut surprise par sa taille minuscule et par ses yeux pétillants de malice. Un courant de sympathie passa entre elles, et Gaïg, pour la première fois de sa vie, eut le pressentiment qu'elle pourrait s'en faire une amie, même si elle était issue d'un monde différent du sien.

— Je suis sûre que les Licornes vont te guérir, affirma Dikélédi en s'approchant. Elles sont très fortes, tu sais.

— Je l'espère, répondit Gaïg. Je n'en ai jamais vu.

Disant cela, elle jeta instinctivement un coup d'œil sur sa jambe et fut horrifiée par le changement qui s'était produit. L'enflure avait augmenté, et le membre avait pris une couleur bleu-violet. Tous ceux qui étaient présents avaient suivi son regard.

— Peut-être que tu devrais la saigner encore, préconisa Afo, s'adressant à Keyah.

Doumyo les invita chez elle.

— Venez à la maison, vous serez plus à l'aise. J'ai tout préparé. Vous pourrez partir tout de suite après.

Puis, s'adressant à Gaïg:

— Il faut bien ça, pour une petite princesse comme toi, qui se fait porter, plaisanta-t-elle.

Dikélédi saisit d'office la main libre de Gaïg et sembla étonnée par la présence de la bague dont elle reconnut immédiatement le matériau. Cependant, elle garda pour elle ses réflexions, et la petite troupe se remit en marche en direction du domicile de Doumyo et Mvoulou.

Une fois Gaïg installée, les hommes sortirent pendant que les femmes s'occupaient d'elle. Keyah se livra au même manège que la première fois, incisant la plaie et enserrant fermement la jambe depuis le haut de la cuisse jusqu'à la cheville pour éliminer un sang épais et grenat, qu'Afo épongeait au fur et à mesure. Gaïg souffrait, mais ne disait rien, se contentant de serrer la main que Dikélédi lui avait laissée. Elle était un peu impressionnée par l'air grave des quatre femmes, qui considéraient sa jambe. Doumyo secoua la tête, embarrassée.

— Mais pourquoi l'ont-elles mordue ? Les Vodianoïs attaquent rarement, pourtant, et plutôt pour se défendre. Là, elles ont mordu en profondeur, en plus. Je ne comprends pas, déclara-t-elle, perplexe.

— Oui, c'est assez surprenant, s'étonna Awah.

— En tout cas, elles ne mordent pas sans raison, rétorqua Keyah d'un ton bref.

— Je ne leur ai rien fait, se justifia Gaïg. J'essayais même de passer inaperçue, tellement elles m'effrayaient... Mais j'ai crié, ça les a peut-être alarmées...

— Ce n'est pas ce que je voulais dire, petite princesse, expliqua Keyah. Je me doute bien que ce n'est pas toi qui serais allée les embêter...

— Les Licornes vont la guérir et elle sera immunisée à vie contre tous les poisons, assura Dikélédi, d'un ton qui n'admettait pas de réplique.

Les adultes ne répondirent pas : elles auraient bien voulu partager la confiance et l'optimisme de Dikélédi, mais elles savaient par expérience que rien n'était encore gagné. Les Licornes étaient réputées pour extraire le poison avec leur corne, mais du venin de Vodianoï ? Toutes ces créatures étaient aussi puissantes les unes que les autres et qui annihilerait l'effet de l'autre, dans ce cas ? Les Licornes possédaient du pouvoir, certes, mais elles n'étaient pas invincibles. Sinon, elles ne vivraient pas aussi retirées dans la Clairière de Mukessemanda, Celle-où-tout-se-décide. Et les chasseurs ne les poursuivraient pas...

Keyah appliqua une nouvelle couche de Glaise de Bakari sur la plaie, et tendit les compresses souillées à Doumyo pour qu'elle les brûle. Elle soupira, l'air soucieux, sans se rendre compte que Gaïg l'observait.

— C'est vraiment grave ? interrogea cette dernière. Tu penses que je vais mourir ?

Gaïg n'avait pas d'idées précises sur la mort, surtout sur la sienne, et la vie n'ayant guère été clémente envers elle, elle se disait naïvement que la mort, c'est la fin de la souffrance et des ennuis, parce qu'on ne bouge plus. Mais elle se trouvait aussi un peu jeune pour mourir, jugeant que c'était une affaire de vieux. Elle avait toujours pensé que ses conditions de vie s'amélioreraient un jour, et qu'il lui suffisait de se montrer patiente. Elle n'était pas prête pour la mort, elle avait des projets, même si elle ne les avait pas encore mis sur pied. Pour le moment, elle ne maîtrisait pas la tournure prise par les événements, elle avait dû fuir les enfants du village, échapper à Garin, porter secours à Nihassah, mais tout ça finirait bien un jour.

— C'est comment, la mort ? demanda-t-elle à Keyah. C'est comme si on dormait sans jamais se réveiller ? C'est un peu ce que je fais, non ? Mais je ne suis pas morte, pourtant...

— Mais tu...

Dikélédi interrompit Keyah qui s'apprêtait à parler.

— Moi, je te dis que les Licornes vont te guérir. J'en suis sûre.

— J'en suis certaine moi aussi, affirma Keyah qui avait retrouvé un peu d'aplomb. Tu vas te reposer un moment, et nous continuerons. Mais mangeons un morceau d'abord.

Afo alla chercher les deux brancardiers, Mfuru et Témidayo, ainsi que WaNguira. Le groupe se restaura et fit une pause pendant laquelle les Nains échangèrent les dernières nouvelles.

Ils repartirent un long moment après, en compagnie de Dikélédi, qui babillait pour Gaïg.

— La forêt n'est pas très loin, mais elle est vaste. Si nous avons de la chance, nous tomberons tout de suite sur une Dryade, qui pourra avertir les autres. Mais les Dryades se tiennent rarement sur le pourtour de la forêt. Il faut entrer profondément dans le bois pour les rencontrer. Il y a des sentiers, je les connais. Tu verras les arbres, comme ils sont beaux. Ce sont les plus gros de toute la terre, parce qu'ils sont très âgés. On n'en trouve pas d'aussi imposants ailleurs. Il faut faire très attention à ne pas les abîmer, sinon les Dryades se mettent en colère. Les noms des chênes et des Dryades commencent toujours par la même lettre. Et...

Elle s'aperçut que Gaïg avait du mal à rester éveillée et comprit immédiatement ce qui se passait.

— Tu peux dormir, tu sais. Je te réveillerai quand on y sera, prévint-elle gentiment.

Elle se mit à chantonner un air de son invention et s'aperçut avec étonnement que Mfuru l'accompagnait de clappements de langue, en tapotant les doigts sur le bois des brancards. Ils avancèrent ainsi durant un bon moment, traversant plusieurs cavernes.

Après une longue marche, ils arrivèrent à une galerie beaucoup plus large que les précédentes, qui s'ouvrait sur l'extérieur.

Les Nains ne passaient jamais immédiatement de l'obscurité des cavernes à la luminosité du dehors, ils s'octroyaient toujours une période d'adaptation à l'entrée d'un tunnel, là où régnait un demi-jour qui préparait les yeux à la lumière du soleil.

— Nous n'aurons pas besoin de rester longtemps ici, le jour a commencé à décliner, fit remarquer WaNguira.

— Et il fait assez sombre sous les arbres, précisa Dikélédi.

— Mais pourquoi sortir maintenant, puisqu'il fera bientôt nuit ? demanda Afo, à qui le monde extérieur ne plaisait qu'à moitié. On pourrait attendre demain matin... Et si on nous attaquait ?

Dikélédi éclata de rire.

— Qui veux-tu qui nous attaque ?

— Je ne sais pas, moi. Les Dryades elles-mêmes ou les Licornes. Après tout, elles ne savent pas pourquoi on vient ni qui on est...

— Pour voir les Licornes, il faut aller en plein cœur de la forêt. Elles quittent très rarement leur clairière. Et les Dryades surveillent les visiteurs pendant longtemps avant de se montrer. Si elles constatent qu'ils ne maltraitent pas les arbres, soit elles les laissent tranquilles, soit elles se présentent, ça dépend. Le plus souvent, elles restent dissimulées, et les gens cueillent des champignons ou des noix sans se savoir observés. C'est rare qu'elles se dévoilent si ce n'est pas nécessaire...

— Et il n'y a pas de danger, dans cette forêt ? Des monstres, ou des créatures malfaisantes, tout au fond ? insista Afo, sceptique.

— Pas vraiment. Enfin si, bien sûr. Il y a les Pookahs, par exemple. Mais ils ne sont pas vraiment malfaisants, ils aiment plaisanter, c'est tout. Ce sont des lutins verts qui ne se rendent pas toujours compte de la portée de leurs blagues, malheureusement, émit Dikélédi, songeuse.

« C'est un Pookah qui a égaré ma mère dans la forêt, quand elle m'attendait. Chaque fois qu'elle avançait, il déplaçait son panier à l'orée d'un nouveau sentier, et quand elle a voulu revenir sur ses pas, c'était trop tard, elle était perdue. Elle a eu très peur, et moi, pour compliquer un peu les choses, j'ai décidé de naître à ce moment-là! Pauvre maman. Heureusement que les Dryades sont venues à son secours... Le Pookah était mort de rire, il se tenait les côtes en se roulant sur le sol, paraît-il. Après, il s'est fait sérieusement réprimander par les Dryades.

« C'est mon ami maintenant, il s'appelle Loki. Je l'aime bien, dit-elle avec un éclair de malice dans le regard. »

Gaïg écoutait Dikélédi avec attention.

— J'aimerais bien le voir. Mais je ne voudrais pas qu'il me perde dans la forêt, avoua-t-elle. J'aurais trop peur...

— Peut-être que nous le rencontrerons... Mais vous voulez vraiment attendre demain matin pour y aller? Il y a un clair de lune, dit-elle en observant le ciel, ça m'étonnerait que les Dryades dorment. Et plus vite on y sera, plus vite elles préviendront les Licornes.

Elle consulta WaNguira du regard. Elle aussi avait senti la puissance qui se dégageait de lui et le considérait comme le chef du petit groupe, celui qui devait prendre les décisions.

— Mais il n'y a pas que les Pookahs..., objecta-t-il d'un ton concentré.

Il n'ajouta rien de plus. Le visage de Dikélédi s'assombrit. Elle fixa WaNguira qui soutint son regard. Elle considéra alors la jambe de Gaïg et ajouta:

— C'est comme vous voulez... Je n'ai pas peur parce que j'ai l'habitude et que je connais les lieux. Peut-être qu'il faut prendre le risque d'y aller quand même, si le temps presse.

Gaïg se sentait extrêmement gênée: elle ne tenait pas à ce que des monstres effraient ses compagnons ou leur fassent du mal.

— Je peux essayer de marcher et y aller avec Dikélédi, proposa-t-elle timidement.

— Il n'en est pas question, petite princesse, intervint aussitôt Keyah. Nous ne t'avons pas amenée jusqu'ici pour t'abandonner. Il vaut mieux rester ensemble. Et peut-être que tout se passera bien, après tout...

— Allez, debout, tout le monde, on y va! fut la réponse de WaNguira qui se leva et s'approcha de la sortie.

DEUXIÈME PARTIE

La forêt de Nsaï

24

WaNguira ayant donné le signal du départ, Dikélédi s'engagea dans le chemin qui faisait face à la galerie, suivie de Témidayo et Mfuru portant Gaïg sur la civière. Keyah et Afo fermaient la marche. On distinguait la forêt dans le lointain, masse sombre et imposante.

— Il y a plusieurs chemins pour y accéder, selon ce qu'on veut récolter : des champignons, des noix, des baies, des plantes… Mais celui-ci, c'est le plus direct, précisa Dikélédi.

— C'est toi le chef, nous te suivons, répondit WaNguira d'un ton amusé. Quel âge as-tu exactement ?

— J'ai trente-trois ans. Cela fait environ dix ans chez vous, expliqua-t-elle à Gaïg. Nous avons le même âge, en quelque sorte. C'est drôle, quand même…

Gaïg partageait son avis : elle avait du mal à admettre que cette fillette menue avait non seulement le même âge qu'elle, mais même vingt-trois ans de plus ! Comment pouvait-on avoir trente-trois ans et dix ans en même temps ? En tout cas, Gaïg trouvait Dikélédi sympathique, avec son babillage incessant : elle avait l'air de savoir beaucoup de choses, mais elle n'était pas aussi intimidante que WaNguira, avec ses drôles de plaisanteries et ses petits yeux de crabe qui la dévisageaient et lisaient dans ses pensées. Il l'avait appelée Wolongo. Le hasard ? Parce qu'elle était tombée à l'eau ? Bizarre, malgré tout…

Gaïg regarda le paysage autour d'elle : une sorte de plaine s'étendait entre la forêt et les monts d'Oko. Aucune trace d'habitation. La nuit était claire et le bois apparaissait comme une ligne épaisse dans le lointain. Elle se sentait fatiguée.

— Les habitants de la forêt savent qu'ils n'ont rien à craindre de notre peuple, confia Dikélédi. Il y a un pacte de paix entre les Nains et les Dryades, à condition que chacun laisse l'autre tranquille. Les Nains ne doivent pas faire du mal aux arbres ou allumer du feu, par exemple. Ils ne croisent que très rarement les Dryades... Encore moins les Licornes...

Tout le monde l'écoutait, mais elle n'en tirait aucune fierté. Son savoir était naturel, parce qu'elle avait grandi dans ce milieu forestier et ses parents, la sachant protégée par les Dryades, n'avaient jamais cherché à limiter ses allées et venues entre la forêt et le village, malgré la distance. Dikélédi éprouvait beaucoup de plaisir à évoluer sous les grands arbres et à papoter avec ses amies sylvestres.

La forêt se rapprochait et ils entrèrent bientôt sous le couvert des premiers arbres. Gaïg luttait contre le sommeil, elle aurait voulu écouter encore Dikélédi, examiner les alentours, essayer de découvrir une Dryade cachée, apercevoir un Pookah, et pour la première fois, elle se sentit réellement frustrée par son état. Une bouffée de colère contre les Vodianoïs explosa en elle, en même temps qu'une peur rétrospective, qui la fit frissonner. Toujours cette même question, que d'autres avaient posée avant elle et qu'elle se posait pour la première fois : pourquoi la créature l'avait-elle mordue ? D'après les Nains, ce n'était pas dans leurs habitudes d'attaquer. Peut-être parce qu'elle n'était pas une Naine... Si seulement elle savait qui elle était... Toutes les questions revenaient pour Gaïg à une seule : celle de ses origines. Qui étaient ses parents ? Étaient-ils morts ? Oui, sans doute, sinon ils ne l'auraient pas abandonnée... Heureusement que Nihassah était devenue son amie. Mais maintenant... Elle n'avait même plus Nihassah. Elle était totalement livrée à des inconnus, gentils, certes, des amis de Nihassah, qui se démenaient pour la guérir. Pourquoi se donnaient-ils tout ce mal ? Gaïg sombra dans le sommeil.

Dikélédi se taisait. Elle abordait toujours la forêt dans un état de respectueuse concentration. Elle était consciente de ses mille et un mystères, et si elle en avait percé quelques-uns, par une grande faveur des Dryades, elle pressentait néanmoins son ignorance. La majesté calme de certains arbres avait développé en elle un grand sentiment d'humilité. Elle se savait protégée, favorisée, mais elle n'en tirait aucun sentiment de supériorité : ce qui lui avait été donné pouvait lui être enlevé, pensait-elle, avec une maturité inattendue pour son âge. Découvrir une Dryade dans la végétation relevait pour elle du jeu de cache-cache, mais elle n'ignorait pas que sa victoire était due en grande partie à la bonne volonté de celle-ci, qui s'était laissé trouver.

Elle admira une fois de plus les arbres, qui devenaient de plus en plus gros. La végétation était constituée de différentes espèces, mais les chênes prédominaient au fur et à mesure qu'on s'enfonçait dans le bois. Elle savait qu'il y aurait un moment où on ne pourrait pas aller plus avant, à cause d'une barrière végétale infranchissable. Mais c'était encore loin.

Les Nains cheminaient en silence, regardant de tous leurs yeux, impressionnés par les fûts imposants de certains arbres. WaNguira avait raison, certains avaient un vague aspect humain. Ils étaient tous déjà venus dans cet endroit, à différents moments de leur existence, principalement pour se livrer à des activités de cueillette, mais ils n'avaient jamais eu besoin de s'y aventurer très profondément. Ils étaient toujours restés à l'orée du bois, là où les arbres, séparés par des fourrés, se présentaient comme dans une forêt ordinaire.

WaNguira était le seul à être allé plus loin, se disait Keyah. Elle se demandait comment il entrerait en contact avec les Licornes. Fallait-il une autorisation des Dryades ou bien Dikélédi avait-elle un accès libre à la Clairière de Mukessemanda ? Et les Licornes pourraient-elles réellement guérir Gaïg ?

Ce fut un hennissement lointain et prolongé qui la sortit de sa rêverie, en même temps qu'il réveillait Gaïg. Dikélédi réagit immédiatement, ayant reconnu la provenance du bruit.

— C'est AtaEnsic ! Sortez du sentier ! Cachez-vous sous les arbres ! Vite !

Trois voix s'élevèrent en même temps, celles de Gaïg, Keyah et Afo, avec la même question angoissée : « Qui est AtaEnsic ? »

Ce fut WaNguira qui répondit, tout en se précipitant dans les fourrés.

— C'est une Licorne qui a eu sa corne sciée par un chasseur. Elle était toute jeune et sans doute naïve et inexpérimentée. Le chasseur s'est placé en face d'elle, dos contre un arbre, la menaçant et attendant qu'elle charge. Ce qu'elle a fait. Il s'est écarté au dernier moment, et la corne s'est enfoncée dans l'arbre. Il l'a sciée rapidement et s'est enfui. Il a dû faire fortune, celui-là, avec sa poudre de corne de licorne… AtaEnsic est devenue littéralement folle de douleur et de colère. Depuis, elle monte la garde autour de la forêt, pour défendre la Clairière.

— Elle n'aime pas les hommes, mais elle n'attaque pas les Nains, en temps normal, précisa Dikélédi rapidement. C'est quand elle est en crise qu'il faut s'en méfier. Elle est furieuse et paraît complètement folle : on ne peut pas lui parler ou la raisonner. Le meilleur moyen, c'est encore de grimper à un arbre. Enfin… Ça dépend… Parce que les arbres eux-mêmes, parfois…

Mfuru et Témidayo eurent du mal à pénétrer profondément sous les arbres avec la civière, et ils la posèrent sur le sol, à une certaine distance du sentier. Ils se placèrent devant Gaïg pour la protéger. Cette dernière s'assit, et Dikélédi, l'ayant rejointe, lui saisit la main. Les hennissements se rapprochaient, accompagnés du bruit sourd d'une galopade effrénée.

— Elle arrive, chuchota Dikélédi. Pourvu qu'elle ne nous voie pas.

Elle avait à peine prononcé ces mots qu'une furie blanche fit son apparition et passa devant eux à un train d'enfer, crinière au vent.

— C'est bien elle. Elle est belle, quand même, souffla Dikélédi.

— Que fait AtaEnsic quand elle est ainsi ? lui demanda Gaïg.

— Oh, c'est très varié. Le plus souvent, elle court à toute vitesse, droit devant elle, et elle fait le tour de la forêt dans un galop emballé. Ça prend du temps, bien sûr : une fois qu'elle est passée quelque part, on est tranquille pour un moment. Mais il arrive qu'elle fasse demi-tour… Elle est totalement imprévisible. Quand elle rencontre des hommes, elle les attaque. Elle se cabre et essaie de les piétiner. Je ne sais pas si elle a déjà tué quelqu'un… C'est assez impressionnant de la voir, quand elle est debout sur ses deux pattes arrière. Elle est immense, et elle hennit comme si elle pleurait. Au fond, elle doit être malheureuse : leur corne est très importante pour les Licornes. C'est ce qui les différencie des chevaux, et elles en sont fières.

— On ne peut pas la soigner ? demanda Gaïg.

— Je ne sais pas. Je suppose que les autres Licornes ont essayé. Les Dryades aussi, je crois qu'elles lui donnent à manger des herbes spéciales, pour la calmer. Mais parfois elle disparaît, et quand elle revient, elle est déchaînée. C'est comme si elle avait arrêté ses médicaments et que le mal réapparaissait. Alors, elle court jusqu'à ce qu'elle soit épuisée. En temps normal, elle est calme. Je ne l'ai pas vue souvent dans cet état, tu sais. Et elle ne vient guère dans cette partie de la forêt. Mais il se peut qu'elle revienne, si elle a senti notre présence.

Personne ne bougeait après ce passage en coup de vent, quand, à la stupéfaction générale, les hennissements augmentèrent en intensité: AtaEnsic avait effectué un demi-tour brutal et fonçait sur eux. Elle se cabra plusieurs fois devant les fourrés où ils se trouvaient avec un hennissement strident, piétinant furieusement le sol quand elle retombait sur ses sabots. Les Nains étaient figés, ne sachant quoi faire, conscients que le moindre geste risquait de déclencher une catastrophe. Chacun demeurait immobile, priant Mama Mandombé en son for intérieur. Puis la Licorne emballée repartit au galop par où elle était arrivée.

— Séparons-nous. Viens, Gaïg, chuchota Dikélédi.

Les Nains se consultèrent du regard, hésitants: ils ne voulaient pas abandonner Gaïg.

— Elle va revenir, elle nous a vus. Séparons-nous, je vous dis, ça la fera hésiter, insista Dikélédi d'une voix pressante. Gaïg ne risque rien avec moi, AtaEnsic ne me fera pas de mal. Je n'ai pas peur d'elle. Allez, vite, je crois qu'elle revient déjà.

Les Nains se rendirent à son injonction en voyant réapparaître AtaEnsic, qui hennissait de plus belle, superbe dans sa danse sauvage. Elle se cabrait de toute sa hauteur, dévoilant un ventre aussi blanc que le reste de sa robe. Elle fit quelques pas sur les pattes arrière, avant de retomber lourdement sur le sol. Elle tournait le dos à Gaïg et Dikélédi, se concentrant tantôt sur Keyah et Afo, qui reculaient avec des yeux affolés, tantôt sur Témidayo qui, acculé à un tronc, n'eut d'autre ressource que d'en faire le tour et d'y grimper par-derrière. La Licorne fut décontenancée un instant par sa disparition subite, mais s'intéressa aussitôt à WaNguira, qu'elle avait ignoré jusque-là. Elle hésita un peu, le considéra avec circonspection, tourna son attention vers Mfuru qu'elle examina aussi un moment, comme si elle l'étudiait, et reprit sa danse farouche, les obligeant à céder du terrain. Mfuru semblait subjugué par la Licorne et sa chorégraphie âpre et violente. Elle allait de l'un à l'autre, hennissant et soufflant, impressionnante quand elle se dressait de toute sa hauteur, se déplaçant sur ses pattes arrière, crinière au vent. Elle continuait à les faire reculer, statue vivante d'une liberté ardente et indomptable.

— Viens, Gaïg, chuchota Dikélédi. Éloignons-nous.

Elles se retirèrent le plus discrètement possible, essayant d'augmenter la distance qui les séparait de l'animal exaspéré. Mais la Licorne ne leur prêtait aucune attention, occupée qu'elle était avec les autres. Pour un peu, on aurait dit un jeu, brut et primitif, certes, mené par une force concentrée et déchaînée, qui s'octroyait la victoire à l'avance.

Dikélédi, donnant la main à Gaïg, l'entraîna rapidement dans la forêt.

— Elle va se calmer quand elle sera fatiguée, déclara-t-elle, un peu essoufflée.

— Mais les autres? s'inquiéta Gaïg. Nous ne pouvons les abandonner...

— Pour le moment, il faut échapper à AtaEnsic. Ne t'inquiète pas pour eux, elle veut seulement les effrayer. Elle n'est pas en colère contre les Nains, mais elle n'aime pas qu'on envahisse son domaine. Si nous nous dispersons, elle n'éprouvera pas le besoin de protéger son espace vital.

Gaïg et Dikélédi s'enfoncèrent dans l'obscurité du sous-bois et disparurent, avalées par la végétation.

25

La Licorne déchaînée continuait sa danse sauvage, se cabrant et hennissant, quand Mfuru commença à émettre des clappements de langue, puis se mit à taper des mains suivant un rythme qui essayait de se rapprocher de celui des mouvements de la bête. Il avait du mal à s'accorder aux pas de celle-ci, qui bougeait de façon imprévisible, aussi tentait-il de la plier à son rythme à lui.

Il augmenta la puissance des sons qu'il émettait, sans accélérer la cadence, et ce fut la Licorne qui ralentit ses déplacements. Mfuru continua, jusqu'à ce qu'elle arrête son ballet désordonné. Elle s'immobilisa et le regarda, debout sur ses quatre pattes : on aurait dit qu'elle écoutait sa musique.

Mfuru, tout en continuant ses clappements de langue et ses tapements de main, se leva et se rapprocha. Il se colla alors sur elle, comme s'il voulait faire passer dans son corps à elle la vibration de sa musique. Il semblait minuscule à côté de l'énorme animal, sa tête atteignant à peine le garrot de cette dernière. Il s'adossait à sa jambe, sans cesser sa musique, qu'il accompagnait maintenant d'ondulations du corps. Quelque chose était en train de se passer entre le Nain lent et la Licorne folle, une communication s'établissait à travers la musique.

Elle ne bougeait plus, attentive aux sons et au branle cadencé de Mfuru contre sa jambe. Leur couple, apparemment grotesque et disproportionné, semblait réuni dans une autre dimension, un monde de sons et de danse primitive, dans lequel ils pouvaient communiquer. L'extérieur n'existait plus pour eux, ils avaient oublié la forêt et ses habitants, perdus dans un univers de caresses au toucher rude et franc, peuplé de rythmes et de sons, qui rendaient inutile le langage habituel des mots.

Finalement, la Licorne plia lentement les deux jambes de devant et s'allongea sur le sol. Mfuru se plaça debout contre sa tête et lui caressa le chanfrein de tout le poids de son corps, tout en lui parlant doucement. Il lui murmurait des mots apaisants accompagnés de bruits de langue, lui passant les mains sur la tête et le cou. Elle lui lécha une main, qui s'était attardée près de sa bouche.

WaNguira et les autres respirèrent discrètement, soulagés et abasourdis. Keyah jeta un coup d'œil de côté au grand prêtre, qui avait eu la sagesse d'amener Mfuru avec eux, Mfuru que tout le monde évitait quand il s'agissait de s'activer pour une quelconque raison, Mfuru qu'elle-même avait parfois jugé lent et inintéressant, Mfuru la Tortue qui venait de leur sauver la vie, en empêchant une Licorne en furie de les piétiner.

Elle considéra le couple formé par Mfuru et la Licorne et eut l'intuition que le Nain était perdu pour ses semblables. Mfuru reposait à côté de sa nouvelle compagne : il s'était assis sans un mot et continuait à la caresser. Elle aussi le caressait à sa façon, avec des coups de tête et de langue. Mfuru lui parlait avec des clappements.

Les deux marginaux du peuple des Nains et des Licornes s'étaient retrouvés dans un monde commun, celui de la musique, et avaient partagé un moment d'absolu. Plus rien ne les séparerait désormais, sauf la mort, pensa Keyah. Elle ne pouvait s'empêcher de trouver harmonieux ce couple insolite.

Elle sentit le regard de WaNguira posé sur elle et lui fit un timide sourire. Il eut un hochement de tête, comme si leurs pensées se rejoignaient, les siennes ayant suivi le même cheminement. Mfuru avait trouvé AtaEnsic, une amie qu'il ne quitterait plus, et la Licorne avait accepté cette amitié musicale.

— Nous devrions en profiter pour nous éloigner, chuchota WaNguira. Retrouvons les deux filles.

Afo et Témidayo suivirent Keyah et WaNguira, contournant le plus silencieusement possible le couple baroque formé par Mfuru et AtaEnsic. Une fois le sentier atteint, ils s'enfoncèrent dans les profondeurs de la forêt.

* * *

Gaïg et Dikélédi avaient déjà parcouru une certaine distance, quand elles se trouvèrent face à un ruisseau serpentant dans le sous-bois.

— Eh bien, on le traverse à pied, déclara Dikélédi d'une voix ferme. Si on avait suivi le sentier, on aurait eu un pont, mais tant pis. Viens.

— J'aime l'eau, répondit Gaïg. J'adore la mer, mais les rivières et les lacs, c'est presque pareil. Du moment que c'est liquide... Tu veux qu'on se baigne ?

Dikélédi hésita.

— Nous sommes ici pour les Licornes. Il faut d'abord te soigner.

Gaïg s'était déjà assise dans l'eau, tout habillée.

— Et en plus, tu auras froid, après, avertit Dikélédi, qui grimpait déjà sur la rive opposée. Allez, viens.

Gaïg se releva à regret, pataugea encore un peu et escalada la berge. Arrivée en haut, elle glissa, se raccrocha à des branches qui l'égratignèrent au passage, et retomba dans l'eau. Elle éclata de rire.

— Tu vois que l'eau ne veut pas me lâcher. Peut-être que je devrais y rester...

Elle se releva et réussit à gravir la pente cette fois. Sa jambe saignait légèrement, mais elle n'y prit pas garde. Après quelques pas, une vague de fatigue s'abattit sur elle, et elle pressentit qu'elle dormirait bientôt.

— Dikélédi, je sens que ça revient. Je vais me rendormir. Et on n'a pas de civière... C'est encore loin ?

— C'est une forêt enchantée, ici. On n'est jamais loin ou près... En réalité, on dépend des Dryades ou des Licornes, qui décident ou non d'apparaître. C'est curieux, d'ailleurs, qu'elles ne se soient pas encore manifestées... Avec AtaEnsic dans cet état... Elles doivent bien savoir que nous sommes là, pourtant...

— J'ai vraiment sommeil, tu sais, insista Gaïg en bâillant.

Elle continuait à avancer, mais elle avait du mal à suivre Dikélédi. Les bâillements se succédaient, de plus en plus fréquents, et ses yeux se fermaient malgré elle. Elle évoluait dans un brouillard de frondaisons vertes et, finalement, elle s'adossa au tronc moussu d'un vieil arbre.

— Je n'en peux plus. Il faut que je dorme, décréta Gaïg, en se laissant glisser au creux des racines.

Puis, se pelotonnant sur une mousse spongieuse, d'un vert quasi fluorescent, elle poursuivit :

— J'ai même un matelas, tu vois !

Dikélédi n'insista pas. Elle considéra l'arbre un moment, puis s'adressa à Gaïg, sans être sûre d'être entendue.

— C'est Walig, le chêne de Winifrid. Mais je ne vois pas cette dernière. Ne bouge pas d'ici, je vais voir si je la trouve, elle ou une autre.

Dikélédi s'éloigna, un peu étonnée de n'avoir encore rencontré personne. D'habitude, ses amies venaient immédiatement l'accueillir. Elle chantonnait doucement, scrutant les branches et les feuillages autour d'elle.

* * *

Gaïg dormait, sur un matelas qui lui semblait de plus en plus confortable. Elle aurait juré que les racines noueuses de l'arbre s'enfonçaient dans la terre sous son poids, tandis que ses branches basses formaient un auvent protecteur. Dans son sommeil, elle eut plusieurs fois la sensation d'un chatouillis sous les pieds ou dans les narines, suivi d'éclats de rire ténus quand elle faisait un mouvement de la main ou de la jambe. Elle tenait le poing refermé sur sa Pierre des voyages et repoussait les herbes chatouilleuses avec le bras. Elle ne savait pas très bien si les rires qu'elle entendait faisaient partie de son rêve ou non, mais les chatouillis dans les narines devinrent insupportables. Elle éternua vigoureusement plusieurs fois, lâchant sa Pierre. Ce furent des éclats de rire sonores qui la réveillèrent définitivement.

Elle s'assit et regarda autour d'elle. Il n'y avait âme qui vive. Elle se rendit compte qu'elle n'avait plus sa Pierre et la chercha immédiatement par terre. Rien. Elle était maintenant sûre de n'avoir pas rêvé : les chatouillis et les éclats de rire étaient réels et on lui avait sans doute pris son bien quand elle avait éternué. Mais qui ? Elle se mit à quatre pattes pour examiner le sol en quête de sa précieuse Pierre, afin de s'assurer qu'elle ne l'avait pas perdue, l'angoisse dans le cœur.

Et si on la lui avait volée ? La Pierre des voyages, cadeau de Mama Mandombé ! Le don était d'autant plus précieux que Gaïg n'avait guère reçu de présents pendant sa vie au village, mis à part la bague de la Reine des Murènes. Elle contempla la bague, sentant les larmes lui monter aux yeux. Comme tout cela était loin ! Et sa Pierre qui avait disparu... Elle eut l'intuition qu'elle ne cherchait pas de la bonne façon, s'assit et resta immobile, les yeux balayant le paysage autour d'elle, sans fixer quoi que ce soit. C'est alors qu'elle le vit. Mais il disparut aussitôt. Gaïg recommença son balayage oculaire et le découvrit de nouveau, au même endroit. Elle comprit qu'elle ne devait pas essayer de fixer la créature du regard, auquel cas cette dernière disparaissait, s'évaporant dans une transparence verte, gélatineuse et tremblotante. Il fallait regarder à côté d'elle pour la voir.

— Tu es un Pookah, énonça-t-elle lentement.

— Hi ! hi ! Bravo pour ta perspicacité ! Quelle intelligence ! s'esclaffa le petit bonhomme vert, avec un éclat de rire moqueur.

Gaïg éprouvait de la difficulté à le comprendre, à cause de son accent bizarre. Il ne parlait pas une langue différente de la sienne, mais la tonalité générale était pour le moins curieuse.

— C'est toi qui as pris ma Pierre ? demanda-t-elle.

— Ta pierre ? Quelle pierre ? Il y a beaucoup de pierres, sur terre. Ha ! ha ! ha ! Tu es drôle !

— Je suis certaine que c'est toi. Rends-la-moi, s'il te plaît.

Le Pookah ramassa un caillou et le lui lança.

— Tiens, voici une pierre. Tu en veux d'autres ? Ha ! ha ! ha ! Tiens ! Et tiens ! Encore une. Ah, raté ! Arrête de bouger, aussi ! Hi ! hi ! hi !

Gaïg gigotait pour échapper à la pluie de cailloux. Elle avait envie de s'énerver, mais elle sentait intuitivement que ce n'était pas la bonne solution. Elle n'arriverait à rien si elle entrait en conflit ouvert avec le Pookah. Ce dernier avait l'air de s'amuser et sautillait de joie sur place. Une énorme moustache, brune avec des reflets verts, lui couvrait la moitié du visage. Il n'était pas très grand, mais plutôt musclé pour sa petite taille. Ses vêtements changeaient de couleur dans la lumière, mais gardaient une tonalité générale plutôt verdoyante.

— As-tu vu Dikélédi ? s'enquit Gaïg, pour créer une diversion.

— Dikélédi ? Hi ! hi ! Tu connais Dikélédi ? Où est-elle ?

— Puisque je te demande si tu l'as vue... Tu parais très intelligent, toi aussi...

Le Pookah manqua s'étouffer de rire.

— Ha ! ha ! Tu as raison. Bon, je vais la chercher, hé ! hé ! lança-t-il en se précipitant dans les fourrés.

— Hé, ma Pierre… s'exclama Gaïg.

— Ah, oui. Tiens, la voilà ! Ha ! ha ! ha ! s'écria-t-il en se retournant pour viser Gaïg. Si tu es l'amie de Dikélédi, je ne peux pas la garder, hé ! hé ! Je me ferais encore gronder. Dommage…

Gaïg reçut la Pierre sur le front, mais elle était bien trop soulagée de l'avoir récupérée pour se plaindre.

— Comment t'appelles-tu ? cria-t-elle au Pookah, qui était déjà loin.

Celui-ci revint sur ses pas et se tint en équilibre sur la tête et les mains, devant elle.

— Comme ça, je suis Kilo, ho ! ho ! Et comme ça, Loki, hi ! hi ! hi ! ajouta-t-il en se rétablissant. Mais je fais toujours le même poids dans les deux sens… Ha ! ha ! ha !

Gaïg sourit en serrant fortement la Pierre des voyages. Quel drôle de petit ami Dikélédi avait là… Il disparut dans les feuillages, mais elle entendit son rire pendant qu'il s'éloignait. Elle demeura immobile un moment, rêvassant.

C'est à cet instant qu'elle se rendit compte qu'on lui adressait la parole.

26

Gaïg mit un moment avant de comprendre que c'était l'arbre lui-même qui lui parlait. Elle bondit et s'éloigna un peu, afin de mieux l'observer. WaNguira avait raison, l'arbre avait presque l'air humain. Et peut-être qu'il se déplaçait aussi, pensa-t-elle, se souvenant des racines noueuses qui avaient disparu comme par miracle quand elle s'était couchée. Elle devait faire une drôle de tête, avec des yeux écarquillés et une bouche béante d'étonnement, car il lui sembla que le chêne riait, émettant un bizarre hoquet tressautant.

— Allons, ne prends pas cet air-là ! Je ne t'ai rien fait pendant que tu dormais, la rassura-t-il. C'est parce que tu as la Pierre des voyages que tu peux me comprendre. Je me nomme Walig.

— Je m'appelle Gaïg. Je suis ici pour voir les Licornes.

— Oh, mais c'est très difficile, cela. Il faut être patient. Heureusement que Dikélédi t'accompagne.

— Sais-tu où elle est ?

— Elle est avec les Dryades. Toute la forêt est en émoi, parce que quelqu'un a empoisonné l'eau du ruisseau. Ce n'est pas très malin, d'ailleurs. La première Licorne qui y a trempé le bout de sa corne en buvant l'a remarqué. C'est du venin de TicholtSodi, paraît-il. Celles que les Nains appellent Vodianoïs…

Le sang de Gaïg ne fit qu'un tour : elle reconnut aussitôt la provenance du poison et considéra sa jambe. Une traînée de sang coagulé lui ôta ses derniers doutes.

— C'est moi, c'est de ma faute, lâcha-t-elle, accablée par sa découverte.

Il y eut un frémissement dans le feuillage du chêne, qui garda le silence.

— Moi, je pense qu'on devrait lui couper les oreilles ! Ou les pieds, hé ! hé ! émit une voix flûtée derrière elle, qu'elle reconnut aussitôt. Ou la jambe pourrie, hi ! hi ! hi ! Ou la tête, ha ! ha !

— Ça suffit, Loki ! Tu n'es pas gentil. Continue comme ça et tu vas voir ce que je vais te couper, moi ! Cette belle moustache dont tu es si fier… répondit quelqu'un.

— Tu ne pourrais pas, ha ! ha ! Il faudrait d'abord m'attraper, hé ! hé ! On fait la course ?

— Il n'en est pas question. Mais tu n'arrêteras donc jamais de t'amuser ?

Gaïg, pétrie d'étonnement, aperçut alors Dikélédi, qui se retenait pour ne pas rire. Elle connut un bref soulagement, qui disparut au souvenir de l'eau empoisonnée du ruisseau.

— C'est vrai que j'ai pollué l'eau ? demanda-t-elle à la jeune Naine, avec un ton rempli d'anxiété.

— Ne t'en fais pas ! C'est réparé, à l'heure qu'il est. Bonjour, ou bonsoir, je suis Winifrid, la Dryade de Walig.

— Je suis désolée. Je ne savais pas. Ou plutôt, je n'y ai pas pensé, s'excusa-t-elle, sincèrement ennuyée. Bonsoir. Je suis Gaïg.

— C'est MineWanka qui a tout découvert, en allant s'abreuver. Les autres Licornes ont isolé le venin, dès qu'elles l'ont su. Tiens, voici TsohaNoaï et Wakan Tanka, le Roi et la Reine des Licornes… et les autres, ajouta la Dryade en voyant le cortège qui se dirigeait vers eux.

Gaïg ouvrit des yeux ronds : elle devait rêver. D'abord un Pookah facétieux qui avait pour nom Loki, ensuite Walig, un chêne parleur, puis une Dryade jolie comme un cœur se prénommant Winifrid et maintenant, une procession de Licornes et de Dryades qui s'avançait vers elle…

Quelques Licornes étaient chevauchées par des Pookahs remuants et mutins. Les Dryades étaient toutes vêtues des couleurs de la forêt, le vert principalement. Elles étaient très minces et de petite taille. La timidité envahit Gaïg. Elle rougit violemment et chercha du réconfort dans le regard de Dikélédi. Cette dernière riait doucement de son étonnement.

— Ce sont tous des amis, Gaïg, je t'assure. Et les Licornes vont te guérir, elles me l'ont promis.

— Bien sûr que nous allons te guérir, petite princesse, confirma TsohaNoaï, s'approchant tout près de Gaïg et agitant sa longue corne torsadée.

— Nous enlèverons la plus grosse quantité possible de venin de ta jambe, expliqua Wakan Tanka. Cela te permettra de marcher jusqu'à la grotte d'IyaTiku, notre Licorne spécialiste du monde souterrain. Une morsure de TicholtSodi, cela relève de ses pouvoirs.

— Merci, réussit à articuler Gaïg éberluée mais déjà sous l'emprise du charme qui se dégageait des deux Licornes.

Elle se disait qu'elle n'avait jamais rien vu d'aussi beau sur terre que le spectacle qui se déroulait sous ses yeux. Les taches blanches des Licornes se détachant sur un fond composé de tous les verts possibles, avec des touches de brun et d'ocre se fondant dans l'ensemble, formaient un tableau d'une harmonie inégalée. Les Dryades se mêlaient à la végétation et c'était chaque fois une surprise pour Gaïg d'en découvrir une, là où précédemment elle aurait juré qu'il n'y avait rien. Leurs vêtements, bariolés de tonalités vertes, jaunes et marron, les dissimulaient parfaitement.

Les Pookahs chevauchant des Licornes étaient davantage visibles, mais Gaïg s'aperçut très vite qu'il y en avait beaucoup plus, tous moustachus, et qu'ils ne tenaient pas en place. Juchés sur le dos des Licornes, les plus hardis grimpaient sur leur tête et s'accrochaient sans façon à leur corne pour sauter sur le sol.

Ils demandaient parfois à remonter dans les secondes qui suivaient et la Licorne désignée, sans montrer d'impatience, inclinait la tête pour permettre au lutin vert de se hisser. Gaïg jugeait en son for intérieur qu'elles faisaient preuve d'une patience exemplaire, quand Dikélédi, qui suivait ses pensées à travers la direction de son regard, lui expliqua.

— Les Dryades ont leur chêne et certains Pookahs ont leur Licorne. Ou l'inverse: certaines Licornes ont leur Pookah. Les Licornes sont très fidèles en amitié, ajouta-t-elle.

Tous les regards convergeaient vers Gaïg, qui fut très gênée de sentir monter un bâillement. Wakan Tanka lui caressa doucement le bras avec sa corne.

— Assieds-toi sur le sol. Je te présente Asa Gaya, dit-il, en désignant de la corne une magnifique Licorne d'un noir profond qui s'avançait. C'est lui qui a été choisi pour absorber le venin. Tu ne sentiras rien.

Gaïg s'assit et attendit, la jambe tendue. Comme la Licorne s'approchait, elle ne put s'empêcher de l'admirer. Elle se souvenait de la description de WaNguira : les femelles étaient blanches avec une corne torsadée, les mâles avaient tous une belle couleur uniforme et une corne lisse et fuselée. La réalité lui semblait bien plus belle, principalement à cause de la majesté qui émanait des Licornes.

— C'est un grand honneur pour moi de venir en aide à une aussi jolie petite princesse, prononça lentement Asa Gaya, en traînant sur les mots.

Gaïg ne comprenait pas pourquoi on la traitait aussi souvent de princesse. Chez Nihassah, c'était pure affection, avait-elle pensé, mais elle avait retrouvé la même désignation chez Keyah et Afo, chez Doumyo, et maintenant, chez les Licornes. Elle se souvint des appellations de bonne à rien et de fainéante auxquelles elle avait eu droit au village, quand ce n'était pas la Poisse ou la Poissonne, et même la Poisonne… C'était quand même mieux, princesse, même si elle n'en était pas une, et qu'elle était réellement empoisonnée… Est-ce que Guillaumine prédisait l'avenir ? Elle se demanda brusquement ce qu'elle ferait après être guérie. Retrouver Nihassah d'abord…

La proximité de l'imposante Licorne d'ébène la ramena à la réalité. Asa Gaya, la voyant plongée dans ses pensées, attendait patiemment. Le silence régnait. Même les turbulents Pookahs demeuraient immobiles. Gaïg sursauta, avec l'impression d'avoir été impolie.

— Pardon, souffla-t-elle en rougissant et en reprenant ses esprits. Et pardon pour le ruisseau, aussi. J'espère que je n'ai tué personne. Et merci encore…

— Mais non, tu n'as tué personne, la rassura TsohaNoaï. MineWanka est chargée de surveiller les eaux de la forêt de Nsaï, et elle a immédiatement décelé qu'il se passait quelque chose avec le ruisseau. Chaque licorne est responsable de la forêt tout entière, mais nous nous partageons les tâches, continua-t-elle. La première qui remarque une anomalie donne l'alerte. Les Dryades aussi sont responsables. Et les Pookahs également.

Gaïg avait du mal à se concentrer sur ce que disait la Reine des Licornes, alors qu'elle aurait voulu regarder ce que faisait Asa Gaya.

Ce dernier avait l'air de farfouiller dans sa jambe, à l'intérieur même des chairs, mais Gaïg n'éprouvait aucune douleur. Elle ne comprenait pas pourquoi TsohaNoaï lui parlait autant, mais cette dernière continuait, comme si de rien n'était :

— Quand Asa Gaya aura ôté le venin, Dikélédi t'accompagnera chez IyaTiku. Ensuite, il faudra rendre visite aux Salamandars, pour la cicatrisation. Ils vont cautériser la plaie afin d'éviter les saignements. Tu dois être purifiée par les éléments complémentaires de l'eau. La terre, l'air et le feu.

« Les Naïns t'ont soignée avec la Glaise de Bakari, puis nous, qui représentons l'air ; il te reste à rencontrer les Salamandars, pour le feu.

« Ce n'est pas tout près mais tu pourras marcher : tu n'auras plus sommeil. C'est ainsi que les choses doivent se passer parce que le poison vient de l'eau. Il faut neutraliser sa nature aquatique à l'aide des autres éléments. Je te fais le don de l'air, c'est un cadeau. »

Gaïg, hypnotisée, ne pouvait détacher son regard de TsohaNoaï, alors qu'elle aurait bien voulu jeter un coup d'œil sur sa jambe. Elle vivait quelque chose qui la dépassait et qu'elle ne comprenait pas : c'était comme si elle n'avait plus de volonté propre et qu'elle était accrochée au regard et à la voix envoûtante de la Reine des Licornes.

— Le poison des TicholtSodis est un des plus difficiles à guérir. Généralement, on en meurt. Tu as de la chance, Gaïg, d'avoir les Nains pour amis. Tu leur dois la vie. Seules les Licornes peuvent guérir une telle morsure. Après, tu seras immunisée à vie contre les autres poisons. Ils pourront te rendre malade, mais pas te tuer. Ça te servira peut-être dans l'avenir, qui sait ? Il y a aussi des poisons, sous la mer...

Gaïg sursauta, ce qui eut l'air d'amuser TsohaNoaï.

— Je sais que tu es fille de la mer, Gaïg. ToneNili, Fille de l'Eau. De toutes les eaux. Yolkaï Estan est ton aïeule.

Gaïg était suspendue aux lèvres de Tsoha-Noaï, écoutant de toutes ses oreilles. Qu'est-ce que la Licorne lui disait ? Se pouvait-il qu'elle connût ses origines ? Asa Gaya l'interrompit dans ses pensées.

— J'ai enlevé le poison, ToneNili. C'est fini pour le moment. IyaTiku fera le reste.

Gaïg fut médusée par la corne ensanglantée de la licorne. Puis elle regarda sa jambe, en sang elle aussi. Elle comprit *a posteriori* la raison d'être de l'éloquence de TsohaNoaï. Effectivement, elle n'avait rien senti. C'était comme si elle avait été subjuguée, fascinée, portée par le son d'une voix de laquelle émanait un charme indéniable. Elle ne se souvenait même plus de la teneur de son discours… Elle s'endormit, fatiguée par son « opération ».

27

Le sommeil de Gaïg lui sembla très court, mais le jour était levé quand elle ouvrit les yeux. Les lieux s'étaient vidés et elle ne vit que Dikélédi.

— Comment te sens-tu ? s'enquit cette dernière. C'était peut-être ton dernier sommeil de Vodianoï, tu sais. C'est AthaBasca qui nous conduira à la grotte d'IyaTiku. Elle devrait arriver d'un moment à l'autre. Tu peux marcher ? Ça saigne un peu. Tu n'as pas eu mal, n'est-ce pas ? TsohaNoaï t'hypnotisait, tu as remarqué ?

Gaïg se releva, et fit quelque pas. Elle eut un sursaut en découvrant Loki en face d'elle.

— Asa Gaya a guéri ta jambe pourrie, hi ! hi ! En remerciement, tu peux me donner ta jolie pierre et je la lui porterai. Promis juré, je la lui donnerai, hé ! hé ! Mais elle sera plus petite, ha ! ha ! ha ! Tu me la donnes pour lui ? demanda-t-il en tendant la main, l'air plus malicieux que jamais.

Gaïg sourit : il était difficile de résister au Pookah, mais elle savait à quel point elle devait s'en méfier.

Winifrid descendit en vitesse de son chêne.

— Il n'en est pas question. Tu sais parfaitement que c'est ce qui lui permet de nous comprendre.

— Mais elle peut la partager ! Il suffit d'un coup de marteau ! Ho ! ho ! ho ! Je vais en chercher un !

Le Pookah s'enfuit, mort de rire.

— Tiens, voilà AthaBasca. Nous pouvons y aller, constata Dikélédi.

Une Licorne blanche s'approchait, gracieuse et élégante, avec de fins sabots noirs.

— Ce n'est pas très loin, ToneNili, mais si tu es fatiguée, je pourrai te porter, offrit-elle gentiment à Gaïg. Tu nous accompagnes, Winifrid ?

— Ça va, répondit Gaïg, je me sens bien. Je suis étonnée de n'avoir pas sommeil. On peut y aller. Au revoir, Walig.

Le chêne ne répondit pas, mais Gaïg eut l'impression que ses feuilles s'agitaient doucement, dans un bruissement qui pouvait passer pour un salut d'adieu.

AthaBasca prit la tête du cortège, suivie de Gaïg, Dikélédi et Winifrid. Elles avancèrent un moment en silence. Gaïg admirait la forêt tout en marchant, n'ayant jamais vu d'arbres aussi hauts, avec des troncs d'une telle circonférence. Le bruit du ruisseau se faisait plus insistant, comme s'il avait augmenté son débit. Les fûts énormes des chênes étaient couverts de nœuds, qui ressemblaient à des yeux, un nez ou une bouche. WaNguira avait raison, on aurait dit des êtres humains...

Gaïg se rappela le chêne au pied duquel elle se dissimulait avant d'accéder à sa caverne dans le village, là même où elle avait été agressée par Garin. Est-ce qu'une Dryade y vivait ? C'était peut-être elle qui avait dit à Gaïg de repousser Garin et de s'enfuir... Mais non, c'était la bague. Elle l'avait aidée plusieurs fois déjà.

— Selon Wakan Tanka, c'est ta bague en Nyanga qui t'a protégée contre la TicholtSodi. Sans sa protection, tu aurais pu être mordue plusieurs fois. Tu l'as touchée avec, n'est-ce pas ? Et tu l'as brûlée ? questionna Winifrid avec un tel à-propos que Gaïg se demanda un instant si elle lisait dans ses pensées, elle aussi.

— Oui. Non... je ne sais plus. Si, je lui ai attrapé le bras pour me libérer et elle a crié, répondit Gaïg en frissonnant de dégoût. Peut-être que la bague l'a effleurée à ce moment-là. J'avais très peur et je ne pensais qu'à me sauver. Elle était réellement monstrueuse... D'où viennent-elles, ces bêtes ?

— Ce sont des créatures de Yolkaï Estan, qui est chez nous la déesse de l'eau. C'est elle qui a créé tout ce qui est dans l'élément liquide : il y a du bon et du moins bon, naturellement, mais chacun a sa raison d'être, paraît-il, répliqua sentencieusement Winifrid. Les TicholtSodis évoluent aussi bien dans l'eau douce que dans l'eau salée. Leur morsure est généralement mortelle…

— Yolkaï Estan est notre Yémanjah, précisa Dikélédi, la *Mère-dont-les-enfants-sont-des-poissons.* Même si les Nains n'aiment pas beaucoup l'eau, ils ont une déesse de l'élément liquide. L'activité volcanique augmente dans les montagnes de Sangoulé et il y a parfois des tremblements de terre dans les monts d'Oko. C'est une descendante de Yémanjah qui trouvera la voie pour nous sortir de là…

Il y avait dans l'esprit de Gaïg une pensée sous-jacente qui s'agitait, voulant naître, mais Gaïg n'arrivait pas à la cerner. Une idée qui avait peut-être quelque chose à voir avec Yémanjah… ou avec Asa Gaya, enlevant le poison au moyen de sa corne ensanglantée… Mais le bruit de plus en plus fort d'une eau qui coulait l'empêchait de se concentrer. La Licorne s'arrêta, et Gaïg émergea de ses réflexions pour découvrir qu'elles étaient devant une cascade assez bruyante.

— La grotte est derrière la chute, ToneNili. Tu dois y entrer seule. IyaTiku a défendu que l'on t'accompagne, déclara AthaBasca, haussant le ton pour se faire entendre.

Gaïg se réjouit secrètement de cette opportunité de se mouiller: ce ne serait qu'une douche, mais c'était mieux que rien… L'eau lui manquait, et même si elle n'y pensait pas la plupart du temps, elle savait qu'elle ne pourrait pas vivre loin de la mer. Elle était simplement retardée par une série de péripéties, mais tôt ou tard, elle reviendrait à l'élément liquide.

— Il y a un bassin à traverser avant d'entrer dans la grotte. Tu devras nager un peu, tu n'auras pas pied, ajouta AthaBasca, apparemment sans savoir que Gaïg se délectait à cette idée. Mais ça fait partie du processus de guérison. Tu es forte, maintenant, ToneNili. Les TicholtSodis sont effrayantes, et même dangereuses, mais elles ne sont pas invincibles…

Gaïg entra dans l'eau d'un pas décidé, une joie secrète dans le cœur. Elle ne ressentait aucune crainte, et se dirigea vers la chute, trop contente de pouvoir prendre prétexte de ce bain forcé pour nager un peu. Elle fit un signe de la main à Winifrid et à Dikélédi avant de disparaître dans la cascade, qu'elle aborda sur le côté.

Elle s'attarda un peu sous cette douche improvisée, prenant plaisir à la force de la cataracte tombant sur sa tête et ses épaules et coulant le long de son corps. Comme c'était bon!

L'entrée de la grotte devait se trouver vers le milieu de la chute. Gaïg avançait précautionneusement le pied pour tâter le sol, attendant le moment où il se déroberait sous elle pour plonger. La cascade avait un débit plus puissant qu'elle ne l'avait cru au premier abord et elle sentait le poids de l'eau sur elle. Quand son pied ne toucha plus le fond, elle prit son souffle et plongea.

À sa grande surprise, elle fut immédiatement entraînée au fond par la force de l'eau s'abattant du haut de la falaise, sans pouvoir résister. La cascade se continuait avec une puissance herculéenne dans la profondeur du bassin : sans un sol ferme pour l'arrêter, Gaïg se retrouva immobilisée au fond, entre deux eaux, maintenue en place par la vigueur presque solide de la cataracte. Bien que prise par surprise, elle comprenait ce qui se passait et elle hésitait entre plonger plus profondément encore pour échapper à la pression, ou nager sur le côté pour atteindre la périphérie du tourbillon dont elle était le centre, quand soudain elle tressaillit : le bassin était habité.

Elle voyait des formes se déplacer autour d'elle, et elle faillit hurler de terreur quand elle reconnut les Vodianoïs. Elle ferma la bouche en même temps que les yeux, ne voulant pas croire que c'était bien ce qu'elle avait vu. Ses pensées défilaient à toute vitesse, elle était atterrée, mais elle sentait monter en elle un sentiment bien plus impérieux que la peur, plus violent, aussi : la colère.

Elle ouvrit les yeux, serra les dents et se sentit, pour la première fois de sa vie, capable de tuer sous l'emprise de la haine. Elle ne se laisserait pas faire, cette fois, elle se défendrait contre ces choses molles et dégoûtantes, gluantes d'une pourriture visqueuse, qui avaient failli la tuer. Elle sortit la bague de son doigt et la tint devant elle, pareille à un flambeau. Puisque la bague était capable de les brûler, elle s'en servirait et les décimerait telles de vulgaires mouches.

Sentant un frémissement dans l'onde, comme si les créatures avaient perçu l'éclat du Nyanga, elle donna un violent coup de reins pour se libérer de l'emprise de la cataracte, et fonça dans le tas, poing en avant, la rage au cœur, décidée à venger tous ceux qui avaient été mordus avant elle et prête à occire toute Vodianoï qui se mettrait en travers de sa route.

La fureur l'habitait, et elle nageait avec une frénésie meurtrière, attendant sa première victime, la cherchant, se repaissant déjà de sa future victoire, quand elle s'aperçut qu'il n'y avait plus rien autour d'elle. Dans sa tête, une voix serinait avec une énergie démesurée un « Tu as gagné », qui la faisait se sentir invincible. AthaBasca avait raison, les TicholtSodis-Vodianoïs n'étaient pas imbattables... Est-ce que par hasard la Licorne avait su ce qui l'attendait sous l'eau ? se demanda Gaïg.

Ne se sentant plus terrassée par la force de la cascade, elle ralentit sa brasse impétueuse et émergea dans le demi-jour d'une caverne. Elle nagea vers la plage où l'attendait une élégante Licorne à la robe blanche, qui l'accueillit avec cordialité. Gaïg posa le pied sur un sable d'une douce finesse, en serrant sa Pierre des voyages dans la poche de sa tunique trempée.

— Sois la bienvenue, ToneNili, Fille de l'Eau ! Il fallait que tu les affrontes et que tu les maîtrises, par toi-même, pour être définitivement débarrassée d'elles. Les TicholtSodis ne t'embêteront plus maintenant. Et te voilà immunisée contre tous les poisons existants. Enfin, presque... Viens.

Gaïg sentait sa colère diminuer graduellement, mais elle savait qu'elle la retrouverait intacte si les Vodianoïs croisaient de nouveau sa route, et que plus jamais elle ne les redouterait. Que de chemin parcouru en si peu de temps, songea-t-elle. Elle avait apprivoisé les souterrains, elle ne craignait plus l'obscurité, elle avait rencontré l'Esprit de l'Eau et maintenant, elle se sentait capable de réduire en miettes la première TicholtSodi qui se présenterait. Tiens, voilà qu'elle se mettait à parler comme les Licornes, à présent... Elle se dressa de toute la vigueur de ses dix ans devant IyaTiku.

— Je les déteste. Elles sont laides et repoussantes. Mais elles ne me font plus peur.

— C'est bien, il était nécessaire que tu en arrives là. Il faut te sécher, maintenant. Emprunte ce corridor, il y a des vêtements secs dans la caverne, tout au bout. Vas-y, l'enjoignit la Licorne. Tu es une fille courageuse, ToneNili.

— Merci, rétorqua Gaïg. Je ne sais pas si je suis courageuse, vous savez : j'ai tout le temps peur... C'est vrai qu'il fait frisquet ici. Je vais me changer.

Gaïg se dirigea, encore dégoulinante, vers le couloir de pierre et frissonna. La fraîcheur de l'air ambiant la surprit, habituée qu'elle était à la température constante qui régnait dans les grottes des Nains. Peut-être que c'était l'activité volcanique des montagnes qui maintenait les Nains au chaud ? Dire qu'ils s'en plaignaient parfois, à cause des déménagements que cela entraînait. IyaTiku n'avait pas ce problème, ici. La température avait baissé et Gaïg, tout en marchant, se demanda si c'était encore loin. Elle était frigorifiée et ses vêtements trempés l'emprisonnaient dans une gangue glacée. Elle eut plusieurs frissons et se mit à claquer des dents.

Un courant d'air frais soufflait dans le boyau ; peut-être qu'il était là depuis le début, et que Gaïg, échauffée par sa colère, ne s'en était pas aperçue. Elle fut tentée de faire demi-tour, mais elle n'avait pas vu d'autre issue. Le soleil était loin et ses vêtements prendraient du temps pour sécher, même à l'air libre. L'idée de repasser sous la cascade pour retrouver le jour ne lui plaisait qu'à moitié. Elle marcha encore un bon moment.

Gaïg grelottait maintenant et elle peinait pour avancer. IyaTiku ne lui avait pas dit que ce serait si loin. Peut-être qu'elle s'était égarée ? Non, la Licorne n'avait rien précisé quant à la distance qui la séparait de la deuxième caverne, elle lui avait simplement intimé l'ordre d'aller se sécher. En lui précisant qu'elle était une fille courageuse… Gaïg, gelée, ne se sentait pas du tout brave : elle avait l'impression que le courant d'air s'était transformé en une bise glaciale et que le froid lui mordait les membres. Sous peu, elle se transformerait en glaçon.

Elle commença à se sentir engourdie et eut envie de s'arrêter. Peut-être qu'elle n'était pas totalement guérie et qu'elle devrait dormir ? Elle ralentit le pas, prête à faire une pause, malgré le « Continue, Gaïg » qui résonnait dans sa tête. Le vent soufflait par bourrasques, l'empêchant de respirer, et la faisait pleurer malgré elle. Elle dut fermer les yeux à plusieurs reprises et c'est en les ouvrant une ultime fois qu'elle découvrit que les murs étaient décorés de dessins à l'ocre.

Elle se concentra pour essayer de comprendre ce qu'ils représentaient. C'était difficile, et elle faisait tourner machinalement la bague autour de son annulaire, sans prêter attention à l'éclat accru qui s'en dégageait. Elle fut étonnée de déceler sur la paroi ce qui pouvait passer pour une sirène tenant un bébé dans les bras. Il y avait un personnage en marche dans des cercles de différents diamètres. Un volcan, puis un fond sous-marin avec des poissons suivirent. D'autres sirènes apparurent, encerclant une silhouette humaine entourée d'enfants. Ou de Nains, pensa Gaïg, très heureuse de sa trouvaille.

Occupée à observer les figures, elle n'avait pas noté que la température remontait. Le vent était toujours aussi violent et elle devait s'arc-bouter pour avancer, mais au moins, il n'était plus aussi froid. Il devint même carrément chaud au bout d'un moment, et Gaïg se sentit bouillir. Depuis combien de temps avançait-elle ainsi ? Et ce vent qui n'arrêtait pas de souffler et qui la desséchait. Elle avait soif et ses habits étaient secs.

Tout à coup, elle pensa à TsohaNoaï, qui avait évoqué, lui semblait-il, une purification par les éléments. Elle était en train d'accomplir une étape de plus vers la guérison, elle recevait son baptême de l'air, en quelque sorte. La Reine des Licornes avait dit autre chose, aussi, songea Gaïg… Mais quoi ? Elle réfléchissait, toujours avançant, en quête d'une idée fuyante, qui jouait à cache-cache avec elle, et disparaissait dès qu'elle croyait la saisir.

— Enfin, te voilà, émit une voix moqueuse devant elle. Tu en as mis du temps… Ta jambe pourrie n'est peut-être pas guérie, hi ! hi ! hi ! si tu avances si lentement ! Moi, j'avais dit de la couper, hé ! hé ! hé ! Tu serais la première unijambiste de dix ans au pays des Nains ! Tiens, voilà des vêtements… Attends, j'ai une idée.

Gaïg, éberluée, regardait Loki, hilare, qui s'agitait en face d'elle.

— Que fais-tu là ? interrogea-t-elle, interloquée.

— Comment ça, ce que je fais là ? Ha ! ha ! ha ! Je suis chez moi, ici. Hi ! hi ! hi ! Et on m'a sommé de te porter des habits secs. Je te les donne en échange de ta pierre…

— Alors tu peux les garder, Pookah coquin. Enfile-les, si tu veux, se moqua gentiment Gaïg, je conserve les miens, ils sont secs.

— Non, tu dois les mettre, toi. C'est un costume de Dryade. C'est pour aller chez les Salamandars. Tu es obligée de les mettre. Mais pour les obtenir, tu dois me donner ta jolie pierre en échange.

Gaïg réagit immédiatement en entendant ces mots : elle se jeta sur le Pookah surpris, lui arracha les vêtements des mains et courut droit devant elle. Loki se ressaisit très vite et la poursuivit en piaillant.

— Traîtresse. Tu m'as fait mal. Rends-les-moi. Ou donne-moi ta pierre.

— Que se passe-t-il ici ? fit une voix grave et chaude, alors que Gaïg faisait irruption à l'extérieur.

C'était Wakan Tanka, le Roi des Licornes, qui comprit en un tournemain ce qui s'était passé. Loki s'immobilisa instantanément, et s'en alla en sifflotant, les mains dans les poches, affichant le pur visage de l'innocence.

28

Wakan Tanka poussa un léger soupir qu'on devinait plein d'indulgence et s'adressa simplement à Gaïg :

— Tu peux rentrer dans la galerie pour te changer, je le surveillerai. Les Salamandars sont extrêmement méfiants de nature. Ils seront moins sur leurs gardes si tu apparais vêtue comme une Dryade : ils devineront que c'est nous qui t'avons donné ces vêtements. Winifrid t'accompagnera, avec Dikélédi. Et AtaEnsic viendra aussi, avec Mfuru.

— Où sont les autres Nains ? Keyah et Afo ? interrogea Gaïg.

— Ils sont retournés à leur village cette nuit, ils ne t'auraient été d'aucune aide ici. De plus, on a ressenti en fin de matinée des secousses sismiques. Pour nous, ce n'était qu'une vibration à peine perceptible. Mais elles ont dû être plus fortes à Ngondé et encore plus à Jomo. Les Nains seront plus utiles là-bas. Tu les retrouveras, ne t'inquiète pas. Nous leur avons promis de nous occuper de toi. ToneNili…

Wakan Tanka semblait sur le point de continuer, mais il hésita, se ravisa et choisit de se taire. Gaïg partit s'habiller, ne sachant comment interpréter l'intonation du « Tone-Nili ». Elle avait envie de demander des nouvelles de Nihassah, mais elle se dit que Wakan Tanka ne pouvait être au courant de tout et garda le silence.

Elle examina le costume pris au Pookah : il était, à peu de choses près, semblable à celui des Nains, mais beaucoup plus ajusté, avec des couleurs plus vives. Il se composait d'une tunique avec des poches, plus courte, d'un pantalon étroit et moulant, et d'une veste, munie de poches elle aussi.

Les Nains portaient des vêtements plus amples, sans doute pour se sentir à l'aise dans leurs travaux de terrassement sous la terre. Ils choisissaient des tissus avec des couleurs unies, dans des tons de marron et d'ocre, avec du jaune et de l'orange parfois, ou du rouge foncé, et c'était la superposition des différents types de vêtements qui créait une variété colorée qui semblait presque gaie.

Les Dryades choisissaient volontairement des motifs bariolés, afin de mieux se fondre dans le paysage végétal dans lequel elles évoluaient habituellement. Sveltes et de petite taille, elles se déplaçaient avec grâce et vivacité dans leurs arbres, grimpant allègrement au sommet des plus vieux chênes. L'étroitesse du costume était compensée par le tissu extensible, qui adoptait la forme du corps.

Gaïg craignit un instant de ne pas pouvoir enfiler ces habits, tellement ils lui semblaient petits, mais c'était compter sans l'élasticité de l'étoffe. Elle se fit comme réflexion que pour ses propres vêtements, quand elle serait riche, elle allierait la coupe adoptée par les Nains aux couleurs chatoyantes des Dryades. Elle transféra sa Pierre des voyages dans une poche de sa nouvelle tenue et sortit.

Winifrid l'attendait en compagnie d'une autre Dryade, qu'elle reconnut par la suite : Dikélédi. Mfuru, dans son costume de Nain, arrivait en compagnie d'AtaEnsic. Il aurait été drôle, déguisé en Dryade, pensa Gaïg.

— Eh bien, vous voilà prêts, fit Wakan Tanka. AtaEnsic et Winifrid vous conduiront. Les Salamandars bougent souvent, et on n'est jamais certain de les retrouver là où on les a laissés précédemment.

Puis il ajouta, en regardant Mfuru et Dikélédi :

— Il faut chercher le feu, quel qu'il soit, même celui de la terre. Bon voyage à tous, et prends bien soin de toi, ToneNili.

Puis, s'adressant à Winifrid, il ajouta :

— Ne t'inquiète pas pour Walig. Aussi longtemps que tu seras absente, il sera sous ma protection.

Il s'éloigna sur ces mots, pendant qu'AtaEnsic et Winifrid se consultaient du regard.

— On pourrait commencer par les sources chaudes de Tcolawitsé ? proposa la Licorne, que Gaïg entendait parler pour la première fois. Ils y sont quelquefois. Et si ce n'est pas le cas, cela nous rapprocherait de Sangoulé… Là-bas, on trouvera sûrement des Salamandars à côté des volcans. Et nous serons toujours dans la forêt…

Winifrid approuva, sachant la réticence qu'éprouvait AtaEnsic à s'éloigner des bois. Elle-même ne se sentait pas très à l'aise en terrain découvert et préférait de loin l'ombre des grands arbres. Elle avait dit au revoir à Walig le cœur serré, lui promettant de revenir le plus vite possible. Pourtant, si Wakan Tanka avait choisi AtaEnsic pour les accompagner, c'était bien parce qu'elle passerait facilement pour une jument si leur quête les conduisait à l'extérieur de la forêt.

L'estomac de Gaïg se rappela brusquement à son souvenir: cela faisait un moment qu'elle n'avait pas mangé, et elle fut étonnée de ne pas ressentir davantage la sensation de faim ou de soif.

— On ne mange pas, dans la forêt de Nsaï? demanda-t-elle à Dikélédi.

Ce fut Winifrid qui répondit:

— C'est vrai que dans les limites de la forêt, on éprouve beaucoup moins le besoin de manger. Souvent même, on oublie. Nos arbres se nourrissent pour nous, et nous transmettent leur énergie. Et les Licornes sont tout le temps en train de brouter…

Surgi on ne sait d'où, Loki lui coupa la parole:

— Tu as faim? Tiens! Je te les offre! Ce sont des baies de la forêt.

Avec un sourire jusqu'aux oreilles, il tendit à Gaïg une feuille repliée en cornet, qui contenait des mûres, des framboises, et d'autres petites baies noires. Elle le remercia, émue, et pensa qu'il était vraiment gentil et prévenant: il avait également un cornet pour Dikélédi, Mfuru et Winifrid.

— Bonne idée. Mangeons avant de partir, proposa Winifrid. Nous devrons peut-être marcher longtemps, avant de rencontrer les Salamandars. Merci, Loki.

Ils se délectaient en silence de leurs baies fraîchement cueillies, sous le regard amusé du Pookah, qui ne pouvait s'empêcher de sourire, hilare. Gaïg mangea d'abord les framboises, puis les mûres, et se décida à goûter les petits fruits noirs et lisses qu'elle ne reconnaissait pas. Elle en porta deux à la bouche, et les trouva pâteux, fibreux, et parfaitement insipides.

Loki avait été rejoint par un autre Pookah, et tous les deux se parlaient dans le creux de l'oreille, riant de plus en plus franchement. Gaïg hésitait à rejeter le jus noirâtre qu'elle avait dans la bouche, mais elle n'y tint plus: elle cracha, sous les regards étonnés de ses compagnons, et les éclats de rire maintenant tonitruants des deux Pookahs. Ces derniers se roulaient par terre en se tenant les côtes, pendant que Winifrid, prise d'un doute subit, examinait le cornet de Gaïg.

— Mais ce sont des crottes de lapin, s'exclama-t-elle à voix haute, tout étonnée de sa découverte.

Gaïg comprit immédiatement qu'elle avait été la victime de Loki et se jeta sur ce dernier à la vitesse de l'éclair, lui enfilant de force une poignée de crottes de lapin dans la bouche. Il eut beau se débattre et crier, elle ne le lâcha pas mais s'allongea de tout son long sur lui et lui posa la main sur la bouche pour l'empêcher de cracher. Tout le monde riait, même Mfuru, d'habitude si silencieux.

Ce fut l'autre Pookah qui permit à Loki de se libérer, à force de chevaucher Gaïg et de lui tirer les cheveux en arrière. Les deux plaisantins disparurent, tandis que Gaïg essayait de cracher jusqu'à la dernière goutte de jus de crottes de lapin qu'elle pouvait avoir encore dans la bouche. Elle était furieuse contre elle-même de s'être laissé berner aussi facilement. Comme si elle n'avait jamais vu de crottes de lapin de sa vie! Elle décida qu'elle se vengerait à la première occasion et qu'elle ne ferait jamais plus confiance à un Pookah.

— Et c'est qui, l'autre? demanda-t-elle à Winifrid. Comme s'il n'y en avait pas assez d'un! Ils sont tous comme ça?

— C'est Tweedledum, son meilleur ami. Oui, ils sont tous comme ça, malheureusement. Nous, nous ne nous laissons plus prendre, alors ils ont perdu le goût de nous faire des farces. Mais quand ils ont la chance de tomber sur des étrangers… Ils vont même les chercher, ils sont toujours à rôder à la périphérie de la forêt, en quête de nouvelles victimes. Des Nains le plus souvent, d'ailleurs. Mais tu sais, ce n'est pas dangereux, les baies que Loki t'a servies: les lapins ne mangent que de l'herbe, après tout.

— Tu en veux une, pour essayer? offrit immédiatement Gaïg.

— Euh, non, pas vraiment, répondit Winifrid. Je disais ça pour te consoler. C'est vrai que ce n'est pas une farce très intelligente qu'il a faite là. Mais tu peux lui en faire aussi, si tu en as l'occasion. Les Pookahs sont bons perdants. Ce qui les intéresse, c'est le jeu. Loki n'est pas fâché contre toi, et actuellement, il doit courir la forêt avec Tweedledum pour mettre tout le monde au courant. Tu as toujours faim? s'enquit-elle en rigolant.

— Il m'a coupé l'appétit pour le reste de la journée, ce sacripant. Dorénavant, je ne mangerai que ce que j'aurai cueilli moi-même, rétorqua Gaïg.

— Fais attention, il est capable d'accrocher des crottes de lapin aux arbustes, comme si c'étaient des fruits ! Il l'a déjà fait… Une fois, il a taillé ses propres crottes en forme de champignons et il les a déposées dans le panier d'une vieille Naine à moitié aveugle… Nous sommes intervenues à temps ! Les Pookahs sont capables de tout. Pense à la mère de Dikélédi, à ce qui lui est arrivé. Mais là, heureusement pour nous, ça nous a fait une amie.

— Et si on y allait ? intervint AtaEnsic. Vous pourrez parler en marchant. Et nous, nous ferons de la musique, ajouta-t-elle avec un regard complice à l'intention de Mfuru.

— Bonne idée, approuva Winifrid en se levant prestement. Tu es bien jolie, Gaïg, avec tes vêtements de Dryade. Et toi aussi, Dikélédi. Mais toi, je t'ai déjà vue ainsi…

Le groupe se mit en marche, AtaEnsic en tête avec Mfuru, suivis de Gaïg, Dikélédi et Winifrid.

— C'est loin ? demanda Gaïg. Je ne suis pas fatiguée et je n'ai pas sommeil. C'est juste pour savoir.

— C'est de l'autre côté de la forêt, l'informa la Dryade. Il faudrait vraiment une chance inouïe pour rencontrer des Salamandars avant. Cela prendra du temps. Mais c'est bien, aussi, de se promener dans les bois, non ?

— Elle est grande, la forêt ? insista Gaïg.

— Elle peut être immense, si elle le veut. Elle n'a pas de limites fixes, et si le besoin s'en fait sentir, elle peut s'allonger ou s'élargir.

— C'est donc vrai que les arbres se déplacent ?

Winifrid hésita, puis se lança :

— Ils sont très lents, mais ils peuvent le faire. Je suis sûre que Walig a commencé à nous suivre. Quand nous reviendrons, je le retrouverai de l'autre côté, en train de m'attendre.

Dikélédi aperçut un éclair vert dans le sous-bois, et informa ses camarades.

— Il n'est sans doute pas le seul, à nous suivre. D'ici à ce que nous soyons arrivés, nous aurons une nuée de Pookahs avec nous… Il faudra faire attention, Gaïg…

— Je les préfère quand même aux Vodianoïs, répondit Gaïg, frissonnante. Eux au moins, ils ne mordent pas…

Ils avancèrent d'un bon pas pendant plusieurs heures d'affilée. Gaïg était étonnée de ne pas ressentir davantage la sensation de fatigue. Elle admirait les arbres au passage, et se surprit à rêver à la vie des Dryades. Ce devait être bien agréable, d'avoir un arbre comme ami et de tout partager avec lui. Le problème qui se posait à elle, c'était son amour de l'eau, de la mer. Elle ne tiendrait pas longtemps, sans pouvoir se baigner. Il y avait les lacs et les rivières, bien sûr, mais elle préférait de loin l'océan. Elle n'y avait jamais fait de mauvaises rencontres, au moins.

Elle se rapprocha de Mfuru, avide de précisions sur le séisme :

— C'est souvent, que vous avez des tremblements de terre ? Nihassah m'a un peu parlé de l'activité volcanique. C'est à cause d'elle que les Nains ont quitté Sangoulé, n'est-ce pas ?

— Oui, il y a longtemps de cela, maintenant, répliqua le Nain, après un instant de réflexion. La chaleur devenait intenable, même pour nous qui avons l'habitude de la forge et du métal fondu. Les séismes provoquent des fractures du sol, des éboulements, des glissements de terrain. Il y a parfois des coulées de lave ou des dégagements de gaz toxiques. On n'a jamais vu d'explosion violente à Sangoulé, c'est une activité entièrement souterraine. Mais c'est de plus en plus dangereux.

— Ce qui ne doit pas arranger les Nains, je suppose. Tu as déjà vu de la lave en fusion ?

— La roche liquide ? Bien sûr ! C'est impressionnant. On ne peut pas s'en approcher, tellement la chaleur dégagée est forte. La température est très élevée, bien plus que dans la forge. La roche noircit quand elle refroidit. Quand elle se liquéfie, elle devient rouge. Ou jaune. Ou orange…

— Le problème avec les séismes, c'est qu'ils créent des failles, dans lesquelles la roche liquide s'engouffre et coule aussi loin qu'elle peut, ajouta Dikélédi, qui ne perdait pas un mot de la conversation. Ça peut arriver très rapidement, et on n'a pas le temps de se sauver. Si en plus il y a des gaz nocifs, la destruction d'un village, c'est l'affaire de quelques minutes.

— Et il y a toujours eu ce volcanisme, à Sangoulé ?

— Oui, mais au début, c'était très loin dans les profondeurs, reprit Mfuru. Les Nains y arrivaient par les failles, mais leurs villages étaient hors d'atteinte. Au fil des siècles, ça s'est modifié et la roche liquide est remontée. Quand Sangoulé est devenu réellement dangereux, avec des secousses qui se multipliaient, il a fallu partir. Mais il y a encore du monde, là-bas.

— Pourquoi les Nains y restent-ils, si c'est si dangereux ? insista Gaïg, désireuse de profiter de ce moment d'éloquence de Mfuru.

— C'est la terre de nos aïeux et elle est sacrée. Ce sont surtout les Nains les plus âgés qui ont refusé de s'en éloigner. Au moment du Premier Exode, nous avons colonisé les monts d'Oko et d'autres régions. Mais le volcanisme, c'est à l'échelle du pays tout entier.

— Il vous faudrait un nouveau pays, alors ? De nouvelles montagnes ?

Mfuru jeta un regard pénétrant à Gaïg, mais n'ajouta rien.

29

Afo et Témidayo suivaient Keyah et WaNguira : ils arrivaient enfin à Ngondé, après une longue marche de nuit dans la forêt pour retrouver Gaïg et Dikélédi, marche qui s'était soldée par un échec. Ils avaient parcouru plusieurs lieues, avec la désagréable impression de tourner en rond, ne comprenant pas comment elles avaient pu s'éloigner autant en si peu de temps.

Ils n'avaient pas une conscience exacte du moment où elles s'étaient séparées d'eux, pris par le feu de la danse d'AtaEnsic, et la façon dont Mfuru avait réussi à calmer la Licorne en folie. Mais bien qu'elles soient parties rapidement quand Dikélédi avait lancé son « Séparons-nous, ça la fera hésiter », il était difficile d'admettre qu'elles aient pu mettre une telle distance entre eux. WaNguira, sachant les sortilèges possibles de Nsaï, fut le premier à penser qu'ils ne les trouveraient pas et qu'il valait mieux rebrousser chemin et attendre à la lisière du bois en reprenant des forces.

Ils refirent le chemin en sens inverse, en s'égarant plusieurs fois. « À croire que les arbres se sont donné le mot pour changer de forme et nous tromper », avait conclu Afo, qui commençait à ressentir un peu de fatigue. WaNguira avait répondu que rien n'était impossible à Nsaï. Il était étonné du silence qui régnait autour d'eux, sachant que leur présence avait dû être signalée aux habitants de la forêt dès leur arrivée. Il avait appris depuis belle lurette que les arbres, en plus de se déplacer, pouvaient communiquer entre eux et avertir ceux de l'intérieur de ce qui se déroulait à la périphérie. Pourtant, rien ne bougeait autour d'eux, et le feuillage demeurait immobile et silencieux. Ils étaient arrivés à un ruisseau, que WaNguira avait observé un moment.

— Qu'y a-t-il? avait demandé Keyah, perplexe.

— Tu ne remarques rien? Regardez bien, vous tous.

Témidayo et Afo s'étaient approchés, intrigués, et avaient examiné le ruisseau.

— C'est curieux, avait remarqué Afo. On dirait que l'eau bouge, mais elle est immobile, en fait. Comme si elle s'était arrêtée au milieu de son mouvement…

— Et elle ne fait aucun bruit, avait ajouté Témidayo. Écoutez. On n'entend rien, même pas les oiseaux. Quel silence! Regardez comme c'est étrange! Même les gouttelettes d'eau sont en suspension dans l'air. Et les vaguelettes…

— Il a dû se passer quelque chose avec le ruisseau, avait conclu WaNguira. Mais nous ne savons pas quoi…

— On a l'impression d'un trou dans le temps, avait émis Keyah d'une voix étrange. Comme s'il s'était arrêté…

— Peut-être que nous devrions nous dépêcher de sortir d'ici, avait pressé Afo, impressionnée. Je préfère ne pas me mêler de magie, ça me fait peur.

— Tu as raison, Afo, mais pas pour la magie, qui ne saurait être maléfique ici, avait précisé WaNguira. Simplement, n'ayons pas l'air d'espionner les occupants des lieux. Il est sans doute plus prudent de ne pas voir certaines choses. Et encore plus, de ne pas parler de ce qu'on a vu… Continuons notre route.

Ce n'est qu'au petit matin qu'ils avaient retrouvé le sentier par lequel ils avaient pénétré dans le bois la veille. Ils s'étaient assis, attendant un signe quelconque, qui ne venait pas.

Ils étaient perdus dans leurs pensées, à demi somnolents : le bruit de fond de la forêt avait recommencé à se faire entendre, mais ils auraient été incapables de préciser à quel moment il avait débuté. Chants d'oiseaux, pépiements, craquements du bois, frottement des feuilles les unes sur les autres, souffle du vent dans les feuillages, tout cela formait une rumeur rassurante, synonyme de vie, comme le battement éternel d'un cœur géant, qui assurait la continuation d'un monde millénaire.

WaNguira avait été le premier à sortir d'une léthargie pensive, l'attention subitement éveillée par ce qui se passait non loin de lui : les ceintures d'Afo et de Keyah bougeaient toutes seules et formaient un nœud, certes du plus bel effet, mais attachant solidement les deux sœurs entre elles. Ces dernières étaient nonchalamment allongées à plat ventre sur le sol, la tête enfouie dans leurs bras croisés leur servant d'oreiller, et au-dessus de tout soupçon en ce qui concernait le remue-ménage de leurs ceintures. WaNguira sourit, mais ne bougea pas. Il savait que les Pookahs étaient difficilement visibles si on les regardait directement : il orienta donc son regard un peu sur le côté et aperçut trois Pookahs, fort occupés.

Maintenant, les cheveux des deux sœurs, qu'elles portaient assez longs, étaient tressés ensemble en une unique natte, avec précaution pour ne pas les réveiller. WaNguira, intéressé, attendait la suite, qui vint sous la forme de deux Dryades qu'il n'avait ni entendues ni vues approcher.

Elles étaient mignonnes à croquer, avec un visage rose et frais et une peau très lisse. Dire qu'elles étaient peut-être plusieurs fois centenaires, pensa le grand prêtre. Les Nains vivaient longtemps, mais en vieillissant physiquement, alors que les Dryades avaient toujours l'air de jeunes filles en fleurs. Elles s'approchèrent de lui.

— Bonjour ! Nous sommes…

Afo et Keyah, réveillées en sursaut, avaient relevé la tête et poussé un cri, non parce qu'elles voyaient des Dryades en chair et en os pour la première fois, mais à cause de l'emmêlement de leurs cheveux. Ne comprenant pas ce qui leur arrivait, elles tiraient chacune de son côté, accentuant la douleur. Elles poussaient de petites exclamations effrayées, alors que des gloussements de joie se faisaient entendre, de moins en moins discrets. Le spectacle qu'elles donnaient était à la fois cocasse et tragique, à travers le mélange de leurs cris et des éclats de rire anonymes, au milieu de leurs soubresauts désordonnés.

Témidayo avait du mal à garder son sérieux, WaNguira se retenait pour ne pas s'esclaffer, gloussant doucement, et ce fut une des Dryades qui se précipita, aussitôt suivie par sa compagne.

— Attendez, on va vous aider. Vous êtes attachées par les cheveux, s'écria la première. Ne bougez pas.

Elles défirent facilement la tresse grossière qui unissait Afo et Keyah.

— Voilà, c'est fait, annonça la seconde Dryade. Maintenant, vous pouvez vous redresser.

— Merci, émirent les jumelles en même temps, se relevant avec un bel ensemble, pour perdre aussitôt l'équilibre et se retrouver sur le sol dans un mélange désordonné de bras, de jambes, de têtes et de troncs.

Étourdies par leur chute, elles essayaient de se mettre debout, mais retombaient aussitôt, consternées et hébétées par ce qui leur arrivait. Les éclats de rire se faisaient de plus en plus sonores, on aurait dit que la forêt entière était sujette à une crise d'hilarité, et WaNguira ne se retint plus : il laissa échapper un rire bruyant, pétaradant comme une cascade de pets, qui fit se retourner Témidayo. Ce dernier, ahuri, se demandait s'il ne rêvait pas : leur grand prêtre était donc capable de rire. Et quel rire !

Les Dryades souriaient malgré elles : discrètes et efficaces, elles libérèrent Afo et Keyah, pour qui la situation était toujours aussi embrouillée, d'autant plus qu'elles ne saisissaient pas un traître mot du langage parlé par les Dryades. Leur merci concernait l'acte de libération et ne constituait pas une réponse à des paroles précises.

WaNguira avait un peu retrouvé son sérieux, il se contentait de hoqueter en soulevant les épaules, une main dans la poche. Il en sortit une Pierre des voyages, qu'il tendit à ses compagnons :

— Tenez-la ensemble, vous comprendrez ce qui se dit. Moi, je connais leur langage.

— Nous pouvons aussi parler votre langue, offrit la plus brune des deux Dryades. Je suis Alanag, et voici Dilys.

— J'ai grand plaisir à pratiquer un peu le sawyl, que j'ai appris à parler autrefois, énonça lentement WaNguira. Les Pookahs sont toujours aussi actifs, semble-t-il.

— Ils sont incorrigibles ! Entendez-les rire. Ça va durer encore un moment, jusqu'à la prochaine blague. J'espère que vous ne vous êtes pas fait mal, se renseigna la rousse Dilys, se tournant vers les jumelles.

Afo et Keyah se taisaient, se sentant un peu piteuses et ridicules. Elles émirent ensemble un « Non, ça va, merci » qui n'attendait pas de réponse.

Alanag prit la parole :

— Nous sommes venues vous dire que Dikélédi et Gaïg sont avec nous. Elles ne courent aucun danger. Les Licornes s'occuperont d'elles et soigneront Gaïg.

— Nous les attendrons ici, alors, conclut WaNguira.

— La guérison risque d'être longue. Nous pensons qu'il vaut mieux que vous rentriez chez vous.

Les Nains hésitèrent et Keyah, prenant son courage à deux mains, sortit de sa réserve :

— Mais nous n'avons pas le droit de les abandonner comme ça. Nous sommes responsables d'elles. Nous pouvons les accompagner. Ou les attendre.

— Elles ne risquent rien avec nous, la rassura Dilys. Elles reviendront bientôt. Nous pensons qu'il vaut mieux que vous rentriez chez vous, répéta-t-elle, insistante.

— Et Mfuru ? s'enquit Afo. Il a réussi à calmer la Licorne folle, ajouta-t-elle étourdiment, sans réfléchir à l'utilisation de ce qualificatif dépréciateur en présence des Dryades. Mais où est-il ?

Les Dryades ne montrèrent aucun signe d'énervement et leurs visages ne trahirent aucune pensée. Alanag répondit très calmement, mais d'une voix ferme :

— Mfuru a décidé de rester avec AtaEnsic, et elle est d'accord. Vous perdriez votre temps, à rester attendre ici.

WaNguira comprit à demi-mot qu'il valait mieux ne pas s'imposer et s'opposer à ce qui devait être une décision commune des Licornes et des Dryades. Il fit un geste pour calmer Keyah et Afo, avant de s'adresser à Dilys et Alanag :

— Nous vous entendons. Nous reprendrons le chemin par lequel nous sommes venus. Nous savons qu'elles sont en de bonnes mains.

Les Dryades parurent soulagées.

— Nous savons ce qu'elles représentent pour vous. Mais elles ne risquent rien à Nsaï, déclara Alanag. Vous pouvez vous reposer encore un peu ici, si vous le désirez.

Elle s'inclina et s'éloigna, imitée par Dilys. WaNguira se leva et considéra ses compagnons, l'air décidé :

— Je pense que nous sommes déjà reposés et que nous pouvons nous mettre en route immédiatement.

Le groupe s'était mis de suite en marche et avait cheminé sans s'arrêter jusqu'à ce que le soleil commence à être haut dans le ciel. C'est en fin de matinée, alors qu'ils approchaient de l'entrée de la galerie qui menait à Ngondé, qu'ils avaient perçu la première secousse. Habitués aux séismes, ils s'étaient tout de suite allongés sur le sol : ils savaient qu'il n'y avait rien d'autre à faire, sinon attendre que ça passe.

Le plus souvent, il y avait deux ou trois grondements, bien plus impressionnants que la vibration elle-même. Il arrivait que l'on perde l'équilibre, si la secousse était vraiment forte, d'où la position couchée. Sous terre, ils se seraient immédiatement réfugiés sous une table solide, afin de se réserver un espace libre en cas d'éboulement, à condition que ce dernier ne soit pas trop important. En plein air, rien ne pouvant tomber du ciel, il fallait plutôt surveiller les failles dans le sol.

Deux secousses assez fortes s'étaient succédé, puis la terre avait semblé se calmer. Rien ne s'était passé pendant un bon moment, et ils avaient repris leur marche, pressés d'arriver à Ngondé. L'entrée dans la galerie avait été un soulagement pour tous : malgré le danger présenté par le volcanisme, ils jugeaient leurs souterrains plus rassurants que le monde extérieur.

Afo et Keyah avaient accompli leur trajet sous terre, pensives et un peu perplexes, se demandant, au fur et à mesure qu'elles se rapprochaient du village, comment elles expliqueraient leur retour sans les deux filles. WaNguira les avait rassurées :

— Doumyo et Mvoulou ont l'habitude des absences de Dikélédi : ils vont en forêt avec elle, les Dryades la gardent, et ils reviennent la chercher après quelques jours. C'est pourquoi elle a une connaissance approfondie de la forêt. Je pense que réellement les deux filles ne risquent…

Il n'avait pas terminé sa phrase, se couchant immédiatement sur le sol, imité instantanément par les autres, les mains croisées sur la tête. Tous avaient entendu le grondement avant de sentir la terre bouger sous leurs pieds.

Cette fois, la secousse avait duré beaucoup plus longtemps. Il y avait peut-être eu des éboulements ou des glissements de terrain. Le risque présenté par un écoulement de roche liquide s'avérait moindre en ces lieux, mais les Nains réfugiés dans les monts d'Oko ne pouvaient s'empêcher de penser à ceux qui étaient restés à Sangoulé.

Le bruit avait continué longtemps après que le sol soit redevenu stable, répercuté de galeries en tunnels par un écho qui lui ajoutait une note de menace.

— Espérons que Wolongo guérira vite, avait simplement déclaré WaNguira en se relevant pour se remettre en marche.

30

Gaïg et ses compagnons avançaient, tantôt bavardant, tantôt plongés dans leurs pensées. De temps en temps, ils faisaient une courte pause, pendant laquelle ils se désaltéraient et se restauraient avec les baies qui abondaient. Les Pookahs ne firent aucune apparition et Gaïg se sentit un peu déçue. Le souvenir des crottes de lapin s'était atténué dans sa mémoire et elle hésitait entre la vengeance et le pardon, ne pouvant s'empêcher de trouver Loki sympathique malgré tout. Et Tweedledum ne lui avait rien fait...

Les arbres se succédaient, pleins de noblesse dans leur vieillesse, mais Gaïg ne voyait pas de Dryade non plus. Peut-être que Winifrid les décelait, elle... Gaïg apprenait beaucoup de choses sur les Dryades et la forêt. Elle était surprise de ne pas se sentir plus fatiguée, à cause de la marche.

— Nous nous arrêterons pour la nuit, n'est-ce pas? demanda-t-elle à Winifrid.

Cette dernière parut surprise:

— Tu es lasse?... Enfin, oui, si tu veux.

— Non, je ne suis pas lasse. Je suppose que c'est par habitude. Sous terre, je ne sais jamais quand c'est le jour. Mais ici, il m'est difficile de penser que je vais marcher toute la nuit.

— À Nsaï, nous ne faisons guère de différence entre le jour et la nuit. Quand il y a quelque chose à faire, nous le faisons, et nous nous arrêtons quand c'est terminé. Jusqu'à la prochaine tâche. Si vraiment tu y tiens, on peut s'arrêter. Mais ça retarde d'autant plus ta guérison…

— Je peux marcher. Où sommes-nous, ici ?

— Nous sommes en train de contourner la Clairière de Mukessemanda par le couchant, répondit AtaEnsic. C'est pour avoir le jour le plus longtemps possible que nous avons choisi cet itinéraire. Nous aurions pu venir par l'est, aussi.

— On n'aurait pas pu traverser la Clairière, pour aller plus vite ?

— Nous avons le temps, déclara évasivement la Licorne.

Dikélédi, pour agrémenter le trajet, se mit à nommer les différentes plantes qu'elle connaissait, et ce fut bientôt un jeu entre elle et Gaïg, Winifrid leur venant en aide quand elles étaient dans l'ignorance.

— Et celles-là, tu les connais ?

Loki fit irruption devant Gaïg, comme s'il l'avait quittée un instant auparavant, lui tendant une petite gerbe. Gaïg s'apprêtait à la saisir et retint son geste de justesse. Elle examina les plantes que Loki agitait sous son nez :

— Prends-les, je te les donne, insista-t-il, essayant de les passer de force à Gaïg.

— Elles sont très belles, tes orties, mais tu peux les garder, objecta Gaïg, goguenarde, les mains derrière le dos, ravie de ne pas s'être laissé prendre. Ça fait de la bonne soupe pour Pookahs démasqués, tu sais.

Loki éclata de rire et disparut dans les bois.

— Je me doutais bien qu'il nous suivrait, s'écria Dikélédi. Tu fais des progrès, Gaïg. Et il est content quand même, bien que sa farce n'ait pas réussi.

— Les Pookahs sont toujours contents, affirma Winifrid. Ils rient par avance à l'idée de la blague qu'ils vont tenter, et même si elle échoue, ils ont déjà tellement ri que ça leur suffit.

Mfuru faisait entendre de petits bruits de langue tout en marchant à côté d'AtaEnsic. Dikélédi se mit à suivre son rythme, et un moment après, Gaïg et Winifrid se lançaient elles aussi.

— Ce n'est pas très facile, constata la Dryade, en riant. Ma langue se tord dans ma bouche et je ne sais plus où la mettre. Encore heureux que je sache toujours parler, je n'en étais même pas sûre avant d'avoir commencé.

Le temps passait et Gaïg fut surprise quand AtaEnsic annonça qu'ils approchaient des sources chaudes de Tcolawitsé. Elle eut envie de lancer un « Déjà ? » mais prit conscience aussitôt qu'ils avaient marché toute la nuit. Sa vue s'était affinée dans les cavernes, en partie grâce à la bague de Nyanga, et l'obscurité ne la gênait plus : elle s'y déplaçait comme en plein jour. Mais là, le soleil se levait et il faisait de plus en plus clair.

— L'eau est très chaude, dans les sources de Tcolazewit ? demanda-t-elle.

— Tcolawitsé, reprit Winifrid. Ça dépend des bassins, il y a plusieurs sources. Elles viennent d'assez loin sous terre, et c'est pourquoi elles ont cette température. On y trouve de drôles de bêtes, qui ne vivent que là.

— Comment ça, de drôles de bêtes ? s'enquit Gaïg, qui pensa aussitôt aux Vodianoïs.

— Des espèces qui supportent des températures plus élevées que la normale. Des poissons des mers chaudes. Il y a ce qu'on appelle un microclimat dans ces lieux. Même l'air est plus chaud et plus humide. Les végétaux sont différents aussi.

Gaïg observa la végétation autour d'elle :

— C'est vrai qu'il y a davantage de lianes et de fougères, remarqua-t-elle.

— Ce n'est pas un hasard si on y trouve des Salamandars, observa AtaEnsic. Ils aiment le feu et la chaleur, mais ils ont besoin de l'eau et de l'humidité pour survivre.

— À quoi ressemblent-ils ? lui demanda Gaïg, essuyant quelques gouttes de sueur qui perlaient au-dessus de sa lèvre.

— Ce sont de gros lézards noirs avec des taches jaune vif. Leur peau est brillante, parce qu'elle sécrète un liquide qui les protège du feu. Il y a une majorité de mâles chez eux et, pour cette raison, ils ont du mal à se reproduire. Heureusement qu'ils vivent très longtemps. Ils prennent appui sur leur queue pour se tenir debout et se déplacer. Mais ils peuvent utiliser leurs quatre pattes pour se sauver en cas d'urgence. Question taille, ils sont un peu plus grands que toi. Ils sont très intelligents, mais très méfiants aussi : on en voit rarement, ils se sauvent dès qu'on essaie de les approcher.

— Et ils n'aiment pas les Nains, maugréa Mfuru.

— N'exagérons pas, corrigea AtaEnsic avec un regard affectueux à l'égard de son ami. Ils considèrent les Nains comme des rivaux, parce qu'ils habitent sous terre : ces derniers gênent l'accès des Salamandars à la roche liquide. Les Salamandars sont très discrets et les Nains ne sont pas un modèle de sociabilité, de manière générale.

— Mais ils peuvent nous attaquer? interrogea Gaïg, anxieuse à l'idée d'une nouvelle morsure.

— Non, absolument pas. Sauf si tu les agresses, bien évidemment. Auquel cas, ils se défendent. C'est l'un des plus vieux peuples sur la terre : les Salamandars existent depuis le commencement des temps.

— L'activité volcanique ne les gêne pas ? insista Gaïg.

— Les Salamandars supportent des températures bien plus élevées que les Nains. Ils peuvent rester un moment dans le feu sans se brûler. Ils arrivent à se déplacer sur la lave en fusion, pas très longtemps, bien sûr, et s'il n'y a pas de dégagements de gaz toxiques, ils survivent très bien dans les failles volcaniques, près des coulées de lave.

— Et pourquoi dois-je les voir, puisque Asa Gaya a retiré le venin de ma jambe ?

— La plaie sera toujours suintante, avec un mince filet de sang qui s'écoule. Les Salamandars vont la cautériser pour qu'elle cicatrise.

— Ça fera mal ?

AtaEnsic hésita légèrement.

— Pas plus qu'avec les Licornes…

— Je n'ai rien senti avec Asa Gaya mais j'ai eu très froid, dans la grotte d'IyaTiku…

— La morsure d'une TicholtSodi n'est pas une morsure ordinaire… Voilà les sources, annonça AtaEnsic, apparemment soulagée de n'avoir pas à en dire plus.

Gaïg conclut que la Licorne devait être fatiguée. Elle avait d'abord cru que cette dernière était muette, quand elle l'avait vue pour la première fois, déchaînée dans sa sauvage et majestueuse beauté, et elle avait du mal à admettre qu'il s'agissait de la même créature. Mfuru aussi avait changé. Il semblait plus alerte, plus vivant, et comprenait déjà sans peine le langage des Dryades et des Licornes. Gaïg émergea de ses pensées pour admirer les sources.

Tcolawitsé était un autre monde. La végétation était dense, luxuriante, d'un vert profond. Les arbres, couverts de mousses et d'épiphytes, montaient à la recherche du soleil, atteignant ainsi une taille impressionnante. Gaïg se fit la réflexion que les chênes de Nsaï poussaient à la fois en largeur et en hauteur, arborant des troncs à la circonférence imposante, alors qu'ici, la verticalité régnait. Des lianes couraient d'une branche à l'autre, laissant tomber des gouttes d'eau sur le sol.

Il se dégageait de l'ensemble une odeur d'humus et de soufre mélangés, et Gaïg fronça le nez: elle n'était pas familière avec le volcanisme. Les sources sortaient des hauteurs avoisinantes et les bassins contenaient une eau claire, mais avec de longues algues grises et fines, groupées en faisceaux, telle une chevelure portée par le courant.

Gaïg aperçut de rares fleurs, de couleurs vives, dans le feuillage et eut l'impression qu'elles se déplaçaient. Sans doute une illusion, conclut-elle, reportant son regard sur l'eau.

— On peut y mettre le doigt, pour évaluer la température? interrogea-t-elle.

— Oui, parce que tu ne pourras pas l'y laisser longtemps, de toute façon, ricana Loki, surgissant brusquement à ses côtés.

Elle examina le Pookah, méfiante, mais comme Winifrid et AtaEnsic ne disaient rien, occupées à scruter les alentours, sans doute à la recherche de Salamandars, elle avança la main. La chaleur de l'eau lui sembla modérée et elle y plongea la main tout entière, se demandant si elle aimerait se baigner dans un des bassins. Elle surveillait du coin de l'œil le Pookah, attentive et soupçonneuse. Loki lui souriait, visage même de l'innocence, quand soudain, elle ressentit une morsure au doigt. Elle sortit sa main de l'eau avec un cri, en faisant un bond en arrière, et tous sursautèrent. Une fois de plus, Winifrid fut la première à comprendre ce qui s'était passé.

— Il y a des crabes, Gaïg. On ne les voit pas, ils sont presque transparents, et se confondent avec le fond. On ne peut pas se baigner dans ce bassin: ils sont tout le temps affamés.

Gaïg fulmina contre Loki, qui était aux prises avec une hilarité débordante:

— Tu ne pouvais pas m'avertir? Tu l'as fait exprès. Tu le savais, qu'ils allaient me pincer. Tu mériterais que je te jette à l'eau, et qu'ils te dévorent tout entier.

Le Pookah effectua une retraite prudente, toujours hilare, pendant que Gaïg regardait autour d'elle. Elle fut certaine cette fois que les fleurs avaient changé de place. Peut-être qu'elles se déplaçaient, comme les chênes… Elle s'approcha de l'une d'entre elles afin de l'examiner de plus près et le Pookah fut de nouveau à ses côtés, en un instant:

— Tu veux cueillir des fleurs? Elles sont jolies, n'est-ce pas? Et on peut les manger!

Winifrid intervint immédiatement avec un «Non, Gaïg!» catégorique, au moment où cette dernière s'apercevait que les jolies fleurs qu'elle admirait étaient en réalité de minuscules grenouilles. Le Pookah avait voulu lui faire manger des grenouilles ! Elle tendit la main pour en saisir une et la faire avaler à Loki, quand le « Non, Gaïg ! » de Winifrid retentit de nouveau, toujours aussi autoritaire.

— Ce sont des dendrobates, elles sont venimeuses, expliqua-t-elle. Leur peau sécrète un venin. Elles vivent habituellement dans les pays chauds, et on ne sait pas comment elles sont arrivées là.

Elle ajouta :

— Loki, tes farces deviennent risquées, maintenant. Il serait temps que tu arrêtes, ou je t'interdis de venir avec nous. Et j'ai les moyens de te faire obéir, ajouta-t-elle, en se précipitant sur lui avec une rapidité déconcertante et en lui attrapant les moustaches.

Loki couina comme si on l'égorgeait, Tweedledum surgit du néant avec trois autres Pookahs pour défendre son ami, mais Winifrid ne se laissa pas impressionner.

— Ça suffit, cria-elle. Toi, je ne t'ai pas fait mal, alors arrête de jouer au cochon égorgé. Et laisse Gaïg tranquille, tu deviens dangereux. Quant à vous, filez avant que je ne vous arrache aussi deux ou trois poils de moustache.

Les Pookahs riaient, pas intimidés le moins du monde. Ils entouraient Winifrid, s'amusant à la chatouiller pour lui faire lâcher Loki, et Gaïg allait voler à son secours quand elle sursauta. Une créature inconnue venait de faire son apparition dans le bois, dissimulée derrière un arbre.

31

WaNguira et ses compagnons avaient accéléré le pas, pressés maintenant d'arriver à Ngondé. La secousse avait été forte, il y avait sans doute des dégâts, peut-être même des blessés, qui sait ? Mais aucun d'entre eux ne voulait envisager l'idée de la mort d'un des leurs. Pourtant, il y avait eu quelquefois des victimes, dans le passé… Mais le souvenir en était très douloureux : les Nains n'avaient quitté Sangoulé que contraints et forcés, quand l'activité volcanique avait augmenté à tel point que certains avaient péri, qui dans un éboulement, qui dans une coulée de lave.

Tout en marchant, ils réfléchissaient à cette très ancienne prophétie de Sha Bin, transmise par Mama Mandombé, et perdue dans la nuit des temps. La Déesse Magnifique était apparue aux cinq grands prêtres de la confrérie des Nains, chacun d'eux représentant une tribu, et elle leur avait annoncé qu'une descendante de Yémanjah, la *Mère-dont-les-enfants-sont-des-poissons,* mettrait au monde une fille pour guider les Nains au moment du Grand Exode vers la terre qu'elle leur réservait. Sangoulé, le pays béni, deviendrait le territoire du Feu, et des enfants du Feu.

Est-ce que le moment était enfin venu ? pensait WaNguira, les sourcils froncés, tout en menant son groupe. Tous ces séismes qui se succédaient, de plus en plus forts, de plus en plus rapprochés dans le temps… Quand les Nains avaient quitté Sangoulé, ils n'étaient pas allés plus loin que les monts d'Oko, puisqu'il n'y avait eu aucun signe indicatif de la présence d'une quelconque descendante de Yémanjah. Mais là, les signes se précisaient…

Et WaNguira connaissait la suite de la prophétie: Mama Mandombé avait précisé que le Grand Exode ne devait avoir lieu qu'après la naissance de cette fille, qui réunirait la Terre et l'Eau, et qu'une des leurs la reconnaîtrait avant les autres. L'arrière-petite-fille de Yémanjah, qui devrait ignorer jusqu'au bout sa propre identité, montrerait le chemin à la Fille-de-toutes-les-Dryades.

On ne pouvait être sûr de rien, bien entendu, et il fallait interpréter les signes avec soin. Rien n'était clair, dans cette prophétie. Tout le monde attendait la descendante de Yémanjah sous la forme d'un poisson miraculeux qui leur parlerait, la tête hors de l'eau, en leur disant « Suivez-moi »… Ou bien une apparition surnaturelle, flottant dans l'air, la main bien haut levée portant une lumière, les guidant dans des cavernes et des boyaux inconnus… Non, il fallait une créature de l'eau, puisque c'était une descendante de Yémanjah. Une sirène, peut-être, qui apparaîtrait dans un lac souterrain ? Après tout, Yémanjah n'était-elle pas la première Sirène ? Ou… Gaïg-Wolongo elle-même ? Pourquoi pas ? Les dieux avaient parfois de drôles de messagers et il était indéniable qu'une aura de mystère entourait l'enfant. Cette bague en Nyanga qu'elle possédait... Le fait que lui-même l'avait appelée Wolongo dès la première fois, sans trop savoir pourquoi… Et tous les autres qui lui accordaient cet affectueux surnom de « petite princesse »… Et Mama Mandombé qui lui était apparue et lui avait donné la Pierre des voyages : il y avait bien une raison à cela. Au passage, il se rappela avoir promis à Gaïg un collier pour porter la Pierre autour du cou. Mais quelque chose lui échappait dans la prophétie : la Terre et l'Eau… La Fille-de-toutes-les-Dryades… Mama Mandombé avait pourtant dit à Gaïg Pourtonpeuple etpourMonPeuple… Il l'avait entendue.

Tout cela formait un imbroglio dans le cerveau enfiévré de WaNguira, qui ne pouvait partager ses soucis avec les autres Nains. Il pensa qu'il faudrait organiser une réunion des cinq grands prêtres pour en discuter – ou plutôt des quatre grands prêtres. Il n'avait jamais pu s'habituer à l'idée de la disparition des Kikongos, avant le Premier Exode. La montagne coupée en deux, crachant la roche liquide sans discontinuer, cette dernière inondant tout comme l'aurait fait un fleuve en furie, la fuite précipitée des Nains... Beaucoup avaient péri. Aucun Kikongo n'avait survécu...

La décision de convoquer d'urgence un conseil de grands prêtres le calma un peu, mais n'empêcha pas la chute : il buta sur les cailloux qui avaient roulé sur le sol et s'étala au pied de l'éboulement qui suivait.

Afo et Keyah, le suivant de trop près, le percutèrent de plein fouet et tombèrent sur lui suivies par Témidayo. D'autres roches dégringolèrent du sommet, ce qui les fit se relever immédiatement, dans la crainte d'une nouvelle chute de pierres.

— La voie est coupée, constata WaNguira, considérant le tas qui obstruait le passage.

— Je le craignais, avoua Keyah. La dernière secousse était très forte...

— On peut creuser, mais on ne sait pas combien de temps ça prendra... suggéra Afo, dubitative. Peut-être qu'on devrait ressortir et essayer la galerie de Wokabi : elle est plus à l'est...

— Avec le risque qu'elle soit bouchée elle aussi... ajouta WaNguira, pensif. Je pense qu'on devrait plutôt déblayer : il faudra le faire, de toute façon, pour rétablir l'accès à l'extérieur. Et les autres doivent être déjà en train de dégager par l'intérieur : ça ira deux fois plus vite et nous finirons par nous rencontrer.

Joignant le geste à la parole, il saisit son pic et se mit au travail, selon la technique préconisée en pareil cas : il libérait quelques cailloux du haut, les laissant rouler derrière lui et être pris en charge par ses compagnons. Ceux-ci, les uns derrière les autres, les éloignaient de l'amas central, en les dispersant sur le sol. Ce dernier était ainsi nivelé aussi loin qu'il le fallait, jusqu'à rétablir le tunnel, à condition bien sûr que l'éboulement ne soit pas trop important.

Parfois, les Nains avaient de la chance : il suffisait d'une énorme pierre coincée dans la partie supérieure pour faire avancer le travail. D'autres fois, il fallait étayer, ou pire, creuser une galerie parallèle. WaNguira espérait bien ne pas se trouver réduit à cette extrémité. Toutes ces choses qui arrivaient en même temps...

Il continuait son travail avec prudence, sachant qu'un nouvel écroulement était toujours à craindre. C'est dans des cas comme ceux-ci qu'il appréciait le fait que les Nains se déplaçaient toujours avec leur pic, à deux pointes, ou leur pioche. Cette dernière, pointue à une extrémité, se présentait aplatie à l'autre : l'outil ainsi conçu était multifonctionnel. La pioche était l'un des premiers cadeaux que l'on faisait aux enfants, les jeunes Nains étant exposés aux mêmes risques que les plus âgés, en ce qui concernait les effondrements.

Afo faisait passer les éboulis de WaNguira à Keyah, qui les faisait rouler à Témidayo, lequel avait pour rôle de les emporter le plus loin possible du tas central, afin d'égaliser le sol. Il arrivait qu'on puisse rendre à la galerie son diamètre initial, mais le plus souvent, il subsistait un rétrécissement du passage, témoignage évident qu'un affaissement avait eu lieu à cet endroit.

Le travail s'effectuait de façon régulière et organisée, sans un mot, afin de ne pas gaspiller d'énergie. Les Nains n'étaient pas devenus les maîtres du sous-sol par hasard. Ils avaient appris à leur dépens que dans les situations extrêmes, tout avait de l'importance et l'expérience leur avait enseigné ces deux règles de base de la survie : ne pas s'affoler, économiser ses forces. Pour éviter que la répétitivité d'une tâche n'entraîne une fatigue musculaire génératrice d'une distraction qui pouvait être fatale, les Nains se relayaient régulièrement dans toutes leurs tâches. Après avoir creusé un moment, WaNguira passa le relais à Afo et se mit à la queue à la place de Témidayo, qui se retrouva en avant-dernière position.

Ils creusaient et déblayaient sans s'arrêter, comme une mécanique bien huilée. Plus vite l'accès serait rétabli, mieux ce serait pour tous. Mais l'éboulement était important : WaNguira était déjà revenu trois fois au poste de tête, sans que la galerie soit percée. Au lieu de se décourager, les quatre Nains trouvaient là une motivation de plus pour persévérer, étant conscients de l'aide que leur travail apporterait à ceux de Ngondé : plus on évacuait de terre vers l'extérieur, moins il y en aurait pour encombrer l'intérieur.

Ils continuèrent à creuser sans relâche sur une longue distance : ils avançaient lentement, mais avaient néanmoins réussi à dégager une bonne longueur.

— Peut-être que nous devrions faire une pause, suggéra WaNguira, essoufflé.

Personne ne dit mot, mais les trois autres s'arrêtèrent immédiatement, avec un ensemble qui en disait long sur leur fatigue. Une certaine anxiété commençait à poindre : si l'écroulement était aussi important, que révélerait le village ? Les Nains choisissaient les cavernes naturelles les plus vastes pour creuser leurs habitations, à même la pierre solide afin de garantir un lieu de refuge en cas d'effondrement. La tactique avait toujours fonctionné, et les villages dévastés l'avaient plutôt été par des inondations torrentielles causées par de fortes pluies en surface, ou par des montées de roche liquide tout à fait inattendues. Les gaz toxiques avaient également fait des victimes dans le passé : une nuée ardente envahissait les galeries à une vitesse phénoménale, détruisant, par la chaleur et l'asphyxie, toute trace de vie sur son passage.

Afo et Keyah s'assirent sur le sol en se tenant la main : elles partageaient les mêmes pensées et n'avaient pas besoin de parler. Au-delà de Ngondé, il y avait Jomo, qui se situait encore plus profondément dans les terres, Jomo avec Nihassah et sa jambe cassée, Mukutu leur chef bien-aimé surnommé en manière de plaisanterie « M'est-avis-que », Babah, Matilah, Macény à qui il faudrait annoncer que son fils était resté jouer de la musique avec une Licorne, Bandélé, Toriki, et les autres…

Le temps passait et au bout d'une éternité, Témidayo, qui avait l'ouïe extrêmement fine, se redressa :

— Écoutez !

Tous tendirent l'oreille, mais les visages figés demeurèrent neutres : ils n'entendaient rien.

— Si, je vous assure, insista Témidayo. Les autres creusent, je les entends.

Devant l'inertie de ses camarades, il prit la direction des opérations :

— Allez, debout. On ne peut leur laisser accomplir tout le travail.

Revigorées par son enthousiasme, Afo et Keyah se mirent à l'œuvre, aussitôt suivies par WaNguira : on pouvait faire confiance à Témidayo, il n'était pas du genre à imaginer des bruits. Ils s'exécutèrent d'arrache-pied, portés par l'entrain de Témidayo, qui s'arrêta subitement :

— Et là, ne me dites pas que vous n'entendez pas…

Le visage d'Afo s'éclaira d'un sourire : oui, très loin à l'intérieur, il y avait un grattement et des chocs. Elle saisit deux pierres et les frappa l'une contre l'autre avec force : un coup pour chaque doigt de la main, avec un arrêt quand on changeait de main. C'était le premier qui entendait le son qui devait se signaler aux autres et signifier ainsi « Je suis là ».

Dans le silence qui suivit, ils entendirent tous les quatre la réponse émise, un coup pour chaque main : « Nous vous avons entendus, nous sommes de l'autre côté ».

Afo donna alors quatre coups pour indiquer leur nombre, un coup par personne présente. La réponse ne tarda pas : deux coups. Ils étaient deux de l'autre côté, à creuser pour libérer le village. Seulement deux. Personne ne dit mot: il devait s'être passé quelque chose de grave à l'intérieur pour que seulement deux Nains soient affectés à l'ouverture d'une issue. À moins, maigre espoir, que les villageois de Ngondé n'aient concentré leurs efforts sur une autre galerie... Ce qui était peu probable, celle-ci étant la plus directe.

Ils creusaient maintenant sans discontinuer, tout en respectant les règles élémentaires de prudence: ne jamais essayer de dégager trop de cailloutis à la fois, sous prétexte d'aller plus vite. Ceux qui l'avaient tenté s'en étaient longtemps repentis, le remède ayant été pire que le mal quand un nouvel éboulement avait eu lieu, annihilant les efforts précédents.

Ils entendaient maintenant les chocs des outils de l'autre côté, et au bout d'un moment, ils surent qu'ils étaient tout près. Témidayo frappa deux pierres l'une sur l'autre en une série de petits coups rapides: «Arrêtez, nous continuons». En effet, la percée de la trouée finale était un moment très délicat, pendant lequel il valait mieux éviter de travailler de chaque côté. Témidayo attendit la réponse qui confirmerait sa demande : une série de petits coups espacés qui se continuerait pendant tout le temps que durerait la suite des opérations. Si les coups espacés ne se faisaient plus entendre, c'est qu'il était plus prudent d'arrêter et de laisser les autres continuer le travail. De petits claquements secs et espacés se firent entendre et Témidayo poursuivit sa besogne de fourmi. Enfin, il y eut un trou par lequel il put passer la tête pour jeter un coup d'œil de l'autre côté.

Afo, Keyah et WaNguira le virent sursauter.

32

Gaïg reconnut immédiatement un Salamandar, d'après la description qui lui avait été faite. Elle laissa Dikélédi courir à la rescousse de Winifrid et s'esquiva discrètement, se dirigeant vers l'arbre derrière lequel elle avait entrevu la créature. Il n'y avait personne. Elle inspecta les environs et aperçut un dos tacheté qui s'enfuyait. Sans réfléchir, elle se lança à sa poursuite, mais le perdit de vue de nouveau. Elle continua sur le sentier, droit devant elle et vit les feuilles bouger un peu sur la gauche. Elle reprit sa route.

Ce fut comme un jeu de cache-cache : le Salamandar disparaissait, puis se montrait de nouveau, comme s'il voulait attirer Gaïg en un lieu précis. Cette dernière entendait dans le lointain les cris aigus des Pookahs surexcités : rassurée, elle continua. Elle saurait retrouver son chemin, elle n'était pas perdue. La curiosité était la plus forte, comme toujours. Elle arriva en face d'un bassin plus grand que les autres, aux eaux d'un vert étonnant. Ce dernier continuait dans ce qui semblait être une caverne. Le Salamandar s'était évanoui : il avait dû entrer là, déduisit Gaïg.

Elle contourna le bassin et pénétra dans la grotte. Le sol était recouvert de sable fin, et l'humidité y était étouffante, suintant le long de parois brillantes, recouvertes de mousse. Gaïg avait du mal à respirer, sa peau était moite de sueur, et elle s'apprêtait à faire demi-tour pour rejoindre les autres, ne voulant pas s'aventurer plus loin, quand elle entendit un gémissement. Après avoir progressé de quelques pas, elle découvrit une forme allongée sur le sol.

— Vous êtes un Salamandar ? demanda-t-elle anxieusement, serrant très fort sa Pierre des voyages dans sa poche. C'est vous qui étiez dehors ? Vous ne vous sentez pas bien ? Vous êtes malade ? Je peux vous aider ?

— Non, pas « un » Salamandar. Je suis « une » Salamandar. Te voilà enfin. Je t'attendais.

Gaïg se figea : elle était donc attendue ? Peut-être que les Licornes ou les Dryades avaient prévenu les Salamandars des soins à lui prodiguer…

— Tiens.

La Salamandar tendit à Gaïg un petit objet lisse et ovale, que Gaïg identifia immédiatement : un œuf, à la coquille mouchetée de jaune et de vert foncé, presque noir.

— C'est un œuf, constata-t-elle, stupéfaite par la stupidité de sa propre remarque.

— Prends-en bien soin. C'est mon petit. Tu l'appelleras Txabi. Je suis Maïalen.

— Mais…

Gaïg voulut répondre mais la Salamandar l'interrompit :

— Tu es comme dans mon rêve. Il y avait une vieille Naine avec toi, accompagnée de ses cinq enfants. Elle m'a dit que tu t'occuperais de Txabi, et que tu le ramènerais aux siens quand le temps serait venu. Merci.

Maïalen eut un sursaut, tout son corps se tendit dans une contraction musculaire douloureuse. Elle sourit tristement en regardant Gaïg :

— C'est ainsi que les choses doivent se passer.

Elle laissa échapper un léger soupir et ne bougea plus. Ses couleurs perdaient rapidement de leur éclat, sous les yeux horrifiés de Gaïg, qui ne voulait pas croire à la mort de la Salamandar. Elle considéra l'œuf qu'elle avait en main, perplexe, sachant qu'elle ne pouvait pas l'abandonner, tout en ignorant quoi en faire. Et cette Naine avec cinq enfants à laquelle la Salamandar avait fait allusion à propos de son rêve, ce ne pouvait être que Mama Mandombé. Mais où était le rapport ? Quel était le lien entre la Reine des Nains, Maïalen la Salamandar, et Gaïg ?

Des cris à l'extérieur la ramenèrent à la réalité : ses amis l'appelaient, la cherchant sans doute depuis un moment. Gaïg se releva, mais se rassit aussitôt : l'œuf bougeait. Du moins ce qu'il y avait *dans* l'œuf. Il ne fallut pas longtemps pour que la coquille se brisât dans les mains mêmes de Gaïg, qui se retrouva avec un bébé salamandar agité et renifleur, fort éveillé pour un nouveau-né. Pas du tout intimidé, il flairait Gaïg sans arrêt, promenant sur sa peau une minuscule langue fourchue, d'une finesse et d'une mobilité incroyables. Il était à peine plus long que sa main et il commença à grimper le long de son bras. Gaïg, ébahie, contemplait la petite chose, dépassée une fois de plus par ce qui lui arrivait.

— Txabi. Tu t'appelles Txabi, fut tout ce qu'elle réussit à articuler. Txabi.

Le petit Salamandar la fixa du regard et elle sentit qu'il comprenait. Il répéta Txabi avec application, comme pour bien s'en imprégner : « Txabi ». Gaïg le contemplait, de plus en plus consternée : qu'est-ce qu'elle en ferait ? Comment s'en occuperait-elle ? De quoi se nourrissaient les Salamandars ? Pourquoi sa mère le lui avait-elle confié ? Avec ces étranges paroles, de surcroît… Et d'abord, pourquoi elle, Gaïg, avait-elle suivi la créature dans le bois ? Elle s'était jetée elle-même dans le pétrin, au lieu de signaler aux autres la présence de Maïalen. D'ailleurs, était-ce bien Maïalen qui se trouvait à l'extérieur ? Malade comme elle l'était et sur le point de trépasser, il était peu probable que ce soit elle. Peut-être qu'il y avait un autre Salamandar dans la caverne ? Gaïg regarda autour d'elle, à la fois inquiète et pleine d'espoir.

Quand elle vit une silhouette s'encadrer à contre-jour dans l'entrée, elle ressentit une brève lueur d'espérance, aussitôt éteinte : c'était Winifrid, qui ressortit immédiatement pour avertir les autres.

— Je l'ai trouvée. Elle est ici. Dans la grande caverne.

Winifrid revint immédiatement auprès de Gaïg.

— Eh bien, tu joues à cache-cache avec nous sans nous avertir ? Ça fait un moment qu'on te cherche…

— Regarde ! fit simplement Gaïg, en désignant des yeux le bras sur lequel se tenait le bébé salamandar.

Winifrid resta muette de surprise et considéra Gaïg un long moment, l'air impénétrable. Dikélédi et Mfuru pénétrèrent dans la caverne, suivis d'AtaEnsic. Ils s'arrêtèrent aussitôt, figés dans un profond silence, que Winifrid rompit en hésitant :

— Tu… Tu lui as donné un nom ?

— Txabi. Il s'appelle Txabi, l'informa Gaïg.

Les épaules de Winifrid s'affaissèrent en un mouvement de lourd découragement, pendant qu'AtaEnsic agitait la tête et la queue d'un mouvement nerveux. Un ricanement sonore retentit :

— Ha ! ha ! ha ! La voilà maman ! Avec une jambe pourrie ! Hi ! hi !

Gaïg trouvait l'attitude de ses compagnons un peu mystérieuse. Elle interrogea Winifrid du regard, au milieu d'une danse effrénée du Pookah, qui avait l'air de trouver la chose plutôt plaisante :

— Txabi ! Hi ! hi ! Elle ne savait pas qu'il ne fallait pas le nommer ! Maintenant, elle est devenue sa mère. Ha ! ha ! Et il y en a pour un moment, avant qu'il grandisse. Ha ! ha ! ha ! La voilà maman… À dix ans…

— Il a raison, Gaïg, expliqua gravement Winifrid. Te voilà responsable de lui. En le nommant, tu es devenue sa mère, et il ne te quittera plus jusqu'à ce qu'il soit adulte. Cela prendra plusieurs années. Tu n'aurais pas dû le ramasser…

Gaïg était abasourdie par ce qu'elle entendait, et tenta de se justifier :

— Mais c'est sa mère qui me l'a donné. Il était encore dans son œuf. Il vient d'éclore. C'est elle qui m'a dit de l'appeler Txabi.

— Oui, comme ça, elle n'aura pas besoin de s'en occuper…

— Mais elle est morte… objecta Gaïg, se tournant vers la dépouille de la Salamandar.

Elle sursauta. Là où devait se trouver un cadavre de Salamandar, il n'y avait plus rien. Loki se roulait sur le sol, n'en pouvant plus de rire.

— La voilà maman. Ha ! ha ! ha ! Et d'un Salamandar, en plus…

— Les Salamandars sont un peuple mâle, principalement. Les rares femelles n'ont pas la fibre maternelle très développée et cherchent à faire élever leurs petits par quelqu'un d'autre. Peut-être parce que c'est très long et qu'elles ne peuvent pas s'occuper de perpétuer la race quand elles ont encore un petit à charge. Elles se sentent très responsables de la reproduction, mais leur rôle s'arrête volontiers à l'éclosion des œufs, à l'éducation, quoi. Si elles peuvent confier leur petit à un tiers, elles le font. Quitte à raconter n'importe quoi pour mieux convaincre… Mais elles choisissent quelqu'un qui leur inspire confiance…

C'était AtaEnsic qui parlait.

— Si tu me donnes ta Pierre des voyages, je veux bien l'élever pour toi, proposa Loki, hilare. Je lui apprendrai à tromper les personnes trop naïves, hi ! hi ! hi !

Gaïg était perplexe: même si ce que disaient la Dryade et la Licorne était vrai, il y avait quand même le rêve de Maïalen, qui la laissait songeuse. Mais si ce rêve faisait aussi partie de la supercherie? Juste pour mieux la convaincre, comme l'avait laissé entendre AtaEnsic… Elle hésitait, se demandant si elle ne devrait pas rendre le bébé salamandar à son peuple, puisqu'elle allait à Sangoulé.

— Tu ne pourras plus t'en défaire, se moqua Loki. Maintenant qu'il a fixé ton odeur, il ne voudra plus te quitter. Hé! hé! hé! Si tu sentais moins, aussi, hi! hi! hi! ajouta-t-il en se pinçant le nez, l'air dégoûté. Encore que… Si tu me donnes ta Pierre des voyages… On pourrait arranger ça…

Gaïg observa le petit Salamandar, pas du tout incommodé par la présence de tout ce monde autour de lui. Elle lui tendit l'autre main pour le faire changer de bras. Ce faisant, elle aperçut la bague en Nyanga et la réponse s'imposa à elle: Maïalen lui avait confié son fils, elle en prendrait soin. Elle sentait poindre en elle un début d'affection pour le petit orphelin. Après tout, n'était-il pas un peu comme elle, abandonné dès la naissance? Elle serait pour lui ce que Nihassah avait représenté pour elle.

— Eh bien, je m'en occuperai, annonça-t-elle à la cantonade, l'air décidé, avec une pointe de défi dans la voix.

— Alors, je t'aiderai, affirma Winifrid, soulagée de la voir prendre une décision. Aussi longtemps que je le pourrai.

— Moi aussi, approuva Dikélédi. Sauf que je n'en sais pas plus que toi sur la façon d'élever un bébé salamandar…

Mfuru et AtaEnsic se consultèrent discrètement du regard, sans parler, et eurent un geste de connivence.

— Ce sera notre bébé à tous, conclut AtaEnsic. Peut-être que tu pourrais commencer par l'emmener à l'eau. Les Salamandars sont des êtres amphibies. L'eau est aussi importante pour eux que l'air.

« Comme moi, pensa tout bas Gaïg. Peut-être qu'il n'y a pas de hasard, dans cette succession d'événements… »

— Si tu me donnes ta Pierre, je te conseillerai, offrit le Pookah. Je vois que c'est un mâle. J'ai déjà élevé beaucoup de petits Salamandars…

Gaïg sourit en guise de remerciement, mais garda sa Pierre des voyages en poche: elle ne croirait plus un mot de ce que dirait le Pookah! Elle se dirigea vers le grand bassin aux eaux vertes et s'apprêtait à y tremper le bras, quand elle suspendit son geste, anxieuse:

— C'est peut-être trop chaud pour lui ? Il vient tout juste de naître…

— Je ne pense pas, émit AtaEnsic en souriant des premières inquiétudes maternelles de Gaïg. L'œuf est resté enterré plusieurs années dans le sable chaud de la caverne, avant d'éclore. Ce sont des créatures du feu, ToneNili…

— Mais les crabes ? insista Gaïg, se souvenant de la morsure dont elle avait été victime à cause de la malice de Loki.

— Il n'y en a pas dans ce bassin, la rassura AtaEnsic.

— Tiens, mets-le sur cette branche, proposa Dikélédi. Il pourra toujours y grimper s'il se fait attaquer. Et puis nous sommes là, nous surveillerons les crabes.

Gaïg approcha son bras de la branche que Dikélédi tenait plongée dans l'eau, mais Txabi resta immobile : visiblement, il n'avait nul désir de quitter la peau ferme et douce de Gaïg pour émigrer sur un morceau de bois. Il lui jeta un regard implorant et Gaïg ne résista pas : elle enfonça son bras dans l'eau verte, en faisant néanmoins attention de ne pas toucher le fond, pour le cas où il y aurait des crabes… Txabi sembla surpris par le contact de l'eau, bien que Gaïg ne le mouillât que progressivement : sa langue agile furetait de tous côtés, afin d'apprivoiser cette nouveauté.

— C'est chaud, quand même, constata Gaïg, subitement en sueur. Croyez-vous qu'il sache nager ? Je pourrais lui apprendre…

— Si, si, c'est une excellente idée. Hé ! hé ! hé ! Vas-y, plonge, conseilla Loki, d'un ton trop impatient pour être honnête.

— Dans cette eau bouillante ? s'écria Dikélédi, incrédule.

— Je ne pense pas que ce soit indiqué, conseilla AtaEnsic. Les Salamandars apprennent à nager tout seuls. C'est instinctif, chez eux.

Comme pour lui donner raison, Txabi abandonna le bras de Gaïg à cet instant et se lança à la conquête de cet élément nouveau pour lui. Il se tortilla un peu, fit deux ou trois galipettes et Gaïg, anxieuse, s'apprêtait à le récupérer avec la main. Winifrid l'en empêcha :

— Il doit apprendre. Il faut qu'il trouve son équilibre lui-même.

Le Salamandar agitait les pattes et la queue de façon désordonnée, mais ne semblait pas avoir besoin d'aide. Il finit par se maintenir entre deux eaux sans trop de peine, à condition de ne pas faire de mouvements brusques. Il tourna autour du bras de Gaïg en se servant de sa queue comme gouvernail, mais n'y monta pas. Il devenait plus sûr de lui et progressait à vue d'œil, traçant des cercles de plus en plus grands, avec pour centre le bras de Gaïg. Puis il partit comme une flèche, en ligne droite, directement vers le milieu du bassin et on ne le vit plus.

33

Témidayo se tourna vers ses compagnons, le visage rempli d'étonnement.

— Ce sont des enfants. Yédo et Léké, les garçons de Doumyo et Mvoulou. Les frères de Dikélédi, lâcha-t-il d'une traite.

Afo et Keyah poussèrent un « Oh ! » de saisissement, alors que WaNguira fronçait les sourcils.

— Continuons à creuser, fut son seul commentaire.

Témidayo fit dégringoler quelques pierres avec précaution et, n'y tenant plus, passa de nouveau la tête dans l'ouverture :

— Où sont les autres ? demanda-t-il sans ambages.

— Tous occupés au village. Il y a eu quelques demeures ensevelies et des gens coincés à l'intérieur, l'informa Yédo. On déblaie les entrées pour les libérer. Et la route de Jomo est coupée.

— Il y a des…

— Non, tout le monde est sauf. Pour le moment. Mais il faut faire vite… Où est Dikélédi ?

— Elle est restée chez les Licornes, elle reviendra bientôt avec Gaïg. Nous ne sommes que tous les quatre. Eh bien, creusons ici et nous pourrons aller aider au village, ordonna Témidayo.

Le travail reprit, avec un dynamisme teinté d'anxiété. Les Nains avaient pour habitude de responsabiliser très tôt leurs enfants, mais pour leur déléguer une tâche aussi délicate que le déblaiement d'un tunnel, il fallait que la situation soit assez grave. Certes, Yédo et Léké n'étaient plus tout à fait des enfants, c'étaient les frères aînés de Dikélédi.

Peut-être n'étaient-ce pas seulement *quelques* demeures qui avaient été enfouies, mais tout le village… Peut-être que l'éboulement qui coupait l'accès à Jomo dépassait celui-ci en importance… Peut-être que… Non, il n'y avait jamais eu d'écoulement de roche liquide à Ngondé…

WaNguira réfléchissait désespérément, à l'affût d'une solution, d'une explication, d'un signe. Il se sentait responsable du peuple des Lisimbahs. Il avait l'impression qu'il avait la clé d'une énigme à portée de main, mais l'énigme elle-même lui échappait… Et cette petite Gaïg qui lui trottait de plus en plus à l'esprit… Wolongo, Fille de l'Eau. Arrière-arrière-arrière-petite-fille de Yémanjah, Fille d'Olokun ? Ce serait elle ? Il faudrait qu'il en discute avec Nihassah… La pensée de l'effondrement qui coupait le chemin vers Jomo le ramena à la réalité.

Le tunnel était presque dégagé maintenant, et ce fut l'affaire d'un moment de niveler le sol. Yédo et Léké avaient fait du bon travail de leur côté. Les adultes s'occupèrent de consolider les parois en tassant les éboulements : il faudrait y revenir ultérieurement pour accomplir un ouvrage définitif et sécuritaire. L'important, dans le présent, était de rejoindre Ngondé, afin de se rendre compte *de visu* de l'importance des dégâts.

WaNguira, Témidayo, Keyah et Afo reprirent leur route, précédés des deux jeunes, et cheminèrent d'un bon pas. Ils durent parfois enjamber de petits agrégats peu importants. Le séisme avait peut-être été plus fort qu'ils ne l'avaient cru… Ils parcoururent ce qui restait de chemin en silence la plupart du temps et arrivèrent au village, dans lequel régnait une certaine effervescence.

Ils appréhendèrent d'un coup d'œil l'ampleur des dommages : des habitations avaient été ensevelies et des groupes de Nains étaient occupés à dégager une entrée pour chaque demeure. L'important était de libérer ceux qui s'étaient retrouvés prisonniers chez eux. Il y avait urgence, bien sûr, mais cela ne justifiait pas le recrutement de Yédo et Léké pour désobstruer la galerie. D'autant plus que tout le village n'était pas là : il en manquait beaucoup.

Ce fut Mvoulou qui les aperçut le premier, et leur fit signe d'approcher, sans arrêter son activité pour autant. Il était seul. Le groupe se joignit immédiatement à lui et commença à déblayer le chemin. WaNguira, tout en maniant la pioche, rassurait le père de famille :

— Dikélédi est restée là-bas avec Gaïg. Elles n'ont peut-être même pas senti le séisme. Mais ici ?

— Ce que vous voyez, répondit Mvoulou en essuyant la sueur qui coulait sur son front. Et ce qu'on ne sait pas encore. Awah est partie se rendre compte par elle-même, avec d'autres...

Visiblement, il hésitait à continuer. WaNguira insista calmement :

— Et... ?

— Il semblerait qu'une faille se soit ouverte. Ihou en aurait profité.

Il s'arrêta pour jeter un coup d'œil à ses compagnons : ces derniers avaient arrêté leur labeur de terrassiers, atterrés. Ihou. Le Troll. Le Hideux. Le Redoutable. Celui qu'ils avaient laissé à Sangoulé. Le Mangeur de pierres. L'Avaleur de Nains. Une avalanche de pensées et de souvenirs déferlaient dans les esprits à ce seul nom, porteuse d'une angoisse diffuse mais collective.

Sangoulé la belle, Sangoulé la généreuse, Sangoulé, terre de leurs aïeux depuis la Création. En ce temps-là, tout allait bien. Les Nains perçaient des galeries, aménageaient des cavernes, fondaient les métaux, façonnaient outils et bijoux qu'ils vendaient à la surface. Et creusaient, encore, et encore. Le sous-sol leur appartenait, un domaine immense, à l'échelle du globe, un empire démesuré dont ils seraient les souverains absolus, à condition de le conquérir dans son entier.

Il y avait toujours eu des signes d'activité volcanique à Sangoulé, mais ils considéraient la chose comme inévitable : on ne pouvait pas farfouiller ainsi le ventre de la Terre sans qu'elle se rebelle quelquefois. Les Nains s'arrêtaient alors de creuser, contemplaient un moment la roche liquide et remontaient, on ne saurait dire refroidis, vu la chaleur infernale qui régnait en ces lieux, mais calmés pour quelque temps. Puis la frénésie de fouir, piocher, fouiller, excaver et évider les reprenait bientôt et ils recommençaient, enfants impénitents, mineurs invétérés de la planète.

Alors la Terre, voulant restreindre l'activité effrénée des Nains, avait enfanté Ihou. Elle le gardait en son sein la plupart du temps, ne voulant *a priori* pas de mal aux Nains, qui étaient aussi ses enfants. Ihou était simplement une menace, une mise en garde, une punition dont il ne fallait pas abuser. Mais il arrivait qu'Ihou s'évade et se livre à ce pour quoi il avait été créé : la poursuite des Nains et leur extermination. Le seul recours de ces derniers en pareil cas résidait dans la fuite à l'extérieur, vers la lumière. Ihou, créature chtonienne, ne supportait pas le soleil, dont les rayons lui seraient fatals.

Le Premier Exode avait été envisagé plusieurs fois, quand le volcanisme prenait des proportions alarmantes. Mais c'était Ihou qui avait véritablement déclenché le processus d'expatriation vers les monts d'Oko, quand son acharnement s'était ajouté aux émanations de gaz délétères et aux écoulements de roche liquide. Les Nains savaient que ce nouveau pays ne serait qu'une étape sur le chemin de la Terre promise par Mama Mandombé, mais ils n'avaient pu faire autrement que s'y installer, abandonnant Sangoulé à Ihou. Et voilà que ce dernier revenait… dans les monts d'Ọko.

* * *

WaNguira posa sa pioche. Il faudrait encore bouger. Se remettre en route. Chercher asile, puis trouver de nouvelles montagnes. Ou rester sur place, en attendant que se réalise la prophétie. Mais cette dernière n'était-elle pas en train de se réaliser ? Aurait-il fallu suivre Gaïg, au lieu de l'abandonner aux Licornes ? Si quelqu'un le savait, c'était Nihassah… Depuis le temps qu'elle s'occupait de Gaïg… Pourquoi ? Était-ce elle, celle des leurs qui reconnaîtrait la descendante de Yémanjah avant les autres ?

— Et Jomo ? demanda abruptement WaNguira.

— C'est coupé. Mais on est en train de déblayer là-bas aussi, répondit Mvoulou. On n'a aucune nouvelle. Ils sont plus loin dans les terres que nous, mais ça ne veut rien dire.

WaNguira considéra un moment les alentours : il y avait encore des demeures ensevelies. Mais il lui semblait de plus en plus urgent de communiquer avec Nihassah : elle détenait sans doute la solution.

— Il y a encore du monde, là-dessous ? s'enquit-il. Je veux dire, dans les demeures ? Vous avez fait le compte ?

— Là-dessous, on ne sait pas. Mais il en manque, c'est certain. Et ils peuvent être n'importe où. Alors on est obligé de vérifier. Et puis, il faut rétablir les ouvertures, de toute façon. Alors…

WaNguira prit sa décision :

— Je vais aider ceux qui ouvrent la voie vers Jomo.

Il s'éloigna lentement, sans fournir davantage de précisions, mais personne ne l'interrogea : un grand prêtre avait le droit d'être parfois mystérieux et il n'avait pas à justifier ses décisions. De plus, chacun savait que les mêmes pensées les agitaient tous: quel avenir les attendait?

Personne n'ignorait le contenu du message de Mama Mandombé: il y avait quelque part sur terre un pays pour eux. Les Nains n'étaient pas destinés à disparaître: ils étaient là depuis le commencement du monde, ils seraient encore là le jour de la fin. Du moins voulaient-ils le croire... Après tout, la race des Kikongos, leurs frères, s'était bien éteinte: une éruption, une fracture dans le sol, une coulée de lave, un Troll, et... plus aucun survivant!

Pourtant, ils avaient cherché et fouillé, même s'ils n'avaient pas pu commencer tout de suite: la montagne s'était ouverte en deux, les séparant. Il avait fallu attendre le refroidissement de la lave, dégager des éboulements, creuser de nouvelles galeries, tout cela sous la menace du retour d'Ihou. Mais les Kikongos avaient dû être engloutis, il ne restait aucune trace d'eux. S'ils avaient pu se sauver, tôt ou tard, ils auraient cherché à rejoindre les leurs. Or, ils n'avaient plus jamais donné signe de vie.

34

Gaïg et ses compagnons attendirent un moment, inspectant le bassin du regard, en quête du bébé explorateur. Ce dernier ne revenait pas et une certaine impatience laissa bientôt place à l'inquiétude.

— Vous êtes sûres qu'il n'y a pas de crabes dans ce bassin ? demanda Gaïg.

— Non, pas de crabes, seulement des algues carnivores et de l'eau bouillante, ricana Loki. Tu devrais plonger pour aller le chercher, ton bébé…

— C'est vrai, ça ? s'assura Gaïg auprès de Winifrid.

— Les algues, oui, c'est vrai, mais elles ne s'attaquent pas à de grosses proies. C'est comme les plantes carnivores, qui se nourrissent d'insectes.

— Mais il n'est pas très gros, Txabi…

— Les Salamandars ont la peau enduite d'une substance qui repousse les prédateurs, expliqua AtaEnsic. C'est cette même substance qui les protège du feu.

— Je devrais peut-être plonger, suggéra Gaïg. Des fois qu'il serait réellement en difficulté… L'eau n'est pas si chaude, après tout…

— Certains bassins communiquent entre eux par des siphons. On peut aller voir s'il est passé dans un autre bassin, proposa Winifrid. Toi, reste ici, pour le cas où il reviendrait.

— D'accord, acquiesça Gaïg. Je vous attends.

Sur ces entrefaites, Txabi réapparut, nageant à la perfection. Il n'avait plus rien du bébé salamandar maladroit qui faisait des galipettes dans l'eau malgré lui. Il se dirigea immédiatement vers le bras que Gaïg lui tendait et s'y accrocha, très fier de lui.

— Txabi. Txabi, répétait-il, infatigable.

— Eh bien, tu peux dire que tu nous donnes des émotions, s'exclama Gaïg. Tu ne sais pas qu'il ne faut pas t'éloigner ainsi ? Tu n'es encore qu'un bébé, après tout.

— Txabi. Txabi.

— Hi ! hi ! La jeune maman est en colère ! Elle n'a pas beaucoup de patience, hein, Txabi ? se moqua Loki, en tendant son bras vers celui de Gaïg.

À la surprise générale, le Salamandar passa sur le bras tendu, et commença à renifler Loki, qui ne se tenait plus de joie :

— Vous voyez ? Il m'aime ! Je suis son père ! Moi, je ne crie pas après lui. Dorénavant, il restera avec moi !

— Txabi. Txabi. Txabi.

Dikélédi tendit son bras, sur lequel le Salamandar grimpa aussitôt, au milieu d'un éclat de rire général.

— À mon avis, il est simplement curieux de découvrir le monde qui l'entoure, conclut Winifrid. Tiens, fais connaissance avec ta nouvelle famille, ordonna-t-elle, avançant la main à son tour.

Txabi, pas du tout intimidé, passa de l'un à l'autre, jusqu'à ce qu'il ait identifié l'odeur de chacun, avant de revenir à sa mère adoptive.

— Tout cela ne nous dit pas où sont les Salamandars, dit Ata-Ensic. C'est quand même eux que nous sommes venus voir.

— Je n'en ai vu aucun, constata Winifrid, ramenée à la réalité. Tu dis que tu as vu la mère de Txabi, Gaïg ?

— Txabi. Txabi. Txabi.

— Je l'ai même vue mourir, soupira cette dernière, indiquant d'un geste l'endroit, maintenant vide, où elle avait trouvé la Salamandar allongée. Elle m'a remis l'œuf, en me demandant de prendre soin de son petit. Elle a poussé un soupir et c'était fini. J'ai même trouvé que ses couleurs pâlissaient rapidement. Je ne sais absolument pas par où elle a disparu…

— Si elle était sortie, je l'aurais vue, je pense..

— Il y a peut-être des chemins, dans cette grotte, suggéra Mfuru en se levant pour inspecter, suivi de Dikélédi.

Winifrid éclata de rire :

— Les Nains sont incorrigibles. Ils veulent toujours pénétrer dans les grottes. Mais ils ont peut-être raison, après tout...

— Encore plus que tu ne penses, s'amusa AtaEnsic. Regarde...

La Dryade se retourna, à la recherche des deux Nains.

— Où sont-ils ?

Mfuru et Dikélédi avaient disparu. Gaïg et Winifrid se levèrent d'un bond et se dirigèrent vers le fond de la caverne, suivies de la Licorne. Là, à peine visible de l'extérieur, une anfractuosité donnait sur une faille qui s'enfonçait dans le sol selon une pente abrupte.

— Je ne pourrai jamais les suivre là-dedans, objecta AtaEnsic. C'est trop étroit.

— Et c'est sombre, annonça la Dryade sur un ton lugubre. On n'y voit rien... Je ne savais pas qu'il y avait là une entrée...

— Elle a peut-être été créée lors du dernier tremblement de terre. On le saurait, s'il y avait eu une issue par là... conclut la Licorne.

— Je peux y aller, proposa Gaïg. Je vois un peu dans l'obscurité, maintenant.

— Ils vont revenir, de toute façon. Il n'y a qu'à les attendre, conseilla AtaEnsic. Éduquons ton petit, pendant ce temps. Sais-tu que tu dois lui apprendre à parler, en le faisant répéter ?

— Ah, c'est pourquoi il prononce toujours Txabi Txabi. C'est tout ce que je lui ai enseigné, à vrai dire, expliqua Gaïg en riant.

— Moi, je peux lui apprendre à parler, si tu veux. J'ai un vocabulaire très vaste, proposa Loki en se rengorgeant. Calembredaine, par exemple, c'est un joli mot. Ho ! ho ! ho ! Ou carabistouille.

— Je ne sais pas si c'est bien indiqué, à son âge. Ce sont des mots trop compliqués pour lui, dit Gaïg.

— Alors, on peut commencer par les besoins essentiels, si tu préfères : Txabi, pipi ! Caca !

— Oh, Loki ! Tu ne seras donc jamais sérieux ?

— Mais je suis sérieux, répondit Loki en s'esclaffant. Regarde ton bras. Ha ! ha ! ha !

Gaïg n'eut d'autre ressource que de laver son bras souillé par la minuscule crotte de Txabi, sous les éclats de rire de Winifrid et AtaEnsic.

— Bon, tu as raison, Loki ! lui accorda Gaïg. Txabi, quand tu veux te soulager, tu dois avertir : pipi !

— Txabi ! Pipi ! répéta le Salamandar le plus sérieusement du monde. Txabi. Pipi.

Le Pookah se tordait de rire en montrant Gaïg du doigt, exagérant son hilarité afin de l'énerver un peu. Mais Gaïg, très concernée par l'éducation de son enfant adoptif, réfléchissait à un choix de mots utiles pour un bébé salamandar. Elle lui indiqua le bassin, articulant avec soin le mot eau. L'élève s'appliqua :

— Txabi. Pipi. Eau.

Les rires fusèrent de nouveau, à la plus grande joie du Pookah.

— Txabipipi, hi ! hi ! hi ! Ça va devenir son nom. Ça rime. Hi ! hi ! hi, ! Txabipipi. Répète encore : Txabipipi. Hi ! hi ! hi !

— Txabipipi, hi ! hi ! hi ! émit Txabi en se concentrant.

— Ça, c'est malin, se rebella Gaïg. S'il se met à parler comme toi, maintenant… Txabi, je suis Gaïg… Gaïg.

— Gaïg. Hi ! hi ! hi !

— Et moi, je suis Winifrid… Winifrid.

— Winifrid. Hi ! hi ! hi !

— Et voilà AtaEnsic. C'est un peu plus difficile. Applique-toi : A-ta-En-sic.

— A-ta-En-sic. Hi ! hi ! hi !

— Il apprend vite. Il doit être intelligent. Mais il ajoutera toujours ce hi ! hi ! hi !, dorénavant ? s'informa Gaïg. Ah, Loki, Loki, Loki !

Le petit Salamandar avait l'air de bien s'amuser, tout en surveillant le Pookah avec intérêt.

— Lokilokiloki, hi ! hi ! hi ! émit-il, faisant suivre sa sortie d'un gai frétillement de la queue.

Ledit Loki ne se tenait plus de joie et gambadait au milieu de tous :

— Je vous dis que je suis son ami. Je lui apprendrai tout ce que je sais. Je n'ai pas eu besoin de me présenter, il a retenu mon nom tout seul, sans que je le lui apprenne. Txabi, je suis ton ami, Loki.

— Lokipipi, hi ! hi ! hi ! énonça clairement le Salamandar, avant de se réfugier dans le cou de Gaïg, étonnée par la vitesse à laquelle il assimilait de nouvelles connaissances.

— C'est sa première phrase, annonça-t-elle à la cantonade, en jetant un coup d'oeil moqueur au Pookah. Il l'a faite tout seul. Il retient tout du premier coup. C'est incroyable. Tous les Salamandars sont comme cela ? demanda-t-elle à la Licorne.

— Ils sont réputés pour leur intelligence. Mais peut-être que Txabi est encore plus brillant que ses semblables… plaisanta-t-elle, pour faire plaisir à Gaïg.

Ils passèrent ainsi un long moment, chacun apprenant à Txabi les rudiments de son propre langage. Gaïg était ravie :

— S'il parle toutes les langues, il n'aura jamais besoin de Pierre des voyages. Et moi, j'apprends les mots en même temps que lui ! Mais, AtaEnsic, comment Mfuru a-t-il appris aussi rapidement ta langue ? Et il comprend aussi Winifrid, non ? Et Loki…

AtaEnsic lui fit un clin d'œil :

— Observe, et devine ! Tu n'as pas remarqué qu'il a toujours une main dans la poche ? Que peut-il bien y garder de si précieux ? Et ma langue, comme tu le dis si bien, s'appelle le tawiskara.

La leçon continua, dispensée principalement par Winifrid et AtaEnsic, Loki jouant les éléments perturbateurs en multipliant les erreurs volontaires. Gaïg faisait de son mieux pour tout retenir, mais elle n'avait pas la facilité de Txabi pour les langues et elle serrait précieusement sa Pierre des voyages dans sa poche, consciente de sa valeur. C'était vraiment un cadeau magnifique, songea-t-elle. Comme la bague en Nyanga de la Reine des Murènes. Mais ce n'étaient pas des cadeaux ordinaires. Comment se faisait-il qu'ils finissent entre ses mains ? Qu'est-ce que tout cela signifiait ? Y avait-il un sens caché qu'elle ne comprenait pas ? Un lien entre les différentes aventures qui lui arrivaient ? Si seulement elle savait qui elle était… Comme il était dur, de ne pas avoir d'identité. De parents. D'ancêtres. Elle n'avait aucune idée de ses origines.

Plus jeune, elle s'était parfois imaginé être la fille cachée d'une reine de pays lointain, qui avait dû fuir à cause d'une guerre, ou d'un complot dans son royaume. Sa mère ne l'avait pas abandonnée volontairement, elle y avait sans doute été obligée. Soit parce qu'elle était morte, soit pour la sauver, elle, Gaïg, de ceux qui la persécutaient. Peut-être que son père était encore vivant… Gaïg ne se posait jamais de question sur lui, elle avait décidé une fois pour toutes que la filiation s'établissait par la mère et que le père n'avait pas d'importance.

Des femmes de son village avaient des enfants de pères différents, mais les enfants restaient toujours avec la mère. On voyait souvent des femmes élever seules leur progéniture, jamais des hommes. Elle comprenait difficilement leur rôle dans la perpétuation de l'espèce. Chez les animaux aussi, le mâle semblait souvent absent de l'éducation des jeunes. C'était quoi, un père ? Ça servait à quoi ?

Pourtant, Nihassah en avait un, qui s'était dépêché d'aller la secourir quand il avait appris qu'elle était blessée… Peut-être que Gaïg en avait un, aussi… Oui, évidemment, sinon elle ne serait pas là. Mais un vivant, qui l'aimerait, et qui la cherchait, qui sait… Mais sa mère, qui était-elle ?

Inévitablement, Gaïg revenait à sa génitrice, agitant mille et une idées dans sa tête, certaines plus farfelues que d'autres. Elle se créait toutes sortes de mères, sa préférée étant la Reine des Sirènes venue s'échouer sur une plage pour lui donner le jour avant de mourir. C'était d'elle que lui venait son amour de la mer. Ensuite… Ça s'arrêtait là, puisqu'on retombait dans la réalité. Nihassah l'avait trouvée et l'avait confiée à Garin et à Jéhanne.

Pour la première fois de sa vie, Gaïg se demanda si Nihassah lui avait dit toute la vérité. Est-ce qu'elle n'avait pas tu une partie de son histoire ? Peut-être qu'elle en savait plus sur ses origines que ce qu'elle lui avait dévoilé. Peut-être qu'elle avait connu sa mère… Peut-être même qu'elle n'était pas morte…

Gaïg ressentit tout à coup un besoin impérieux de retrouver Nihassah. C'était le seul lien qui la reliait à son passé, c'est par là qu'elle devait commencer.

Elle émergea de sa réflexion en sursautant, rappelée à la réalité par un Loki sautillant, qui agitait les mains devant son visage.

— Je vous dis qu'elle est folle ! Hi ! hi ! hi !. Parfois, elle perd la tête ! Elle ne sait plus où elle l'a posée. Hé !

— Tu ne suis plus la leçon depuis un moment, fit remarquer Winifrid en souriant. Txabi parlera mieux que toi, bientôt… Dikélédi et Mfuru sont de retour, on les entend approcher…

— Pardon, je rêvais, effectivement. Tiens, les voilà. Oh, ils sont couverts de boue…

35

WaNguira décida de se restaurer un peu avant de se mettre en route pour Jomo. Afo, Keyah et Témidayo le rejoignirent bientôt, suivi de Mvoulou : une ouverture avait été dégagée dans la demeure, il n'y avait personne à l'intérieur. Il ne restait plus que deux habitations à libérer, les autres s'en occupaient. Il invita WaNguira et ses amis à faire une pause chez lui :

— Vous avez déjà ouvert une voie vers l'extérieur, ce qui n'est pas si mal. Yédo et Léké y seraient encore, s'ils n'avaient pas été aidés. En vous reposant un peu, vous pourrez relayer ceux qui rétablissent l'accès à Jomo.

Le groupe acquiesça et le suivit. Les Nains pouvaient se montrer sobres et manger peu si les circonstances l'exigeaient, mais la perspective d'un repas et d'un peu de repos ne se refusait pas non plus. Ils firent honneur à la cuisine de Mvoulou et se permirent une courte sieste.

Alors qu'ils s'apprêtaient à partir après l'avoir remercié, Awah, la chef du village de Ngondé, arriva, accompagnée de plusieurs Nains.

Tous ceux qui étaient libres se précipitèrent aux nouvelles, mais elle prit le temps de se diriger vers ceux qui continuaient à dégager les habitations, afin de mettre tout le monde au courant. Doumyo profita de ce court trajet pour se renseigner sur sa fille et elle fut presque rassurée de la savoir à Nsaï.

— Elle est peut-être plus en sécurité là-bas qu'ici, avec tout ce qui nous attend, lança-t-elle étourdiment.

Awah lui jeta un regard sombre et prit la parole:

— Oui, Ihou est de retour. Nous en sommes à peu près certains, même s'il est encore loin. Nous sommes descendus assez profondément, il y a des grognements et des crissements qui sont répercutés par l'écho et qui ne laissent aucun doute sur leur origine.

« Nous n'avons pas cherché à l'affronter, bien sûr, mais plutôt à nous protéger: nous avons édifié des barrières de pierres lumineuses là où nous avons pu, mais c'est insuffisant. Il en faudrait beaucoup plus, pour avoir un éclat dissuasif, et beaucoup plus de barrières. Une pour chaque galerie qui mène au village. Ce n'est guère faisable en si peu de temps. Ce qu'on peut espérer, c'est qu'il se rendorme, dit-elle d'un ton dubitatif. Ou qu'il reparte par où il est venu... »

— C'est peu probable, s'il a senti notre odeur, dit une voix.

— En effet, c'est peu probable, mais on ne sait jamais... Ça s'est parfois produit, dans le passé: il est totalement imprévisible. Je pense que dans l'immédiat, nous devons nous protéger en empilant davantage de pierres lumineuses aux endroits stratégiques, ça le détournera un moment. Ce n'est qu'une solution provisoire, annonça-t-elle, se tournant vers WaNguira avec un regard interrogateur.

Ce dernier eut un geste d'impuissance:

— C'est trop tôt pour tout. Présentement, nous devrons réapprendre à vivre sous la menace d'Ihou. Pour cela, il vaut mieux nous rapprocher des sorties: peut-être habiter momentanément le Village abandonné...

Les Nains se regardèrent. Quand ils étaient arrivés de Sangoulé, la caverne de Seyni avait été le premier emplacement choisi pour le village de Ngondé. Mais elle était trop près de la surface, et les Nains avaient petit à petit réinvesti les profondeurs, emménageant dans la grotte où ils se trouvaient actuellement. Ils s'y sentaient plus à l'abri de l'extérieur, qui était à un peu plus d'une demi-journée de marche du dehors. Ils y avaient d'abord passé une nuit, puis deux, et de fil en aiguille, s'y étaient installés définitivement. Puis ils avaient continué leur progression souterraine jusqu'à la grotte immense qui abritait maintenant le village de Jomo.

Depuis, la caverne de Seyni avait été dénommée le Village abandonné, et les Nains ne faisaient plus que le traverser quand ils désiraient se rendre à l'extérieur. Le fait est que le Village abandonné semblait présenter plus de possibilités que Ngondé : il était beaucoup plus près de la surface, donc de la lumière, et en cas d'attaque du Troll, sa population serait moins exposée. Peut-être faudrait-il creuser rapidement d'autres issues, pour que tout le monde n'emprunte pas le même chemin en cas d'agression.

— Ce ne sera qu'un déménagement de plus, déclara Awah avec philosophie. Mais il faut d'abord libérer une entrée dans les habitations qui restent. Et rajouter des pierres lumineuses dans les galeries. A-t-on des nouvelles de Jomo ?

— Rien pour le moment, dit Mvoulou. L'équipe qui creuse là-bas n'est pas encore revenue. Mais WaNguira et les siens vont les relayer. Ils y allaient quand vous êtes arrivés.

Awah approuva :

— C'est bien. Pendant ce temps, nous prendrons les premières mesures : principalement le déménagement et l'obstruction des galeries qui mènent en profondeur avec des pierres lumineuses. Nous préparerons Seyni pour recevoir éventuellement ceux de Jomo qui voudraient venir, car ils ne sont pas plus en sécurité que nous.

— Il faut déjà savoir où ils en sont et quelles ont été les conséquences du tremblement de terre là-bas, formula WaNguira. J'ai l'impression qu'il y a eu plus de retombées en profondeur que ne le laissait présager la secousse en surface. Nous y allons.

Il embrassa du regard l'assemblée qui l'entourait, baissa la tête et se recueillit un moment. Les Nains s'inclinèrent, chacun priant Mama Mandombé en son for intérieur. WaNguira se redressa, fit un signe à ses compagnons et s'éloigna en direction du passage qui menait à Jomo. Awah donna des directives à chacun et l'attroupement se dispersa.

* * *

Tout en marchant, WaNguira réfléchissait. Il faudrait du temps pour organiser un conseil de grands prêtres, les autres tribus se situant parfois à plusieurs jours de marche. Si en plus les galeries étaient bouchées… Pour ceux qui s'étaient établis dans des montagnes plus éloignées, où l'activité volcanique était moindre, ou inexistante, la situation n'était pas pressante. Mais pour Sangoulé et les monts d'Oko, il faudrait prendre une décision rapidement.

Ihou avait été l'élément déclencheur au moment du Premier Exode et il semblait qu'il assumerait le même rôle une fois de plus. Mais s'il les chassait, où iraient-ils ? Seraient-ils condamnés à errer jusqu'à la fin des temps ? S'installeraient-ils chaque fois dans de nouvelles chaînes montagneuses, dont ils seraient chassés par l'activité volcanique ? À moins de coloniser la surface… Mais la surface était déjà occupée : ils ne pouvaient se permettre de chasser un peuple pour prendre sa place… Non seulement l'idée faisait horreur à WaNguira, mais il songea que les autres ne se laisseraient pas exclure aussi facilement. Donc des guerres en perspective. Des morts dans les deux camps…

À moins de se disperser à l'extérieur. Quelques Nains établis dans chaque village, ce serait beaucoup moins gênant et moins visible. Il suffirait de s'adapter… Mais qui s'adapterait, dans ce peuple de vieux grognons têtus qui était le sien ? WaNguira entrevoyait déjà la réponse : quelques familles accepteraient de s'exiler à la surface, la majorité resterait dans les souterrains et, petit à petit, une partie de ceux de l'extérieur réintégrerait les profondeurs. Très peu resteraient au soleil. Et ils ne pourraient pas s'empêcher de creuser…

WaNguira sourit en pensant à Nihassah : elle aussi, elle avait fouillé, jusqu'à établir une voie de communication entre Jomo et le village où elle avait décidé de s'établir. Elle avait eu énormément de chance, il fallait le reconnaître : d'abord cette série de boyaux qu'il avait suffi d'élargir, ensuite ces deux cavernes derrière chez elle. Mukutu l'avait assistée, ainsi que d'autres. Mais s'il n'y avait pas eu cette contribution de la nature sous la forme de tunnels naturels, sans doute créés par la rivière… Comme si cela avait été prévu…

WaNguira était subitement tiraillé entre le désir de discuter avec Nihassah, et celui de retrouver Gaïg et de s'attacher à ses pas. Où était-elle maintenant ? Les Licornes et les Dryades étaient des créatures de toute confiance, mais s'il avait perdu Gaïg, alors qu'elle avait été envoyée pour mener le peuple des Nains vers de nouvelles montagnes, que ferait-il ?

Sans s'en rendre compte, WaNguira avait accéléré le pas, émettant de temps en temps des grognements, sous le coup de la réflexion.

— Peut-être que tu pourrais partager tes pensées, offrit Afo, pleine de courage.

Il lui répondit par un nouveau grognement. Ils comprirent tous qu'il valait mieux ne pas distraire leur grand prêtre : il parlerait quand le temps serait venu.

Ils parcoururent une bonne distance sans rien trouver, tirant de ce fait leurs propres conclusions : si l'éboulement était si loin de Ngondé, c'est que le séisme n'était pas localisé sur une petite surface, il s'était étendu sous la montagne. Il y avait bien quelques éboulis, qui avaient été dégagés par l'équipe qui les précédait, mais la voie n'était pas coupée.

Après avoir avancé encore un bon moment, ils virent que le sol était encombré de cailloux et de terre fraîchement remuée. Ils n'étaient plus très loin. Finalement, ils aperçurent, au détour d'une galerie, une lueur mettant en relief des silhouettes en mouvement. Ils pressèrent le pas.

Sept Nains avaient été délégués à la désobstruction du passage. Ils s'activaient, selon le principe habituel de déblaiement, en se partageant les tâches à tour de rôle.

— De la main-d'œuvre fraîche qui arrive, constata Bayé, la dernière de la file. Ça fait plaisir !

— Vous avez des nouvelles de l'autre côté ? interrogea WaNguira.

— Rien jusqu'à maintenant. Aucun bruit. On vérifie à chaque changement. Et ça fait un moment, qu'on creuse…

— On s'en est rendu compte : vous avez déjà nettoyé sur une bonne longueur, dit WaNguira. On va prendre le relais.

Les quatre Nains de tête cédèrent la place aux nouveaux arrivants et passèrent à la queue. Ainsi, ils pourraient se reposer, le labeur étant moins pénible quand il n'y avait que des cailloux à disperser sur le sol. Avec un peu de chance, il arrivait que les derniers de la file n'aient rien à faire et puissent s'asseoir. Tout dépendait de la longueur de l'éboulement. Bayé et les deux Nains qui la précédaient ne bougèrent pas, mais leur période de travail moins intensif se trouvait rallongée, grâce au renouvellement du début de la file.

Témidayo prit la première position, suivi d'Afo, Keyah et WaNguira, et se mit à l'œuvre.

Les Nains creusèrent longtemps sans s'arrêter. Leur système de relais était parfaitement rodé et à l'épreuve de la fatigue. Ceux qui passaient à la fin de la colonne avaient amplement le temps de récupérer des forces avant de se retrouver en tête.

Ils s'arrêtaient de temps en temps pour boire cinq ou six gorgées, jamais plus : il leur suffisait de se réhydrater pour compenser la perte d'eau due à la sueur, sans pour autant s'alourdir.

Jomo se trouvait à une journée de marche de Ngondé et WaNguira calculait qu'ils avaient déjà accompli la moitié du trajet. Mais le déblaiement ralentissait énormément la progression et si la galerie était bouchée jusqu'au village, il faudrait plusieurs jours pour tout dégager.

Le temps passait et une certaine monotonie s'installait. Maintenant, même les Nains de queue devaient éliminer des pierres sur le sol.

— S'il y avait une fracture dans laquelle on pouvait basculer tout ça… soupira doucement Afo.

— Ah oui ? Et comment tu la passerais, la faille ? se moqua Keyah. Tu sauterais par-dessus ?

— Hum… Elle pourrait être assez étroite pour qu'on passe au-dessus, mais très profonde, de façon à tout contenir ! On la comblerait avec l'éboulis, et on prendrait un nouveau départ…

— Rêve toujours, chère sœur… Plus c'est profond, plus on est près d'Ihou ! En ce qui me concerne… rétorqua Keyah, sans achever sa phrase.

Sur ces entrefaites, une équipe de relais arriva de Ngondé avec de l'eau et des vivres et se mit au travail immédiatement, se plaçant en tête une fois de plus. Après s'être restaurés, les sept Nains qui étaient sur place à l'arrivée de WaNguira et de ses compagnons repartirent, laissant les nouveaux venus prendre la relève, aidés des quatre de Jomo qui sentaient poindre une certaine inquiétude devant l'importance de l'effondrement.

Après un long travail, ils réussirent enfin à effectuer une percée dans la montagne de roches éboulées. Hélas, il n'y avait personne derrière. Ce qui signifiait qu'il devait y avoir un second affaissement, qui coupait la route. Et ils n'avaient même pas accompli les trois quarts du chemin…

Les Nains connurent un bref moment de découragement. Bref, parce qu'ils savaient qu'il ne serait pas question de s'arrêter avant d'avoir rejoint Jomo. Tenaces et solidaires, ils creuseraient tant qu'ils le pourraient, certains que leurs compagnons prisonniers de la terre devaient faire la même chose de l'autre côté.

— Pourvu que les autres voies d'accès à la surface ne soient pas bouchées elles aussi, souhaita Keyah. Qu'au moins ils puissent sortir…

— Oui, c'est ce qu'on peut souhaiter, émit WaNguira d'un ton qui dissimulait mal son inquiétude. Enfin, estimons-nous heureux d'avoir pu creuser jusqu'à maintenant sans encombre. Il suffit parfois d'une pierre plus grosse que les autres pour tout boucher et ralentir encore plus le travail. Enfin, allons-y. Continuons.

Les Nains se mirent en mouvement, contents de pouvoir interrompre un peu la monotonie de la tâche de déblayage, pour la remplacer par la marche à pied. En espérant qu'il ne faudrait pas se remettre à creuser trop vite, ils avançaient, soulagés à l'idée que chaque pas les rapprochait un peu plus de Jomo. Ils se déplacèrent longtemps sans rencontrer de nouvel affaissement de terrain, se réjouissant de plus en plus quand ils reconnaissaient les signes de la proximité croissante du village.

Ce fut le « Oh non ! » désolé de Témidayo, qui marchait en tête, qui les avertit de la mauvaise tournure que prenaient les événements, alors qu'ils n'étaient plus très loin de Jomo.

36

Gaïg et ses compagnons accueillirent, un court instant après, un Mfuru couvert de glaise, suivi d'une Dikélédi tout aussi maculée. Tous les deux souriaient.

— Eh bien, ça vous plaît, de vous rouler dans la boue, constata Winifrid. Vous vous êtes baignés dans un lac de terre liquide? Ça a duré longtemps…

— Nous sommes allés assez loin, c'est vrai. Mais nous sommes tombés sur une ancienne galerie souterraine, que nous avons suivie. Selon Mfuru, elle se prolonge encore très loin et va jusqu'à Sangoulé, répondit Dikélédi.

— C'est la galerie de Sémah, précisa Mfuru, pensif.

— Oui, mais pourquoi y aller par en dessous, quand on peut y accéder en profitant de la chaleur du soleil? interrogea AtaEnsic, peu désireuse de s'enfoncer dans les profondeurs.

— Oh, il y fait chaud aussi, répondit la jeune Naine, essuyant les gouttes de sueur qui perlaient à son front. Je ne sais pas pourquoi les grottes ont la réputation d'être froides: on y étouffe, parfois, quand on se rapproche de la roche liquide…

— Vous êtes arrivés jusqu'à la lave? demanda Gaïg d'une voix où perçait une légère inquiétude.

— Nous, non. Mais les Salamandars, sans aucun doute, annonça Dikélédi avec un petit ton triomphal.

— Vous les avez vus ? insista Gaïg.

— On a retrouvé leurs traces. Il y a de la boue sur le sol et des empreintes de pas. C'est une armée de Salamandars qui est passée par là.

— Comment peux-tu en être sûre ? Ce sont peut-être des traces d'animaux souterrains.

— Ce sont des empreintes comme celles-là, précisa Dikélédi en montrant le sol à la périphérie de la caverne, là où il n'avait pas été piétiné. Et puis, il y a de l'eau et de la chaleur : c'est exactement ce qu'ils aiment, non ?

— Mais Sangoulé est aussi accessible par la surface... insista AtaEnsic.

— Et nous nous y rendrons par la forêt, si tu veux. Rien ne nous oblige à passer par là, répondit Mfuru en enserrant affectueusement la Licorne par le cou.

— De toute façon, AtaEnsic est trop grosse pour les galeries de Nains, se moqua Loki, surgissant trop boueux de l'anfractuosité pour être allé bien loin. Non seulement elle resterait coincée, mais elle boucherait la voie pour les autres, ha ! ha ! ha ! Déjà que Gaïg...

Cette dernière haussa les épaules. Elle aussi préférait se rendre à Sangoulé par les bois. Elle avait surtout hâte de retrouver Nihassah, afin de la questionner sur le mystère de ses origines : plus vite elle verrait les Salamandars, mieux ce serait, certes, mais la perspective d'un voyage sous la terre ne l'enchantait guère. Sauf que dans le cas présent, elle ne serait pas toute seule...

— Qu'est-ce qui serait plus court ? demanda-t-elle à Mfuru, tout en sachant qu'elle n'avait aucune envie de passer par la voie souterraine, même si c'était le trajet le plus rapide.

— C'est toujours plus court par les galeries, puisque les Nains les creusent en ligne droite. Sauf s'il y a une faille naturelle, évidemment, qui peut rallonger le chemin, mais évite de creuser. Là, c'est tout droit jusqu'à Sangoulé, puisque c'est au sud. Mais il fera chaud, parce que ça descend très profondément, avant de remonter.

Chacun réfléchissait, pesant le pour et le contre de chaque solution. Le raccourci souterrain était tentant, mais cela voulait dire se séparer d'AtaEnsic, trop volumineuse pour s'engager dans les étroits boyaux des Nains, et de Mfuru, qui ne voudrait pas la quitter. Néanmoins, les chances de rencontrer les Salamandars se trouvaient accrues à proximité de l'eau et de la chaleur. Ce fut Gaïg qui s'exprima la première :

— Malgré tout, je préfère un voyage dans la forêt à un parcours souterrain. Je n'ai pas envie de retomber sur les Vodianoïs en traversant un lac…

La Dryade et la Licorne approuvèrent vigoureusement de la tête : elles étaient des créatures de l'air, des arbres et de la lumière solaire. Leur feu, c'était le soleil, et l'idée d'un périple dans les profondeurs ardentes du sous-sol les dérangeait un peu.

— Alors c'est décidé, on continue par la forêt, conclut Winifrid. Après tout, s'il n'y avait pas eu cette faille, c'est ce que nous aurions fait… Par là aussi c'est tout droit.

Comme elle disait ces mots, Txabi sauta de l'épaule de Gaïg sur le sol et fila vers l'anfractuosité à une vitesse surprenante. Gaïg se précipita à sa poursuite et s'enfonça dans la faille.

— Txabi. Viens ici ! Txabi.

— Hi ! hi ! hi ! Si jeune, et déjà fugueur… Il me plaît, décidément, lança Loki, disparaissant à son tour dans l'obscurité, malgré la crainte bien connue des Pookahs pour les souterrains.

Surprise par la succession rapide des événements, Dikélédi hésitait. Elle s'apprêtait à aller aider Gaïg, quand un grondement sourd retentit, annonciateur d'un nouveau séisme. Elle cria à l'entrée de la crevasse :

— Gaïg, reviens. C'est un tremblement de terre. Il y aura peut-être plusieurs secousses.

Elle entendit une voix lointaine répondre : « chercher Txabi… », puis plus rien. Sans hésiter, elle fonça dans la faille en lançant un « Gaïg, reviens ! » impérieux et angoissé, auquel répondit un petit cri. En l'entendant, la Dryade bondit aussitôt, volant au secours de Gaïg.

La terre bougeait maintenant assez fort et Mfuru, toujours lent, se coucha sur le sol, ne sachant s'il valait mieux sortir de la grotte, attendre là, ou dégringoler dans la faille, à la suite de Winifrid. La question ne se posant pas pour AtaEnsic, elle s'élança vers l'extérieur.

Peu de temps après, l'effondrement de la caverne aida le Nain dans sa prise de décision et son instinct de survie le fit se ruer au dehors quand le fond commença à s'affaisser. Il y eut encore une intense vibration, comme pour mieux parfaire l'effacement de ce qui avait été une cavité, puis plus rien.

Sidérés, Mfuru et AtaEnsic considéraient l'éboulement devant eux, ne pouvant croire que Gaïg, Dikélédi, Loki, Winifrid et Txabi se trouvaient derrière. Et pourtant, si. Mais un tel déplacement de terrain ne laissait que peu d'espoir quant aux chances de survie. La faille avait dû se remplir de terre et de cailloux. Tout s'était passé si vite.

Mfuru fut le premier à prendre la parole, étonné lui-même de s'entendre parler :

— Espérons qu'ils ont eu le temps d'atteindre la galerie !

— Mais qu'est-ce qu'on peut faire ? demanda AtaEnsic, incrédule.

— La faille avait une pente assez abrupte au début. Il y a peu d'espoir si la terre les a recouverts. Mais s'ils ont dégringolé et ont eu le temps d'atteindre la galerie horizontale, ça laisse un espoir. Encore que, même là, on soit toujours à la merci d'un éboulement, énonça-t-il d'un ton lugubre. Et puis il y a l'eau, et la boue. Ça s'infiltre partout… Mais je pense qu'ils ont eu le temps d'atteindre le passage, et de courir. Même Winifrid, parce que la caverne ne s'est pas effondrée immédiatement.

— Qu'est-ce qu'on peut faire, alors ? répéta AtaEnsic, de plus en plus atterrée.

— Je ne sais pas, répondit Mfuru d'une voix lasse. Creuser, ça prendra des jours et des jours. Et comme c'est à la verticale, ça se comblera avec l'éboulement au fur et à mesure qu'on déblaiera. Si elles sont au-dessous, on n'arrivera jamais à temps. D'autant plus qu'il y a les boues chaudes…

— Mais si tout le monde aide ? Toutes les Dryades ? Avec les Pookahs et les Licornes ? Il n'y a pas une autre entrée ? Même en venant de Sangoulé ? À l'autre bout de la galerie ?

— On ne sera jamais sûr que la voie soit ouverte. C'est une très très ancienne galerie, qui n'est plus utilisée, ou si peu. Et c'est loin…

Mfuru semblait très vieux tout à coup. Il baissa la tête. AtaEnsic comprit ce qu'il ne voulait pas dire : les chances de retrouver leurs amis vivants étaient minces. Mais la Licorne ne voulait pas se résigner :

— S'ils ont eu le temps d'atteindre le passage, ils vont s'y engager, à la recherche d'une sortie, ils n'auront pas d'autre choix. Nous devons aller à leur rencontre.

37

Témidayo répéta son « Oh non ! » en face de la fracture qui s'ouvrait dans le sol, juste devant lui et dans laquelle il avait failli se jeter.

— Eh bien, la voilà, Afo, la faille que tu réclamais… ironisa Keyah, amère. Sauf que l'éboulement pour la combler est de l'autre côté... Et qu'elle est trop large pour être franchie…

Les Nains considéraient la crevasse en face d'eux, cherchant une solution. Arriver si près et devoir faire demi-tour pour prendre un autre chemin leur semblait d'autant plus frustrant que le même problème risquait de se présenter. Aucun bruit ne se faisait entendre, ce qui laissait présager un affaissement trop important pour laisser passer le son, ou… qu'il n'y avait personne derrière en train de déblayer. L'angoisse étreignait les cœurs, personne ne parlait.

— Peut-être que la crevasse est très profonde et qu'elle se continue jusqu'à la galerie de dessous, celle qui mène à…

WaNguira ne continua pas sa phrase, mais tous avaient compris. Le passage auquel il faisait allusion était celui qui conduisait, très profondément dans le sol, à la caverne de Ntangu, celle où ils accumulaient le trésor de leur peuple. Ce tunnel était considéré comme sacré, mais les Nains y avaient accès librement, à condition d'être au moins cinq à s'y rendre à la fois, afin d'éviter que naisse un malencontreux désir d'enrichissement personnel. Désir qui n'avait pas sa raison d'être, puisque les biens étaient communs. Chacun avait le droit de rapporter dans sa demeure souterraine les objets les plus précieux, les plus fins, les plus délicatement ciselés, qu'il désirait admirer à loisir.

C'étaient surtout les jeunes Nains qui en profitaient : admirer le travail de leurs aînés en l'ayant continuellement à portée du regard était pour eux une façon d'apprendre le métier, dont ils ne se privaient pas, de même qu'arborer les bijoux. C'était un honneur pour l'artisan qu'une autre personne porte un bijou de sa fabrication. En revanche, les objets, liés par un charme, ne pouvaient quitter la sécurité du sous-sol sans que le grand prêtre et le chef du village en soient avertis. Il fallait la conjugaison des deux pouvoirs, spirituel et temporel, pour dénouer le charme et permettre à l'objet de passer à l'extérieur.

— C'est plutôt abrupt, comme descente, constata Keyah, examinant l'à-pic sous ses pieds.

— On n'est pas obligé d'y descendre tous si on n'est pas sûr qu'il y ait une issue. Je peux y aller seule et vous dire ce qu'il en est, proposa Afo.

Contrairement à Keyah, plutôt rebondie, Afo, mince et fluette, possédait des muscles de granit et, alliant la force à la souplesse, elle pourrait facilement se faufiler dans un étroit boyau. WaNguira la considéra brièvement et opina à cette suggestion. Les Nains ne faisaient aucune différence quant au sexe et c'était seulement le goût de l'individu qui le guidait dans ses activités : les femmes pouvaient aussi bien travailler à la forge, façonner des outils, creuser des galeries, devenir chef de village comme Awah, pendant que les hommes cousaient des vêtements, s'occupaient des enfants ou cuisinaient.

Même si leur nombre se révélait inférieur à celui des hommes, les femmes ne jouissaient d'aucun privilège propre à leur sexe, ce qui aurait été à double tranchant : accepter une faveur, c'était aussi se reconnaître comme inférieure et devenir débitrice. Or l'indépendance était le mot-clé de la vie des Nains et aucune Naine n'était éduquée dans le sens contraire.

— Dommage qu'on n'ait pas de corde, regretta Keyah, un peu inquiète pour sa sœur jumelle.

Sans qu'un mot de plus ait été prononcé, deux cordes arrivèrent en tête de file, dont les bouts furent solidement épissés. Keyah remercia d'un sourire l'équipe de déblayage de Ngondé pour sa prévenance, pendant qu'Afo se ceignait la taille et les cuisses avec la corde, formant une sorte de culotte sans fond qui ne lui cisaillerait pas la chair en un seul endroit, sous l'effet de son propre poids.

Afo s'engagea dans la crevasse en une progression d'abord prudente et minutieuse, cherchant du pied ou de la main la moindre aspérité qui pouvait servir d'appui et testant sa solidité avant de s'y appuyer. Au fur et à mesure qu'elle gagnait de l'assurance, elle avançait plus vite, écartelée contre la paroi comme une araignée, concentrée et efficace.

— Il y a une corniche ici, cria-t-elle. Le début est très abrupt, mais après, ça va mieux : on avance sans problème. Je continue.

Elle poursuivit sa progression, pendant que ses compagnons dévidaient lentement la corde.

— A-t-on idée de la profondeur à laquelle se trouve la galerie de Ntangu, par rapport à celle-ci ? demanda Keyah à WaNguira.

— Elles quittent toutes les deux le village au même niveau. Mais l'une s'enfonce dans le sol, alors que l'autre s'élève légèrement, pour rejoindre la surface. Donc, plus on s'éloigne du village, plus elles sont éloignées l'une de l'autre. Je pense qu'ici, n'étant plus très loin de Jomo, la jonction est possible, si la faille est assez profonde.

— On n'entend plus Afo. Elle doit être toujours en train de descendre… Afoooooooooo, cria-t-elle dans le gouffre béant qui s'ouvrait en face d'elle.

Un écho étouffé par la distance lui parvint :

— … fond… faille… trop étroit… …tinuer… horizontale…

Ce fut WaNguira qui traduisit :

— À mon avis, elle dit que c'est trop étroit pour continuer à la verticale, mais qu'elle peut progresser à l'horizontale. Il ne nous reste qu'à attendre.

— Il n'y aura bientôt plus de corde, annonça Témidayo. Ça ne va pas tarder à tirer.

On entendit encore la voix étouffée d'Afo :

— …vez venir… Ntangu…

— Elle a trouvé la galerie de Ntangu, s'exclama Keyah. On peut y aller.

Peu après, une secousse se propagea le long de la corde, signe que cette dernière pouvait être remontée et qu'Afo se trouvait au-dessous, à la verticale de ses amis.

— Vous pouvez descendre ! J'ai trouvé la galerie de Ntangu. Pas besoin de corde après la corniche.

— D'accord, cria WaNguira. On arrive.

Se tournant vers ses compagnons, il ajouta:

— Il faudra qu'il y en ait deux qui restent ici, au cas où nous devrions remonter. Ou s'il y en a d'autres de Ngondé qui arrivent. Ou si ceux de Jomo réussissent à opérer une trouée dans l'éboulis... ajouta-t-il l'air sombre.

Deux Nains de Ngondé se proposèrent immédiatement pour attendre, pendant que Keyah ceignait la corde autour de son corps.

— Toi, tu ne veux pas laisser ta sœur seule trop longtemps, plaisanta Témidayo.

— Je n'en ai qu'une, rétorqua Keyah avec un sourire, avant de s'engager dans la crevasse.

Une fois au fond, elle donna la secousse réglementaire, signe que les autres pouvaient descendre, ce qu'ils firent à tour de rôle.

— Je ne sais pas si la galerie est praticable jusqu'à Jomo, annonça Afo, je ne suis pas allée jusqu'au bout. Et je sais encore moins si la caverne de Ntangu est accessible.

— Pour le moment, nous devons essayer en priorité de rejoindre ceux de Jomo, décida WaNguira. Allons-y, puisque nous n'en sommes pas très loin.

Le groupe se mit en route aussitôt et progressa pendant un long moment encore. WaNguira et ses compagnons rencontrèrent quelques éboulis insignifiants, qu'ils étalèrent rapidement sur le sol. La tension montait, ils avaient tous hâte d'arriver au village pour se rendre compte par eux-mêmes des conséquences du séisme, et pressaient le pas. Témidayo fut le premier à entendre un léger vrombissement et à ressentir une faible vibration du sol.

— Attention, ça va bouger encore, dit-il en s'asseyant sur le sol, les mains sur la nuque et la tête enfouie dans les genoux.

Afo l'imita immédiatement, suivie des autres Nains. Il y eut un grondement, une secousse plus forte, le bruit d'un éboulement, quelques cailloux qui dégringolèrent, et ce fut tout. Les Nains sentaient l'inquiétude croître en eux: c'était beaucoup de tremblements de terre sur une courte période et ça pouvait aussi bien se calmer qu'annoncer un épanchement de lave ou une éruption volcanique. Il n'y avait pas de temps à perdre: il fallait rejoindre Jomo le plus vite possible et ensuite se mettre en sécurité dans des cavernes plus proches de la surface, soit en retournant vers Ngondé, soit en prenant d'autres directions. Ils accélérèrent leur rythme de marche et arrivèrent bientôt en vue de ce qui avait été le village de Jomo.

Ce qu'ils virent les cloua sur place : la moitié de la caverne semblait ensevelie sous la caillasse. L'effondrement paraissait assez important et la galerie qui menait à Ngondé était enfouie sous les gravats. Son déblaiement avait été entamé, mais pas poursuivi. Il régnait une puanteur inhabituelle dans le village, comme des relents de putréfaction avancée. Y avait-il des cadavres en décomposition ? se demandèrent les Nains, inquiets. Aucun être vivant ne se montrait, le village avait été vidé de ses occupants.

Ils appelèrent, procédant à une rapide inspection des lieux, mais seul le silence répondit. La conclusion s'imposait d'elle-même : les Nains avaient quitté Jomo. Témidayo fit remarquer qu'on avait dû vérifier toutes les demeures avant le départ, afin de s'assurer qu'on n'y laissait personne, puisque celles qui étaient enterrées disposaient d'un tunnel d'accès à l'espace libre de la grotte. Il signala le désordre qui régnait dans certaines pièces :

— Nous pénétrons rarement dans les demeures les uns des autres, mais je sais pourquoi. Et ce n'est pas parce qu'il y a des lieux destinés à la communauté… C'est parce que les Nains sont d'un naturel profondément désordonné…

— Ou bien parce qu'ils ont dû libérer les habitations rapidement et se mettre en sécurité sans perdre de temps, suggéra WaNguira. Le tunnel qui relie Ngondé à Jomo aurait été effectivement très long à percer, même en sachant qu'on creuserait aussi de l'autre côté. Pourtant, ils avaient commencé… Mais la galerie de Wokabi est libre, et c'est le plus court chemin pour rejoindre la forêt de Nsaï. N'est-ce pas, Keyah ? ajouta-t-il en souriant tristement.

— Oui, je ne comprenais pas pourquoi tu voulais passer par Ngondé pour aller à Nsaï, se rappela Keyah. Ils sont sans doute sortis par Wokabi… On les suit ?

— Il faudrait que deux de Ngondé retournent par où nous sommes venus, récupèrent au passage ceux que nous avons laissés en haut de la crevasse, et aillent donner des nouvelles à Awah et aux autres. Nous, on continue, quitte à revenir à la caverne de Seyni par l'extérieur, par Nsaï.

Deux Naines se détachèrent immédiatement du groupe et reprirent le chemin par lequel elles étaient arrivées. WaNguira contempla un moment ses camarades : Afo, Keyah, Témidayo, plus les trois de

Ngondé, Kikuyu, Jaro et Dofi. Ils étaient sept, ce qui serait suffisant pour dégager un éventuel éboulement. La priorité était de retrouver la trace des habitants de Jomo.

— Faisons une dernière inspection, proposa WaNguira. On ne sait jamais…

Les sept Nains passèrent soigneusement en revue les recoins accessibles de la grotte, appelant, à l'entrée de chaque habitation, chaque propriétaire par son nom, mais aucune réponse ne se fit entendre. Ils sentaient l'angoisse monter en leur cœur, parce qu'ils avaient l'impression de ne pas reconnaître leur village.

— C'est quand même curieux qu'ils soient partis sans même laisser un message, constata Afo. Ils le savaient, pourtant, qu'on trouverait un moyen de les joindre. Et quel désordre! On dirait que quelqu'un a fouillé…

— C'est l'impression que j'ai eue en passant à la maison, répliqua Keyah. Elle n'était pas ensevelie, il n'y avait aucune raison d'y pénétrer, puisque tout le monde savait que nous étions parties. Il y a des choses cassées… C'est peut-être le séisme qui a provoqué tout ça… Mais c'est bizarre, quand même. Et comme ça sent mauvais!

— Le séisme… ou autre chose. Si ceux de Jomo sont partis aussi rapidement, sans même essayer de rétablir la voie vers Ngondé, il doit y avoir une raison pour une telle urgence, déclara WaNguira.

Il réfléchissait, et ce fut Afo qui souffla, frissonnante:

— Ihou? Tu crois?

— Si c'est le cas, nous ne sommes pas en sécurité ici. Les traces ne sont pas assez claires pour affirmer que c'est lui, mais c'est dans l'ordre des choses possibles. Suivons la galerie de Wokabi et on verra bien. Je trouve ce désordre pour le moins curieux. Toutes ces choses brisées… Et cette pestilence…

— J'ai remarqué cette puanteur en arrivant, mais j'ai cru que c'étaient des émanations de gaz volcaniques. Comme ça ne sent pas toujours très bon… dit Keyah en plissant le nez. Mais ça peut aussi être l'odeur d'un Troll… Eh bien, allons-y! Plus vite on les retrouvera, plus vite on saura. Je n'ai pas envie de m'attarder ici.

Les Nains se mirent en route, empruntant la galerie de Wokabi qui était le plus court chemin vers la forêt de Nsaï. Ils espéraient tous pouvoir y accéder sans rencontrer d'éboulement et progressaient rapidement, d'un pas régulier mais soutenu. Nsaï se situait à une bonne journée de marche. WaNguira tournait et retournait les mêmes idées dans sa tête, enrichissant de nouvelles énigmes son stock de questions sans réponse. Les autres Nains réfléchissaient aussi, confrontés à la perspective d'un nouveau déménagement. Mais pour où, cette fois? Le volcanisme semblait inévitable, où qu'on allât. À moins de s'éloigner, très loin, dans les régions calcaires... Ou de vivre en surface, comme les hommes... Ils éprouvaient une frayeur diffuse à l'idée qu'Ihou était passé par Jomo, mais préféraient ne pas en parler, afin de ne pas augmenter la tension nerveuse qui régnait déjà parmi eux.

* * *

Ils marchèrent ainsi pendant des lieues et des lieues, ralentissant à peine pour se désaltérer. Ils avaient parcouru l'équivalent d'une journée de marche et se rapprochaient de la sortie, quand un nouvel effondrement les arrêta.

— Si c'est bouché, c'est qu'ils ne sont pas sortis par là, déduisit Afo immédiatement.

— Tu oublies le deuxième séisme, celui que nous avons ressenti dans la galerie de Ntangu, juste avant Jomo, lui rappela Keyah. Ce peut être lui qui a provoqué ça. Et puis, il y avait quand même des traces de leur passage.

Keyah faisait surtout allusion à la terre piétinée et aux pierres poussées sur le côté, mais aussi à tous les autres signes de la présence des Nains, signes perceptibles seulement pour ceux qui les suivaient. Les galeries étaient toujours maintenues dans un état d'extrême propreté, les Nains ayant compris dès le début que les saletés ne s'en iraient pas toutes seules, mais s'accumuleraient au cours des années, puis des siècles, rendant la vie sous terre de plus en plus difficile.

— Il ne nous reste plus qu'à dégager l'entrée, fit WaNguira, soulagé d'avoir pu se rapprocher de la sortie sans difficulté majeure. Nous ne sommes plus très loin et quelques coups de pioche suffiront.

Témidayo devint livide tout à coup et commença à déblayer l'entrée comme un forcené. Ses compagnons ne comprirent pas tout desuite cet acharnement subit au travail. Ils se mirent à l'œuvre sans un mot, essayant de respecter son rythme démentiel, tout en trouvant bizarre cette impatience de retrouver le dehors. Des gouttes de sueur perlèrent bientôt sur les visages, et Keyah, en deuxième position dans la file des travailleurs, s'apprêtait à demander grâce quand une trouée fut percée. Témidayo l'agrandit grossièrement et se poussa sur le côté pour faire de la place aux autres :

— Allez-y, courez, je vous suis. Dépêchez-vous. Vite.

— Je reste avec toi. On va essayer de boucher la galerie avec un autre éboulement. Allez, courez, ordonna WaNguira, soudain blême lui aussi. On vous rejoint.

— Et si on essayait de l'entraîner dehors ? objecta Kikuyu, maintenant blafard. On en serait définitivement débarrassé…

Afo, Keyah, Jaro et Dofi pâlirent à leur tour. Ils avaient compris.

38

Mfuru considérait AtaEnsic, pensif. Tout allait trop vite pour lui, il avait besoin de temps pour réfléchir, en faisant appel à toute son expérience de Nain afin de choisir la meilleure solution. Il n'avait pas droit à l'erreur. La vie de ses amis était en danger et il se sentait responsable d'eux. Il n'était pas d'un naturel vif et la succession rapide des événements et des décisions à prendre le bouleversait. Il choisit de réfléchir à haute voix, afin qu'AtaEnsic puisse suivre le fil de sa pensée.

Sangoulé était à presque deux jours de marche sous terre, et il en faudrait plus par la surface. En admettant qu'il mette deux jours et demi pour y arriver avec AtaEnsic, en avançant vite, il faudrait encore deux jours pour retourner sur ses pas par la galerie et trouver les autres. À moins que ceux-ci n'aient survécu et n'aient avancé pendant ce temps. Mais la distance qu'ils auraient parcourue ne serait pas énorme, puisqu'ils ne connaissaient pas les lieux et n'avaient pas l'habitude de se déplacer sous terre. Et ces calculs n'étaient valables que s'il n'y avait pas de blessés… s'ils ne se perdaient pas en chemin… s'il n'y avait pas d'éboulement… si le passage était praticable sur toute sa longueur… s'ils ne faisaient pas de mauvaises rencontres… Mfuru soupira.

— Mais nous pouvons y accéder en moins de deux jours et demi, objecta AtaEnsic. Je suis aussi forte et aussi rapide qu'un cheval. Et je ne risque pas de me faire remarquer en tant que Licorne... ajouta-t-elle d'une voix pleine de mélancolie.

Le Nain promena son regard sur la Licorne.

— Tu pourrais me porter ? Je pourrais te chevaucher ?

— Les Licornes ne sont pas des animaux de trait, et personne ne peut les chevaucher. Elles n'admettent que les Pookahs. Mais si c'est toi, j'accepte.

Mfuru était ému et aucun son ne sortait de sa gorge. Il finit par articuler un « merci » rempli d'émotion et se rapprocha d'AtaEnsic qu'il caressa affectueusement.

— Tu es ma plus belle amie.

Mais il reprit tout de suite un air ennuyé :

— Tu sais, le Pookah a raison : une fois là-bas, tu ne pourras jamais passer dans les galeries des Nains. Elles sont trop étroites.

— Hé bien, je t'attendrai à l'entrée. Et tu reviendras avec les autres. Il ne faut pas perdre de temps. Allez, monte !

La Licorne se baissa pour que le Nain puisse grimper sur son dos.

— Tu seras secoué, mais tu peux t'accrocher à ma crinière, avertit AtaEnsic en se relevant avec précaution.

— Pas trop vite au début, s'il te plaît, pria Mfuru, impressionné par la distance qui le séparait du sol. Je n'ai pas l'habitude d'être juché aussi haut et c'est la première fois de ma vie que je fais du cheval !

— De la Licorne, s'il te plaît. Les chevaux sont nos amis, mais nous sommes différents. J'irai doucement au début et tu verras qu'après, c'est toi qui me demanderas de galoper.

— Pas dans l'immédiat, en tout cas...

Le couple formé par le Nain chevauchant la Licorne s'ébranla, Mfuru grimaçant de peur, comiquement accroché à la crinière d'AtaEnsic, les jambes serrées sur les flancs de cette dernière, mais ne descendant pas très bas. La Licorne avança d'abord lentement, afin de laisser à son ami le temps de s'habituer, puis au fur et à mesure qu'elle sentait qu'il prenait de l'assurance, elle accéléra le pas. Il fallut néanmoins un bon moment avant qu'elle puisse piquer un court galop d'essai.

Mfuru, plus silencieux que jamais, n'en menait pas large. À la fois effrayé et grisé par ce qui lui arrivait, il hésitait entre la peur, le désir de revenir en arrière, de se réfugier dans un passé connu et rassurant, et l'enivrement de la nouveauté, la richesse d'une relation qui lui permettait de s'abandonner en toute confiance sur le dos large et puissant de son amie, ouvert au vent qui lui fouettait le visage, et lui laissait entrevoir un avenir riche de libertés, affranchi des contingences habituelles.

* * *

Ensevelie quelque part au-dessous d'eux, Gaïg réfléchissait. Elle avait l'impression que les catastrophes s'accumulaient depuis quelque temps, comme si elle les attirait. Et voici qu'elle entraînait aussi ses amis dans le pétrin.

Elle s'était précipitée à la poursuite de Txabi qui se sauvait et le Pookah l'avait suivie. Tout se serait bien passé s'il n'y avait pas eu ce séisme. Elle avait entendu Dikélédi l'avertir, mais elle avait persisté dans son idée de retrouver le bébé salamandar, et elle avait dégringolé dans la crevasse au moment où la jeune Naine lui ordonnait de revenir. Elle s'était fait assez mal en tombant, mais comme la terre tremblait, elle n'avait eu qu'une idée: retrouver le plus vite possible Txabi et remonter se mettre en sécurité à l'air libre.

Mais le Salamandar avait disparu dans la pénombre, il faisait noir et elle n'avait eu d'autre ressource que de s'engager plus profondément dans la galerie, appelant Txabi! Txabi! d'un ton de plus en plus affolé, pressée par le grondement sourd qui se répandait dans les entrailles de la terre.

Elle avait entendu Loki appeler Txabi lui aussi, puis il s'était tu. Pensant qu'il était remonté se mettre à l'abri, elle avait immédiatement décidé de le suivre: Txabi, avec sa petite taille, arriverait toujours à se faufiler dans un interstice ou à retrouver ses pareils. Faisant demi-tour en courant, elle avait buté sur le Pookah, immobile, muet: elle avait compris qu'il était tétanisé par la peur, incapable d'agir ou de proférer une parole. Il était terrorisé, dans ce milieu obscur et souterrain, mais en mouvance, si nouveau pour lui.

Les pensées défilaient à une vitesse hallucinante dans la tête de Gaïg, en même temps qu'elle sentait augmenter les vibrations du sol. Le bruit devenait effrayant et elle sentait qu'elle perdrait l'équilibre sous peu. Elle avait promptement attrapé Loki par la main et l'entraînait précipitamment pour rejoindre la surface, quand elle avait heurté Dikélédi de plein fouet, pendant que Winifrid, à son tour, percutait violemment le dos de cette dernière.

Le choc avait été brutal et douloureux, mais l'affaissement de la caverne avait effacé tout le reste: la terre et les cailloux dégringolaient sur eux et Gaïg voyait avec horreur une masse sombre et solide envahir la crevasse par laquelle ils étaient entrés. Dikélédi, sans doute parce que plus habituée aux séismes et aux souterrains, avait aussitôt pris la direction des opérations:

— Vite. Donnez-vous la main. Winifrid, tiens Gaïg. Il faut s'éloigner de la crevasse. Allons dans la galerie!

Elle avait saisi d'autorité la main libre de Loki, que Gaïg tenait toujours par l'autre main, et avait conduit son monde à toute vitesse dans la galerie, une fois assurée que Winifrid était reliée à Gaïg. Le temps de s'éloigner de la crevasse, le séisme était déjà terminé. Tout s'était déroulé extrêmement rapidement et, maintenant, Gaïg se retrouvait une fois de plus prisonnière de la terre, en compagnie d'une Naine, d'une Dryade séparée de son chêne, d'un Pookah rendu muet par la terreur et d'un bébé salamandar envolé.

Ils étaient assis, serrés les uns contre les autres, essayant de reprendre leurs esprits. Le temps s'écoulait sans qu'aucun d'eux réagisse. Malgré les ténèbres, Gaïg distinguait le visage sombre et grave de Dikélédi: son acuité visuelle s'était énormément améliorée dans l'obscurité, en dépit du séjour à l'extérieur. Le Pookah ne semblait pas éprouver de difficulté à se diriger dans le noir, mais il était toujours silencieux.

Gaïg sentit une onde de sympathie jaillir de son cœur et elle lui serra la main pour le réconforter. Même s'il lui avait fait des farces d'un goût douteux, elle ne lui en voulait plus: sa bêtise à elle était bien pire et ce joyeux luron en avait perdu la parole. Pauvre Loki... Est-ce qu'ils allaient mourir?

Gaïg sentit une boule naître dans sa gorge et les larmes coulèrent silencieusement sur ses joues. Elle se sentait maintenant responsable de la mort imminente de Loki, Winifrid et Dikélédi. Pourquoi n'avait-elle pas obéi tout de suite à Dikélédi? Combien de temps Winifrid tiendrait-elle sans son chêne? Et Walig, que deviendrait-il? Il allait disparaître, lui aussi? Et Doumyo et Mvoulou, les parents de Dikélédi, que diraient-ils? Gaïg avait l'impression d'un immense gâchis. Tous ces gens avaient voulu l'aider et elle, par son impulsivité, avait tout gâté. Si encore elle avait été la seule à être enterrée vivante... Personne ne l'attendait, à la surface: pas de parents, pas de chêne, pas de Licorne... Qu'elle meure ou qu'elle vive ne changerait pas grand-chose pour autrui. Sauf peut-être pour Nihassah quand elle l'apprendrait...

Gaïg sentit qu'on lui serrait la main: c'était Loki qui essayait à son tour de la réconforter. Il n'avait toujours pas retrouvé l'usage de la parole et ce geste d'amitié la bouleversa encore plus: elle éclata en sanglots. Ses pleurs sortirent Winifrid et Dikélédi de leur torpeur, pendant que Loki l'entourait de ses bras.

— Nous trouverons une solution, Gaïg, la rassura Dikélédi. Nous sommes vivants. C'est important, non?

— Mais quelle solution? Tu as vu cette masse de terre? Qui va creuser pour venir à notre secours? Et tout ça, c'est de ma faute...

— Mais non. Et puis, Mfuru et AtaEnsic savent que nous sommes là. Ils ne vont pas nous abandonner. Et nous ne sommes pas blessés, incapables de nous déplacer.

— Se déplacer pour aller où? Tu connais cette galerie? Tu sais où elle mène?

— Mfuru a dit qu'elle conduisait à Sangoulé. Après tout, c'est là que nous allions...

— Et si les Salamandars ont pu passer, c'est que la galerie est praticable, ajouta Winifrid.

— On pourrait essayer de creuser, suggéra Gaïg, toujours prompte à l'action. Peut-être qu'ils essaient déjà, de leur côté...

— Ça m'étonnerait qu'ils puissent, rétorqua Dikélédi. Les Nains creusent rarement à la verticale, surtout quand c'est profond comme ici. Et puis avec l'affaissement de la caverne, cela fait une masse incommensurable à déblayer. Quant à nous, ça se remplira au fur et à mesure qu'on déblaiera: on ne creuse jamais par le dessous.

— Ah, te voilà, toi! s'écria Loki, retrouvant subitement la parole à la vue de Txabi. Alors, tu nous montres le chemin?

— C'est tout droit, répondit le Salamandar qui se dirigea vers Gaïg, la queue toute frétillante. Mais il fait très chaud... C'est bon!

Il grimpa en toute confiance sur sa mère adoptive, comme s'il ne s'était rien passé.

— Mais comment le sais-tu, que c'est tout droit? demanda Gaïg. Tu n'as pas eu le temps d'aller jusqu'au bout...

— C'est tout droit parce que ça ne tourne pas! Ha! ha! ha! répliqua Txabi, jetant un coup d'œil de connivence à Loki, qui n'avait pas le cœur à rire.

— Tu as bien appris ta leçon, semble-t-il, à fréquenter Loki, constata Dikélédi. Mais c'est vrai que c'est tout droit, ajouta-t-elle en direction de Gaïg. Tout au moins jusqu'où nous sommes arrivés avec

Mfuru : il n'y a eu aucun tournant, aucune intersection. Après, je ne sais pas. Mais nous n'avons pas d'autre choix... On y va ?

— Je ne vois pas aussi bien que vous dans le noir, objecta Winifrid. Il n'y a pas de lune sous terre…

— Je te donnerai la main. Gaïg voit assez bien et Loki aussi. Il suffit de ne pas nous éloigner les uns des autres.

39

— Et si on essayait de l'entraîner dehors ? répéta Kikuyu.

— Je doute qu'il soit aussi naïf, dit rapidement WaNguira.

— Dépêchez-vous ! Dehors ! Courez !

Afo, Keyah, Jaro et Dofi se mirent à courir, suivis de Kikuyu, WaNguira et Témidayo. Aucune autre parole ne fut échangée, les Nains sachant qu'ils devaient ménager leur souffle. Ils détalaient en silence, les uns derrière les autres : Afo, en tête, entendait la respiration haletante de Keyah, derrière elle, et appréhendait le moment où cette dernière s'arrêterait, n'en pouvant plus. Mais Keyah, poussée par la peur, faisait preuve d'une résistance inhabituelle, se concentrant uniquement sur sa respiration.

Jaro et Dofi avaient la vitalité et la résistance de la jeunesse et auraient pu dépasser les deux Naines : mais cela aurait été d'une grossièreté et d'un égoïsme inconcevables, qui les auraient couverts de honte pour le restant de leurs jours. La pensée de passer devant ne les effleurait même pas, ils avaient été éduqués dans l'idée que la solidarité est fondamentale sous terre et que, dans la majeure partie des cas, les chances de surmonter un danger augmentaient avec le nombre de personnes impliquées. S'il fallait affronter Ihou, qu'ils n'avaient encore jamais vu, il valait mieux se présenter le plus nombreux possible.

WaNguira et Témidayo étaient les derniers, précédés de Kikuyu, chacun se creusant la tête à la recherche d'une idée. Ils pressentaient qu'un affrontement serait vain, face à la force brutale d'Ihou, et que la ruse risquait de payer davantage. La sortie, proche en comparaison de la longue distance qu'ils venaient de parcourir, se trouvait encore loin, et la course épuisait les réserves corporelles beaucoup plus vite que la marche : il fallait compter avec l'essoufflement, aggravé par l'air stagnant, donc appauvri, de la galerie.

On n'entendait plus rien depuis un moment, à peine un léger crissement de temps en temps : ils savaient qu'Ihou avait flairé leur présence et se faisait discret, espérant les surprendre. WaNguira réfléchissait, hésitant sur le moyen à utiliser pour se défendre : la lumière ou l'eau ?

Il pensait au Cristal de Mwayé qu'il avait dans une de ses poches et qui, mis en contact avec sa bague en Nyanga, dégagerait un éclat très vif. Mais cet éclat voyagerait en ligne droite, il traverserait la pierre et pourrait tout aussi bien passer à côté d'Ihou sans l'atteindre. Il aurait fallu se situer très près de ce dernier. WaNguira frissonna.

L'autre solution consistait à utiliser le pouvoir de l'eau : la Gemme de Maza, qu'il avait reçue au moment de son initiation en tant que grand prêtre, servait principalement à se protéger de la soif. Mais ses propriétés étaient bien plus nombreuses et WaNguira savait qu'il pouvait faire appel à l'Esprit de l'Eau en cas d'extrême urgence. Mais contre Ihou ? L'Esprit de l'Eau accepterait-il de se mesurer à Ihou, création maléfique de l'Esprit de la Terre ?

WaNguira, tout en courant, mit la main dans sa poche, afin de sentir la présence de la Gemme de Maza, toute petite et pourtant si lourde, dans sa mince enveloppe de tissu. Le poids de l'eau, pensa-t-il une fois de plus, de l'eau qui se serait concentrée, solidifiée et transformée en pierre. Il tâta la Gemme et fut étonné de trouver humide le tissu qui l'enveloppait. À l'intérieur, la Gemme avait changé de consistance et semblait malléable, comme une substance molle, liquide, contenue dans une membrane élastique. WaNguira n'hésita plus : jamais ils n'auraient le temps d'atteindre la sortie avant qu'Ihou ne les rattrape, il fallait accepter l'aide de l'Eau.

— À gauche, ordonna-t-il. La caverne de Mutambalah.

— Afo, WaNguira a dit « À gauche, la caverne de Mutambalah », transmit Jaro.

— Mais… c'est sans issue ! laissa échapper Afo, qui se mordit aussitôt les lèvres, regrettant son impulsivité. Elle reçut immédiatement une bourrade de Keyah dans le dos, lui confirmant son insolence.

Qui était-elle, pour remettre en question la décision de WaNguira, leur grand prêtre ? Dans un cas d'urgence comme celui-là, l'obéissance était de mise : WaNguira savait ce qu'il faisait et, de toute façon, la sortie, considérée proche dans des circonstances normales, était encore trop éloignée pour être atteinte à temps.

Afo obliqua à gauche, dans le boyau qui menait à la caverne de Mutambalah, et retint à temps la remarque qui lui était venue à l'esprit : « En plus, ça monte ». Elle dut ralentir à cause de la pente, mais continua d'avancer. Elle savait que la galerie n'était pas très longue et qu'ils seraient vite arrivés dans la caverne. Mais ensuite ? Ils y seraient prisonniers, à la merci d'Ihou, puisqu'il n'y avait aucune sortie.

Des pensées identiques agitaient ses compagnons, stupéfaits par le choix de WaNguira. Pourquoi les menait-il dans ce cul-de-sac, duquel ils n'avaient aucune chance de sortir vivants ? Un garde-manger pour Ihou, cette caverne, garde-manger dont ils constitueraient les aliments. Quelle horreur ! Un frémissement parcourut la colonne des Nains, mais personne ne dit mot. La raideur de la pente absorbait leur énergie, ils étaient essoufflés et en sueur, et si tout était perdu…

Des raclements et des grognements assourdis se faisaient entendre dans le lointain, répercutés par l'écho, et il était difficile, même pour des Nains accoutumés à la vie souterraine, d'estimer la distance à laquelle se trouvait le Troll. Ils continuaient à grimper, haletants, la sueur coulant en rigoles épaisses sur la peau sombre de leur front, dégoulinant sur leur visage, inondant leur dos. Keyah avait les poumons en feu, tellement le passage de l'air la brûlait à chaque inspiration. Jaro et Dofi souffraient moins physiquement, mais la peur les tenaillait. C'était la première fois de leur vie qu'ils affrontaient Ihou, qui tenait plus de la légende que de la réalité pour eux. Et ils découvraient à quel point la légende est effrayante quand elle devient réalité.

Témidayo et Kikuyu, plus aguerris parce que dans la force de l'âge, ne comprenaient pas la décision de WaNguira. Ils luttaient contre eux-mêmes pour ne rien dire, voulant de toute leur âme faire confiance à leur grand prêtre, au nom de tous les siècles passés pendant lesquels WaNguira les avaient guidés et protégés. Mais dans le cas présent, il agissait de façon inconsidérée, semblait-il. Peut-être qu'il se faisait vieux et qu'il perdait l'esprit…

Kikuyu tourna rapidement la tête et jeta un coup d'œil à

Témidayo. Leurs regards se croisèrent un bref instant et Témidayo lut une incertitude dans les yeux de son camarade. Mais il n'émit aucun son et continua à avancer. Cependant, il ne put s'empêcher de jeter à son tour un coup d'œil en arrière, sur WaNguira qui le suivait.

Ce dernier ne disait mot, concentré sur ses pensées. Témidayo trouva son visage étrangement détendu, vu la situation sans espoir dans laquelle ils se trouvaient. On aurait dit que WaNguira courait pour le plaisir : il semblait dans un état second, comme s'il pensait à autre chose. Témidayo crut même discerner un sourire discret sur ses lèvres et il s'apprêtait à poser une question, quand il buta sur Kikuyu. Afo s'était arrêtée.

— On ne peut pas aller plus loin, lâcha-t-elle avec ce qui lui restait de souffle.

Keyah se laissa tomber lourdement sur le sol, n'en pouvant plus : souffrir pour souffrir, cela lui était maintenant bien égal de mourir. La situation était sans issue, il valait mieux se préparer à la mort. Elle ferma les yeux : d'abord retrouver son souffle, ensuite se recueillir pour affronter l'inconnu.

Les autres dirigèrent alors leur regard vers WaNguira, essayant désespérément de comprendre. Ce dernier, appuyé d'une main sur la paroi de la caverne, avait l'air absent : ses yeux ouverts ne semblaient rien voir de ce qui se déroulait devant lui, mais il n'avait pas l'air effrayé. Il était trempé de sueur. L'eau lui coulait littéralement de la main droite, à grosses gouttes rapprochées, formant, maintenant qu'il était immobile, une petite flaque qui se transformait en rigole, attirée par la pente.

Afo et ses compagnons le contemplaient, pétrifiés et anxieux, encore trop essoufflés pour parler. Ils suivaient du regard les lourdes gouttes de sueur perlant à son visage, dégoulinant selon un trajet complexe, se rencontrant parfois, doublant alors de volume, ce qui accélérait brusquement leur descente. Et sa main, comme une source, de laquelle la sueur s'échappait en un goutte à goutte continu…

Sous leurs yeux ébahis, la main de WaNguira devenait fontaine, d'où s'écoulait un filet maintenant ininterrompu… WaNguira semblait se liquéfier devant eux, tandis que Témidayo, à l'ouïe si fine, percevait maintenant un léger clapotis. Était-il possible d'avoir chaud au point de suer autant ? La grotte elle-même semblait transpirer : des gouttes d'eau ruisselaient sur ses parois, formant un réseau aquatique étrangement compliqué quand elles se rejoignaient, accélérant subitement leur course avant de s'écraser sur le sol. Un lacis de rigoles commençait à se dessiner sur le terrain en pente de la cavité, s'orientant naturellement vers la galerie.

Keyah, surprise par le silence de ses compagnons, avait ouvert les yeux. Leur respiration bruyante se calmait petit à petit, et elle ne s'expliquait pas ce qui était devenu le bruit caractéristique de l'eau qui dégouline, coule, se transforme en ruisseau. Le liquide semblait venir de partout, de grosses gouttes tombaient du plafond comme s'il pleuvait dans la caverne, tandis que de minuscules cascades émergeaient des parois. Un clapotement de rivière se faisait maintenant entendre dans le lointain. Keyah, encore essoufflée, se préparant à la mort, contemplait WaNguira, qui gardait obstinément le poing fermé sur quelque chose: elle fut la première à comprendre ce qui se passait.

— La Gemme de Maza… murmura-t-elle doucement.

Ces simples mots servirent d'élément déclencheur, comme si nommer la chose la créait, lui donnait le droit d'exister. Le débit de l'eau s'accéléra: les parois de la caverne de Mutambalah disparurent sous les cascades de plus en plus puissantes qui les recouvraient, formant alors un torrent qui se dévidait impétueusement dans la galerie.

WaNguira avait toujours le regard vide, mais ses lèvres s'étirèrent légèrement en ce qui pouvait passer pour un sourire.

— C'est donc vrai que les Trolls n'aiment pas l'eau? demanda Dofi.

— Personne n'aimerait cette eau… Tu ne remarques pas? Elle est glacée… répondit Afo.

Dofi réalisa alors que la température avait changé à l'intérieur de la grotte et que l'eau qui dégoulinait maintenant entre ses omoplates était glacée. Il se sentit immédiatement gelé au plus profond de lui-même et fut stupéfait devant le changement qui s'était opéré en WaNguira, devenu rigide comme un vieux mammouth congelé. Une fine couche de glace commençait à recouvrir les murailles et les cascades gelaient à vue d'œil.

Une fois de plus, Keyah saisit avant tout le monde:

— La glace va boucher la galerie. Ihou ne pourra pas passer…

40

Gaïg avançait, tenant toujours la main de Loki dans la sienne, étonnée qu'il ne l'eût pas lâchée pour suivre Txabi, qui ouvrait la marche. Cette paume dans la sienne, confiante et douce malgré les rides qui la striaient et trahissaient l'âge de son propriétaire, alimentait sa réflexion, qui n'avait rien de réjouissant.

Après des années d'une solitude adoucie seulement par la présence affectueuse et discrète de Nihassah, elle avait enfin trouvé ce qu'elle aurait pu appeler des amis. Les Nains avaient tout mis en œuvre pour la guérir de la morsure de l'infâme Vodianoï, et Dikélédi avait laissé ses parents et son village pour l'accompagner. Elle avait rencontré des Licornes, animaux fabuleux pour elle, qui l'avaient guérie ou presque, et fait la connaissance d'une Dryade qui avait quitté son chêne chéri pour venir avec elle chez les Salamandars.

Même si le Pookah lui avait fait quelques farces un peu douteuses, elle ne pouvait penser à la mort de ce joyeux luron, toujours prêt à rire et à plaisanter, sans sentir une boule d'angoisse et de désespoir lui monter dans la gorge. Les larmes recommencèrent à couler, silencieusement, mais Gaïg ne put s'empêcher de renifler plusieurs fois. Loki, mal à l'aise à cause de l'obscurité, lui serrait la main avec de petites pressions d'encouragement.

Dikélédi s'arrêta.

— Tiens, dit-elle, lui tendant un bout de tissu, mouche-toi une bonne fois et arrête de pleurer, Gaïg. Ça ne sert à rien et ce n'est de la faute de personne. Il y a souvent des tremblements de terre, et les éboulements sont fréquents. C'est le volcanisme qui cause ça. Ce n'est pas sans raison que les Nains ont quitté Sangoulé…

— Si je n'avais pas suivi Txabi… Si je t'avais écoutée… on n'en serait pas là… hoqueta Gaïg, se cachant le visage dans les mains pour donner libre cours à ses sanglots.

— Il nous fallait trouver les Salamandars, de toute façon, rappela Winifrid, jusque-là silencieuse.

— Tu vois bien que c'est à cause de moi… Ils avaient raison, au village : ils m'avaient surnommée « la Poisse ». Je porte malheur aux gens… Nous allons tous mourir à cause de moi. Et Walig aussi…

— Nous ne sommes pas encore morts, Gaïg, affirma Dikélédi pour tenter de la rassurer. Des tas de Nains vivent sous terre depuis des siècles. Il n'y a qu'à suivre la galerie et on sortira à l'autre bout.

— Ne t'inquiète pas pour Walig, il est plus solide que tu ne le penses, chuchota Winifrid en l'entourant de son bras. Il est très vieux, tu sais, il est plusieurs fois centenaire. Il vaut mieux nous remettre en route, pour le retrouver le plus vite possible.

Mais Gaïg semblait inconsolable. Une fois de plus, le poids de son passé, ou plutôt de son absence de passé, l'accablait. Elle ne pouvait pas remonter plus loin qu'elle-même, que ses premiers souvenirs, qui la ramenaient inlassablement aux taloches de Jéhanne, ou aux taquineries cruelles des enfants du village. Ou à Nihassah. Ou à la mer.

Cette dernière lui manquait énormément. Au moment présent, elle aurait aimé, comme jadis, plonger dans l'eau bleue et s'y laver de tout ce qui la tourmentait. La mer avait toujours eu un effet apaisant sur elle, c'était sa grande consolatrice, avec Nihassah. Mais où trouver la mer, quand on est enseveli à une profondeur qu'on ignore ?

Gaïg aurait aimé nager, battre l'eau de ses mains et de ses pieds, se déplacer le plus vite possible, comme si elle faisait la course avec les poissons, ou rester simplement sous l'eau, longtemps, sans respirer, jusqu'à perdre un peu l'esprit à cause du manque d'air et s'imaginer être une Sirène, en conversation avec la Reine des Murènes.

Cette pensée la ramena à la bague en Nyanga, qu'elle portait toujours au doigt, et sur laquelle elle laissa tomber son regard. Cette dernière lança un bref éclat, tellement rapide que Gaïg se demanda si elle n'avait pas rêvé une fois de plus. Mais son état d'esprit se modifia et elle se surprit à se morigéner, reprenant dans sa tête les paroles que

Nihassah lui avait si souvent répétées : « Allez, debout, il te faut aller de l'avant. Arrête de t'apitoyer sur toi-même. Tu ne sais pas ce que l'avenir te réserve. Et tu as des parents, puisque tu es là. On ne sait jamais qui on est vraiment. Tu peux pleurer un moment, juste pour évacuer l'émotion. Mais pas trop longtemps, sinon tu pleureras toute ta vie. Les pleurs attirent les pleurs. Lance-toi dans l'action. Fais quelque chose et ensuite, tu verras les choses différemment. Tu as peut-être un grand avenir qui t'attend, ma princesse. Ne t'arrête pas au présent. Un jour, tu aimeras ta vie. »

Gaïg se répéta mentalement cette dernière phrase : « Un jour, tu aimeras ta vie. » Elle n'aimerait jamais sa vie, si elle devait plus tard se sentir responsable de la disparition de ses compagnons. Elle renifla une dernière fois, se moucha bruyamment et saisit la main du Pookah, en émettant d'une toute petite voix :

— Allons-y.

— Ah, j'aime mieux ça, approuva Dikélédi. On n'est pas malheureux sous terre, tu sais. Les Nains y vivent depuis toujours et aussi les Salamandars. Nous les rencontrerons sûrement : selon Mfuru, la galerie de Sémah descend très profondément dans le sol, près de la roche liquide. Il va faire chaud…

La petite troupe se mit en route, toujours dans le même ordre. Dikélédi guidait Winifrid en la tenant fermement par la main et Gaïg suivait, la paume de Loki dans la sienne. Txabi avait de nouveau disparu.

La galerie, après un tronçon horizontal assez long, s'enfonçait franchement dans les profondeurs, mais les parois ne présentaient guère d'aspérités et le sol était relativement régulier. La marche s'en trouvait facilitée et le groupe progressait rapidement, entraîné par le pas décidé de Dikélédi.

Personne ne parlait, chacun avançait de façon mécanique, plongé dans ses propres pensées. Winifrid essayait de ne pas ralentir la marche de Dikélédi avec des pas hésitants et elle se rendait compte combien il est difficile de faire totalement confiance à quelqu'un pour marcher dans l'obscurité. Elle aurait préféré progresser à petits pas précautionneux, s'assurer, avant de poser le pied sur le sol, qu'il n'y avait pas de danger, mais la Naine ne lui laissait pas le choix : elle trottait d'un pas assuré, résolue à amener ses camarades à la lumière du jour.

Dikélédi, connaissant bien les Dryades, craignait que Winifrid, malgré ses dires, ne s'étiole petit à petit, si elle demeurait trop longtemps loin de Walig. Même si le chêne se déplaçait en surface, il le ferait si lentement que la distance couverte serait infime, par rapport à celle qu'ils accompliraient sous terre. Elle se rappelait que Wakan Tanka avait promis de le prendre sous sa protection. Mais pour combien de temps ?

Pourvu que Mfuru ait l'idée de les rejoindre à l'autre bout, avec AtaEnsic. Cette dernière pourrait alors ramener le Pookah et la Dryade en lieu sûr, dans la forêt de Nsaï. Dikélédi avait souvent vu les Pookahs grimper sur une Licorne, mais elle n'avait aucun souvenir de Dryade chevauchant ces créatures élégantes et magiques. Peut-être qu'en cas d'extrême nécessité, AtaEnsic accepterait... Mais Mfuru, que deviendrait-il ? Consentirait-il à laisser partir le trio et à rester sans sa belle ? Peut-être qu'en lui promettant de les rejoindre après... Dikélédi gloussa doucement, imaginant Mfuru en train de presser le pas et même de courir, pour retrouver plus vite son amie. Ce faisant, elle accéléra et fit de plus grandes enjambées.

Winifrid, fataliste, avait renoncé depuis longtemps à essayer de deviner où elle allait poser le pied et elle se laissait emporter par ce rythme d'enfer, préoccupée seulement de ne pas retarder les autres.

Gaïg, suant et soufflant, avait du mal à suivre, mais elle ne disait mot, se sentant responsable de la gravité de la situation dans laquelle elle avait entraîné ses compagnons. Elle avait chaud et soif, elle se serait volontiers arrêtée pour se reposer, mais elle savait que le temps leur était compté et qu'il leur fallait aller de l'avant.

Elle sentait que Loki traînait un peu la patte, faisant quelquefois un faux pas et se rattrapant de justesse, mais elle n'en avait cure. Elle se concentrait sur sa respiration afin de ne pas perdre son souffle et suivait de près Dikélédi et Winifrid. Sa gorge était sèche et à certains moments, elle s'imaginait entendre le doux clapotis d'une rivière souterraine. Elle se voyait y plonger doucement, prête à avaler la rivière tout entière. Elle se coucherait dans le sens du courant, la bouche ouverte, et l'eau ne ferait que la traverser, tout en la désaltérant au passage, l'imbibant comme une éponge. Wolongo, Filledel'Eau. Une pensée s'agitait dans sa mémoire, demandant à naître. Mais chaque fois que Gaïg croyait la saisir, elle s'évanouissait. ToneNili, Fille de l'Eau, se rappela-t-elle soudain. C'était TsohaNoaï qui l'avait appelée ainsi. Qu'avait-elle dit ensuite ?

Gaïg buta vivement sur Winifrid, qui s'était arrêtée derrière Dikélédi.

— Qu'y a-t-il ? demanda-t-elle aussitôt, tous les sens en alerte.

— Rien. Ou plutôt, si. De l'eau. Je meurs de soif. Pas vous ? demanda Dikélédi, en s'accroupissant. Cela faisait un moment qu'on l'entendait, cette rivière... Oh, c'est chaud. Pouah ! Tant pis, j'ai trop soif.

Gaïg comprit qu'elle n'avait pas rêvé et qu'une rivière coulait réellement à ses pieds. Elle entraîna Loki, qui recracha immédiatement la première gorgée.

— Elle est immonde, cette eau. Elle est bouillante. Et quel goût horrible ! En plus, elle pue... s'exclama-t-il.

— C'est à cause du soufre, expliqua la Naine. C'est ça qui sent mauvais. Nous avons pas mal avancé et, mine de rien, nous approchons de la roche liquide. C'est pourquoi l'eau est tiède.

— Tiède ? Mais c'est bouillant, je te dis. Bouillant. Et ce goût...

— Je sais, Loki. Mais nous n'avons guère le choix. Et c'est grâce à cette rivière que nous pouvons cheminer : la galerie que nous avons empruntée doit constituer un de ses anciens lits. Imagine que c'est du thé...

Loki grogna un peu, pour la forme, mais continua à boire, la soif se faisant sentir chez lui depuis un moment aussi, même s'il n'avait rien dit. Winifrid avala quelques gorgées et s'arrêta. Il n'était pas dans sa nature de se goinfrer et elle pouvait survivre avec peu de choses.

En revanche, Gaïg buvait à longues lampées, se sentant renaître : chaude ou pas chaude, c'était de l'eau. Son élément. C'était comme si ses organes desséchés s'étaient recroquevillés, ratatinés, et revenaient à la vie, à travers le volume que leur conférait l'eau. « Je suis une éponge », pensa-t-elle. « Une petite éponge rebondie et élastique quand elle est saturée. Mais c'est vrai qu'elle est chaude, cette eau. Même le sol est chaud. »

— Nous pourrions nous reposer un peu ici, proposa Dikélédi en s'assoyant. Nous avons fait un bon bout de chemin, déjà.

— Nous avons marché longtemps, constata Winifrid. À ce train-là, nous arriverons plus vite que prévu...

— Si rien ne s'y oppose... objecta Dikélédi. Nous avons de la chance que la galerie ne soit pas obstruée par un effondrement. C'est curieux, il y a parfois de petits éboulis : on dirait qu'ils ont été piétinés, comme si quelqu'un était passé avant nous. Pourtant, cette galerie n'est vraiment pas fréquentée. Il n'y a plus beaucoup de Nains à Sangoulé... Et puis ça sent tellement mauvais...

— Ça sent le pet, oui ! grogna Loki, d'une toute petite voix. Je me demande quel plaisir les Nains trouvent à s'enterrer vivants…

Personne n'eut le cœur de lui faire remarquer l'acrimonie de sa remarque, tellement on le sentait malheureux, plus à consoler qu'à blâmer. Il n'était pas dans sa nature de se lamenter ou de critiquer et généralement, les Pookahs tournaient tout en dérision. Il fallait vraiment une situation extraordinaire pour assombrir l'humeur d'un Pookah. La peur, par exemple.

Même s'il est vrai que Loki n'aurait jamais reconnu la peur latente qui l'habitait depuis l'affaissement de terrain qui les avait rendus prisonniers, tous ses compagnons saisissaient de façon intuitive le pourquoi de cet état d'esprit grognon, plein d'intolérance. Et ce n'étaient ni le temps ni le lieu pour se disputer. Leur silence fut plus éloquent que n'importe quels reproches et poussa Loki à émettre un « Je m'excuse » apparemment repentant, accompagné d'un petit sourire discret.

— Loki, je ne te vois pas sourire, mais je sais que tu l'as fait, constata calmement Winifrid. Tu connais parfaitement la différence entre « Excusez-moi » et « Je m'excuse », où tu t'excuses toi-même, en faisant semblant de présenter des excuses aux autres.

— Hi ! hi ! Excuse-moi pour les Nains, Dikélédi. On dort, maintenant ?

Nul ne s'opposa à ce repos bien mérité. Gaïg sentait la faim qui commençait à lui tirailler l'estomac et se demanda combien de temps elle tiendrait encore sans se plaindre. Elle savait que personne n'avait de provisions, les événements s'étant succédé trop rapidement pour permettre une quelconque organisation de ce voyage sous terre. Elle s'endormit. Les autres en firent autant.

41

Les paroles de Keyah eurent pour effet de faire revenir WaNguira à la réalité. Ses yeux furent de nouveau habités par la vie, son visage s'anima et il bougea lentement, sans lâcher la paroi de la main. L'eau continuait à couler, se déversant dans la galerie en formant un torrent glacial.

— Il nous faut sortir avant que la glace ne ferme le passage pour nous aussi, déclara WaNguira. Allons-y.

— Mais comment as-tu fait ? demanda Jaro, frigorifié.

WaNguira sourit faiblement : il semblait épuisé.

— Ce n'est pas *moi*, qui ai fait, répondit-il néanmoins. Je ne suis qu'un homme comme vous, un Nain. Keyah a raison : c'est la Gemme de Maza. Remercions Mama Mandombé une fois de plus.

Il inclina gravement la tête afin de se recueillir, aussitôt imité par ses compagnons.

L'eau fluait toujours avec force des murs de la caverne, formant des cascades de plus en plus rapprochées au fur et à mesure que s'épaississait la couche de glace du dessous.

— On y va ! ordonna WaNguira après quelques instants. Attention aux chutes !

La descente se révéla immédiatement aussi difficile que la montée, mais pour des raisons différentes : non à cause de l'essoufflement engendré par la course, mais à cause du risque de glissade. Le sol lisse et gelé n'offrait aucune prise et les orteils exercés des Nains ne trouvaient rien à quoi s'agripper. L'eau glacée continuait à couler, leur arrivant aux chevilles, et engourdissait leurs extrémités. Heureusement, les parois étaient recouvertes de cascades gelées formant des colonnes et des stalactites grâce auxquelles ils pouvaient se retenir, avançant davantage à la force du poignet qu'avec leurs pieds, qu'ils maintenaient écartés, collés à la paroi, afin de profiter de la moindre aspérité latérale.

Les Nains, durs à l'ouvrage, durs à la vie, n'étaient pas de petites natures, fragiles et délicates. Au cours de leurs siècles d'existence souterraine, ils avaient appris à serrer les dents et à dépasser leurs limites en matière de résistance physique. Mais à cause du volcanisme et du travail de la forge, ils avaient davantage l'habitude du chaud que du froid et ils grelottaient.

La croûte épaisse de leurs pieds formait une semelle en soi, et très rares étaient les Nains qui acceptaient de porter des chaussures. Dans le passé, la mode des chaussures avait sévi un moment, à cause d'un troc malencontreux avec un homme de la surface, cordonnier de son état. Anthelme, l'homme en question, avait voulu des instruments de travail fabriqués par les Nains pour réaliser ses articles. Trop pauvre pour payer avec de l'argent, il avait proposé de payer ses outils avec des souliers de sa fabrication, ayant convaincu Zembélé, un des Nains, de l'intérêt de ceux-là.

Anthelme avait dû fabriquer une multitude de paires de chaussures pour payer le total exorbitant atteint par les premiers outils. Mais comme il s'enrichissait au fur et à mesure grâce à l'excellence desdits outils, qui se révélaient d'une efficacité remarquable, il réussit à amortir sa dette assez rapidement.

Dès les premières paires fournies par Anthelme, les Nains avaient déchanté : si on ne pouvait contester le rôle protecteur des chaussures, on ne pouvait non plus nier leur pouvoir isolant. Or les Nains, fils de la Terre, avaient besoin de se sentir en relation avec elle, de palper le sol sous leurs pieds, de percevoir ses vibrations ou sa température, ce que ne permettaient pas les chaussures.

La majorité avait très vite abandonné le port de ces choses gênantes et, en dehors de Zembélé et de sa famille, rares étaient ceux qui les avaient adoptées au point de les porter tout le temps. Néanmoins, Anthelme, reconnaissant, continuait à offrir des paires de chaussures à Zembélé, qui les accumulait discrètement mais obstinément, ne voulant pas reconnaître qu'il avait fait un mauvais marché. Il était devenu un sujet de plaisanterie pour les autres Nains, d'autant plus que, depuis plusieurs années, il était passé maître dans l'art d'offrir le cadeau sans surprise, puisque toujours le même. Et chaque membre de la tribu possédait sur une de ses étagères taillées dans le roc au moins une paire de chaussures offerte par Zembélé.

— Pour une fois que les « présents » de Zembélé seraient utiles... soupira Keyah, en frissonnant. Je ne sens plus mes pieds... Il me faudrait des bottes imperméables et fourrées qui montent au-dessus du genou, pour me réchauffer.

— Nous lui transmettrons le message, ne t'inquiète pas, assura Témidayo, sur un ton qu'il aurait voulu plus léger. Il se fera un plaisir de t'en offrir une paire.

Keyah et Afo ne purent s'empêcher de sourire, malgré la gravité de la situation : elles avaient déjà reçu de nombreux « cadeaux » de Zembélé.

— Une fois dans la galerie de Wokabi, ça ira mieux, assura WaNguira. Nous y sommes presque. Ensuite, il y aura de moins en moins de glace, au fur et à mesure que nous approcherons de la sortie.

Les Nains continuèrent à descendre, tout en frissonnant. Vivant sous terre, les saisons avaient peu d'importance pour eux, tant qu'ils ne quittaient pas leurs villages. Tout au plus surveillaient-ils le niveau des eaux souterraines au moment de la fonte des neiges. Ils s'étaient accoutumés à la température toujours égale de leur grotte, généralement assez élevée à cause du volcanisme et du travail de la forge. Cette carapace intérieure de glace les prenait de court et même s'ils reconnaissaient son utilité salvatrice, tous, WaNguira excepté, claquaient des dents.

— Maintenant que je ne sens plus ni mes pieds ni mes mains, ça va presque mieux, constata Keyah, transie.

— C'est quand le sang va recommencer à circuler que tu auras mal, avertit WaNguira. C'est pourquoi il faudra continuer à marcher, cela t'aidera à penser à autre chose.

— Espérons que ceux de Jomo ont eu le temps de se sauver, ajouta Afo, souhaitant distraire sa sœur et l'empêcher de penser à ses extrémités engourdies. Je me demande où ils sont. Ils ont peut-être rejoint ceux de Ngondé par l'extérieur...

— En tout cas, c'est ce que nous, nous ferons, expliqua WaNguira. Il nous faut absolument retrouver les autres.

— Mais si le volcanisme atteint les monts d'Oko, où irons-nous, WaNguira ? demanda Afo.

Le grand prêtre ne répondit pas : ils avaient atteint la jonction avec la galerie de Wokabi.

— Regardez ! dit-il simplement. Et ça ira en empirant...

L'eau continuait à couler : suivant la pente naturelle du sol, elle s'engouffrait vers l'intérieur de la galerie, dont les parois étaient couvertes de glace. L'ouverture se trouvait déjà rétrécie sur une longueur de plusieurs coudées. Le passage restant diminuait à vue d'œil, obstrué çà et là par des colonnes ou des stalactites de glace, et la galerie ne serait bientôt plus praticable.

— Nous sommes sauvés, déclara Afo, soulagée. Même moi, j'aurais du mal à passer par ce trou.

— Ce n'est pas une raison pour s'attarder, lança Témidayo. Écoutez...

Tous perçurent des halètements et des grognements dans le lointain, ce qui provoqua leur départ immédiat. WaNguira fermait la marche.

— Je ne pense pas qu'il pourra traverser ce boyau de glace, même en se faisant tout petit, dit-il. Mais il vaut mieux s'éloigner. Avec la chaleur qui règne plus bas, la glace finira par fondre.

La marche reprit, d'un pas régulier, rapide et monotone, chacun plongé dans ses pensées, réfléchissant à ce qui venait de se passer. Ce n'était plus la peine de courir, puisque Mama Mandombé, par le pouvoir de la Gemme de Maza, les avait soustraits à la voracité d'Ihou. Mais tous les problèmes ne se trouvaient pas résolus pour autant. Le volcanisme se développant, s'étalant aux monts d'Oko après les avoir fait quitter Sangoulé, constituait un signe qui ne trompait pas. Il faudrait partir. Une fois de plus.

La présence d'Ihou levait les derniers doutes, s'il était possible d'en garder : comment était-il arrivé aux monts d'Oko ? Il les avait déjà chassés de Sangoulé, pourquoi s'acharnait-il sur eux ? Les pierres dont il se nourrissait ne lui suffisaient donc plus ? Sans doute avait-il trouvé une faille, créée par les séismes, pour se déplacer ainsi. À moins qu'il ne soit passé par l'ancienne galerie de Sémah. Mais il y régnait une telle chaleur, à cause de la proximité de la roche liquide, que plus personne ne s'y aventurait. Sauf Ihou. Peut-être qu'il était plus résistant qu'eux et capable de supporter des températures plus élevées. Beaucoup plus élevées. Comme celle de la roche en fusion, par exemple.

Et inévitablement, la même question revenait dans tous les esprits : s'il fallait quitter les monts d'Oko, où iraient-ils ? Ils avaient tous remarqué que WaNguira n'avait pas répondu à la question d'Afo et avait utilisé la galerie bouchée par la glace pour faire diversion. Peut-être qu'il n'avait pas la réponse. Ou que le temps n'était pas encore venu de leur faire part de ses projets...

Ils avançaient dans un état second, posant mécaniquement un pied devant l'autre, désireux de se rapprocher le plus possible de la surface. Le temps s'écoulait, immuable, au rythme de leurs pas, et ils marchaient comme des somnambules. Ils recueillaient les rares pierres lumineuses qu'ils trouvaient, afin de les assembler en un tas destiné à éloigner Ihou, étonnés qu'il y en eût si peu.

— Nous arrivons à la caverne de Kanyangokoté, annonça enfin Afo d'une voix morne et fatiguée. C'est la dernière avant la sortie.

Elle sembla subitement se réveiller et fit un bond en avant :

— Il y a de la lumière ! Ils sont là !

Cette nouvelle tira ses compagnons de leur torpeur et leur insuffla un regain d'énergie. Ils pressèrent le pas, malgré la faiblesse due au manque de nourriture et aux émotions vécues récemment. Le couloir était de plus en plus clair et ils comprirent que les habitants de Jomo avaient récupéré toutes les pierres lumineuses afin de dresser un barrage entre eux et l'intérieur de la terre.

Oubliant leur fatigue, ils se mirent à courir, d'autant plus vite que la galerie était mieux éclairée, et ne ralentirent qu'à l'entrée de la grotte, étonnés de n'avoir rencontré personne faisant le guet.

Celle-ci était plongée dans une pénombre silencieuse, contrastant avec la lueur du tunnel. Il leur fallut peu de temps pour parcourir les lieux du regard et trouver ce qu'ils cherchaient : les habitants du village, assis en cercle près du tunnel de sortie, les considérant attentivement, un air à la fois grave et absent sur le visage.

Mukutu fut le premier à prendre la parole :

— M'est avis qu'on a d'la visite, lança-t-il d'une voix sourde. Faut p't-être leur souhaiter la bienv'nue, à nos amis, ajouta-t-il en reconnaissant WaNguira et les siens.

Ce fut cette dernière phrase qui déclencha la joie des retrouvailles.

42

Winifrid se réveilla bien avant ses compagnons. La dureté de la pierre sur laquelle elle s'était allongée eut tôt fait de la tirer du sommeil, ainsi que sa chaleur. La température s'avérait pénible à supporter, pour une Dryade habituée à vivre en plein air et à dormir à la belle étoile, dans la fraîcheur nocturne. Elle n'était pas du genre à se plaindre et comprenait que seul un malencontreux enchaînement des événements l'avait conduite là où elle se trouvait actuellement, dans une galerie souterraine située à une profondeur qu'elle ignorait.

Elle se concentra sur Walig, sachant que sa pensée établirait un lien avec lui, qui les maintiendrait en vie tous les deux. Elle se sentait intimement liée à son chêne et avait une telle foi en lui qu'elle pouvait l'imaginer venant à son secours, écartant la terre de ses puissantes racines (elle les reconnaîtrait entre mille!) et créant une voie d'accès vers l'extérieur.

Peut-être même que si elle avait été seule, elle aurait simplement attendu près de l'éboulement. Il se déplaçait très lentement, certes, mais en ce qui la concernait, rien ne pressait: vivant de peu, elle avait beaucoup moins de besoins physiologiques qu'un être humain et était capable de rester assez longtemps sans boire et sans manger.

Winifrid se rendit compte cependant qu'elle rêvait tout éveillée: Walig ne se mouvait pas assez vite pour lui porter secours sur une telle distance, et elle n'avait pas les moyens de subsister trop longtemps sans nourriture.

En réalité, ce qu'elle craignait et qui la poussait à échafauder de fausses solutions, c'était l'oubli, qui leur serait fatal à tous deux. Et ce serait elle la responsable.

En effet, les Dryades possédaient l'étrange faculté d'oublier le passé. C'était d'ailleurs ce qui leur conférait cette fraîcheur de jeune fille en fleur. Elles pouvaient garder en mémoire des événements datant d'une dizaine d'années, mais guère plus. La récognition n'était pas leur fort, sans constituer une faiblesse pour autant : n'ayant pas de bons souvenirs à regretter ou de mauvais à ressasser, elles vivaient au jour le jour, gardant une jeunesse d'esprit qui éloignait d'elles l'aigreur, l'amertume, la rancœur, la colère, tous ces sentiments négatifs qui empoisonnaient la vie des Humains.

Leur chêne leur tenait lieu de cerveau en ce qui concernait la fonction mnémonique : elles pouvaient lire leur histoire dans l'entrelacement de leurs racines, les nœuds de leur tronc, la forme de leurs branches, la couleur de leur feuillage. Ou simplement lui poser une question : l'arbre, généralement plus que centenaire, possédait une mémoire phénoménale, emmagasinant les moindres détails dans ses cellules végétales. Cette fabuleuse tâche ne le gênait pas, dans la mesure où il ne portait pas de jugement moral sur ce qui se passait et n'éprouvait pas d'émotion. D'où le lien très fort qui unissait une Dryade à son chêne, rendant leurs existences solidaires.

Winifrid en était à se demander ce qu'il adviendrait du couple qu'elle formait avec Walig et, tout en sachant que ce serait une solution qui garantirait la survie de ce dernier, elle frémissait d'indignation à l'idée d'une autre Dryade s'occupant de lui. Walig, son Walig… Elle serra les poings sur la seule chose de lui qu'elle possédait en ce moment : un gland qu'elle avait pris soin de ramasser avant de partir.

— Ne t'inquiète pas, je te rappellerai de penser à lui, chuchota Loki, en lui prenant la main.

— Tu ne dors pas ?

— Si, bien sûr ! Tu ne vois pas ?

— Pour ce qui est de voir, non, je ne vois pas grand-chose. Mais je t'entends.

— Alors, je répète ce que j'ai dit : ne t'inquiète pas, je te rappellerai de penser à lui.

— Merci, Loki. C'est ça qui me fait le plus peur, actuellement : l'oubli.

— Wakan Tanka t'a fait une promesse : tant que Walig sera sous sa protection, il ne pourra rien lui arriver. Et tu n'auras pas le temps de l'oublier, de toute façon : cette situation ne va pas durer. Nous sortirons à l'autre bout de la galerie.

— Oui, mais dans combien de temps ? Et c'est si tout se passe bien. S'il n'y a pas d'éboulement… Et après, il faudra retourner…

Loki se tut, ne sachant quoi répondre, d'autant plus qu'il n'en menait pas large lui non plus. Il n'avait pas l'habitude de discuter de sujets aussi sérieux. Sa vie dénuée de tout souci dans la forêt de Nsaï se réduisait aux farces qu'il pouvait faire avec ses compagnons et aux rires interminables qui en résultaient. Il comprenait cependant les inquiétudes de Winifrid et se rapprocha d'elle, afin qu'elle sente mieux sa présence.

— Et que mangerons-nous ? ajouta Winifrid.

— Des fruits, hi ! hi ! dit Txabi, faisant subitement irruption. Des fruits séchés, hé ! hé !

Il tendait une minuscule poignée de fruits à la compagnie.

Gaïg et Dikélédi, réveillées brusquement, se demandaient si elles ne rêvaient pas.

— Des fruits, répéta Txabi en articulant lentement. Des fruits séchés, hé ! hé ! hé !

— Mais où as-tu trouvé ces fruits ? demanda Gaïg, méfiante depuis son aventure avec Loki. Il n'y a pas de fruits sous terre…

— Ce sont des baies séchées, Gaïg, observa Dikélédi. Elles doivent être là depuis longtemps, à mon avis. Peut-être laissées par des Nains lors d'un précédent passage… Elles sont devenues sèches à cause de la chaleur. C'est un moyen de conservation comme un autre… Les Nains laissent parfois de petites réserves de nourriture dans les galeries.

— Il n'y en a pas beaucoup, Txabi, fit remarquer Loki. Amène-nous à l'arbre !

— Pas d'arbre sous terre mais des fruits, oui. Venez ! ordonna Txabi.

— Laisse-nous au moins le temps de grignoter ceux-ci, rétorqua Dikélédi. Si nous buvons ensuite, ils vont gonfler dans l'estomac et ça calmera notre faim un moment.

Ils partagèrent le maigre mais précieux butin rapporté par Txabi dans ses petites pattes, se désaltérant avec l'eau tiède de la rivière. Loki ne fit aucune réflexion cette fois-ci, mais ses grimaces et ses raclements de gorge furent on ne peut plus éloquents.

— Dommage que tu n'en aies pas rapporté davantage, Txabi, regretta Gaïg. Je pourrais en manger deux fois plus… Pourtant, ce n'est pas très bon.

— Venez, maintenant, insista Txabi, la queue frétillant d'impatience. Allez, venez !

— Mais pourquoi es-tu si pressé ?

— Il y a d'autres fruits. Et je les ai trouvés. Ceux que vous cherchiez, hé ! hé ! Ils sont là. Ha ! ha ! ha !

— Mais nous ne cherchions pas de fruits, Txabi. Nous ne savions même pas qu'il y en avait, précisa Gaïg. Et puis arrête de parler comme Loki…

— Pas les fruits. Les autres. Suivez-moi. C'est tout droit, ha ! ha !

— Mais de quoi parles-tu, à la fin ? Et puis évidemment que c'est tout droit, s'impatienta Gaïg. On n'a guère le choix, que je sache…

Txabi considéra Gaïg un moment, l'air songeur. Puis il ajouta simplement :

— Les Salamandars. Je les ai vus.

Ils se levèrent tous d'un même mouvement, saisis d'étonnement. Se pouvait-il que la chance leur sourît enfin ? L'espoir jaillit en eux à cette nouvelle.

— Tu les as vus ? demanda Gaïg, se contentant de répéter les mots de Txabi.

Ce dernier la considéra de nouveau, pensif. On aurait dit qu'il cherchait ses mots.

— Vous venez ? fit-il, se mettant en marche.

— Je crois que nous devrions y aller, abrégea Winifrid. Ce sont eux que nous cherchions, après tout.

— De toute façon, nous ne resterons pas ici éternellement, conclut Dikélédi.

Elle saisit fermement la main de Winifrid et emboîta le pas à Txabi, qui était déjà parti en avant. Gaïg, la paume de Loki dans la sienne, les suivit, un peu décontenancée par l'attitude de Txabi. Elle se demandait si elle avait l'esprit particulièrement lent, ne sachant que répéter après les autres, ou si Txabi avait changé. Ce fut Winifrid qui la tira de ses pensées :

— On t'avait avertie, Gaïg : les Salamandars sont très intelligents.

Leur croissance intellectuelle est très, très rapide. Mais tu restes sa mère, quand même. Tu es toujours responsable de lui.

— Et ça, même s'il a retrouvé les siens, hein ! ajouta Loki en lui serrant doucement la main.

— Je sais, répliqua Gaïg. Mais je vois mal ce que je pourrais lui apporter. Il semble tellement indépendant et débrouillard...

— Il semble, seulement, Gaïg, précisa Winifrid. Mais il reviendra toujours vers toi, pendant quelque temps encore.

Gaïg ne répondit rien. En acceptant l'œuf des mains de Maïalen, elle avait implicitement pris la responsabilité d'amener son petit à l'âge adulte.

Elle continua d'avancer, songeuse, dans une chaleur croissante. Certes, il lui fallait retrouver les Salamandars pour la cautérisation de sa plaie. Mais ensuite ? Que ferait-elle ? Où irait-elle ? Pourrait-elle s'installer parmi les Nains et partager leur vie ? L'accepteraient-ils ? Avec un bébé salamandar, de surcroît ? À moins de retrouver Maïalen, vivante, et de lui rendre son petit... Mais si elle refusait ?

Gaïg avait le cerveau en ébullition, elle étouffait, et nul doute que l'effort qu'elle fournissait ne contribuait pas à alléger la chaleur environnante. Elle transpirait à grosses gouttes et sentait la sueur dégouliner le long de son front, de son dos, de ses jambes. Le sol même lui semblait chaud et lui brûlait la plante des pieds. Son malaise augmentant, elle s'apprêtait à réclamer un arrêt, quand elle se rendit compte que ses compagnons n'avaient pas l'air en meilleur état.

Winifrid et Dikélédi paraissaient danser légèrement, vu la rapidité avec laquelle elles appuyaient un pied, puis l'autre sur le sol.

— Nous approchons de la roche liquide, lança Dikélédi. Mais je ne sais pas pendant combien de temps nous pourrons continuer ainsi, sans chaussures...

— Oui, ça brûle, c'est horrible, je n'en peux plus, répondit Gaïg. Quelle chaleur ! Nous allons cuire. Et j'ai une de ces soifs...Mais revenir sur nos pas ne nous mènera nulle part non plus...

— Et si on courait ? suggéra Winifrid dans un souffle.

Ce fut cet instant que choisit Txabi pour réapparaître. Il n'était, de toute évidence, nullement incommodé par la chaleur et transportait allègrement une petite poignée de fruits.

— Oh, Txabi, je ne crois pas que je pourrais avaler la moindre parcelle de nourriture, l'avertit Gaïg, au bord de la nausée. Il fait trop chaud, j'ai trop soif, et je me sens de plus en plus mal.

— Ils sont là. Vous êtes arrivés.

Gaïg, méfiante, lui demanda aussitôt de préciser.

— Qui ça, « ils » ? Les fruits séchés, ou les Salamandars ?

— Les deux, répondit une voix inconnue, aux accents rauques.

Gaïg fut saisie par un étourdissement et s'affala comme une poupée de chiffon sur le sol brûlant, non sans entendre, dans un dernier sursaut de conscience, la même voix qui disait :

— C'est peut-être mieux ainsi…

43

Les embrassades terminées, les yeux vifs de WaNguira balayèrent l'assemblée, en quête de Nihassah, qu'il n'avait pas encore vue. Il mit un moment à la découvrir, allongée sur une civière à même le sol, la jambe emmaillotée solidement fixée à une attelle. Son regard s'accrocha avec intensité à celui, plein d'interrogation impatiente, de Nihassah. Il se dirigea tout de suite vers elle et s'assit à ses côtés.

Le silence régna un instant entre eux. Il n'aurait pas été de bon ton que Nihassah interrogeât WaNguira la première, et même si elle mourait d'impatience, elle se retint.

WaNguira, ne sachant par où commencer, opta pour la banalité.

— Ça ne doit pas être très confortable, là-dessus…

— Rien ne peut être vraiment confortable, avec une jambe cassée… Je peux déjà m'estimer heureuse, de me trouver ici… Les Hommes creux sont venus, quand j'étais immobilisée dans la caverne derrière chez moi. J'ai bien failli y rester… confia Nihassah avec un petit sourire crispé. Heureusement que Gaïg a pu vous avertir…

WaNguira comprit l'allusion à Gaïg et le désir de Nihassah d'avoir des nouvelles fraîches, qu'il ne pouvait malheureusement pas lui apporter : il ignorait ce qui s'était passé depuis le moment où il avait laissé Gaïg aux bons soins des Licornes…

— C'est une bonne petite. Elle s'est montrée très courageuse.

Nihassah était suspendue aux lèvres de WaNguira, attendant la suite.

— On a dû t'apprendre qu'elle avait été mordue. Nous l'avons accompagnée chez les Licornes, et elle est dans la forêt de Nsaï actuellement. Les Licornes prennent soin d'elle.

Nihassah espérait visiblement un complément d'information qui ne venait pas.

— Je n'en sais pas plus, Nihassah. Moi aussi, je suis comme toi: j'ai la tête pleine de questions.

Nihassah le regarda intensément, mais garda le silence. Elle avait reçu, il y avait bien longtemps de cela, une mission de Yémanjah, dont la teneur était claire: protéger Gaïg, et ce, dans le plus grand secret.

Tout avait commencé sur les rochers émergés du lac de Fikayo, peu après le Premier Exode et l'installation à Jomo. Nihassah, comme ses semblables, explorait ce nouveau territoire aux multiples galeries. Mais alors que les Nains cherchaient un lieu où mettre leur trésor en sûreté et se concentraient sur les possibilités offertes par la caverne de Ntangu, Nihassah se risquait dans toutes les anfractuosités, toutes les crevasses qu'elle découvrait et pénétrait dans toutes les galeries qui se trouvaient sur son passage. Les monts d'Oko lui avaient semblé creux, pareils à une pierre ponce géante, tellement ils étaient troués de boyaux et de cavités.

Très vite, elle avait trouvé un tunnel qui débouchait sur un lac, lequel se présentait parsemé de rochers affleurant à la surface. Il n'avait pas fallu longtemps pour qu'elle se risque à sauter de rocher en rocher, parcourant ainsi la surface du lac ou demeurant de longs moments assise sur un rocher qu'elle avait découvert, différent des autres: il ne tombait pas à pic dans l'eau. Situé un peu à l'écart, large et plat, il s'enfonçait doucement dans les profondeurs. Nihassah s'y sentait en sécurité et y passait de longs moments, pensive et rêveuse face à ce nouveau domaine aquatique qui l'attirait tout en l'effrayant.

Elle aimait à penser que le lac était vivant, comme elle, et participait à la vie sur terre: il était alimenté par des eaux de surface, qui venaient du ciel, très loin, là-haut dans les montagnes et qu'il rendait à la mer après un long trajet terrestre. Le rocher plat lui était devenu familier et servait d'intermédiaire entre elle et l'eau: elle percevait leur présence en elle et avait parfois l'impression d'être envahie par eux, comme si leurs trois esprits se mélangeaient. Mais si elle se sentait profondément en harmonie avec le roc, prête à se fondre en lui jusqu'à devenir minérale elle-même, elle éprouvait toujours une réticence quand elle percevait la présence de l'eau qui s'infiltrait insidieusement dans sa pensée.

Un jour, chose totalement inattendue pour une Naine, elle avait éprouvé le besoin de se baigner. Elle avait avancé sur son rocher, étonnée par la douceur de sa pente, qui lui laissait le temps d'apprivoiser la sensation toute nouvelle pour elle de l'encerclement liquide. Elle était restée dans l'eau un grand moment, immergée jusqu'à la taille, avant d'oser aller plus avant, puis de plonger courageusement la tête sous l'eau.

Après un moment, dans un état second, elle était retournée s'asseoir sur le rocher tout en baignant dans l'eau, étonnée d'avoir ainsi dépassé l'aversion millénaire de ses ancêtres pour l'élément liquide.

C'est alors qu'Olokun, l'Esprit de l'Eau, s'était exprimé. Il lui avait montré, sous la montagne, une rivière qui menait à une cascade. Une étroite galerie suivait et arrivait à deux cavernes qui aboutissaient à l'extérieur, dans un village près de la mer. Sur la plage, un bébé. Une fille. À côté, une Sirène. Pâle et immobile.

Olokun ne parlait pas. Il s'insinuait dans l'esprit de la Naine et lui dévoilait des images. Une succession de tableaux fluides, liquides, qu'elle avait du mal à saisir. Mais le message était clair et s'imposait à Nihassah à travers une volonté froide et insaisissable contre laquelle elle ne pouvait lutter. La vision d'un univers sous-marin, qui lui était totalement étranger. Des Sirènes. Un monde principalement féminin. Par instants, le visage barbu, au regard dur et plein de colère, d'une Sirène mâle aux longs cheveux blonds ondulant dans l'onde. Toujours le même. Un guerrier. Quelquefois, un homme au visage rêveur et triste apparaissait, flou et lointain. Puis de nouveau ce bébé sur une plage. Cette petite fille dont elle devrait s'occuper, elle le savait maintenant. Et qu'elle devrait protéger. Tout cela dans le plus grand secret.

Nihassah soupira. Les souvenirs déferlaient en elle, aussi limpides qu'au premier jour.

Par la suite, elle avait effectivement traversé le lac et découvert une nouvelle galerie, qu'elle avait explorée bien avant les autres Nains. Puis une rivière. Elle l'avait alors suivie, en quête d'une cascade, puis d'un autre passage. Jusqu'au jour où elle avait atteint les cavernes et le village près de la mer. Elle s'y était installée, en laissant croire aux habitants qu'elle était arrivée une nuit, par la surface. Elle avait alors attendu de longues années, se demandant parfois si elle avait rêvé cet épisode sur le rocher plat du lac de Fikayo.

Elle s'était totalement intégrée au village, dont elle était devenue à la fois la guérisseuse et l'accoucheuse. Plus personne ne s'étonnait de sa présence, et même si la bêtise des villageois les rendait quelquefois méfiants, ils ne pouvaient guère refuser ses services quand ils étaient en proie à la souffrance.

Le temps avait passé, jusqu'à ce jour où une tempête d'une violence inaccoutumée avait soufflé sur le village, gardant les habitants enfermés dans leurs demeures pendant plusieurs jours.

Quand le vent s'était calmé, Nihassah avait été la première à se rendre sur la grève. Sur une plage de commencement du monde, à la lame battante, au milieu de déchets innombrables d'algues, de troncs, de bois et de coquillages, elle avait trouvé une Sirène. Morte. Avec un bébé bleu de froid blotti contre elle, comme si elle avait voulu le réchauffer jusqu'au bout.

Nihassah avait ramassé l'enfant immédiatement, sûre qu'il vivait encore et l'avait pressé sur son sein afin de le réchauffer. Se sentant observée, elle avait regardé autour d'elle. Du côté de la terre, il n'y avait âme qui vive. Se tournant alors vers l'océan, elle avait vu une Sirène d'âge vénérable, qui la regardait avec un sourire triste. La pensée qu'elle avait affaire à Yémanjah s'était imposée à elle. Puis elle avait entendu ses paroles dans sa tête :

— Tu l'appelleras Gaïg. C'est la descendante de Yémanjah que vous attendiez tous. Personne ne doit connaître son identité, jusqu'à ce que le grand prêtre te pose la question. Alors la prophétie de Sha Bin pourra s'accomplir, à condition que Gaïg elle-même ignore jusqu'au bout qui elle est. Sa mère n'est plus et tu es responsable d'elle. Ne la protège pas trop : elle doit apprendre à se défendre elle-même. Pour cela, tu la confieras à des Humains, mais sans la perdre de vue. Tiens.

Yémanjah avait alors tendu à la Naine trois perles du plus bel orient.

Nihassah se rappelait le « Tu es responsable d'elle » quand elle avait confié le bébé à Garin et Jéhanne, alors sans enfants, pour l'élever. C'était le meilleur moyen pour ne pas surprotéger celle qui, lui semblait-il, devait recevoir une éducation de guerrière. Elle lui était déjà tellement attachée qu'en la recueillant, elle n'aurait pu lui donner qu'une éducation de princesse gâtée.

Elle n'avait pu s'empêcher de «payer» le couple adoptif en lui offrant deux des perles données par Yémanjah. Passé les trois premières années, elle s'était quelquefois demandé, en voyant la façon dont ils traitaient Gaïg, si ce cadeau avait servi à quelque chose. Mais comme l'enfant poussait bien, elle s'était rassurée en se disant que c'était un excellent moyen de la préparer aux difficultés de la vie. Et de toute façon, elle était là, veillant discrètement mais attentivement sur Gaïg, l'entourant de son affection et l'encourageant de son mieux.

Or voilà que maintenant, à cause de ce stupide accident, elle avait failli à sa tâche, puisqu'elle avait dû la laisser partir seule. Et Gaïg avait été mordue par une Vodianoï… Peut-être même qu'elle était… Non!

WaNguira avait respecté le silence de Nihassah, tout en l'observant. Il était de plus en plus convaincu qu'elle détenait des informations importantes et il attendait qu'elle parle.

— Rien n'arrive par hasard, Nihassah, murmura-t-il doucement. J'ai confiance dans les soins des Licornes. Gaïg sera immunisée contre les poisons, dorénavant. Qui sait, peut-être que ça lui servira… On ignore quel destin l'attend.

Il jeta un regard pénétrant à Nihassah, qui le fixa à son tour, espérant qu'il poserait la question qui la délivrerait de son secret. Une seule petite question, qui lui permettrait de dévoiler le mystère entourant l'identité de Gaïg.

Une ombre passa sur le visage de WaNguira, qui ajouta:

— Du moins, moi, je l'ignore. Peut-être que tu es instruite de choses dont je ne suis pas informé…

Il n'y avait pas de question dans ce que disait le grand prêtre. À moins de considérer une supposition comme une interrogation cachée, se dit la Naine…

— Que sais-tu exactement sur Gaïg? demanda abruptement WaNguira.

Des larmes de soulagement perlèrent aux yeux de Nihassah et coulèrent tant que dura son récit. Quand elle se tut, WaNguira dit simplement:

— Tu as bien agi, Nihassah. Tu as fait tout ce qu'il fallait. Ce n'est pas de ta faute si elle a été mordue: d'ailleurs, cette morsure n'est pas le fruit du hasard.

— Mais il nous faut la retrouver, maintenant, tu comprends? répondit Nihassah.

— Sans doute. Mais elle est plus en sécurité chez les Licornes que partout ailleurs, ne l'oublie pas. Et la réalisation de la prophétie ne dépend pas de nous : nous ne contrôlons pas tout.

Mukutu, qui s'était approché, entendit la fin de la phrase.

— M'est avis qu'il est temps d'nous mettr'au courant, non ? Où va-t-on ? Quand part-on ?

44

Quand Gaïg reprit conscience, la première sensation qu'elle éprouva fut celle d'une brûlure intense à la jambe, qui la poussa à hurler de douleur, tout en se débattant. Elle se rendit immédiatement compte que non seulement elle n'émettait aucun son, mais qu'en plus elle ne pouvait pas bouger. Elle n'arrivait plus à respirer, étouffant sous le poids qui lui écrasait la cage thoracique. Le mal l'envahissait, fulgurant et insupportable, omniprésent, au point de l'empêcher de penser à autre chose. Elle aurait voulu s'évanouir, mourir même, mais elle n'y parvenait pas : il n'y avait aucune fuite possible, aucun pays ami où se réfugier pour échapper à la souffrance, et c'est dans un état de semi-conscience qu'elle entendit une voix rauque et saccadée s'adresser à elle.

— C'est fini, maintenant, c'est fini, je t'assure.

Le poids disparut sur sa poitrine et elle sentit qu'on l'arrosait. L'eau était carrément chaude, bouillante, peut-être, mais c'était de l'eau, et Gaïg se laissa submerger par la douceur qu'elle lui procurait. Elle éprouvait toujours du mal à respirer, et la douleur dans sa jambe se manifestait sous forme d'élancements qui remontaient le long de sa cuisse. Mais même ceux-ci diminuaient, de façon infinitésimale, certes, mais ils s'atténuaient néanmoins.

Gaïg, ouvrant les yeux, aperçut dans la pénombre d'étranges figures triangulaires penchées au-dessus d'elle et, se retenant pour ne pas pousser un hurlement, qui, elle le savait, sortirait cette fois, elle se contenta de refermer les yeux. « Ce sont des Salamandars, pensa-t-elle, des Sa-la-man-dars. De simples Sa-la-man-dars. Je suis chez les Salamandars. Ce sont eux que je suis venue voir. C'est la famille de Txabi. Ses parents, ses cousins et peut-être ses frères, ses sœurs. Et sa mère, qui sait. »

— Txabi ? articula-t-elle faiblement.

Elle se rendit alors compte qu'elle n'avait vu ni Loki ni Dikélédi ni Winifrid et rouvrit les yeux, essayant d'inspecter les alentours. Elle se découvrit une fois de plus entourée de Salamandars. Ils étaient cependant moins nombreux qu'au premier coup d'œil. Txabi lui tenait la main. Elle la serra.

— C'est fini, Gaïg, chuchota-t-il. Patxi dit que c'est fini.

— Il a raison, reprit celui qui s'appelait Patxi. Nous avons cautérisé ta plaie et elle cicatrisera rapidement à partir de maintenant.

— Merci, répondit Gaïg, un peu intimidée. Mais où sont les autres ?

— Ce sont tes amis qui nous ont raconté pourquoi vous étiez ici, expliqua Patxi. Mais ils avaient du mal à supporter la chaleur. Nous les avons emmenés en lieu sûr. Toi, c'est différent. Il fallait que tu restes.

Gaïg se sentit défaillir. Ses amis avaient dû partir et elle se retrouvait seule une fois de plus. Elle prit alors conscience de la température environnante et eut subitement très chaud. S'appuyant sur les coudes et les avant-bras, elle se releva afin de regarder autour d'elle. Le cercle de Salamandars s'élargit aussitôt et Gaïg eut l'impression qu'ils étaient aussi effrayés qu'elle. Ils semblaient de moins en moins nombreux. Mais qu'il faisait chaud ! Elle transpirait et la pierre sur laquelle elle reposait était brûlante. Elle avait du mal à ordonner ses pensées.

— Tiens, bois, offrit Patxi. Il ne faut pas que tu te déshydrates. Nous te raccompagnerons ensuite.

— Maïalen est-elle vivante ou morte ? interrogea Gaïg, s'armant de courage. Elle est là ?

— Elle n'est pas avec nous, répondit Patxi d'un ton neutre.

Puis, doucement, il ajouta :

— Le Pays du feu est très vaste et nous ne sommes pas très nombreux. De ce fait, nous sommes dispersés. Forcément. Maïalen t'a confié Txabi et Txabi est ici, avec toi.

— Mais je voulais le lui rendre, justement, insista Gaïg, s'efforçant de ne pas regarder le bébé salamandar.

— Tu ne peux pas, Gaïg, elle ne s'occuperait pas de lui et il mourrait.

Gaïg sentit son cœur se serrer et jeta un coup d'œil sur Txabi. Visiblement, il n'en menait pas large et l'incompréhension se lisait sur son petit visage. Elle se reprit aussitôt.

— Ce n'est pas que je ne t'aime pas, Txabi, ou que je ne veuille pas de toi. C'est seulement que je pense que tu serais mieux avec les tiens, avec ta vraie mère. Je ne sais même pas ce que je dois t'apprendre.

— Ne t'inquiète pas pour ça, Gaïg, corrigea Patxi. Les bébés salamandars s'éduquent tout seuls. Ils sont poussés par l'instinct. Ils ont seulement besoin d'une relation privilégiée avec quelqu'un. Tu seras surprise par tout ce que Txabi peut faire...

— Oh, je le suis déjà! répliqua impulsivement Gaïg, en tendant le bras, invitant ainsi Txabi à y grimper. Je l'aime beaucoup. Il est très gentil. Mais pas très obéissant...

— Peut-être que tu es trop anxieuse! Tu te sens trop responsable de lui. Ce n'est pas un petit d'homme, tu sais. Laisse-lui toute la liberté qu'il désire: il reviendra toujours vers toi, pendant quelques années encore. Ensuite seulement, tu nous le ramèneras. S'il le souhaite.

Gaïg se tut, s'accordant le plaisir d'un câlin à Txabi. Pendant un moment, elle oublia où elle était, ce qu'elle était venue y faire, occupée à caresser le bébé salamandar d'un doigt léger, depuis le bout du museau jusqu'à la queue. Ce dernier, immobile, fermait les yeux de contentement et seule sa langue bifide, entrant et sortant sans arrêt de sa bouche, témoignait de sa vitalité.

Patxi reprit la parole.

— Pour le moment, il n'a besoin que de cette relation avec toi, Gaïg. Et c'est ce que tu es en train d'établir. Maïalen a bien choisi.

— Je ne l'abandonnerai jamais, promit Gaïg. Il est comme moi, finalement. Ou presque... Lui au moins, il retrouvera sa famille...

Patxi toussota, apparemment gêné, mais n'ajouta rien. Un grondement sourd se faisait entendre, sans discontinuer, de telle sorte qu'on ne le remarquait pas immédiatement. Gaïg s'assit, de nouveau consciente de la chaleur suffocante qui régnait autour d'elle.

— Nous sommes tout près de la roche liquide, n'est-ce pas? demanda-t-elle à Patxi.

— Plus pour longtemps. Dès que tu auras un peu récupéré, nous te ramènerons à l'air libre. Tes amis sont partis depuis un moment déjà. Tiens, bois encore.

— Je suis restée longtemps évanouie ?

— Hum ! Assez longtemps pour faire ce qu'il y avait à faire… Regarde ta jambe.

Gaïg, ramenant son regard sur son membre inférieur, aperçut une plaie toute rose. La chair était à vif, mais il n'y avait aucun suintement sanguinolent. Elle se rappela Asa Gaya fouillant dans sa jambe avec sa corne et frissonna : elle préférait ne pas savoir ce que les Salamandars lui avaient fait et s'ils avaient utilisé une pierre brûlante ou de la lave, avec un quelconque onguent réparateur. Elle présuma qu'une croûte se formerait, qui tomberait avec le temps. Et il ne resterait de cette horrible morsure qu'une petite cicatrice. Et un souvenir. Ou plutôt *des* souvenirs…

Un frémissement parcourut Gaïg, qui se perdit de nouveau dans ses pensées. Patxi, désormais le seul Salamandar adulte présent, ne l'effrayait plus. Txabi s'était endormi tout contre elle.

Que ferait-elle, maintenant que sa jambe était guérie ? Elle retrouverait d'abord ses compagnons, à savoir Dikélédi, Loki et Winifrid. Mais ensuite ? Peut-être que Mfuru et AtaEnsic seraient à l'autre bout de la galerie de Sémah, les attendant… Et après ?

Il lui faudrait retrouver Nihassah. Peut-être qu'elle accepterait que Gaïg demeure avec elle pour toujours. Mais Gaïg s'imaginait mal habitant sous terre jusqu'à la fin de ses jours. Il lui fallait le soleil, sa chaleur, sa lumière, et même la lune, pour percevoir l'écoulement du temps à travers la succession des jours et des nuits. Elle voulait aussi voir les fleurs, distinguer les couleurs, et surtout, plus que tout, retrouver la mer. La présence de cette dernière lui semblait fondamentale. Mais peut-être que Nihassah accepterait de vivre en surface avec elle… À moins qu'elle ne veuille rester avec ses semblables… Auquel cas, Gaïg devrait choisir.

À moins encore qu'elles ne trouvent un endroit qui les satisfasse toutes les deux, une grotte proche de la mer, avec un réseau de couloirs souterrains à l'arrière. En somme, l'ancienne maison de Nihassah, dans le village de Gaïg.

Son cœur palpita à cette idée : non, à aucun prix, elle ne retournerait dans ce village. D'ailleurs, ils avaient mis le feu à la maison de Nihassah. En plus, ce n'était pas *son* village. On l'avait trouvée sur la plage et Garin et Jéhanne l'avaient recueillie. Rien ne prouvait qu'elle fût la fille d'une habitante du village. De toute façon, si ça avait été le cas, il n'y aurait pas eu ce mystère planant sur ses origines. Gaïg était suffisamment avertie des choses de la vie pour savoir qu'une femme enceinte se remarque et qu'un accouchement passe difficilement inaperçu dans une petite communauté.

Son front se plissait à cause de cette concentration sur l'édification de son avenir, qui se construisait à coups d'impossibilités. Il fallut un nouveau grondement issu des profondeurs pour la tirer de sa méditation. Elle jeta un regard interrogateur à Patxi, qui lut dans ses pensées.

— Oui, il serait temps de partir, confirma-t-il. Nous avons dû considérablement nous rapprocher de la roche liquide pour te soigner, mais il ne faut pas s'attarder. Te sens-tu capable de marcher ?

Gaïg se rendit compte qu'elle n'avait pas mal. Était-il possible qu'une plaie guérisse aussi rapidement ? Peut-être son évanouissement avait-il duré plus longtemps qu'elle ne pensait.

— Les Licornes ont fait du bon travail, la rassura Patxi, qui semblait toujours être au courant de ses réflexions. Nous avons eu seulement à cautériser la plaie. Tu as reçu ton initiation par le feu, maintenant. Et tu es immunisée contre les poisons. Si on survit, ça peut avoir du bon, une morsure de Nahia. C'est la Vodianoï que nous appelons ainsi. Ou la TicholtSodi.... On y va ?

— Oui, bien sûr. Je peux marcher, dit-elle en se levant, tout en portant Txabi endormi dans ses bras.

À peine debout, la sueur dégoulina aussitôt le long de ses jambes et Gaïg se sentit mal : quelle chaleur ! Elle respirait à petits coups parce que l'air lui embrasait l'intérieur des narines au passage et elle prit conscience de la pierre brûlante qui lui grillait la plante des pieds, au point qu'elle ne savait où les poser.

Elle allait supplier Patxi de la sortir rapidement de cet enfer, quand un grondement plus important que les autres se fit entendre, réveillant en sursaut le jeune Salamandar, qui sauta sur le sol. Gaïg se demanda un court instant si c'était elle qui vacillait, ou le sol qui bougeait sous ses pieds. Elle vit Patxi abandonner la station verticale, pour une position d'équilibre, les quatre pattes posées sur le sol.

— Vite ! Il faut courir !

Gaïg hésita un court instant, ne comprenant pas ce qui se passait. Quand une vague de chaleur insupportable envahit la caverne, dont le fond s'éclaira d'une lueur diffuse, elle se lança en avant, obéissant sans plus se poser de questions.

— Dépêche-toi, ordonna Patxi. C'est une coulée de lave. Tu n'y résisteras pas.

Le Salamandar accélérait rapidement, suivi de Txabi. Ils sortirent promptement de la grotte et enfilèrent successivement plusieurs couloirs. La chaleur ne diminuait pas et Gaïg ressentait une sensation d'étouffement qui l'empêchait de courir plus vite. Elle n'avait jamais autant transpiré de toute sa vie. Patxi fonçait en silence, sans hésiter, et Gaïg se disait qu'une fois encore, elle était bien obligée de faire confiance à un inconnu, puisque c'était ça ou la mort.

Elle n'avait guère eu le temps de se renseigner sur les Salamandars depuis l'éboulement qui les avait coincés, ses amis et elle, dans la galerie de Sémah. Le peu qu'elle avait appris concernait surtout Txabi, son éducation, mais elle savait finalement très peu de choses sur les mœurs de cet étrange peuple.

Elle était surprise par la vitesse à laquelle Patxi avançait. Elle avait du mal à le suivre. Où l'emmenait-il ? Sans doute à l'autre bout de la galerie de Sémah, à la rencontre des autres, et peut-être de Mfuru et AtaEnsic... Elle se taisait, étonnée par la présence des nombreuses cavernes, et des couloirs transversaux dans lesquels ils ne s'engageaient pas.

Le temps passait, mais Patxi gardait le silence, apparemment préoccupé par la distance qu'il voulait mettre entre la lave et eux. Bien que Gaïg fût en nage, elle se rendait compte que la température de la roche diminuait sous ses pieds. Elle avait envie de poser les questions qui se pressaient dans son cerveau, mais elle n'avait pas assez de souffle pour parler. Heureusement, Patxi ralentit l'allure, puis se mit à marcher. Il s'arrêta enfin à un endroit où la galerie s'élargissait.

— Ça va. Nous sommes à peu près en sécurité ici. Tu peux me poser toutes les questions que tu veux, Gaïg. Je peux les voir qui se bousculent dans ta tête.

Gaïg, embarrassée, ne savait plus que dire et murmura un merci à peine audible. Elle était troublée et ne savait par quoi commencer. Elle s'assit à même le sol, qui ne dégageait presque plus de chaleur, et décida de retrouver son souffle avant de commencer à parler.

Des questions ? Elle en avait tellement ! Et comment le Salamandar pourrait-il lui répondre ? Les interrogations les plus farfelues lui venaient à l'esprit, sans qu'elle en exprimât aucune. Patxi, patient, souriait doucement.

Ce fut Txabi, à son grand soulagement, qui posa la première question, en demandant où se trouvaient les autres.

— Ils sont avec deux des nôtres, Bikendi et Ramuntxo, répondit Patxi. Ils nous attendent dans la caverne de Kabenguélé. Ils ne risquent rien. Même s'il y a un tremblement de terre, Ramuntxo et Bikendi trouveront une issue vers la surface.

— Et nous, où allons-nous ? insista Txabi.

— Au même endroit, si la voie est libre. Vous les retrouverez bientôt.

— C'est encore loin ? Quand est-ce qu'on arrive ?

Patxi sourit de l'impétuosité du jeune Salamandar.

— Ils ont une certaine avance sur nous. Mais nous les rejoindrons.

— Et ensuite ? Tu viendras avec nous ?

— Sangoulé est le territoire du Feu, et les Salamandarak[1] sont les enfants du Feu. Je resterai ici. C'est toi qui nous rejoindras un jour.

— Il n'y a pas de danger, à rester ici ?

— Si, bien sûr. Il y a du danger partout, où qu'on aille. Pourquoi ? Tu as peur ?

— Je n'ai peur de rien.

Patxi ne put s'empêcher d'émettre un gloussement rauque, qui pouvait passer pour un rire.

— La peur protège, tu sais. Ceux qui ont peur vivent plus longtemps que les autres : ils ne prennent pas de risques inutiles. Mais si on ne perd pas de temps en bavardages, on en gagne pour la marche. Si vous n'avez plus de questions, en route !

Gaïg, contente que Txabi fasse les frais de la conversation, en avait profité pour remettre un peu d'ordre dans son esprit, à la lumière de ce que révélait Patxi. Elle se mit debout, rassurée. La Naine, la Dryade et le Pookah se trouvaient en de bonnes mains : ils l'attendaient en lieu sûr. Quant à elle, avec un peu de chance, elle retrouverait Nihassah. Elle tendit le bras vers Txabi.

— On peut y aller, dit-elle simplement. Je suis prête.

1. « Salamandarak » est le pluriel de Salamandar en langage salamandar.

TROISIÈME PARTIE

L’appel de la mer

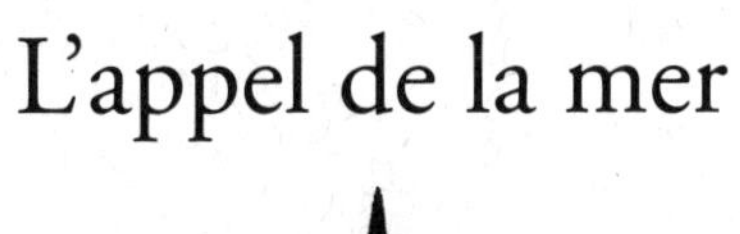

45

La discussion durait depuis un moment déjà. Non parce que les Nains n'étaient pas d'accord et remettaient en question les dires de WaNguira et de Nihassah, mais parce que les décisions à prendre revêtaient une telle importance qu'elles méritaient qu'on leur accorde du temps et de la réflexion. De plus, les Nains n'étaient pas des gens d'un naturel pressé.

Que Gaïg soit la descendante de Yémanjah, celle qui avait pour mission de guider le peuple des Nains vers la terre promise par Mama Mandombé, cela ne faisait aucun doute. Et s'il était resté une dernière incertitude, la bague en Nyanga qu'elle portait au doigt l'aurait levée. Mais que faire avec une envoyée des dieux qui devait ignorer sa propre identité et la mission dont elle avait été investie ? Une certaine perplexité régnait, composée d'interrogations mais aussi d'espérances.

Les Nains éprouvaient soudain une affection respectueuse pour Nihassah, celle des leurs qui l'avait reconnue avant les autres, et qui avait su garder le secret pendant toutes ces années. Mukutu, d'habitude si prompt à émettre une opinion avec ses « M'est avis que… », ne soufflait mot et se contentait de jeter sur Nihassah des regards qu'il s'imaginait discrets.

Dire qu'il avait cru connaître sa fille ! Certes, elle l'avait parfois étonné dans le passé avec sa ténacité proche de l'obstination et de la rébellion. Mais elle avait de qui tenir au fond... Il s'était toujours senti un peu fier de sa persévérance acharnée à défendre ses idées et ses choix. Il fallait un certain courage, après tout, pour faire preuve d'entêtement! Surtout face à lui! Or Nihassah avait prouvé la fermeté de ses décisions quand elle avait résolu de s'installer dans ce village perdu de la côte, toute seule parmi les Créatures, ces Humains à la taille démesurée avec lesquels il arrivait aux Nains de commercer...

Mukutu hochait la tête, perdu dans un songe qui le ramenait des années en arrière auprès de Batuuli, sa compagne, la mère de Nihassah. Il ne s'était jamais vraiment remis de sa disparition prématurée, et si Matilah ne s'était pas trouvée là pour prendre soin de l'enfant les premiers temps, il ignorait ce qu'il serait advenu d'elle.

Par la suite, il avait repris en main l'éducation de Nihassah et avait tenté maladroitement d'en faire une Naine «accomplie», sans trop savoir ce qu'il mettait derrière ces mots. Comme les Nains ne faisaient pas de différence entre les sexes, il lui était difficile de savoir s'il élevait sa fille correctement: il avait parfois douté de son enseignement quand Nihassah faisait preuve de caractère et se montrait tenace, mais il n'était écrit nulle part dans l'esprit de Mukutu que la docilité était une qualité.

Avec une placidité bornée, digne en cela de la détermination de la fillette, il lui avait transmis ce qu'il savait, espérant vainement une soumission dépourvue de questions gênantes. Les petites oppositions des débuts avaient été faciles à gérer, mais au fur et à mesure que sa fille grandissait, il avait dû faire appel à des techniques d'argumentation qui lui donnaient «mal aux cheveux», disait-il.

Depuis un moment, Mukutu, toujours silencieux, ne quittait plus Nihassah du regard: il devenait la risée de ses compagnons, qui se donnaient des coups de coude en gloussant d'aise. Nihassah, devinant les pensées qui agitaient l'esprit de son père, se taisait, un sourire affectueux et amusé sur les lèvres. Ce fut Babah qui ramena le rêveur à la réalité en se moquant ouvertement de lui:

— M'est avis qu'notre ami Mukutu est surpris par c'qu'il a engendré... Visiblement, il n'en revient pas! Pas croyable, hein, le Nain, qu'elle soit ta fille!

Mukutu, pris en flagrant délit, sursauta, grogna, toussa, s'épousseta, se racla la gorge, et, pour finir, fusilla Babah du regard, au milieu de l'hilarité générale. Il tenta de retrouver un peu de dignité en redevenant le chef:

— M'est avis qu'on d'vrait r'joindre ceux d'Ngondé par l'extérieur : se sont p't-être réfugiés …

Les Nains s'esclaffèrent, tandis que WaNguira l'interrompait posément :

— … à Seyni. C'est ce qu'on vient de dire, Mukutu.

Ce dernier ne se démonta pas :

— Alors m'est avis qu'on peut app'ler à un rassembl'ment général d'tous les Nains…

— Quelle excellente idée ! approuva Babah, souriant.

— On peut aussi envoyer des messagers pour convoquer seul'ment les grands prêtres…

— Bravo ! continua Babah, railleur.

— M'est avis qu'il faudrait aussi r'trouver la p'tite…

— Quelle intelligence ! s'extasia Babah, plus goguenard que jamais. Ce n'est pas un hasard, si c'est lui le chef !

Mukutu comprit enfin qu'on se moquait de lui : perdu dans sa rêverie au sujet de Nihassah, il n'avait pas écouté les échanges verbaux de ses compagnons et il ne faisait que répéter ce qui venait d'être dit. Vexé, il haussa les épaules et se tut, au milieu des rires qui continuaient.

Babah lui donna une claque affectueuse sur l'épaule. Mukutu était son plus vieil ami, et la plaisanterie faisait partie intégrante de leur relation amicale, telle une sauvegarde pour ne pas prendre la vie trop au sérieux.

Les conversations avaient repris et les commentaires allaient bon train. Les Nains posaient à tour de rôle les mêmes questions à Nihassah, qui répétait inlassablement son histoire, n'omettant jamais d'ajouter : « Il faudrait la retrouver maintenant ». Son désir de retrouver Gaïg n'était pas seulement dû à la réalisation de la prophétie : elle avait éprouvé dès le premier jour une affection toute maternelle pour ce bébé, cadeau des eaux.

Au fil des ans, elle avait effectué quelques recherches, en posant autour d'elle des questions apparemment innocentes sur les vieilles légendes qui couraient le monde. Les Sirènes en faisaient partie : beaucoup de personnes ne croyaient même pas à leur véritable existence.

La réflexion de Nihassah l'avait menée à la conclusion que la forme humaine de Gaïg, née d'une Sirène, lui venait de l'Homme qui avait dû être son père. Il arrivait en effet que l'union d'une Sirène et d'un Humain porte ses fruits : l'enfant à moitié Humain naissait alors avec des jambes.

Nihassah se souvenait nettement des visions qu'Olokun lui avait envoyées au lac de Fikayo, ces tableaux liquides représentant un monde sous-marin essentiellement féminin où elle avait remarqué la présence d'un Homme au visage rêveur et triste. Elle se rappelait également la présence d'une Sirène mâle au regard dur et fier, rempli de froide colère. Il ne faisait aucun doute pour elle que l'Homme était le père de Gaïg, mais elle n'avait pas résolu le mystère de la Sirène mâle. Peut-être un rival évincé, qui n'avait pas pardonné... S'en était sans doute suivi un de ces drames du cœur, dont Gaïg avait été une des victimes, puisque sa mère était morte...

Gaïg avait également hérité de sa mère, à en juger par la relation étroite qu'elle entretenait avec la mer. Bien que n'ayant jamais appris à nager, elle avait conquis petit à petit ce monde sous-marin totalement étranger à Nihassah, à qui elle racontait des histoires apparemment issues de son imagination. La Naine les savait vraies, même si elle faisait parfois semblant de les mettre en doute afin de préserver Gaïg. Il lui semblait préférable, de façon totalement intuitive, de lui inculquer de solides valeurs terriennes pour la protéger.

Mais Nihassah était consciente qu'au bout d'un moment la mer manquerait à Gaïg et elle s'inquiétait de ce long séjour dans les terres, même chez les Licornes. Encore que... On pouvait supposer que ces dernières, avec la connaissance authentique et plusieurs fois millénaire qu'elles avaient du monde, feraient le nécessaire pour que tout se déroule comme l'annonçait la prophétie.

Nihassah sentit un fourmillement entre ses sourcils et chercha WaNguira du regard. Elle s'était toujours doutée que le grand prêtre avait la possibilité de pénétrer dans l'esprit de ses semblables afin de lire leurs pensées, mais elle n'en avait jamais été certaine, et tout compte fait, elle préférait cette incertitude, qui lui laissait la liberté de cogiter à sa guise. Mais le doute qui planait encore fut levé quand elle entendit WaNguira lui adresser la parole dans sa tête, sans bouger les lèvres : « Ne te fais pas tant de souci, Nihassah. Gaïg est en sécurité chez les Licornes et nous irons l'y chercher. Mais il nous faut d'abord rejoindre les autres à la caverne de Seyni. »

Nihassah, la première surprise passée, s'essaya aussitôt à la transmission de pensée :

« Alors qu'attend-on pour partir ? » lança-t-elle à tout hasard.

« Bravo ! » répondit WaNguira, avec un discret sourire approbateur. « Ce n'est pas très difficile, même si ce n'est pas donné à tout le monde. Tu as réussi ! Et c'est parfois bien pratique pour communiquer... »

« Il y en a beaucoup parmi nous, qui peuvent le faire ? » s'étonna Nihassah.

« Pas tant que ça. C'est même assez rare. Il faut établir le contact avec un interlocuteur. Mais cela n'ouvre pas la porte à tous les autres. Le lien se crée exclusivement entre deux individus consentants. Il peut aussi ne jamais se créer. »

« Mais toi, tu peux avec tout le monde, non ? »

— Hé bien, maintenant que c'est décidé, si on y allait ? fut la réponse à voix haute de WaNguira, qui se leva. Nihassah, encore éberluée par ce qui venait de se passer, n'insista pas.

— Combien de temps la galerie de Wokabi restera-t-elle obstruée par la glace ? demanda Keyah au grand prêtre.

— Le temps qu'il faudra. Mais nous n'avons actuellement aucune raison de nous attarder ici. À Seyni, nous serons plus près de l'extérieur, si nous devons nous protéger. Et nous serons avec les autres.

Les Nains se mirent en mouvement et commencèrent à ranger ce qu'ils avaient eu le temps d'emporter. Ils avaient pour habitude de se déplacer avec le strict minimum, et ce minimum se trouvait d'autant plus réduit qu'ils s'étaient littéralement sauvés après le premier séisme.

La secousse avait été forte, mais ce qui les avait obligés à se rapprocher de l'extérieur avait un nom : Ihou.

Ils étaient occupés à déblayer les habitations et les galeries afin de rétablir, entre autres, la communication avec Ngondé quand ils avaient entendu les premiers grognements. Ils avaient mis peu de temps à découvrir leur provenance, malgré la sécurité dont ils croyaient jouir dans les monts d'Oko.

La décision de se rapprocher de la surface avait été prise assez rapidement : il était évident qu'Ihou avait trouvé une faille dans laquelle se glisser, faille qui avait sans doute été créée par le tremblement de terre. En effet, il n'existait aucune galerie souterraine reliant Sangoulé aux monts d'Oko. Et il était impossible qu'il soit arrivé par la surface, sachant que les rayons du soleil lui seraient fatals. Dans l'immédiat, la proximité d'Ihou impliquait un éloignement rapide des Nains, qui n'avaient emporté que le strict nécessaire avant de se réfugier dans la caverne de Kanyangokoté.

Les préparatifs de départ furent brefs, et c'est une longue théorie de plusieurs dizaines de Nains qui fit irruption au grand jour, telle une colonie de fourmis. L'arrêt traditionnel avant la sortie n'avait duré que le temps utile pour accoutumer les yeux à la faible luminosité du petit matin. Nihassah voyageait sur sa civière, portée d'une main ferme par Afo et Keyah, ses amies de toujours.

Une vaste savane séparait les monts d'Oko des premiers arbres de la forêt de Nsaï. Les Nains, habitués à l'espace limité de leurs souterrains, étaient un peu agoraphobes: les étendues extérieures les faisaient se sentir encore plus petits et ne leur plaisaient qu'à moitié. Au lieu de tourner vers l'ouest pour se rendre en droite ligne vers la caverne de Seyni, ce qui aurait constitué le plus court chemin, ils se dirigèrent directement vers la forêt de Nsaï, préférant avancer sous le couvert des arbres.

Il ne fallut pas longtemps pour que soit rompue la belle ordonnance linéaire du début, justifiée par l'exiguïté des galeries, mais dépourvue de sens en plein air. Ils avançaient par groupes, lesquels se constituaient selon les familles, les amitiés ou les affinités. La procession avançait, peu bruyante, chacun ressassant les derniers événements dans son esprit.

L'effet de surprise provoqué chez Mukutu par le secret de Nihassah s'était un peu estompé, et il réfléchissait aux arrangements à venir. Les décisions à prendre revêtaient trop d'importance pour qu'il en assume seul la responsabilité, d'autant plus que tous les Nains étaient concernés. Heureusement, les autres chefs l'assisteraient.

Et WaNguira aussi. La prophétie était d'origine divine et relevait de ce fait du domaine des grands prêtres. Il suffisait d'envoyer aux autres un messager pour leur fixer un lieu et une date de rencontre: ils n'étaient que cinq, un par tribu. Même pas: quatre, maintenant. Mukutu, comme WaNguira, avait du mal à s'habituer à l'idée de la disparition des Kikongos. Pourtant, la réalité était là, d'une implacable dureté: il n'y avait plus de Kikongos nulle part. Des cinq tribus initiales, il ne restait plus qu'eux, les Lisimbahs, ainsi que les Affés, les Pongwas et les Gnahorés.

Au moment du Premier Exode, ils avaient trouvé refuge dans les monts d'Oko, assez vastes pour les accueillir tous dans un premier temps. Tous, sauf les Gnahorés, partis vers l'est… Et les Kikongos… Ces derniers étaient les plus méridionaux des enfants de Mama Mandombé, et ils résidaient à l'origine très loin au sud, dans la partie presque plate de Sangoulé, juste avant la mer. On les avait surnommés affectueusement les Nains des sables… Non pas à cause de la proximité des plages, mais parce qu'ils s'adonnaient à l'exploitation des sables aurifères: ils cherchaient des paillettes et des pépites d'or dans les sables des torrents et des rivières qui descendaient des montagnes de Sangoulé. C'étaient de fins orfèvres, d'ailleurs. Peut-être les meilleurs parmi les Nains…

Quand la montagne s'était ouverte en deux, un fleuve de roche liquide avait coulé sans discontinuer pendant des mois, envahissant tout, s'infiltrant partout, emportant tout ce qui se trouvait sur son passage. On aurait dit que ça ne devait jamais s'arrêter. Mis à part quelques entêtés inconscients qui persistaient à demeurer sur place, attendant que ça refroidisse, la plupart des Nains avaient déjà fui cette terre en furie pour remonter vers le nord. Sauf les Kikongos, qui se croyaient en sécurité dans leurs dunes, situées à bonne distance du foyer actif du volcan.

Un jour, il y avait eu un tremblement de terre beaucoup plus fort que les autres, à en juger par l'intensité des secousses ressenties jusque dans les monts d'Oko. Un fracas épouvantable avait retenti par-delà les montagnes, et les Nains avaient senti le ventre de la terre se déchirer. Les séismes s'étaient succédé sans arrêt pendant un grand moment, dans un grondement de fin du monde, et le temps avait été long avant que les choses ne se calment. Les monts d'Oko avaient ensuite retrouvé leur quiétude rassurante, et les Nains s'y étaient installés définitivement: il devenait évident pour eux que le retour à Sangoulé ne se ferait pas dans l'immédiat.

Il avait alors fallu attendre que le fleuve de lave arrête de couler et que la roche liquide se solidifie en refroidissant. Cela avait duré longtemps. Les Nains s'étaient mis en quête des Kikongos à ce moment-là. Ils avaient marché vers le sud, vers le pays de leurs frères. Là où auraient dû se situer les collines et les dunes méridionales de Sangoulé, ils avaient trouvé la mer. Toute cette partie du pays s'étaient effondrée, tragiquement envahie par les eaux.

Mukutu frémit en se rappelant le panorama ahurissant qui s'était offert à eux, au sortir de la galerie de Chinaka: la mer, la mer partout où il portait les yeux. À ce moment-là, il l'avait haïe.

Et voilà que tout recommençait… Le volcanisme et son cortège de séismes… Ihou… Sauf que maintenant, il y avait Gaïg…

Mukutu avançait, perdu dans ses pensées. Il avait marché avec ses compagnons une bonne partie de la journée, et ils avaient atteint les premiers arbres. Fatigue et chaleur se faisaient de plus en plus sentir.

Mukutu était en sueur : il jeta un coup d'œil sur les Lisimbahs. Personne ne se plaignait, mais il était évident qu'une pause serait appréciée. Il s'immobilisa :

— Étape pour la nuit. M'est avis qu'on peut dresser l'camp ici.

Une onde de contentement parcourut les différents groupes qui firent halte immédiatement, se laissant tomber sur le sol à l'endroit même où ils se trouvaient.

— Je ne sais pas de quel camp il parle : on n'a rien ! se moqua Afo, toujours un tantinet impertinente. Et je n'ai même pas besoin de feu pour la nuit, il fait assez chaud comme ça.

— De toute façon, on ne peut pas faire de feu si près de la forêt, répondit Keyah. Hé ! Regardez ! Là-bas !

46

— On peut y aller. Je suis prête.

Comme Gaïg disait ces mots, Patxi la considéra attentivement. Il lui semblait évident que cette gamine un peu boulotte ne se rendait pas compte de la portée de ses paroles. Si elle avait su ce que les Nains attendaient d'elle, nul doute qu'elle serait vite allée se cacher au plus profond de l'océan. Mais la prophétie précisait que la descendante de Yémanjah devait ignorer qui elle était.

Patxi et les siens n'avaient pas de croyances religieuses et n'accordaient aucun crédit aux prophéties en général. Mais comme celle des Nains les concernait, leur accordant généreusement un territoire qu'au fond ils possédaient déjà, ils suivaient avec une attention doublée de curiosité amusée les aventures de ce peuple et ses déplacements.

Les Salamandars n'aimaient guère les Nains, qui étaient un peu trop présents à leur goût. Ils les trouvaient bruyants et envahissants, toujours en train de fouiller la terre et de creuser des galeries à la recherche de métaux et de minerais. Seule la lave les arrêtait, et encore : c'était un peuple d'orfèvres et de forgerons, habitué à l'incandescence de la forge, et la chaleur suffocante de la roche liquide ne les incommodait pas assez vite aux yeux des Salamandars, qui les jugeaient par trop résistants. Et odorants de surcroît…

Les Salamandars utilisaient pourtant leurs galeries sans la moindre gêne. Ils n'éprouvaient guère de sentiments, ou alors de façon très légère. Ils vivaient leurs états d'âme de façon superficielle, ce qui les maintenait dans une humeur constante, sans les aléas de la joie ou de la tristesse: la stabilité de leur état d'esprit leur procurait une forme de bonheur. Mais ils en avaient assez de ces êtres qui allaient partout sous terre, examinaient tout, grattaient tout, et sentaient trop fort. D'où leur intérêt pour cette prophétie qui évoquait l'exil des Nains dans une contrée éloignée, bien loin d'Eribatasuna – Sangoulé, dans leur langue.

Il était impossible d'affirmer lequel des deux peuples s'était installé le premier dans les profondeurs de Sangoulé-Eribatasuna, d'autant plus que les Nains avaient mis du temps à se rendre compte de la présence des Salamandars.

Ces derniers, d'un naturel discret, avaient longtemps évolué dans les lieux sans que les Nains s'en doutent. Les Salamandars, légers et silencieux, ne laissaient aucune trace de leur passage. Leur ouïe très fine et leur odorat ultrasensible percevaient à grande distance l'approche des Nains: ils avaient largement le temps de disparaître quand ces seigneurs souterrains arrivaient dans leurs fiefs. Il avait fallu la maladresse ou la distraction de jeunes Salamandars, qui s'étaient laissé surprendre, pour que les Nains découvrent que LEURS galeries étaient habitées par d'autres.

Les Salamandars tenaient d'autant moins à se faire remarquer qu'ils profitaient impunément des tunnels creusés pour coloniser de nouveaux territoires, chaque fois plus proches de la roche liquide, dont ils recherchaient la fascinante incandescence. Même si les sources chaudes représentaient leur habitat idéal, puisqu'ils y trouvaient eau, chaleur et nourriture, l'attrait du feu les entraînait régulièrement dans les fonds lointains et creux d'Eribatasuna, que les Nains considéraient comme leur territoire, Sangoulé.

Les Nains, convaincus que le sous-sol leur appartenait – et ce, d'autant plus que c'était eux qui accomplissaient les travaux de terrassement –, s'étaient sentis violés par ce partage, si peu visible fût-il, et avaient décrété qu'ils se réservaient l'usage exclusif des galeries. Ils avaient donc demandé aux Salamandars de déguerpir. Ces derniers avaient refusé, prétendant qu'ils étaient là les premiers. Ils avaient ajouté que le temps mis par les Nains à s'apercevoir de leur présence constituait une preuve de leur discrétion et de leur délicatesse, et qu'une cohabitation pacifique devait être possible. Les ressources minières du sous-sol ne présentaient aucun intérêt pour eux, puisqu'ils ne cherchaient pas à s'enrichir.

Effectivement, les Salamandars manifestaient un total détachement face aux biens matériels. Leur intelligence exceptionnelle les avait conduits à adopter un mode de vie qui les satisfaisait et que d'autres peuples auraient sans doute qualifié de bonheur. Mais ils refusaient la notion même de bonheur, puisqu'elle ne pouvait s'envisager sans son corollaire, le malheur. C'était la vie, tout simplement, et elle consistait pour eux en la satisfaction des besoins biologiques. Ils ne nourrissaient aucun idéal matérialiste ou religieux, qui les aurait menés à une existence sous l'emprise d'un désir perpétuellement insatisfait.

Se situant intellectuellement aux antipodes des Nains, qui se confinaient dans une fixité rassurante et peu évolutive, les Salamandars n'avaient pas réussi à faire entendre leur point de vue. Les Nains, faisant preuve d'une mentalité opiniâtre et possessive, s'étaient butés et avaient refusé tout compromis. Les Salamandars avaient alors disparu, mais en apparence seulement : ils étaient simplement devenus plus discrets, plus retenus, plus légers, donc plus méfiants.

Même si les Nains ne pouvaient pas prouver la présence des Salamandars sur leur territoire, ils n'étaient pas totalement dupes de cette soumission, trop facilement acceptée. Pour eux, les Salamandars, si invisibles et silencieux fussent-ils, se trouvaient toujours là, et cela les gênait. Ils auraient voulu les savoir disparus de Sangoulé, et ils rageaient un peu à l'idée que la prophétie légitimait leur présence dans le futur.

Quand le volcanisme avait augmenté à Sangoulé, multipliant séismes, effondrements de terrain et coulées de lave, ils avaient résisté longtemps avant de quitter les lieux pour se réfugier dans les monts d'Oko et ailleurs. Mais, sachant que la prophétie gouvernait leur destin, ils avaient dû se plier à la volonté divine. Cependant, quelques-uns résidaient toujours à Sangoulé. Seuls les jeunes avaient quitté l'endroit : ceux qui avaient un esprit encore suffisamment ouvert et souple pour s'adapter à d'autres lieux, d'autres conditions de vie, et envisager une existence nouvelle, sans doute différente de l'ancienne sous de multiples aspects.

Les Salamandars attendaient patiemment leur heure : ils étaient certains que lorsque les Nains quitteraient les monts d'Oko pour le Grand Exode, ceux de Sangoulé se joindraient à eux. Et Eribatasuna deviendrait leur pays, leur patrie, leur foyer, un et sans partage.

C'est la raison pour laquelle Patxi n'avait pas refusé de soigner Gaïg, quand TsohaNoaï, la Reine des Licornes, le lui avait demandé en secret. Remettre sur pied l'envoyée des dieux, la descendante de Yémanjah, c'était favoriser la réalisation de cette prophétie extravagante qui débarrasserait les Salamandars des Nains. Lui confier l'œuf de Maïalen, la mère de Txabi, c'était s'assurer une source d'information dans le futur. Et libérer Ihou, le Troll avaleur de Nains, c'était simplement accélérer un peu le processus…

Gaïg n'osait interrompre la réflexion de Patxi et attendait patiemment qu'il voulût bien se remettre en marche. Elle en profitait, une fois de plus, pour se reposer, tentant vainement de remettre de l'ordre dans son esprit. Elle se sentait le jouet des événements, sans avoir son mot à dire.

Elle aurait voulu revenir en arrière, mais elle ne savait quel moment de son histoire passée avait été assez agréable pour mériter d'y retourner et de réorienter sa vie à partir de là. Elle se sentait malheureuse chez Garin et Jéhanne, et avait toujours rêvé de fuir le village. Mais elle ne pouvait nier que son existence avait été remplie de fâcheuses aventures depuis qu'elle l'avait quitté. Là-bas, elle avait au moins eu la mer pour lui ouvrir la porte du rêve. L'océan la lavait de sa colère et de son amertume, et lui permettait de croire en un monde meilleur dans lequel elle serait aimée et appréciée par tous. Or, depuis qu'elle avait vidé les lieux, elle ne pouvait nier qu'elle avait perdu la mer.

Quand Patxi commença à avancer, visiblement plongé dans ses pensées, Gaïg lui emboîta le pas en silence, immergée dans ses propres préoccupations. Txabi ne dit rien non plus, furetant curieusement de-ci de-là, avide de découvrir le monde. Ils progressèrent dans un mutisme absolu pendant un temps interminable.

Gaïg se demandait jusqu'à quel point elle pourrait vivre seule, et où, maintenant qu'elle était guérie. Elle ne remettrait pas les pieds au village, elle s'en faisait une promesse. Elle savait qu'elle ne supporterait pas de vivre indéfiniment dans les souterrains, comme une Naine, même à côté de l'affection chaleureuse de Nihassah. Les amis qu'elle s'était faits étaient tous des terriens, qui vivaient loin de la mer. Dikélédi était une Naine, elle aussi, et retrouverait ses parents. Winifrid, la Dryade, était liée à Walig, son chêne. De toute façon, elle ne s'éloignerait jamais d'une forêt enchantée où elle jouissait de paix et de sérénité pour se lancer dans les affres d'une vie liée au hasard. Le Pookah non plus.

Et puis, étaient-ils vraiment ses amis? Elle les considérait comme tels, mais ignorait leur point de vue sur le sujet. Le fait qu'ils l'aient aidée avait créé des liens, certes, mais ne présumait en rien de leurs relations futures, surtout après les aventures dans lesquelles elle les avait entraînés malgré elle. Peut-être qu'ils la considéraient comme une catastrophe ambulante et qu'ils chercheraient à se protéger dorénavant... Ils devaient avoir hâte de retrouver les leurs, et plus vite elle les débarrasserait de sa personne, mieux ce serait. Ainsi elle ne serait plus un poids pour eux. C'était encore la meilleure forme de remerciement, à son avis: sortir de leur vie et disparaître dans la nature. Elle trouverait toujours du travail dans un quelconque village au bord de la mer et subviendrait elle-même à ses besoins. Au moins ainsi, elle n'encombrerait personne.

Gaïg, en pleine crise de paranoïa, marchait comme un automate, se contentant de suivre Patxi, complètement absente de la réalité environnante. Elle sursauta quand elle entendit des cris d'allégresse teintés de soulagement: elle se rendit alors compte qu'ils lui étaient destinés. Le Salamandar et elle étaient arrivés dans la caverne de Kabenguélé et Dikélédi et Winifrid l'entouraient de leurs bras, tandis que Loki, lui tenant la main, sautillait sur place.

— Enfin! Te voilà! lança Dikélédi en l'embrassant. Je commençais à me demander ce qu'ils te faisaient.

— En tout cas, c'est terminé maintenant! s'écria Winifrid, l'embrassant aussi. Tu es guérie! J'espère que ça n'a pas été trop dur... Arrête de sauter, Loki, tu finiras par te cogner la tête au plafond!

Gaïg, émue par cet accueil et secrètement gênée par les pensées qui venaient de lui traverser l'esprit, se mit à pleurer. Elle se fit la réflexion qu'elle devenait trop émotive et qu'il lui faudrait s'endurcir.

— Tu as encore mal? s'inquiéta Dikélédi.

— Non, absolument pas, hoqueta Gaïg. Je crois que ma jambe est guérie. Je pleure parce que je vous retrouve...

— Si c'est ça, on peut te laisser, hé, hé! insinua Loki. Cette fille est une vraie fontaine...

Gaïg les contemplait tour à tour en reniflant, le cœur empli de reconnaissance: de toute sa vie, elle avait rarement eu l'occasion de pleurer de joie, et elle se sentait un peu désorientée par ses réactions face à ces sentiments inhabituels.

Patxi, estimant que le temps consacré aux effusions était suffisant, s'approcha:

— Quand vous voudrez… dit-il en s'inclinant cérémonieusement. Le chemin est encore long jusqu'à la sortie.

— Mais on n'est plus dans la galerie de Sémah, il me semble… constata Dikélédi qui, en tant que Naine, avait une bonne mémoire des lieux. Où sortirons-nous, finalement ?

— Au bout de la galerie de Sémah, pourtant, expliqua Patxi, le regard luisant d'un bref éclair. C'est bien là que vous vous dirigiez, non ?

— Oui, certes, confirma Winifrid. Mais c'est parce qu'on vous cherchait. Il n'y a pas de sortie vers Nsaï ?

— La galerie de Sémah est toujours bouchée de ce côté-là, objecta Patxi en se mettant en route sur-le-champ.

Dikélédi attrapa la main de Winifrid et le suivit, un peu perplexe. Même si Patxi ne mentait pas en affirmant que la sortie de Sémah était obstruée vers Nsaï, elle trouvait étrange, au vu des multiples entrées de tunnels qu'ils avaient dépassées, qu'il n'y ait pas d'autre issue vers la forêt.

Les Nains creusaient des galeries depuis toujours et d'innombrables tunnels devaient parcourir Sangoulé, leur territoire avant le Premier Exode. Mais étant née dans les monts d'Oko, Dikélédi ne connaissait de Sangoulé que ce que lui en avaient raconté ses parents, et elle n'était pas assez sûre d'elle pour prétendre affirmer qu'il y avait d'autres issues vers le bois. De plus, ils n'étaient pas encore à Sangoulé : la galerie de Sémah ne faisait qu'y conduire…

Dikélédi s'en voulut un peu de sa méfiance : Patxi connaissait les lieux mieux qu'elle, après tout. Et puis, quelle raison le Salamandar aurait-il de les éloigner ?

Ce dernier se hâtait, comme s'il désirait en finir au plus vite avec toute cette histoire. Se sentir ainsi envahi par des créatures exotiques n'était guère plaisant et Dikélédi comprenait son empressement. Mais elle était aussi chez elle, dans cette galerie creusée par ses ancêtres…

Ne se percevant pas comme une étrangère à proprement parler, elle aurait voulu s'arrêter pour réfléchir et faire le point. Mais quel point ? Parce que son intuition de Naine lui soufflait qu'il y avait d'autres sorties, elle devrait mettre en doute la parole de celui qui avait soigné Gaïg sur la recommandation des Licornes ? Elle jugea plus sage de se taire et de trotter.

Ils continuèrent d'avancer à un rythme soutenu, facile à maintenir puisque le terrain était plat. Dikélédi interrompit ses spéculations et se concentra sur ses enjambées. Comme s'il avait galopé pour l'empêcher de trop réfléchir et qu'il avait eu vent de sa décision de fermer sa bouche, Patxi ralentit sensiblement l'allure, sans s'arrêter pour autant. Ils marchèrent ainsi pendant des heures.

Quand enfin il proposa une pause dans une vaste caverne, le groupe était trop épuisé pour discuter et personne ne fut surpris par la distribution de noix et de fruits séchés qu'il fit. Encore moins quand il indiqua un minuscule filet d'eau qui coulait d'une étroite fissure.

— Demain, c'est l'aventure au grand jour! déclara-t-il avec un éclair de malice dans les yeux. Vous pouvez dormir, maintenant…

Patxi les vit s'endormir instantanément. Qui pourrait lui reprocher de les avoir volontairement éloignés de la forêt de Nsaï? Il ne faisait que favoriser la réalisation de la prophétie, après tout…

47

Tous ceux qui avaient entendu la réflexion de Keyah tournèrent la tête avec un bel ensemble, d'abord vers elle, puis dans la direction qu'elle montrait du doigt. De minuscules silhouettes se détachaient sur l'horizon, qu'ils eurent tôt fait de reconnaître : un groupe de Nains.

— M'est avis qu'on d'vrait aller à leur rencontre, formula Mukutu d'un ton rendu peu convaincu par la lassitude, la main en visière sur le front afin de se protéger des rayons aveuglants du soleil couchant.

Bien que las, les Nains, sans protester, se levèrent et s'apprêtèrent à reprendre leur progression : les autres aussi, s'ils venaient de Seyni, devaient ressentir la fatigue d'une journée de marche sous le soleil. Ce n'étaient pas quelques pas de plus qui les achèveraient…

Ils se remirent en route, les yeux fixés sur les silhouettes qui se rapprochaient. À cette distance, il était difficile de reconnaître les visages : Mukutu et les siens avaient beau faire des efforts, plisser les yeux, ils n'identifiaient encore personne de Seyni. Finalement, malgré la fatigue, ils accélérèrent le pas sans s'en rendre compte, poussés par la curiosité. Les autres avaient dû les apercevoir aussi et avaient agi de même.

La distance diminuait, chacun cherchant à repérer une figure connue. Jaro, Dofi et Kikuyu, originaires de Ngondé, avançaient en tête, courant presque : ils se sentaient décontenancés de ne pas reconnaître les leurs, ne serait-ce qu'à travers la démarche. Mais le soleil couchant lançait ses derniers rayons juste en face d'eux, et les nouveaux venus apparaissaient à contre-jour. Les Nains n'avaient pas d'autre solution : il fallait avancer.

L'autre groupe se révélait plus important qu'ils ne l'avaient cru à première vue, maintenant que les premiers ne cachaient plus les autres. Les détails apparaissaient au fur et à mesure de la progression : des femmes et des enfants accompagnaient les hommes et tous apparaissaient lourdement chargés de sacs de tailles diverses. Finalement, ce fut Jaro, abasourdi, qui les identifia le premier :

— Ce sont les Pongwas ! WaNtumba est à leur tête ! Avec Séméni !

Un grand silence suivit cette déclaration et la stupéfaction immobilisa les Nains un bref instant. Les Pongwas ! En si grand nombre... Avec leur grand prêtre, WaNtumba, et leur chef, Séméni... Que faisaient-ils là, si loin de chez eux ?

— WaNdéné est avec eux ! Je vois Mongo ! Les Affés sont là aussi ! continua Jaro, de plus en plus surpris.

Les deux tribus des Pitons de Wassango-Kilolo ! Avec leurs chefs, Séméni et Mongo, et leurs grands prêtres ! La stupeur hébétait Mukutu et les siens, aussitôt suivie par une onde d'inquiétude : seule l'imminence d'un grand danger avait pu entraîner les Pongwas et les Affés aussi loin de chez eux.

En effet, les pitons de Wassango-Kilolo se trouvaient assez loin au nord-ouest des monts d'Oko. Une série de pitons, sept au total, entouraient un volcan central en sommeil qu'ils avaient surnommé la montagne Pelée, à cause de son sommet âpre et dénudé, totalement dépourvu de végétation. Les pitons eux-mêmes étaient d'anciens volcans, éteints depuis bien plus longtemps que la Montagne Pelée.

Les Pongwas et les Affés, au moment du Premier Exode, s'étaient d'abord arrêtés dans les monts d'Oko, comme leurs frères. Mais, poussés par le désir de creuser, piocher, fouir, fouiller, excaver, ils avaient estimé que l'espace deviendrait rapidement insuffisant pour eux tous et avaient continué vers le nord. Ils avaient fourni comme raison supplémentaire le souhait de s'éloigner davantage de Sangoulé, au volcanisme trop actif – raison qui les avait transformés en objet de risée quand on s'était rendu compte qu'ils avaient échangé un volcanisme pour un autre.

Les Lisimbahs, bien que prêts à partager les monts avec eux, s'étaient inclinés devant leurs arguments, tout aussi conscients qu'eux du fait que la paix reposait en grande partie sur la taille du territoire : plus le pays était vaste, plus l'espace vital de chacun était étendu, plus le risque de disputes diminuait. Pour eux, l'agressivité, source de désaccords et de conflits, était directement liée à la surpopulation dans un espace restreint. Vivant depuis des siècles et des siècles dans des souterrains où l'espace était toujours compté, ils avaient une longue expérience dans ce domaine.

En se scindant en différents groupes avant les premiers litiges, les Nains sauvegardaient leur unité globale. Les Pongwas et les Affés s'étaient donc réfugiés dans les sept pitons de Wassango-Kilolo, alors que les Lisimbahs demeuraient dans les monts d'Oko. Les Gnahorés quant à eux, au moment de quitter Sangoulé, s'étaient dirigés directement vers l'est : ils s'étaient établis dans les collines de Koulibaly, près des Hommes de la côte, des pêcheurs avec lesquels ils commerçaient. Ils s'étaient d'ailleurs beaucoup enrichis en servant d'intermédiaires entre les Nains de l'intérieur et les négociants du bord de mer, qui acheminaient par bateau les productions naines dans des contrées lointaines où elles se vendaient à prix d'or.

Les Nains se rendaient visite régulièrement, à leur gré, et l'éloignement géographique des quatre tribus leur permettait de s'apprécier mutuellement et de se retrouver avec plaisir. Depuis le Premier Exode, les grands prêtres organisaient toutes les décennies un rassemblement général de la Nanitude – tel était le terme par eux employé – dans l'une des trois régions investies par les quatre tribus. Ils veillaient ainsi à la sauvegarde de l'unité naine.

Cependant, le cortège inattendu qui s'avançait sous les yeux de WaNguira, de Mukutu et des autres n'annonçait rien de bon. Il fallait une raison grave pour que les Pongwas et les Affés quittent leurs pitons et débarquent ainsi sans avertir. On les accueillerait, bien sûr, là n'était pas la question.

Le trajet, commencé dans l'inertie et la lassitude, se termina au pas de course pour les Lisimbahs. Ceux d'en face, boueux et poussiéreux, chargés de paquets et visiblement épuisés, ne pouvaient plus accélérer et s'étaient contentés de maintenir leur allure. Les têtes des deux colonnes s'étaient à peine rejointes que déjà la nouvelle remontait de groupe en groupe et arrivait aux derniers en une phrase lapidaire qui les faisait frissonner : « la montagne Pelée est entrée en éruption ».

En très peu de temps, les sacs furent déposés sur le sol et les différentes tribus fusionnèrent. Pour les Lisimbahs, avec tout ce qu'ils avaient appris de la bouche de Nihassah, les signes se précisaient, et avec eux, l'angoisse de l'avenir. Leur cœur se serrait de plus en plus face à la menace d'un futur dont ils ignoraient tout.

Tout à coup, Afo éclata de rire. Le rire d'Afo était sonore et clair, pas encore contagieux, mais éclatant, franc, insolite et par là même irrépressible. Elle se déplaçait d'un groupe à l'autre chez les nouveaux venus, les examinait rapidement, et s'esclaffait. De chaque groupe visité fusait alors une hilarité joviale et complice, comme s'il avait été touché avec une baguette magique.

Quand Mukutu, déconcerté, émit la réflexion « M'est avis qu'elle a trouvé un trésor ! », la gaieté fut à son comble chez les Pongwas et les Affés qui oublièrent fatigue et découragement pour se livrer tout entiers à la sagesse du rire.

Afo épousseta alors une jeune Naine qui se trouvait entre elle et le chef de Jomo, la débarrassant un peu de la gangue de boue qui l'enveloppait. Les Lisimbahs comprirent en un éclair ce qui se passait, et participèrent à leur tour à l'hilarité générale : les Nains de Wassango-Kilolo étaient couverts d'or, de bijoux tous plus somptueux les uns que les autres. Pour transporter leur trésor en sécurité, ils avaient choisi de l'exposer au vu et au su de tous, après l'avoir recouvert de boue.

Mukutu ne se démonta pas pour autant :

— C'est bien c'que j'disais : elle a trouvé un trésor !

Une certaine détente suivit cet intermède, permettant aux Nains de se préparer pour la nuit. Ils se trouvaient alors en bordure de la forêt, sous les premiers arbres, là où Nsaï se présentait encore comme un bois ordinaire. Les discussions allaient bon train : chefs de tribus et grands prêtres discutaient de l'opportunité d'un rassemblement général de tous les Nains.

Mais les habitants des pitons de Wassango-Kilolo retrouvèrent très vite leur sérieux et leur gravité : seuls ceux qui habitaient les pitons avaient été épargnés par l'éruption. Les familles qui habitaient la Pelée avaient succombé à la nuée ardente qui avait envahi les galeries juste avant l'éruption. Ce deuil était un fardeau lourd à porter pour les survivants, qui expliquèrent qu'ils étaient en route vers les collines de Koulibaly, en quête d'un nouvel habitat. Si l'espace se révélait trop restreint, ils pensaient simplement revenir sur leurs pas et aller vers l'ouest. Une partie de leur communauté était restée à Seyni, attendant de savoir si ça valait la peine de continuer ou non.

Les Lisimbahs furent bouleversés en apprenant le drame, et certains n'hésitèrent pas à y voir un signe : ils informèrent leurs frères Pongwas et Affés de l'entrée de Gaïg en scène et tous se montrèrent impatients de la connaître. Mais les questions demeuraient nombreuses, face au flou de la prophétie : c'était une chose d'y avoir cru pendant des siècles, c'en était une autre d'assister ou de participer à sa réalisation. « Comment Gaïg s'y prendrait-elle ? Avait-elle des pouvoirs magiques ? » demandait-on à Nihassah, qui répondait négativement. D'après WaNguira, tout ce qu'elle possédait, c'était une bague en Nyanga et une Pierre des voyages en Akil minéral.

— Ce qui est déjà beaucoup, précisa Mongo, le chef des Affés. Mais je ne suis pas sûr que ça lui serve à grand-chose...

— Ce n'est pas non plus un hasard si elle les a reçues... constata WaNguira. Dire que je lui avais promis un collier pour porter sa Pierre... Dans la situation présente, je ne sais pas quand je pourrai le lui fabriquer...

— M'est avis qu'nous d'vrions passer par la caverne d'Ntangu, souligna Mukutu. Les monts n'sont plus très sûrs maintenant : entre Ihou et les séismes...

— Peut-être aussi qu'Ihou est le meilleur gardien qui soit pour notre trésor, émit WaNguira pensif.

Un frémissement parcourut les Lisimbahs : abandonner leur trésor ? Partir en le laissant dans la caverne de Ntangu ?

— Oui, il le gardera tellement bien que personne ne pourra y avoir accès, même pas nous ! lâcha Afo, toujours impulsive.

Elle reçut immédiatement un coup de coude de Keyah, destiné à la mettre en garde : on ne s'adressait pas ainsi à un grand prêtre. Mais WaNguira ne se fâcha pas : Afo ne faisait que formuler à haute voix ce que tous pensaient en leur for intérieur, et il savait qu'il devait en tenir compte.

Le trésor des Nains était aussi précieux pour eux que leurs valeurs morales et religieuses, puisqu'il symbolisait leur labeur : des siècles passés à creuser la terre pour en extraire les gemmes et les métaux rares, le polissage, le sertissage, le travail d'orfèvrerie, la recherche artistique, tout cela représentait leur activité principale, leur chef-d'œuvre, ce pour quoi ils avaient été créés. Abandonner leur trésor équivalait à se débarrasser de ce qui constituait leur spécificité, à éteindre leur race en ne léguant aucun héritage du passé aux générations futures.

WaNguira, conscient de tout ce non-dit, renonça immédiatement à l'idée de laisser le trésor sous la garde d'Ihou. De toute façon, ils ne partaient pas tout de suite... Partir pour aller où? Où Gaïg les mènerait-elle, d'abord? Et où se trouvait-elle, cette petite?

Le grand prêtre considéra la forêt qui s'étendait devant lui. Des arbres, encore des arbres. Bien que sachant ce que ces arbres pouvaient cacher, il ne put s'empêcher de laisser échapper un soupir. Il était probable que Dryades et Pookahs les observaient, et que les Licornes avaient été averties de leur présence. Tant qu'ils resteraient à l'orée du bois sans faire de feu et sans casser inutilement des branches, ils ne risqueraient rien. Les Dryades toléreraient les activités de cueillette, à conditions qu'elles se limitent aux besoins en nourriture.

Le temps s'était arrêté pour WaNguira, qui se demanda s'il devait essayer d'entrer dans la forêt avec les autres grands prêtres pour obtenir des nouvelles. Mais il savait que c'était inutile: Licornes et Dryades, conscientes de leur présence, leur feraient savoir en temps utile ce qui était nécessaire.

WaNdéné et WaNtumba s'approchèrent de lui. Eux aussi étaient embarrassés et se demandaient par quel bout prendre la chose. Il n'y avait aucun texte écrit concernant la prophétie, aucun parchemin sur lequel s'appuyer: les Nains fonctionnaient depuis toujours selon une tradition orale qui se transmettait de génération en génération, ponctuée çà et là par une apparition de Mama Mandombé. Mais la tradition orale, en l'occurrence, péchait par son manque de précision, et laissait tout le monde perplexe et désorienté maintenant qu'elle semblait sur le point de se réaliser. Que devaient faire les Nains? S'asseoir et attendre? Partir à la recherche de Gaïg et s'attacher à ses pas? Personne ne savait et encore moins les grands prêtres...

— Peut-être que WaNkoké aura une idée, suggéra doucement WaNtumba.

WaNkoké était le grand prêtre des Gnahorés. Les épaules de WaNguira s'affaissèrent:

— Sinon WaNgolo en aura une... lança-t-il, sarcastique.

Puis se reprenant aussitôt:

— Pardon!

Il se tut. Les deux autres le considérèrent avec compassion. Fallait-il que WaNguira, grand prêtre de la noble tribu des Lisimbahs, fût à bout de nerfs, pour se livrer ainsi au persiflage en utilisant le nom du grand prêtre des Kikongos...

48

Dikélédi fut la première à se réveiller, mais elle ne bougea pas, se contentant d'ouvrir les yeux. Un groupe de Salamandars se tenait non loin. La jeune Naine fut étonnée d'en voir autant à la fois : elle en dénombra une bonne trentaine. Quand Txabi l'avait conduite avec ses compagnons auprès de ses pareils, ils avaient toujours eu affaire à un ou deux Salamandars. Ils s'étaient mis à trois pour transporter Gaïg évanouie à cause de la chaleur. Deux autres Salamandars, Ramuntxo et Bikendi, l'avaient menée à la caverne de Kabenguélé avec Loki et Winifrid pour attendre Gaïg.

Dikélédi ne pensait pas que les Salamandars étaient aussi nombreux, et elle se redressa pour mieux voir. Le temps de s'asseoir, de porter le regard sur le sol pour prendre appui sur ses mains et de relever les yeux suffit à faire disparaître le spectacle : il n'y avait plus que Patxi à ses côtés. Dikélédi se frotta les yeux, fixa l'endroit où se trouvait précédemment le groupe, mais ne vit rien : les Salamandars s'étaient littéralement évaporés.

Patxi se tenait toujours près d'elle, le visage indéchiffrable, et elle se demanda si elle n'avait pas rêvé.

— Ils sont partis vite, fit-elle. J'ai à peine eu le temps de les apercevoir qu'ils avaient déjà disparu…

— Qui ? interrogea Patxi.

Puis il changea de sujet sans attendre de réponse :

— Tiens, tu veux des fruits ? Nous avons une longue route aujourd'hui.

Dikélédi ne put cacher son étonnement :

— Des fruits frais ! On est près d'une sortie, alors ?

Les autres se réveillèrent en entendant ces mots et ne perdirent pas de temps pour se jeter sur cette nourriture inattendue. Gaïg se sentait perpétuellement affamée depuis que l'éboulement avait eu lieu, et mordit à belles dents dans une pomme. Winifrid respira longuement les fruits l'un après l'autre.

— Winifrid n'a pas besoin de manger, ricana Loki. L'odeur lui suffit.

— Ça sent les arbres, Loki, les feuilles, le bois, la forêt, répliqua-t-elle.

— Oui, ça sent Walig, quoi.... la taquina-t-il.

Mais Winifrid n'en avait cure : elle n'avait dit à personne qu'elle avait emporté un gland de Walig avec elle et qu'il représentait son chêne chéri bien plus que n'importe quel autre fruit de la terre. Elle continua à humer les fruits à longues bouffées et, pour finir, elle détacha une petite feuille qui était restée attachée à la queue d'une pomme et la plaça soigneusement dans sa poche.

— Eh bien, on y va dès que vous avez fini, avertit Patxi. Une grande journée de marche nous attend.

— Je croyais qu'on était près d'une sortie, s'étonna Dikélédi. Comment as-tu eu ces fruits ?

— Mes amis les ont apportés de l'extérieur pour vous. Ils ont beaucoup marché, précisa-t-il. Mangez.

Dikélédi fronça légèrement les sourcils, mais n'ajouta rien. Elle n'avait donc pas rêvé, il y avait bien eu un groupe de Salamandars dans la caverne pendant qu'ils dormaient. Et ces derniers leur avaient apporté un petit-déjeuner composé de fruits. De quoi se plaindrait-elle ? Elle se leva, bientôt imitée par ses compagnons, et ils se mirent en route.

Les heures suivantes furent consacrées à la marche, entrecoupée de brèves haltes pour se reposer ou se désaltérer dans de minuscules cascades dont seul Patxi connaissait l'existence. Dikélédi crut à plusieurs reprises que la sortie était proche : quelques racines d'arbres arrivant parfois jusqu'à la galerie prouvaient que la surface n'était pas si éloignée. Elle ne put s'empêcher d'en faire la remarque à Patxi, qui réfléchit un moment, étonné par sa sagacité. Il s'appliqua pour répondre :

— Le terrain est très sec là-haut. Il fait très chaud. Les arbres envoient leurs racines très loin pour chercher de l'eau dans le sol. Il n'y a pas beaucoup d'eau dans le coin.

« Pas d'eau dans le coin ? pensa Dikélédi. Et toutes ces cascades dans lesquelles nous nous désaltérons, ce n'est pas de l'eau, peut-être ? »

Elle garda ses réflexions pour elle et ils avancèrent, de plus en plus fatigués au fur et à mesure que le temps passait. Ils n'avaient plus la moindre notion de la distance parcourue, quand Patxi s'arrêta enfin.

— À partir de maintenant, vous pouvez continuer tout seuls : ce n'est plus très loin, et il n'y a aucune intersection.

Txabi disparut comme une flèche vers la sortie, mais Gaïg ne tenta pas de le rattraper cette fois-ci, se rappelant la dernière poursuite et ses fâcheuses conséquences.

— Pourquoi tu ne viens pas avec nous jusqu'au bout ? demanda Dikélédi à Patxi.

Ils attendaient la réponse quand Txabi réapparut :

— C'est là, c'est tout près ! Mais c'est la nuit dehors.

— Vous voyez, je vous ai accompagnés jusqu'au bout, constata Patxi d'un ton détaché. Vos amis sont là : ils savent que vous arrivez.

Bien que las et impatients de se retrouver à l'air libre, en compagnie de Mfuru et d'AtaEnsic, tous prirent le temps de remercier le Salamandar et de lui dire au revoir. Ce dernier hochait la tête en silence et ne quittait pas Gaïg du regard : il éprouvait un drôle de remue-ménage à l'intérieur. Était-ce cela, l'amour, l'affection, l'amitié, ces sentiments dont on parlait tant et que les Salamandars n'éprouvaient pas, ou si peu ? Était-il possible qu'il se soit attaché à cette fillette rondouillarde ? Qu'avait-elle de spécial pour provoquer cela ?

En un éclair, il comprit, à la lumière de ses valeurs traditionnelles et de son esprit implacablement rationnel : elle l'intéressait parce qu'elle était censée débarrasser Eribatasuna des Nains qui l'encombraient. Au diable les sentiments, seule comptait la fin, qui justifiait les moyens employés.

Gaïg se méprit sur son trouble :

— Je vais bien, Patxi, et je te remercie. Grâce à toi, je suis définitivement guérie. Je n'oublierai pas que tu m'as soignée, et peut-être que je pourrai te rendre service un jour aussi, qui sait…

— Si tu suis ton destin, Gaïg, ce sera très bien pour moi…

Patxi disparut dans les ténèbres, et Gaïg et ses compagnons partirent dans la direction opposée.

La galerie faisait un coude, après lequel ils distinguèrent une vague lueur signalant la sortie. Oubliant la fatigue, ils se précipitèrent à l'extérieur, soulagés de se retrouver à l'air libre.

— Les souterrains, c'est bien, s'exclama Dikélédi, à condition de pouvoir en sortir.

— Pour les Nains peut-être, mais moi, je veux voir le feuillage des arbres, répliqua Winifrid.

— Et pour les Pookahs, il faut une Licorne sur le dos de laquelle on peut grimper ! s'écria Loki qui avait aperçu AtaEnsic.

Cette dernière était étendue sur le sol un peu plus loin, avec Mfuru assis tout contre elle. Ils se levèrent immédiatement en les voyant.

— Enfin, vous voilà ! Quel soulagement ! laissa échapper AtaEnsic.

— Tu étais donc si inquiète ? demanda Winifrid.

— J'ai été rassurée quand deux Salamandars sont venus nous informer que vous étiez avec eux. Mais je préfère vous voir en chair et en os. Ou en bois et en feuille... ajouta la Licorne avec un sourire en voyant Winifrid jeter spontanément un regard avide de désir sur les arbres alentour avant de se fixer sur un chêne tout proche.

Un frémissement parcourut le feuillage de ce dernier, comme s'il avait voulu souhaiter la bienvenue à la Dryade, qui disparut aussitôt dans sa ramure. Gaïg vit Loki bondir pour la rejoindre et se perdre lui aussi dans les frondaisons.

— C'est incroyable, constata-t-elle. On ne les voit plus...

Elle reçut immédiatement une pluie de glands secs sur la tête :

— Moi, je te vois, pourtant ! lui répondit une voix issue des profondeurs de l'arbre.

— Ah ! Loki, tu as vite repris ton assurance ! répliqua Gaïg en souriant, heureuse elle aussi de se retrouver à l'extérieur. Tu sembles de meilleure humeur maintenant. Je te préfère comme ça, d'ailleurs... Mais on peut s'asseoir, je suis exténuée !

Comme Loki, Gaïg avait vu assez de galeries, de boyaux, de grottes et de cavernes pour le moment, et elle se promit de ne plus y remettre les pieds avant un bon bout de temps. Le sous-sol n'était vraiment pas un milieu qui l'attirait au départ, mis à part une curiosité légitime quand Nihassah lui en avait parlé. Maintenant qu'elle le connaissait un peu mieux, elle était consciente de ses propres limites, et du besoin qu'elle avait du soleil, de la nature extérieure et de l'eau.

Elle sentit naître en elle une vague d'optimisme qui la dirigeait coûte que coûte vers la mer. Tout à coup, elle savait ce qu'elle avait à faire: elle ne ressentait plus d'incertitude face à l'avenir, toute inquiétude avait disparu de son cœur. La solitude ne l'effrayait plus, la séparation non plus: ses amis retrouveraient leurs proches et seraient heureux dans le mode de vie qui était le leur. Et elle serait ravie de les savoir contents, en harmonie avec leur entourage. Même Nihassah pourrait mener l'existence de son choix, sans avoir à se préoccuper d'elle.

Gaïg eut un bref pincement au cœur en pensant à celle qui avait été sa seule amie pendant toutes ces années, mais elle décida que chacune avait un destin différent à suivre: l'amitié qui les unissait ne les privait pas de leur liberté et elles se rendraient mutuellement visite quand le besoin s'en ferait sentir. Pour sa part, elle décida avec amusement que cette sortie du tunnel symbolisait une naissance: la sienne. Comme si la terre avait accouché d'une nouvelle personne, une qui savait ce qu'elle voulait et qui prenait sa vie en charge. C'était un bébé qui était né de la mer dix ans auparavant, c'était une presque adulte qui était née de la terre ce jour-là.

Gaïg fronçait les sourcils et souriait tout en réfléchissant: elle trouvait agréable cette rêverie sur elle-même, et cette image de naissance tellurique. Ces idées un peu folles naissaient spontanément dans sa tête et lui ouvraient de nouveaux horizons. Gaïg ignorait tout de la philosophie, de ses spéculations intellectuelles et de ses explications du monde, de ses joies, de ses jeux et de ses revers. Elle se rendait compte qu'elle était en train de vivre un moment privilégié qui déciderait de son avenir, et elle voulait aller jusqu'au bout de son rêve. Ce dernier la menait inéluctablement à la mer.

La nuit était complètement tombée. Winifrid, pâmée dans son chêne, ne donnait aucun signe de vie, de même que Loki. Txabi était occupé à découvrir le monde et opérait de fréquentes allées et venues. AtaEnsic s'était allongée et gardait le silence, un œil tendrement fixé sur les lèvres de Mfuru qui causait avec Dikélédi.

En effet, la jeune Naine, toujours perplexe quant au trajet choisi par Patxi pour accéder à une sortie, avait longuement interrogé Mfuru sur la galerie de Sémah. Il lui avait confirmé ce qu'elle pressentait: la présence de multiples tunnels, tous plus ou moins reliés les uns aux autres et à l'extérieur. Pour Dikélédi, qui se trouvait pour la première fois dans ces parages dans des circonstances pour le moins impressionnantes – dans la mesure où, sous terre, elle se sentait responsable de ses compagnons –, la sagesse consistait à suivre la galerie de Sémah jusqu'au bout. Mais il ne faisait aucun doute pour Mfuru que Patxi devait connaître par cœur les lieux et qu'il n'avait pas choisi le plus court chemin pour les conduire au dehors. Pourquoi? La question demeurait sans réponse.

Ils avaient conclu à l'impératif pour Dikélédi et ses compagnons de retrouver Mfuru et AtaEnsic, mais cette explication ne les satisfaisait qu'à moitié: Patxi aurait pu aussi bien avertir le Nain et la Licorne de l'itinéraire de sortie, et ces derniers se seraient rendus au point de rendez-vous qu'il aurait indiqué. Alors, pourquoi cette décision? Le choix de Patxi demeurait une énigme, mais se réjouir du présent et des retrouvailles valait mieux que se perdre dans la complexité du fonctionnement d'un cerveau de Salamandar. D'autant plus que Dikélédi faisait l'expérience de la lenteur de Mfuru, la Tortue: qu'il était difficile de s'entretenir avec lui ou de lui extorquer la moindre information…

Gaïg émergea de sa rêverie et constata qu'elle serait incapable de retransmettre la moindre bribe du dialogue entre Dikélédi et Mfuru. Elle se sentit physiquement fatiguée et eut envie de s'installer pour la nuit. Sans rien dire, elle se rapprocha d'AtaEnsic et se coucha tout contre elle. Elle ne ressentait aucune peur, le monde était en ordre et elle avait le droit d'y être. Pour la première fois de sa vie, Gaïg eut l'impression d'avoir trouvé sa place. Elle se laissa aller à caresser le cou de la Licorne: comme son poil était doux!

49

WaNguira s'éloigna : il s'était assez ridiculisé comme cela et le regard de ses confrères avait été explicite. Il ne lui restait plus qu'à trouver un coin pour passer la nuit et il chercha Nihassah des yeux : elle était avec Keyah et Afo, à l'autre bout du « camp ». WaNguira se dirigea vers les trois Naines, se faisant comme réflexion qu'il y avait sans doute pire comme compagnie et que la gaieté naturelle des trois amies le dériderait peut-être, à défaut de lui apporter une solution.

La spontanéité effrontée d'Afo l'amusait plus qu'elle ne le vexait, parce qu'elle le libérait de la gravité de son rôle de grand prêtre. Il se sentait responsable des siens, il était conscient de ses devoirs envers eux et avait toujours fait de son mieux pour les guider. Mais les attentes qu'il sentait chez certains Lisimbahs l'effrayaient parfois à cause de la responsabilité et de la faculté de décision dont il se trouvait ainsi investi : en tant que représentant du pouvoir spirituel, il n'avait pas droit à l'erreur. Mukutu, si.

WaNguira s'en voulut de cette pensée injuste : la charge de Mukutu pesait aussi lourd que la sienne et certains Nains se reposaient entièrement sur eux deux pour la prise de résolutions importantes relatives au groupe. Tout au plus se permettraient-ils de critiquer le bien-fondé d'une conclusion à laquelle on était arrivé après des heures de discussion et de concertation, mais l'émission d'une idée nouvelle et sa concrétisation ne les concernait pas. Les « responsables » étaient là pour ça. Mais ce n'était pas de sa faute si la prédiction n'était pas claire et l'embarrassait : c'était justement son hermétisme qui en faisait une prophétie.

Tout en réfléchissant, WaNguira s'était approché des trois Naines.

— Puis-je me joindre à vous pour la nuit ? s'enquit-il d'une voix presque timide.

Nihassah, Afo et Keyah le regardèrent, déconcertées par son intonation maladroite, presque humble. Nihassah fut la première à se ressaisir :

— Bien sûr ! Évidemment que tu peux ! C'est avec plaisir !

Elle se rendit compte instantanément que dans son désir de mettre WaNguira à l'aise, elle en faisait trop et se tut, un peu gênée, ajoutant ainsi à la confusion du grand prêtre. Les yeux d'Afo pétillaient de malice pendant cet échange verbal et Keyah la cogna avant même qu'elle n'ouvre la bouche. Elle se contenta donc de se pousser pour lui faire de la place, en affichant un sourire angélique. WaNguira s'étendit sur le sol.

— Moi, j'aime bien les rêves, dit Keyah d'un ton nonchalant, comme si elle ne faisait que continuer une conversation déjà entreprise et à laquelle WaNguira n'avait d'autre choix que celui de participer.

— Tu les aimes tellement que tu te colles sur moi quand tu as un cauchemar, enchaîna Afo, ironique.

— Mais je ne parle pas des cauchemars, évidemment ! Je veux dire les rêves agréables. Ceux auxquels je peux attribuer un sens quand je me réveille.

— Ou que tu peux continuer tout éveillée… Ah ! Il était beau, ce Kikongo, il sentait bon le sable chaud…

Keyah ne put s'empêcher de rougir pendant que Nihassah et Afo pouffaient. WaNguira sourit. Il avait eu raison de venir, c'était ce qu'il lui fallait : une conversation bon enfant, légère et sans importance, malgré la gravité de la situation. Lui, en l'occurrence, aimait les rêves prémonitoires, ceux qui annonçaient le futur. Un songe qui lui expliquerait la prophétie en lui dictant ses actions serait le bienvenu. Peut-être devrait-il avaler quelques champignons sacrés qui lui ouvriraient la porte des apparences… Malgré lui, il se mit à rêver tout éveillé…

Yémanjah, la *Mère-dont-les-enfants-sont-des-poissons…* Elle était apparue à Nihassah sous la forme d'une Sirène… Ce qui était logique, puisqu'elle était elle-même la première Sirène. Mais pourquoi fallait-il que leur guide fût sa descendante ? Qu'est-ce que cela cachait ? Pourquoi cette présence de l'eau dans une prophétie concernant un peuple on ne peut plus tellurique ? Les Nains détestaient l'eau, c'était bien connu. Alors, pourquoi Gaïg, cette Humaine à moitié Sirène ? Une enfant, de surcroît ! Et qui devait tout ignorer… Comment procéderait-elle, si elle ne savait même pas ce qu'on attendait d'elle ? Elle n'avait aucune connaissance géographique…

WaNguira découvrit alors qu'il lui manquait un élément important pour appréhender la prophétie. Il fut horrifié par cette découverte, mais plus il la fuyait, plus elle s'imposait à lui, tyrannique et impérieuse : la foi. Il lui manquait la foi.

Depuis que Gaïg était entrée en jeu, la prophétie avait perdu toute crédibilité à ses yeux. Il n'y croyait plus. Le destin du peuple nain ne pouvait ainsi se retrouver entre les mains d'une gamine, ce n'était pas possible. Et pourtant, la réalité était là, il ne pouvait pas mettre en doute les dires de Nihassah : tout semblait concorder, s'emboîter, s'encastrer. Même la morsure des Vodianoïs n'était pas un hasard. Mais il avait perdu la trace de Gaïg…

Tout ce qu'il savait, c'est qu'elle se trouvait avec Dikélédi quelque part dans la forêt de Nsaï. Dikélédi… Une pensée cherchait à se dépêtrer des brumes de son cerveau. Dikélédi… Dikélédi… WaNguira se répétait le prénom de la jeune Naine, sans parvenir à donner naissance à la pensée qui l'agitait. Il y avait là quelque chose, il en était certain : un amas confus et nébuleux duquel se dégageait une idée maîtresse, sans qu'il parvînt à l'identifier. Dikélédi… Yémanjah… La *Mère-dont-les-enfants-sont-des-poissons…* Toutes ces appellations… La fille-de-toutes-les-Dryades.

WaNguira eut un sursaut. En un éclair, il saisit la relation entre les deux données. L'air hagard, le regard fou, il se leva, inspectant les alentours, dans le vain espoir d'apercevoir Dikélédi. En effet, qui, mieux qu'elle, vu les circonstances de sa mise au monde dans la forêt de Nsaï, méritait l'appellation de Fille-de-toutes-les-Dryades ?

Afo, Keyah et Nihassah sursautèrent en voyant WaNguira se lever aussi subitement et regarder autour de lui comme s'il cherchait quelqu'un.

— Tu as fait un cauchemar tout éveillé ? demanda Afo avec ironie. Qu'est-ce qui se passe ?

WaNguira hésita : devait-il faire part de sa découverte aux grands prêtres en priorité ? Étant donné que Nihassah avait été investie d'une mission par les dieux aquatiques eux-mêmes, il jugea qu'il n'y avait pas de mal à communiquer sa trouvaille aux trois Naines : elles étaient sensées et équilibrées, et Afo et Keyah s'étaient bien occupées de Gaïg. À cet instant, il pensa même qu'il pourrait choisir Nihassah comme successeur à la grande prêtrise… Il se tourna vers elle :

— La Fille-de-toutes-les-Dryades, c'est Dikélédi !

Afo et Keyah saisirent immédiatement l'allusion, mais il fallut expliquer à Nihassah les circonstances de la naissance de Dikélédi. La déduction de WaNguira leur semblait plausible, et c'est avec un regain d'assurance qu'il alla l'annoncer à WaNDéné et à WaNtumba.

Si les Nains se montraient plutôt lents de nature, une chose au moins fonctionnait rapidement chez eux : la circulation des nouvelles. En un instant, ce fut l'effervescence. Même ceux qui s'étaient déjà installés pour dormir se levèrent : chacun allait de groupe en groupe dans l'espoir d'en apprendre davantage.

La nuit était bien avancée quand l'excitation retomba et que la fatigue eut raison de chacun. Les trois grands prêtres tinrent conseil et débattirent longuement entre eux, mais la discussion n'aboutit à rien. L'identification de la descendante de Yémanjah et de la Fille-de-toutes-les-Dryades avait d'autant moins résolu le problème que les deux protagonistes de l'histoire étaient absentes.

WaNguira se demandait si les parents de Dikélédi, Doumyo et Mvoulou, étaient au courant du rôle que leur fille était appelée à jouer dans la prophétie. Selon toutes les apparences, il semblait que non, mais peut-être qu'eux aussi avaient reçu une « mission secrète », tout comme Nihassah… Le grand prêtre était partagé entre l'idée de se rendre tout de suite auprès d'eux pour se renseigner et celle de rester sur place, dans l'attente du retour de Gaïg et de Dikélédi.

Las de toutes ces émotions et de tous ces rebondissements, énervé par son incapacité à décider quoi que ce soit, WaNguira s'assit le dos contre un arbre et s'endormit en bougonnant, avec l'arrière-pensée que Nihassah pourrait fort bien assumer le rôle de grande prêtresse un jour.

De leur côté, Mukutu, Mongo et Séméni, bien que chefs de tribu, n'étaient pas plus avancés. Se tenant à proximité des grands prêtres, ils avaient abondamment commenté ce qui se disait et délibéré jusqu'à épuisement sur les différentes attitudes à adopter, mais n'avaient pas tranché. Excédés et exténués, ils s'étaient couchés en maugréant eux aussi.

La perplexité régnait dans les esprits et plusieurs Nains firent des cauchemars, principalement les Pongwas et les Affés : on les dépouillait de leur trésor. Des mains brunes et calleuses détachaient des colliers, enlevaient doucement bagues et bracelets, desserraient des ceintures et cherchaient même à s'introduire sous les chemises. Les Nains avaient un sommeil lourd à cause de la fatigue causée par la journée de marche, mais fort agité : ils changeaient sans cesse de position, effectuaient des mouvements de défense dans leur sommeil, se débattaient mollement, s'enroulaient dans leur veste et resserraient leurs ceintures.

Toute la nuit se passa pour certains à combattre des mains basanées dociles et fuyantes, qui ne résistaient pas quand on les éloignait. Mais qui revenaient à la charge, insistantes et cajoleuses, à la fois amies et avides. C'était un combat d'une douce intensité, où la persistance l'emportait sur la violence. La lutte dura longtemps, silencieuse, chaude et courtoise, sourde et obstinée, exacerbée par l'idée d'un présent mouvementé et d'un avenir instable dans des cerveaux brouillés par la lassitude. Puis le calme se rétablit.

Jusqu'au petit matin quand le glapissement d'une jeune Naine en furie réveilla toute la compagnie.

— Je l'ai ! Je le tiens ! Je ne le vois pas, mais je le tiens ! Je le sens ! Il est là !

Puis se rendant compte que personne ne comprenait se qui se passait, elle s'égosilla de plus belle :

— C'est un voleur ! Il m'a tout pris ! Il a mis sa main dans ma chemise. Je le tiens !

Ses compagnons ne réagissant pas assez vite à son gré, elle hurla :

— Il m'a violée ! Il m'a violéééééééééé !

Des Nains endormis s'approchèrent lentement, essayant de repousser les brumes qui s'attardaient encore sur leurs paupières lourdes de sommeil, pour tenter de comprendre la situation : Kalenda, une jeune Pongwa, luttait avec frénésie contre un adversaire invisible, qu'elle qualifiait à la fois de voleur et de violeur.

La situation aurait pu s'éterniser si Keyah et Afo, femmes d'expérience avec une revanche de retard, ne s'étaient pas précipitées au secours de Kalenda en ajoutant leurs vociférations aux siennes :

— C'est un Pookah ! Il ne faut pas le laisser s'échapper.

— Je le tiens ! Je le sens ! Je le pince ! Ça lui apprendra !

— Il t'a vraiment violée ?

— Non ! Oui ! Il m'a voléééééé ! Voleur ! Rends-moi mes bijoux !

Une main brune apparut, qui laissa tomber une poignée de joyaux sur le sol. Mais Afo, Keyah et Kalenda ne relâchèrent pas leur étreinte pour autant.

D'autant plus que l'agitation devenait générale chez les Nains qui se trémoussaient de plus en plus fort en hurlant. Visiblement, Kalenda n'était pas la seule victime…

50

Dans son sommeil, Gaïg mélangea les rêves marins et souterrains. Des galeries immergées se vidaient de leur eau au fur et à mesure que des pierres ponces géantes remontaient flotter à la surface en dégageant l'ouverture de nouveaux boyaux. Les pierres se transformaient en poulpes géants dont les tentacules formaient des galeries et les ventouses devenaient des pierres qui se changeaient en poulpes à leur tour, libérant sans fin de nouveaux tunnels. Des Nains se tenaient sur une côte, prêts à traverser un bras de mer sur le pont formé par un tentacule pour se rendre sur une île où les attendaient leurs semblables. Le spectacle des Nains progressant d'île en île sur des ponts tentacules se répétait plusieurs fois. Dikélédi les accueillait sur la dernière île, dans le sol aride de laquelle Winifrid plantait un coquillage sous l'œil inquisiteur d'un bébé centaure. Les ventouses des ponts scintillaient au soleil, se métamorphosant en pierres précieuses que Gaïg donnait à manger à une Sirène mâle. Elle se réveilla avec un cri quand la Sirène lui mordit la main.

— C'est le soleil qui te brûle ? demanda Loki, moqueur.

— À mon avis, c'était un cauchemar ! commenta Winifrid, compréhensive. Tu devrais la rassurer au lieu de te moquer d'elle.

— Retour à la réalité, hé ! hé ! se moqua Loki qui attrapa Txabi par la queue et le lâcha sur elle. Tu es maman maintenant, tu es responsable de lui ! Et c'est l'heure de la tétée... Hé ! hé !

Chaque fois que Txabi essayait de se sauver, Loki le rattrapait et le laissait tomber sur Gaïg qui avait d'autant plus de mal à retrouver ses esprits. L'énervement envahit tout à coup Gaïg, à la surprise générale :

— Ça suffit, Loki ! Tu m'énerves ! Arrête ! J'en ai plus qu'assez de toi ! Va-t'en !

Winifrid intervint immédiatement et immobilisa fermement un Loki fasciné par la violence verbale de Gaïg, visiblement prêt à continuer ce qui, pour lui, n'était qu'un jeu de plus.

Dikélédi et AtaEnsic se rapprochèrent de Gaïg dans l'espoir de la calmer tandis que Txabi se tenait timidement loin d'elle, prêt à détaler.

— Ce n'est pas de ta faute, Txabi, tenta de le rassurer Gaïg. C'est lui le coupable ! Viens !

Le bébé salamandar ne bougea pas malgré la tentative de Gaïg pour le tranquilliser, et elle dut s'approcher pour le prendre dans ses bras. Elle lui parla doucement et se rendit compte au bout d'un moment que tous faisaient cercle autour d'elle, y compris un Pookah plein de curiosité :

— C'est de ta faute s'il a eu peur, déclara-t-elle sévèrement à Loki.

— C'est vrai, Loki, ajouta Winifrid, tu ne réfléchis jamais aux conséquences de tes actes. Rappelle-toi ce que tu as fait à la mère de Dikélédi !

— Et alors ? répondit Loki avec effronterie. Ça vous a un peu sorties de vos chênes et de leurs glands ! Grâce à moi, les Dryades ont eu une fille à aimer ! Vous l'adorez, cette petite !

Il haussa les épaules et s'éloigna dans un sentier qui s'enfonçait dans la forêt.

— Quelle mauvaise foi ! s'exclama Winifrid, outrée.

Puis, se tournant vers Dikélédi, elle corrigea ce qu'elle avait dit :

— Enfin, non. Je ne veux pas dire qu'on ne t'aime pas. Mais il aurait pu te laisser naître tranquillement chez toi, au lieu que ça se passe dans une forêt en plein air...

— S'il y en a une qui doit se plaindre, ce n'est pas moi, objecta Dikélédi. Ma mère, peut-être. Pour ma part, je ne me suis rendu compte de rien... Mais je suis bien contente, maintenant. Et j'ai hâte de retrouver la forêt de Nsaï...

Une pensée commune les unit tous : celle du retour au bercail. Sauf Gaïg. Son bercail n'était pas le même. Elle ne pouvait pas retourner à Nsaï comme si c'était chez elle. Ni même au village. À la fois hésitante et déterminée, elle fit un pas en avant pour prendre la parole et annoncer que le temps était venu de se séparer : elle continuerait vers le sud, vers la mer. Mais Winifrid la devança :

— Et si on grignotait quelque chose ? J'ai un petit creux…

— Il y a des baies dans les buissons, annonça AtaEnsic en s'éloignant pour brouter.

Rien ne pressait, après tout, et Gaïg se sentit presque soulagée par cette intervention qui retardait le moment d'informer les autres de sa décision. Chacun partit dans une direction différente, en quête de nourriture.

Gaïg se fit comme réflexion qu'elle commençait à en avoir assez de ce régime végétarien : c'était dans la nature d'AtaEnsic d'être herbivore, Winifrid devait sans doute respecter la vie sous toutes ses formes, peut-être Loki aussi – encore que… –, et Dikélédi et Mfuru y étaient habitués depuis leur plus jeune âge.

Les Nains, sans être végétariens au sens strict du terme, mangeaient peu de viande : leur vie souterraine ne se prêtait guère aux activités d'élevage. Ils se procuraient des produits laitiers auprès des Hommes de la côte, principalement des fromages : les œufs supportaient rarement le voyage, le lait, en tournant, devenait fromage lui-même, et la viande ne se conservait pas longtemps. De plus, leur nature indépendante les poussait à vivre le plus possible en autarcie et ils préféraient se contenter de ce que la nature leur offrait : fruits, baies, champignons, tubercules, feuilles, etc. Ils avaient développé une connaissance assez approfondie de la botanique en matière de nourriture et avaient osé des associations végétales qui, pour curieuses qu'elles soient, n'en étaient pas moins succulentes. Mais aucun interdit moral ou religieux ne pesait sur la viande ou le poisson, et Nihassah avait profité plus d'une fois des produits de la pêche de Gaïg.

Cette dernière, poussée par une faim aiguisée à la pensée d'une pêche miraculeuse, dévorait les baies qui se présentaient, sans même se rendre compte qu'elles ne venaient pas toutes à elle au bout d'une queue. Elle rêvait de crabes, de poissons, d'algues, de coquillages, de crevettes et elle sursauta quand une « tige » brune et ridée aux doigts d'une propreté douteuse lui présenta un escargot toutes cornes dehors.

— Loki ! rugit-elle, avant de foncer dans le buisson.

Ses compagnons s'étaient arrêtés, distraits de leur cueillette, et attendaient une suite qui ne venait pas : Loki s'était évanoui une fois de plus dans la nature, sans laisser aucune trace de son passage, sinon une Gaïg rouge et furibonde qui émergeait d'un buisson.

C'est à ce moment qu'un autre cri retentit, un hennissement de surprise apeurée qui se mua très vite en hurlements de colère et en appels au secours. Pour la première fois de sa vie, Mfuru réagit vivement et fut le premier à se précipiter en hurlant :

— AtaEnsic !

Loki surgit du sentier, haletant et bouleversé :

— C'est AtaEnsic ! Des Hommes ! Des chasseurs ! Ils l'ont enlevée ! Je les ai vus ! Ils sont partis avec elle.

Il repartit aussi vite. Gaïg, Dikélédi et Winifrid se précipitèrent à sa suite et eurent le temps d'apercevoir un groupe d'Hommes à cheval qui disparaissait dans le lointain. Mfuru suivait, mais il était évident qu'il ne les rattraperait pas. Loki détalait devant les trois filles et il n'arrêta sa course qu'à la hauteur du Nain.

— Arrête, Mfuru, haleta-t-il, ça ne sert à rien.

Mais Mfuru ne voulut rien entendre et continua d'avancer. Il était déjà hors d'haleine et savait que très vite il lui faudrait ralentir le pas. Les Nains étaient endurants et pouvaient marcher pendant des jours et des jours sans s'arrêter, mais la course à un rythme soutenu leur était difficile.

— Arrête, Mfuru, répéta Loki. Il faut attendre les autres.

Mfuru le foudroya du regard, mais ralentit son allure :

— Attendre les autres ? Mais c'est AtaEnsic qui a besoin d'aide !

— On la délivrera. Mais tous ensemble. Pas toi tout seul. Tu ne pourras pas.

Mfuru se rendit compte que Loki avait raison, et s'immobilisa, le souffle court. Il ne voyait déjà plus le groupe d'Hommes. Mais leur piste était facile à suivre avec le sol piétiné et les feuilles et herbes arrachées. Le Nain se jura de ne pas abandonner sa poursuite tant qu'il n'aurait pas retrouvé son amie. Cependant, il lui faudrait réfléchir et utiliser la ruse.

Gaïg, Dikélédi et Winifrid arrivèrent rapidement, essoufflées et stupéfaites : tout s'était passé si vite. Pour différente que fût leur expérience des Hommes, elles savaient qu'elles devaient s'en méfier : ils n'étaient pas toujours fiables ou même simplement fréquentables.

Gaïg était encore celle qui les connaissait le mieux et ses souvenirs demeuraient amers. Elle connaissait leur amour de l'argent : ils essaieraient de vendre AtaEnsic. Pourvu qu'ils ne se rendent pas compte que c'était une Licorne ! Dire que c'était peut-être son absence de corne qui la sauverait, en faisant d'elle un cheval ordinaire... Ils avaient dû la prendre pour un cheval sauvage en liberté… À moins qu'ils n'aient vu qu'elle n'était pas seule : auquel cas, ce n'étaient pas de simples chasseurs, mais des voleurs.

La situation se compliquait. On pouvait difficilement expliquer à des chasseurs que l'animal qu'ils avaient capturé n'était pas sauvage et appartenait à quelqu'un, et encore moins à des voleurs, dont l'occupation principale était justement de subtiliser le bien d'autrui. Et puis AtaEnsic appartenait-elle à quelqu'un ? À qui ? Sa relation privilégiée avec Mfuru ne faisait pas de ce dernier un propriétaire… Mais on ne pouvait pas non plus abandonner la Licorne à ces individus cruels et sans scrupules ! Gaïg se sentit prête à se jeter au secours d'AtaEnsic : elle le lui devait bien, après tout, puisque Asa Gaya, la belle Licorne mâle à la robe noire l'avait guérie. Elle fit une suggestion aussitôt :

— Mfuru, tu vas les filer. On ne pourra pas marcher aussi longtemps que toi. Tu nous laisseras des indications pour nous indiquer la piste à suivre. Je suis sûre qu'ils iront dans les villages pour se ravitailler. Et même pour la vendre… À moins qu'ils n'aient un repaire dans le bois… De toute façon, ils vont bien finir par faire une halte, ne serait-ce que pour les chevaux. Ce qu'il faut, c'est ne pas perdre leur trace.

— Une fois dans la forêt, je peux avancer assez vite dans les arbres, annonça Winifrid, et Loki aussi. S'il fait nuit, nous pourrons la délivrer sans qu'on nous voie. Mais pour cela, il faut la rattraper.

— Je resterai avec Gaïg et Txabi, déclara Dikélédi. Partez en avant, on vous suit.

Mfuru, maintenant qu'il s'était arrêté, mesurait l'étendue de sa peine et de son angoisse. Il se sentait amputé et, pour lui qui n'avait jamais eu d'ami véritable à cause de sa proverbiale lenteur, c'était la pire des douleurs, une moitié de lui-même qui avait été déchirée et emportée. La souffrance était non seulement mentale, mais physique et spirituelle : il savait qu'il ne s'en remettrait pas, à moins de libérer AtaEnsic. Cette Licorne bohême représentait tout pour lui : sa richesse, sa perle, son bijou, sa reine, sa duchesse, celle qui l'avait bercé dans son giron vainqueur et qui avait réchauffé son cœur.

Il la retrouverait, dût-il passer sa vie à la chercher. Il réfléchit « rapidement » – ce qui était une preuve de son désordre intérieur face au cataclysme qui s'était abattu sur lui – à ce que lui proposaient ses amis et convint, après un moment, que c'était la meilleure solution :

il ne pouvait rien faire d'autre pour l'instant, sinon se lancer sur les traces des voleurs.

— Le sentier va vers le sud, les informa-t-il. Au bout, il n'y a qu'un seul passage pour traverser les montagnes de Sangoulé par la surface : la vallée de la Yoruba. Autrement, il faut aller très loin à l'est ou à l'ouest. Ils vont sans doute essayer de rejoindre les nouveaux villages de la côte, de l'autre côté de la montagne. Je vous mettrai les indications sur le sol avec des pierres ou des branches quand il y aura une intersection.

— On te suit, souffla Gaïg. Je suis sûre qu'AtaEnsic fera tout pour laisser des traces elle aussi. Et elle s'arrangera sans doute pour les retarder! Vas-y!

Mfuru partit à une allure si précipitée que ses camarades en furent ébahis:

— Je ne savais pas qu'il pouvait se dépêcher, s'étonna Dikélédi. Il est dans un triste état, le malheureux.

— Pauvre AtaEnsic, surtout, précisa Winifrid bouleversée. Elle n'a vraiment pas de chance avec les Hommes. Elle est capable de se laisser mourir si elle perd tout espoir de retrouver sa liberté.

— Ils l'ont prise par surprise, mais si elle se laisse aller à une de ses crises de folie, ils regretteront leur capture, lâcha Loki sur un ton fulminant. On y va?

Il se mit en route, suivi de Winifrid qui avançait, légère et silencieuse. Très vite, ils se fondirent dans le paysage et on ne les vit plus.

— Une fois dans le bois, ils seront plus rapides, précisa Dikélédi.

— Mais les autres ont quand même de l'avance, constata Gaïg. Et ils sont à cheval, de surcroît. Viens, Txabi, je te porterai.

— Si Winifrid arrive à mettre les arbres de son côté, ces derniers pourront les ralentir eux aussi. Ils peuvent même se resserrer et boucher le passage. Mais il leur faut du temps... Les autres sont déjà assez loin.

— De toute façon, il faudra bien qu'ils s'arrêtent tôt ou tard. Ne serait-ce qu'en arrivant à la mer...

51

Le Pookah prisonnier arrêta enfin de se débattre. Il n'avait pas ouvert la bouche pendant toute la scène. WaNguira s'approcha :

— Il ne faut pas le regarder en face si vous voulez le voir. Dirigez votre regard plutôt à côté et il vous apparaîtra.

Le grand prêtre n'avait pas l'air fâché ni même décontenancé par le vol, alors que les hurlements continuaient autour d'eux, la clameur collective s'accroissant au fur et à mesure de la découverte de nouvelles disparitions. Afo, Keyah et Kalenda suivirent ses conseils, et essayèrent de percevoir les contours de la créature qu'elles retenaient captive.

— Mais il est vieux ! s'exclama Afo avec une franchise déconcertante. Il est tout ridé. Et en plus il rit ! Quel culot ! Tu n'as pas honte, voleur ?

Le « voleur » essaya d'adopter un air affligé, mais n'y réussit pas. Kalenda sentait la colère la gagner de nouveau : elle avait récupéré les bijoux rendus sur le sol, mais il en manquait.

— Mes bijoux ! Rends-moi mes bijoux !

Elle sentait monter la violence en elle, d'autant plus que les autres Nains dépouillés s'avançaient, menaçants. Le Pookah n'avait pas l'air de se rendre compte de la gravité de la situation : déposséder un Nain de son trésor équivalait à un arrêt de mort pour le pillard, tout Pookah fût-il. Mais le détenu semblait avoir une confiance illimitée en sa bonne étoile et continuait à sourire.

WaNguira, connaissant ses frères, chercha à gagner du temps :

— Ça ne sert à rien de le maltraiter. Ce qu'il faut, c'est récupérer votre trésor.

— On le retrouvera, le trésor, même si on doit raser la forêt pour cela ! proclama un Affé furieux répondant au nom d'Aligo. Mais lui, il faut lui passer à jamais l'envie de recommencer.

— Et à ses frères aussi ! ajouta Batoli, un autre Affé. Il n'était pas seul ! Tous ces rêves que j'ai faits cette nuit, ce n'étaient pas des rêves.

— Coupons-lui les mains, conseilla Aligo. Le tuer, c'est trop facile : il n'aura pas le temps de regretter.

— Ce n'est pas seulement les mains que je lui couperais ! reprit Batoli. Regardez ses vilaines oreilles !

WaNguira sentait que la situation s'aggravait et que le temps pressait. Il cherchait vainement une solution pour retarder le moment où les Pongwas et les Affés se jetteraient sur leur victime afin de la réduire en bouillie. Car le Pookah n'en réchapperait pas, il en était sûr. Couper les mains ou les oreilles, pour barbare que cela fût, ne constituerait que le premier stade d'une longue torture qui ne se terminerait qu'avec la mort de la créature. Et visiblement, ladite créature, toujours hilare et silencieuse, ignorait le sort qui l'attendait. « Les Pookahs sont-ils donc stupides ? » s'interrogea WaNguira.

Puis juste après, lui-même se trouva stupide en s'entendant questionner le Pookah :

— Où sont les bijoux ?

Comme s'il allait répondre… Les voleurs n'ont pas pour habitude de dévoiler la cachette de leur butin. À la surprise générale, le Pookah s'esclaffa :

— Ils sont près du ruisseau. On les a lavés !

Les Nains se précipitèrent en une course effrénée vers le cours d'eau : effectivement, un somptueux et scintillant étalage de joyaux prestigieux était agencé de façon à décorer le sol et les buissons alentour. Un fabuleux spectacle s'offrait aux Nains, d'autant plus captivés qu'ils reconnaissaient leurs parures incomparables dans ce splendide débordement lumineux.

— Et tu ne pouvais pas le dire avant ? s'exclama WaNguira, furibond.

— Tu ne m'avais pas demandé ! fut la réponse lancée au milieu d'éclats de rire qui se multiplièrent, issus des arbres voisins.

Apparemment, il y avait des spectateurs. En entendant cette

réplique, WaNguira, excédé par son incapacité à maîtriser le cours des événements, sentit une pulsion meurtrière l'envahir et il eut envie d'étrangler la créature de ses propres mains. Mais cette attitude étant indigne d'un grand prêtre, il fit un effort héroïque pour se calmer.

— Ah, il suffit de te demander... constata-t-il d'un ton ostensiblement amène et cordial.

Puis, sans transition, il hurla sauvagement à la face du Pookah qu'il aspergea d'une giclée de postillons : « Où sont Gaïg et Dikélédi ? », se libérant ainsi de toute les tensions accumulées ces derniers temps.

— T'énerve pas comme ça, Vieux, je suis pas sourd ! répliqua le Pookah avec une effronterie frisant l'inconscience. Mais je peux aller aux renseignements, si tu veux...

— Je veux ! brama WaNguira, déchaîné.

— Faudrait voir à me libérer, alors...

Keyah lâcha immédiatement le Pookah, mais Afo et Kalenda n'étaient pas prêtes à laisser échapper leur proie. Elles le maintenaient toujours fermement, même s'il ne se débattait plus. Tant que le grand prêtre n'aurait pas émis un ordre clair et compréhensible, elles ne seraient pas taxées d'insubordination. Elles espéraient secrètement que les autres Nains auraient le temps de revenir avant que WaNguira ne prononce la commande fatidique, mais ces derniers, tout à la joie d'avoir remis la main sur leur trésor, avaient momentanément oublié le prisonnier.

Désobéir à un grand prêtre équivalait à se rendre coupable d'une faute grave et inexcusable, mais si des Nains s'unissaient pour montrer leur désaccord, ce n'était plus de la désobéissance. Afo était plus impulsive qu'indocile et Kalenda était toujours sous l'emprise de la colère, ce qui expliquait leur obstination à garder le Pookah captif. WaNguira était un Nain intelligent, capable d'appréhender une situation par le biais de l'intuition – ce qui était rare pour un Nain mâle – et il comprenait la réticence des deux femmes. Mais l'enjeu était de taille et le jeu en valait la chandelle. Il prit donc le risque de rendre au Pookah sa liberté.

— Relâchez-le, ordonna-t-il plus doucement.

Afo et Kalenda ne pouvaient qu'obéir, mais l'expression de leur visage était plus éloquente que n'importe quelle parole. On pouvait lire un regret déchirant dans leurs regards et leurs mains s'attardèrent sur le corps du Pookah qu'elles avaient du mal à laisser partir.

— Mais elles me caressent, les deux dames ! lança ce dernier avec lascivité, en se relevant lentement. Je peux rester encore, si vous voulez…

Deux furies le firent virevolter et le poursuivirent en le tapant et en le pinçant jusqu'à ce qu'il disparaisse en riant. WaNguira se demanda quelle confiance il pouvait accorder à un être aussi volage et superficiel…

Le Pookah s'éclipsa dans la forêt en un rien de temps et le grand prêtre pensa finalement qu'il n'avait rien à perdre en lui faisant confiance. Les Nains n'auraient pas pu le garder éternellement prisonnier : il se serait sauvé tôt ou tard, avec ou sans l'aide des siens. De toute façon, il n'était pas question de lui faire le moindre mal, ou encore de le tuer : la forêt de Nsaï était sacrée et ses habitants étaient protégés. WaNguira imaginait difficilement une guerre entre les Nains et ceux de Nsaï, c'était même impensable.

De plus, Gaïg et Dikélédi se trouvaient toujours dans la forêt. Garder le Pookah en otage en échange des deux filles ? Mais elles n'étaient pas prisonnières… Les choses étaient bien ainsi et si le Pookah ne reparaissait pas, les Dryades donneraient des informations à un moment ou un autre. Maintenir Gaïg et Dikélédi captives dans la forêt de Nsaï ne présentait aucun intérêt pour elles. Et si les Licornes avaient accepté d'aider Gaïg à soigner sa blessure, c'était bien qu'elles ne représentaient pas des ennemies. WaNguira envisagea l'hypothèse d'une trahison de leur part, puis secoua la tête : il perdait l'esprit, à force de réfléchir et d'échafauder des hypothèses.

Les autres Nains revenaient, brillant de mille feux avec leurs bijoux : ils n'avaient pas pour habitude de les porter à l'extérieur et les reflets du soleil sur les gemmes leur permettaient de redécouvrir la magnificence de leur collection. Ils admiraient les parures créées par chacun d'eux et ils s'étaient mis à discuter orfèvrerie, à parler taille et sertissage, températures de fonte et résistance des alliages. Sujet passionnant qui retardait d'autant la prise de conscience de la remise en liberté du Pookah, pensa WaNguira.

Il fallait laisser aux esprits le temps de se calmer après ce « vol » et le grand prêtre s'éloigna. Les Pookahs ne respectaient rien, ils ne pensaient qu'à s'amuser, et le jeu se révélait d'autant plus excitant qu'il présentait des difficultés : dérober le trésor des Nains alors qu'ils le portaient sur eux avait dû se révéler une activité captivante et les occuper une bonne partie de la nuit. Ils œuvraient pour la beauté du geste, la perfection de l'action, puisqu'ils n'avaient même pas songé à cacher leur larcin: ils s'étaient contentés de nettoyer les parures souillées par la boue destinée à les cacher aux regards extérieurs et de les disposer joliment à la lumière.

WaNguira sourit malgré lui: il y avait là une fortune incommensurable, mais les Pookahs, en se préoccupant uniquement de sa mise en valeur d'un point de vue esthétique, ne donnaient-ils pas un éclairage nouveau au trésor nain? Celui de l'art pour l'art? La beauté pour la beauté? Après tout, les pierres précieuses n'étaient-elles pas faites pour reluire au soleil du petit matin?

Le grand prêtre ne niait pas le sens artistique de ses frères. Mais l'effort fourni pour créer un chef-d'œuvre enchaînait l'artiste à jamais. Sa création devenait son bien, sa chose, avec un sens invétéré de la possession. Et comme un enfant étouffé par une génitrice trop possessive, l'œuvre ne vivait pour ainsi dire pas sa vie d'œuvre d'art. Elle était confinée aux regards des Nains, qui l'admiraient, certes, ayant la culture nécessaire pour l'apprécier. Mais ne serait-il pas possible de créer un objet d'art dans la seule perspective du don? Pourquoi garder jalousement pour les siens ces chefs-d'œuvre? N'était-il pas possible de les exposer afin que tous en profitent?

WaNguira soupira: il rêvait. Aucun Nain ne se séparait volontiers d'une de ses créations, quelle qu'elle soit, même un simple outil de jardinage. Tout se vendait à prix d'or. Imaginer qu'un Nain offre son ouvrage aux Hommes par exemple était une pure aberration.

Il se souvint qu'il avait promis une chaîne à Gaïg. Il montrerait le chemin aux siens, en lui offrant le plus beau collier qui soit. Il créerait quelque chose de parfait en sachant dès le départ que ce n'était pas pour lui. Ce serait SON chef-d'œuvre, destiné à une humble petite créature, une fillette moitié humaine moitié Sirène.

WaNguira marchait tout en réfléchissant: il était content. Cela faisait longtemps qu'il n'avait pas éprouvé ce sentiment de paix avec lui-même. Il s'assit nonchalamment au pied d'un chêne. Le sol était jonché de glands. Il en ramassa un, apprécia sa forme du bout des doigts, et le mit négligemment dans sa poche. Que la nature était belle! Il se dégageait de cette forêt une telle impression de paix que WaNguira se demanda si les Nains ne pourraient pas choisir de vivre à l'air libre, là même, à la lisière du bois.

Ce devait être une mauvaise idée parce qu'il n'eut pas le temps de l'approfondir : deux Dryades, comme surgies du sol, se tenaient en face de lui.

— Bonjour. Nous sommes…

— Alanag et Dilys ! Je me souviens de vous. Bonjour.

— Les Pookahs vous présentent leurs excuses pour la farce de cette nuit, confia Dilys. Celui que vous aviez capturé s'appelle Tweedledum. Il nous a dit que vous désiriez avoir des nouvelles de Gaïg et Dikélédi.

— Je suis heureux de constater que Tweedledum est un Pookah digne de confiance, répondit cérémonieusement WaNguira.

Ces Dryades lui apparaissaient décidément bien jolies et il pensait que dans une prochaine vie, il se réincarnerait volontiers en chêne : tant qu'à être chenu, il valait mieux l'être en arbre plutôt qu'en Nain, avec de telles compagnes pour prendre soin de vous… WaNguira gloussa intérieurement : un tel manque de sérieux chez lui ! Manifestement, les Pookahs étaient contagieux. Alanag et Dilys rosirent, sans qu'on pût dire si elles suivaient le fil de ses pensées. Alanag reprit :

— Les Licornes ont soigné Gaïg mais sa blessure devait être cautérisée par les Salamandars.

Le grand prêtre sursauta. Les Salamandars ? Ils n'étaient pas spécialement amis des Nains, à cause de sombres histoires de territoires que les siens n'avaient pas voulu partager. « Que les Nains sont possessifs, décidément ! » se dit-il.

— Elle est partie avec Dikélédi vers les sources chaudes de Tcolawitsé.

WaNguira avala péniblement sa salive. Gaïg et Dikélédi se trouvaient donc à l'opposé, de l'autre côté de la forêt de Nsaï. Que c'était loin ! Étaient-elles en sécurité là-bas ? Avec des Salamandars de surcroît ? Mais Alanag continuait, imperturbable :

— Il y a peu, nous avons appris qu'elles se sont retrouvées prisonnières dans la galerie de Sémah à cause d'un effondrement de terrain. Il y avait aussi une Dryade et un Pookah avec elles.

WaNguira tressaillit : il n'était plus très sûr de ce qu'il entendait, il ne voulait pas y croire. Il répétait dans sa tête les phrases d'Alanag, mais elles restaient en surface : comme si son cerveau refusait de s'imprégner de la réalité des faits. Il commença à transpirer : il avait chaud, envie d'uriner, de bouger, de courir, de hurler, et il restait là, effondré, cloué au sol. Alanag poursuivit, calme et placide :

— Gaïg a été soignée. Un Salamandar a conduit tout le groupe à l'extérieur. Tout va bien.

WaNguira respira et se répéta les deux phrases clés : « Gaïg a été soignée», «Tout va bien». Il se les redit plusieurs fois, ça le rassurait. Ce n'était qu'un petit éloignement géographique, qui retarderait un peu les retrouvailles. Gaïg et Dikélédi étaient en bonne santé, c'était le principal.

— Gaïg et Dikélédi sont sorties à l'autre bout de la galerie de Sémah, près de Sangoulé.

Si loin! Elles étaient arrivées si loin! Si WaNguira n'était pas déjà assis, il se serait laissé tomber sur le sol.

52

Gaïg et Dikélédi avaient vite été distancées par les autres. Elles avaient avancé d'un bon pas toute la matinée et progressaient sous les arbres depuis un moment. Mfuru, emporté par le désespoir, devait battre des records de rapidité, pensaient-elles. La piste des cavaliers était encore fraîche : en plus des herbes piétinées ou des empreintes laissées dans les endroits où le sol s'était révélé boueux, il y avait des tas de crottin dont la provenance était on ne peut plus facile à identifier.

Plusieurs fois, des pierres disposées en forme de flèche avaient indiqué la direction à suivre : étant donné qu'il n'y avait eu aucune intersection, les deux filles avaient supposé que les signaux étaient là pour garder le contact et montrer que Mfuru n'avait pas perdu la trace des voleurs.

— Est-ce que tu crois que Loki pourrait modifier le sens des flèches ? demanda Gaïg à Dikélédi.

— J'espère que non. Mais les Pookahs sont capables de tout, quand il s'agit de faire une farce. Pourvu que Winifrid le surveille…

— Tant qu'il n'y a pas de croisements, nous ne risquons rien.

Elles continuèrent d'avancer en devisant pendant un moment, puis finirent par se taire. La fatigue se faisait sentir.

— J'ai l'impression que je n'ai fait que marcher tous ces derniers jours, constata Gaïg d'une voix morne.

— Ce n'est pas seulement une impression, c'est la réalité. Finalement, ça doit être bien de se déplacer à cheval. Mais je crois que j'aurais peur…

— La rivière coule au fond de la vallée. On l'entend. On pourrait se laisser porter par le courant…

Dikélédi réprima un frisson :

— Non merci. C'est froid et ça mouille ! Et puis, on ne peut pas quitter le sentier comme ça… Regarde !

Quelques fruits avaient été placés à côté d'un tas de pierres disposées en flèche sur le sol.

— C'est pour qu'on ne s'arrête pas pour chercher de la nourriture, poursuivit Dikélédi. On perdrait du temps. Elle pense à tout, Winifrid. Elle a peut-être déjà rattrapé Mfuru.

— On peut faire une pause, alors. Je suis épuisée !

— Juste le temps de manger, dans ce cas.

Gaïg déposa Txabi et se laissa tomber sur le sol :

— Je t'avertis que si tu t'éloignes, je ne partirai pas à ta recherche, Txabi.

— Hi ! hi, la mauvaise mère qui abandonne son enfant ! s'écria Loki en sautant du haut d'une branche. Heureusement que j'arrive à temps pour l'adopter, hé ! hé !

Les deux filles sursautèrent en reconnaissant Loki, mais ne cherchèrent pas à cacher leur soulagement : elles ne s'étaient donc pas perdues puisqu'il les avait retrouvées, et si le chemin leur avait paru long, elles étaient en train de l'oublier. Loki s'empressa de leur donner les dernières « nouvelles » : il n'y avait rien de changé. Les brigands continuaient vers le sud par le même chemin. Mfuru ne les avait pas rattrapés, mais Winifrid l'avait rejoint.

— Mais ils vont s'arrêter pour la nuit ? demanda Gaïg.

— Qui ça, « ils » ? Les voleurs ? Comment veux-tu que je le sache ? Je ne suis pas un voleur, moi….

Gaïg ne put s'empêcher de sourire.

— Hum ! Certes non, je n'irais pas jusque-là… riposta-t-elle avec ironie en serrant sa Pierre des voyages dans sa poche. Mais Mfuru et Winifrid ? Il faudra bien qu'ils se reposent, non ?

— Je pense que Mfuru va continuer tant qu'il n'aura pas retrouvé AtaEnsic. Et Winifrid également. Et moi aussi, hi ! hi ! Je vais les rejoindre. Au revoir !

Ayant dit cela, Loki disparut dans les branches. Gaïg posa à Dikélédi la question qui la tourmentait :

— Mais comment font-ils pour avancer aussi vite ? Ils ont réussi à rattraper Mfuru ! Nous n'avons pas flâné, pourtant...

Dikélédi éclata de rire :

— Ils volent, tout simplement !

Puis elle poursuivit :

— Les arbres les aident. Dans la forêt, ils ne marchent pas sur le sol comme nous. Ils grimpent aux arbres et se lancent de branche en branche en profitant de l'élan donné par les branches quand elles se redressent. Donc ils vont deux fois plus vite.

— C'est incroyable ! Dommage qu'on ne puisse pas faire pareil... Tu crois que ça marcherait pour nous, si on essayait ?

Dikélédi rit de nouveau :

— Non, malheureusement. Les arbres ne le font que pour les Dryades et les Pookahs. Ils ne les laissent jamais tomber.

Puis, après un instant de réflexion, elle conclut :

— Eh bien, je pense que nous pouvons nous remettre en route. On fera une pause ce soir.

— De toute façon, l'important, c'est que nous nous dirigeons vers la mer.

Dikélédi interrogea Gaïg du regard et celle-ci avoua alors à la jeune Naine sa décision : elle ne retournerait pas à Nsaï, elle avait l'intention de s'installer dans un village près de la côte. Dès qu'AtaEnsic aurait été libérée, Gaïg irait vers l'océan. Dikélédi n'afficha aucune réaction.

Elles continuèrent à marcher jusqu'au soir, s'arrêtant de temps en temps pour faire une halte. Le sentier montait graduellement tandis que la rivière s'enfonçait dans une gorge de plus en plus profonde. Des flèches, dessinées sur le sol avec des pierres, apparaissaient à intervalles réguliers, parfois accompagnées de fruits.

— Heureusement que Winifrid possède une connaissance approfondie de la forêt, fit observer Dikélédi. S'il nous fallait chercher de quoi manger en plus, je ne sais pas si je serais très efficace...

— Tu le serais sans doute davantage que moi, rétorqua Gaïg. J'ai toujours été étonnée par tout ce que Nihassah pouvait trouver dans un bois, si petit soit-il. Tout ce que je sais faire, c'est pêcher.

— Tu pourrais t'installer sur une île ! Comme cela, où que tu ailles, tu finirais toujours par arriver à la mer.

Les yeux de Gaïg brillèrent. Une île! Une terre entourée d'eau! Comment n'y avait-elle jamais pensé auparavant ? La mer partout, où qu'on aille. À perte de vue…

Dikélédi lui avait fourni sans le savoir de quoi rêver et elle sentit sourdre en elle un regain d'énergie. Pour trouver une île, il fallait se trouver près de la mer. Et chaque pas qu'elle ferait l'en rapprocherait. Et ce serait bien aussi pour délivrer AtaEnsic. Elle accéléra.

Gaïg était partie dans un autre monde, aquatique celui-là. Elle revoyait les fonds sous-marins de la baie en face de son village et les souvenirs affluaient. Pour certains, elle ne savait plus si elle les avait réellement vécus, ou s'il s'agissait de rêves remémorés. Mais peu importait. Elle avait un but maintenant: trouver une île. Et elle mettrait tout en œuvre pour parvenir à ses fins.

Ce fut Dikélédi qui la rappela momentanément à la réalité en lui proposant de faire étape pour la nuit:

— Il fait sombre et je suis fatiguée.

Gaïg acquiesça et proposa un arbre un peu en retrait du sentier, dont les branches retombaient assez bas sur le sol. Elles s'y installèrent pour la nuit et Gaïg replongea aussitôt dans sa rêverie insulaire. Mais comment trouvait-on une île?

Dikélédi s'était endormie tout de suite. Gaïg, ne dormant pas, songeait au pied de l'arbre, avec Txabi pelotonné contre elle. Maintenant que son amie lui avait mis cette idée en tête, elle ne pouvait pas penser à autre chose: une île! Trouver une île!

La première étape consistait à se rapprocher de la mer, ce qu'elle faisait déjà. Ensuite, il lui faudrait trouver un bateau pour traverser l'océan. Mais pour aller où? Ses connaissances en géographie étaient on ne peut plus réduites et elle imaginait difficilement un capitaine de bateau abandonnant une fillette de dix ans seule sur une île déserte. Une île habitée, alors? Oui, mais laquelle? Où y avait-il des îles, pour commencer? Les marins devaient bien le savoir, eux. Il suffirait d'enquêter et ensuite de faire son choix. Dorénavant, vivre dans un village de la côte s'imposait comme étant le premier pas vers la réalisation de ce projet magnifique.

Gaïg se sentait remplie de toute la patience de la terre pour l'achèvement de son dessein. Sa bague luisait doucement dans l'obscurité, comme pour approuver ses intentions. Rien ne lui semblait impossible. Elle envisagea même de chercher son île à la nage. Seraitelle capable de nager pendant des jours et des jours? Elle fut tentée de répondre par l'affirmative à cette dernière question : elle avait bien marché pendant des jours et des jours ces derniers temps ! Mais si les jours se transformaient en semaines, elle se sentait moins sûre d'elle. Quoi qu'en aient dit Guillaumine et ses sbires, elle n'était pas une « poissonne » : il lui fallait de l'air pour respirer. Et même si l'eau la portait, elle finirait bien par ressentir la fatigue à un certain moment.

Gaïg abandonna un peu à regret l'idée de chercher son île à la nage. Elle se demanda un court instant à quoi elle ressemblerait si elle se noyait, et elle frémit en se remémorant la vision des Vodianoïs. Il valait mieux ne pas laisser s'épanouir cette pensée, sinon elle ferait des cauchemars. Elle s'apprêtait à fermer les yeux quand un bruissement soyeux et feutré attira son attention.

Elle n'arrivait à identifier ni la provenance ni la nature exacte du son, une espèce de frottement étouffé, et elle cogna discrètement Dikélédi. Cette dernière ne devait dormir que d'un œil, car elle se réveilla instantanément, sans faire le moindre mouvement, se contentant d'ouvrir les yeux. Décidément, les Nains, même très jeunes, restaient toujours sur le qui-vive dans la nature, observa Gaïg. Elle fit signe à la jeune Naine d'écouter, en lui indiquant du doigt une forme sombre qu'on décelait maintenant sur le sentier.

Dikélédi se redressa doucement, dans un silence total, fixa un moment la silhouette mouvante et montra avec un sourire les cinq doigts de la main à Gaïg qui distinguait les contours d'une bête qu'elle ne réussissait pas à identifier. Ce n'est que quand l'animal se remit en route que Gaïg reconnut une louve accompagnée de sa portée : cinq louveteaux joueurs et bondissants, cabriolant autour de leur mère.

Le groupe s'immobilisa devant l'arbre sous lequel les deux filles avaient trouvé refuge et les considéra un court moment. Gaïg vit Dikélédi incliner légèrement la tête dans une attitude quasi respectueuse et elle se sentit transpercée quand le regard de la louve croisa le sien. Les louveteaux avaient arrêté leurs cabrioles et se tenaient calmement autour de leur mère. Puis cette dernière s'éloigna, entourée de sa portée, sans faire plus de bruit qu'à l'arrivée.

Gaïg était sous le charme de la scène, brève mais plaisante, qui s'était déroulée si près d'elle. Habituellement, les animaux sauvages n'étaient pas si confiants et elle se demandait pourquoi la louve n'avait pas fui quand elle s'était aperçue de leur présence. Elle fut la première à retrouver l'usage de la parole :

— C'était beau, hein ? Elle ne nous a même pas attaquées. Et elle ne s'est pas enfuie non plus.

Dikélédi la considéra un moment l'air songeur.

— Ce n'était pas seulement une louve, Gaïg. Les Nains considèrent que tout animal accompagné de cinq petits est un représentant de Mama Mandombé.

Gaïg demeura bouche bée : Mama Mandombé, la déesse des Nains ! Celle qui avait cinq enfants accrochés à ses jupes et qui lui avait offert la Pierre des Voyages ! Sous la forme d'une louve ! Cela ne se pouvait…

Dikélédi continuait :

— C'était une visite. Je ne sais pas ce qu'elle voulait. Ça nous portera chance… C'est pour nous donner confiance…

Gaïg était autant sceptique que désireuse de croire à ce que racontait Dikélédi. Elle opta pour la foi, qui annonçait un avenir meilleur, puisque son amie avait évoqué la chance qu'apportait la visite. Or, elle aurait aussi besoin de chance dans le futur…

— Pour trouver une île, peut-être ! J'aimerais découvrir une île pour moi toute seule !

— Les Nains ont besoin d'un pays : essaie de trouver deux îles, pendant que tu y es ! lança Dikélédi en plaisantant.

— Oh, ce serait chouette ! Tu n'as que de bonnes idées, ce soir ! Une île pour toi, Nihassah et les autres, et pas loin, une pour moi ! Je viendrais vous rendre visite à la nage !

— Remarque qu'une île suffirait pour nous tous : on ne fréquente pas les mêmes endroits. Tu serais dans la mer et nous dans la terre !

— Si on a un rêve et qu'on y pense très fort, il finit toujours par se réaliser. Je vais m'endormir en essayant de l'imaginer.

— Oui, parce que demain, il faudra encore marcher. Quand même, je n'en reviens pas : cette louve et ses cinq petits… Si c'est Mama Mandombé, qu'est-ce qu'elle voulait ?

— Je n'en sais rien, mais elle était belle sous cette forme. On dort, maintenant ?

Gaïg plongea dans le sommeil assez vite. C'était au tour de Dikélédi de songer. Pour la première fois de sa vie, elle avait eu une apparition de Mama Mandombé, sous la forme d'une louve avec ses louveteaux. Ils étaient bien cinq, il n'y avait aucun doute là-dessus. Et la famille tout entière s'était arrêtée pour les considérer sous l'arbre. Dikélédi réfléchissait intensément, mais ne trouvait aucune explication. La louve ne leur avait pas adressé la parole, n'avait eu aucun geste significatif, elle les avait simplement regardées. Comment pouvait-on interpréter un regard ? Peut-être que WaNguira pourrait lui expliquer. Sur cette pensée réconfortante, elle s'endormit enfin.

La journée du lendemain se passa à marcher : le sentier semblait interminable. C'était donc si grand, Sangoulé ? Et ça montait toujours ?

De temps en temps, un petit tas de fruits les attendait sur le bord du chemin. Loki fit une courte apparition et repartit sur-le-champ.

Au crépuscule, elles s'apprêtèrent pour passer une nouvelle nuit en forêt. Y aurait-il encore une visite ?

Les deux filles s'endormirent sur cette question.

53

WaNguira était effondré. Il ne voulait pas croire que Gaïg était perdue pour les Nains et il essayait de se rassurer. Mais Sangoulé… C'était le bout du monde…

— Merci de m'avoir donné des nouvelles, réussit-il à articuler. Je suppose que vous n'en savez pas plus…

— Ce sont les nouvelles les plus récentes que nous ayons, confirma Dilys. Un Salamandar est venu nous informer dans la matinée. Vous vous sentez bien ?

— Ça ira, merci. Je dois juste m'habituer à l'idée qu'elles sont si loin. Mais elles ne sont pas seules, n'est-ce pas ?

— En plus de Dikélédi, il y avait une Dryade et un Pookah avec elles, et aussi Mfuru et AtaEnsic. Nous ne pensons pas qu'ils courent un quelconque danger. Ils mettront simplement plus de temps pour revenir.

— Nous enverrons un groupe à leur rencontre, c'est plus sûr. Remerciez les Licornes de notre part.

Les Dryades ne répondirent rien : elles saluèrent légèrement et s'enfoncèrent dans le bois, aériennes et végétales.

WaNguira, pensif, revint vers les autres. Il ne pouvait plus reculer : il faudrait organiser sérieusement l'avenir. D'abord, informer les autres de la situation de Gaïg. Avertir ceux qui étaient restés à Seyni.

Puis organiser un rassemblement de toute la Nanitude. Et envoyer un groupe à la rencontre des deux filles. Ensuite… Ensuite?

WaNguira s'arrêta là: sa pensée n'allait pas plus loin. Il soupira, espérant secrètement que quelqu'un aurait une idée lumineuse qui résoudrait tout. Il ignorait comment procéder, quelle décision prendre, et il estima qu'il n'avait guère progressé depuis la dernière réunion dans la caverne de Kanyangokoté. Les signes étaient là, c'était clair. Le volcanisme croissant restreignait de plus en plus les espaces habitables. Et la population des Nains diminuait. Ils avaient déjà perdu les Kikongos dans la catastrophe de Sangoulé. Des familles avaient péri lors de l'éruption de la montagne Pelée. Qui seraient les prochaines victimes?

WaNguira avançait, la tête et l'œil bas comme un pigeon blessé. Il aperçut un groupe de Nains en train de discuter: Mukutu en faisait partie. Il se dirigea machinalement vers eux. Le silence se fit à son approche: c'est d'un ton monocorde et désabusé qu'il informa les autres de ce qu'il avait appris au sujet de Gaïg. Il leur livra un récit aussi succinct que celui des deux Dryades. Il aurait été bien en peine d'y ajouter quelque chose, mais selon toute apparence, les autres espéraient une suite. Le silence s'épaississait, tandis que le groupe gagnait en importance: tous les Nains s'approchaient, se doutant qu'il y avait du nouveau.

Quel nouveau? Les épaules de WaNguira s'affaissèrent. Voyant cela, Mukutu prit la direction des opérations. Il savait qu'une discussion durerait des heures, pour aboutir à des conclusions déjà tirées. Alors, autant passer à l'action.

— M'est avis qu'un rassembl'ment général d'tous les Nains s'impose. Ici même. Cinq volontaires pour les collines?

Tous comprirent qu'il s'agissait d'avertir leurs frères Gnahorés qui habitaient les collines de Koulibaly. Deux Pongwas et trois Affés se portèrent volontaires: si leurs chefs n'avaient rien dit, c'est qu'ils étaient du même avis que Mukutu. Et comme de toute façon c'était là qu'ils se rendaient…

Mukutu eut un léger signe de tête en guise d'acquiescement. Il continua:

— Cinq autres pour Seyni?

Jaro, Dofi et Kikuyu s'avancèrent immédiatement, ainsi que deux Affés qui avaient laissé là-bas femmes et enfants.

— Et un groupe d'cinq encore pour aller à la rencontre des deux filles?

Afo et Keyah s'avancèrent, pendant que Matilah se plaçait sans vergogne devant Nihassah qui semblait hésiter à lever un doigt. Matilah avait aidé Mukutu à prendre soin d'elle lorsqu'elle était petite et se considérait toujours comme sa mère adoptive. Cette dernière remit de l'ordre dans sa tenue en prenant soin d'étaler ses jupes, essayant de se faire plus large qu'elle ne l'était afin de cacher Nihassah aux yeux de Mukutu. Il comprit le manège et regarda ailleurs. Babah se proposa, ainsi que Kalenda et Témidayo.

— M'est avis qu'ça d'vrait aller, conclut Mukutu. Partez dès qu'vous pouvez. On s'retrouve ici l'plus tôt possible, d'ici quelqu'jours. Quand on s'ra tous là, on décid'ra.

WaNguira était reconnaissant à Mukutu d'avoir pris les choses en main et de les avoir menées aussi rondement. Mongo et Séméni ne s'étaient pas opposés, ce qui prouvait qu'ils n'avaient rien de mieux à proposer. Ils étaient déjà assez perturbés par l'éruption de la Pelée et les pertes subies. Le même raisonnement valait pour WaNdéné et WaNtumba. Ils étaient tous aussi perplexes les uns que les autres face à l'attitude à adopter.

Puisque dans l'immédiat, il n'y avait rien d'autre à faire qu'attendre, les Nains décidèrent de s'installer un peu mieux et d'organiser le campement. Il fallait surtout maintenir les lieux dans un état d'extrême propreté sous peine d'être rapidement chassés. Les grands prêtres savaient que Dryades et Licornes ne leur déclareraient pas une guerre ouverte : elles ne se montraient pour ainsi dire jamais. Tout se passerait par le biais des arbres, qui pouvaient se révéler insupportables envers les indésirables si l'ordre leur en était donné : feuilles mortes, fruits gâtés, sève dégoulinante et collante, et dans le pire des cas, vieilles branches pourries se cassant dangereusement au passage de l'un ou l'autre. Sans compter ce qu'on ignorait…

Nihassah était en grande discussion avec Matilah et Mukutu, leur reprochant de collaborer pour la tenir éloignée de Gaïg. Les deux accusés niaient en toute bonne foi s'être consultés, et Nihassah avait inventé pour l'occasion l'expression de « collaboration non concertée », pratique qu'elle jugeait injuste et antidémocratique, donc dégradante pour ceux qui en usaient.

— Quand on a une jambe cassée, on reste en place le temps que ça se ressoude ! affirmait Matilah d'un ton péremptoire.

— J'hésitais à lever le doigt, mais je ne l'avais pas encore fait. Tu n'avais pas à te mettre devant moi pour me cacher !

— Je ne l'ai pas fait exprès ! Je ne t'avais pas vue !

Nihassah était toujours suffoquée par la mauvaise foi de celle qui lui avait servi de mère quand cette dernière la croyait en danger.

— Tu aurais pu me piétiner, tant que tu y étais ! Pourquoi ne l'as-tu pas fait ?

Mukutu se faisait discret. Il se tenait tranquille sous le fallacieux prétexte de ne pas « envenimer les choses » : en réalité, si Nihassah passait sa colère sur Matilah, elle serait plus calme pour lui ensuite. Il apaisait la voix de sa conscience qui lui reprochait sa conduite honteuse en se répétant que Matilah était une femme forte et équilibrée qui saurait tenir tête à sa fille, alors qu'il n'était qu'un pauvre Nain fragilisé par les aléas de sa propre vie. Il soupçonnait néanmoins que son tour viendrait tôt ou tard, Nihassah n'étant pas du genre à lâcher facilement une proie.

Ce fut Bandélé, le fils de Matilah et frère de lait de Nihassah, qui les sauva tous les deux de l'ire de cette dernière en lui promettant de lui tenir compagnie et de la distraire. Il s'assit d'office à côté d'elle et commença à parler de Gaïg, ce qui était encore le meilleur sujet de conversation pour adoucir celle qu'il espérait secrètement avoir pour compagne un jour.

Matilah s'en alla la tête haute, en grommelant contre l'irréflexion et l'aveuglement de la jeunesse. Mukutu respira un grand coup et décampa discrètement, prêt à accorder la main de sa fille chérie à ce jeune inconscient dès qu'il en ferait la demande.

54

Ce fut Loki qui réveilla Gaïg et Dikélédi.

— Debout, paresseuses. C'est l'heure! Le soleil est déjà haut dans le ciel! En route!

Ce faisant, il les bombardait de petits cailloux. Les deux filles avaient du mal à sortir du sommeil, mais Loki n'y fit pas attention et continua à parler:

— On les a retrouvés, on sait où ils sont! Winifrid et moi avons dépassé Mfuru. Nous ne sommes pas des tortues, hu! hu! Nous sommes arrivés dans la nuit à leur repaire, hé! hé! hé!

— Arrête, Loki, tu vas trop vite, l'interrompit Gaïg, encore ensommeillée. On ne comprend rien à ce que tu racontes.

Mais Loki poursuivit:

— Ils ont une cabane cachée près de la rivière. Ils y sont arrivés dès hier soir. Ils ont un bateau. Il y a un débarcadère. Mfuru nous a rattrapés ce matin. Et je suis revenu vous prévenir. Oh que je suis fatigué, hé! hé!

— Alors, parle plus lentement.

Loki ne tint pas compte de la remarque de Gaïg et maintint son rapide débit de paroles:

— Ils ont soigné leurs chevaux et ils ont nourri AtaEnsic. Elle est attachée avec plusieurs cordes. Winifrid a pu s'approcher et lui parler dans la matinée. Les voleurs se réveillaient quand je suis parti.

AtaEnsic a peur, mais elle sait qu'on va la délivrer, hé ! hé ! Mfuru ne peut pas s'avancer trop près, c'est un gros Nain lourdaud ! Oh que je suis fatigué hé ! hé !

Gaïg et Dikélédi avaient choisi de se taire : c'était encore le meilleur moyen pour saisir ce que disait Loki, qui persistait à tout rapporter d'un seul coup.

— C'est ce soir qu'on délivre AtaEnsic. Il y a beaucoup de liens qui la lient, hi ! hi ! Les voleurs ne pourront pas partir aujourd'hui : j'ai ajouté du séné dans leur boîte à thé. Ha ! ha ! ha ! ce sera drôle ! J'en ai mis beaucoup ! Oh que je suis fatigué, hé ! hé !

Le Pookah en question n'avait pas l'air plus fatigué que de coutume, à en juger par les sautillements qu'il effectuait, incapable qu'il était de tenir en place.

— Si vous marchez, vous pouvez y arriver ce soir, à temps pour libérer AtaEnsic. Mais vous passez votre temps à dormir pendant que les autres travaillent ! Oh que je suis fatigué, hé ! hé !

— Ça va, on te suit, déclara Gaïg. Et arrête de répéter que tu es fatigué, on a du mal à te croire, à voir tes bonds et tes sauts. Qu'est-ce que c'est, le séné ?

— Oh, je t'en donnerai ! promit immédiatement Loki, la main sur le coeur. Beaucoup, si tu veux ! Ha ! ha ! ha !

— Gaïg, ne le crois pas, prévint Dikélédi, déjà experte en pharmacopée botanique. C'est une plante laxative. C'est ce qui empêchera les voleurs de quitter leur repaire aujourd'hui.

Gaïg n'avait pas l'air de comprendre.

— Ils iront à la selle, précisa Dikélédi. Ils auront la diarrhée, si tu préfères.

Loki ne se tenait pas de joie :

— Ils auront la coulante ! Ou la courante, c'est au choix, ha ! ha ! ha ! Ou la chiasse ! Ou la cliche ! Des fèces liquides, quoi ! Ils déféqueront toute la journée, Madame la distinguée, hé ! hé ! Du ca-ca !

Le Pookah s'amusait visiblement de l'ignorance de Gaïg en matière de selles, sous l'œil attentif et malicieux d'un Txabi toujours désireux d'apprendre. Gaïg sourit : tous les moyens étaient bons pour retarder les voleurs le temps de délivrer AtaEnsic, même celui-là.

— On y va, alors ? proposa-t-elle à Dikélédi en se levant. Viens, Txabi.

— Enfin, elles se décident, les deux limaces ! Ne traînez pas trop en route…

— Oh, ça va, Loki, rouspéta Dikélédi. Tu n'es pas toujours gentil avec nous, je trouve. Cherche-nous des fruits et on te pardonnera peut-être…

Loki disparut en un clin d'œil et les deux filles se mirent en route. Leur conversation porta un bon moment sur les différents moyens de délivrer AtaEnsic. Gaïg proposa une attaque de front en misant sur l'effet de surprise, mais elle-même abandonna immédiatement cette solution : ils n'étaient ni assez forts ni assez nombreux pour cela. Dikélédi, ayant davantage l'habitude des Dryades et des Pookahs, préconisait la ruse : rien n'était plus invisible, selon elle, qu'une Dryade dans un arbre ou un Pookah dans l'herbe.

— Tu ne t'en rends pas compte parce que tu as pris l'habitude de voir Winifrid et Loki. Mais rappelle-toi la première fois que tu les as rencontrés : je suis certaine que tu as cherché à savoir qui te parlait.

— Je me souviens aussi de la première fois où Walig m'a adressé la parole, répondit Gaïg. Je ne savais pas que les arbres pouvaient communiquer ainsi…

Dikélédi prit un air songeur :

— En tout cas, ceux de Nsaï peuvent faire de drôles de choses…

Elle se tut. Le sentier grimpait et il lui fallait économiser son souffle. Gaïg ne relança pas la conversation, il lui était encore plus pénible d'avancer. Elle pensa qu'elle avait du souffle pour rester immobile longtemps sous l'eau, mais pas pour se démener sur terre. Ou sous terre… Dans l'eau, au moins, elle flottait.

Txabi la sortit de sa rêverie :

— Des fruits, là.

— Ah, il n'est pas si mauvais, ce Pookah, finalement, conclut Dikélédi. Je commençais à avoir faim et soif.

Ils se restaurèrent tous les trois et reprirent la route, Txabi se faisant porter une fois de plus. Il avait trouvé une position d'équilibre qui consistait à s'installer sur la nuque de Gaïg et à enrouler sa queue autour de son cou. Quand il en avait assez, il sautait sur le sol pour se dégourdir les pattes. Auquel cas, à force de courir en avant, de fureter, de trotter sur les bords du sentier, de traîner en arrière pour examiner une plante ou un insecte, de se hâter pour les rattraper, il accomplissait au total un trajet double ou triple de la distance réellement parcourue. Ce qui nécessitait un nouveau séjour sur la nuque de Gaïg, histoire de se reposer.

Les heures se succédaient, monotones selon Gaïg : on ne découvrait pas le paysage, il y avait partout des arbres qui bouchaient la vue. Le sentier se faufilait dans la forêt, enchâssé dans la verdure. Gaïg aurait voulu dominer les hauteurs avoisinantes, ou bien se sentir écrasée par la majestueuse beauté des montagnes. Or elle était environnée de feuillage. « Encore heureux qu'il n'y ait pas de neige », pensa-t-elle. Mais on était trop au sud pour cela, il aurait fallu monter davantage en altitude.

— Nous ne sommes plus très loin du col, je pense, déclara Dikélédi. Après, ça devrait redescendre.

— On dirait que les gorges de la rivière sont moins profondes. Peut-être qu'on a déjà commencé à descendre.

— Pour le moment, c'est plat, c'est déjà mieux. Je n'ai jamais autant marché de ma vie…

« Et moi donc ! Je me demande si je sais encore nager… » songea Gaïg avec lassitude.

Elles avancèrent encore un bon moment avant que le terrain ne descende : la progression s'en trouva facilitée. Elles avaient cheminé toute la journée et l'après-midi était bien avancée. Encore un effort et elles retrouveraient Mfuru et Winifrid. Elles libéreraient AtaEnsic. C'était plus facile d'y penser quand il suffisait de se laisser porter pour dévaler une pente que lorsqu'il fallait la gravir. D'autant plus que tout au bout de ladite pente, il y avait la mer…

Gaïg et Dikélédi avançaient de façon mécanique, sans parler : elles avaient de plus en plus hâte d'arriver au repaire des brigands. « Pourvu qu'on ait le temps de se reposer avant de livrer bataille ! » pensait Gaïg. Mais elle se reprenait tout de suite : « Il n'y aura pas de bataille, tout va se passer en douceur grâce à Winifrid. Et à Loki. S'il arrive à se taire et à rester silencieux un moment… »

Elles parvinrent à une intersection si peu visible de loin qu'il fallait avoir le nez dessus pour la distinguer. À droite, un sentier s'enfonçait dans le bois. Elles allaient le dépasser quand Loki fit irruption avec force gestes pour attirer leur attention, mais sans parler. Il attendit qu'elles soient tout près de lui pour ouvrir la bouche :

— La cabane des brigands est au bout du sentier, tout près de la rivière. Chut ! Ils sont toujours là, ils n'ont pas pu voyager aujourd'hui. Ah ! ah ! ah ! c'était drôle ! Chut ! Venez, suivez-moi. Vous en avez mis du temps, les deux limaces ! Chut !

Gaïg et Dikélédi ne relevèrent pas l'insulte : ce n'était pas le moment de se disputer et, de plus, elles étaient trop fatiguées pour cela.

Gaïg commençait à comprendre ce que Dikélédi avait saisi depuis longtemps et que les Dryades savaient depuis toujours: se disputer avec un Pookah était peine perdue, une perte de temps et d'énergie. On s'en sortait beaucoup mieux en leur opposant la platitude et la fadeur de l'indifférence qu'en rétorquant: ils n'attendaient qu'une répartie pour riposter, leur plus grande joie étant de réussir à agacer leur interlocuteur jusqu'à le faire sortir de ses gonds.

Elles emboîtèrent le pas à Loki et retrouvèrent bientôt, dissimulés dans une clairière à l'écart du sentier, Winifrid et Mfuru. Ce dernier, assis contre un arbre, apparemment calme, était en réalité extrêmement agité. Il bougeait constamment les mains et les doigts et remuait la tête en cadence.

Gaïg comprit qu'il jouait de la musique en pensée. Il n'émettait aucun son, ne faisait aucun bruit, mais ses mouvements saccadés ne laissaient planer aucun doute sur son activité.

«Pauvre Mfuru!» pensa-t-elle. Même si son attachement à la Licorne semblait extravagant, nul n'avait le droit de les séparer. Après tout, ils ne dérangeaient personne et vivaient dans un monde clos, le leur, composé de musique et d'amitié.

Gaïg se fit la réflexion que même en restant tranquille dans son coin, même en essayant de passer inaperçu, des événements extérieurs survenaient pour tout bouleverser. Elle-même avait été précipitée dans une série d'aventures indépendantes de sa volonté. Elle reconnut que cela lui avait permis d'avancer dans sa vie: elle avait quitté ce village détesté et avait fait le point en dressant des priorités. Ou du moins en éliminant ce qui ne lui convenait pas.

Elle ne voulait pas passer son existence dans les souterrains des Nains, de cela, elle était certaine. Même avec Nihassah. Il lui fallait la mer, l'océan. La plage et les fonds sous-marins. Elle aimait bien les Nains, elle appréciait leur dévouement, mais leur mode de vie n'était pas le sien. C'était comme s'ils appartenaient à deux races différentes, en somme, d'autant plus que les Nains détestaient l'eau...

Nihassah serait toujours son amie, mais elle avait sa propre vie à bâtir. Elle se trouverait un compagnon, aurait des enfants, qui sait... Est-ce que les bébés Nains naissaient minuscules? Gaïg sourit, se rappelant le temps où Nihassah n'était pour elle qu'une vieille Naine très âgée, presque une grand-mère, répondant au nom de Zoclette. Ayant un peu pénétré le monde des Nains, elle avait pu se rendre compte que Nihassah n'était pas si âgée que cela, en comptant l'âge comme les

Nains, et qu'elle serait même plutôt jeune. Après tout, Dikélédi, du haut de ses trente-trois ans, n'avait que dix ans, comme elle…

— Je vous dis qu'elle est encore partie à rêver ! chuchota Loki en s'agitant devant elle.

Gaïg émergea de ses pensées : ses amis lui souriaient. Ce témoignage d'amitié lui fit chaud au cœur. Avec eux, elle ne se sentait pas épiée ou jugée et elle n'était pas constamment sur la défensive.

On lui offrait à manger. À sa grande surprise, il y avait du pain et du fromage. Devant son air interrogateur, Loki se trémoussa de joie et multiplia ses invitations à se servir.

— Ce sont les voleurs volés, lui murmura Winifrid, une lueur coquine dans les yeux. Ils n'ont rien pu avaler de toute la journée, alors Loki a fait main basse sur leurs provisions. Ce n'est pas très honnête, mais ce qu'ils ont fait à AtaEnsic ne l'était pas non plus…

— En tout cas, ça change des végétaux, se réjouit Gaïg. Peut-être que bientôt, nous aurons du poisson aussi !

Gaïg choisit ce moment-là pour faire part à ses amis de ses intentions : son désir de vivre près de la mer, donc de s'installer dans un village sur la côte. Elle ne retournerait pas avec eux à Nsaï : une fois AtaEnsic délivrée, elle continuerait vers le sud.

Dikélédi, déjà au courant, n'afficha aucune surprise. Mfuru, parlant autant pour Gaïg que pour lui-même, dit simplement que chacun avait droit à sa part de bonheur sur terre : il fallait la chercher, la trouver, et surtout la garder précieusement en la protégeant. Mais Gaïg était étonnée par le silence de Winifrid et de Loki, qui la fixaient sans rien dire. Elle éprouvait une impression étrange face à cette absence de réaction, qu'elle n'arrivait pas à interpréter comme étant de l'indifférence.

Peut-être qu'elle devait justifier son choix, fournir des explications ? Mais lesquelles ? « J'aime la mer et je veux vivre auprès d'elle » était la seule phrase qui lui venait à l'esprit. Pouvait-on justifier ses goûts, ses attirances et ses amours ? Ou bien la trouvaient-ils ingrate de ne pas retourner présenter des remerciements aux Licornes et aux Nains qui avaient si bien pris soin d'elle ?

Si ce n'était que cela, elle pouvait faire demi-tour avec eux, remercier et repartir : le temps ne comptait plus, maintenant qu'elle avait donné une direction à sa vie. Elle allait le proposer, quand Winifrid dit simplement :

— Je comprends. Nous t'accompagnerons et resterons avec toi

jusqu'à ce que tu sois installée dans le village de ton choix. Au moins ainsi, nous saurons où te trouver !

Gaïg n'eut pas le temps de refuser : Loki, Dikélédi et Mfuru approuvaient. Elle sentit sa gorge se serrer sous l'effet de l'émotion et les larmes lui vinrent aux yeux.

— Quand je vous dis que cette fille est une fontaine ! se moqua tout bas Loki. Si elle n'est pas dans l'eau, elle est pleine d'eau. Et ça déborde, ah ! ah ! ah ! Chuuuut !

— Arrête, Loki, tu ne respectes rien ! le tança Winifrid à voix basse. Et tu passes ton temps à dire « chut » alors que c'est toi le plus bruyant ! Nous ferions mieux de nous reposer avant d'intervenir. Après, il nous faudra fuir et mettre la plus grande distance possible entre les voleurs et nous. Je vais voir ce qu'ils font et rendre une petite visite à AtaEnsic.

Loki se joignit prestement à Winifrid, par amour du jeu : avancer doucement en se dissimulant, évoluer très près des voleurs sans se faire voir, les narguer en communiquant avec AtaEnsic à leur nez et à leur barbe, tout cela représentait un exploit digne d'un Pookah en quête d'aventures.

Et quel plaisir, après, quand il faudrait raconter tout cela aux autres Pookahs, en exagérant les faits ! La vie était mille fois plus excitante à l'extérieur que dans la trop calme forêt de Nsaï !

55

Gaïg et Dikélédi choisirent d'obéir à Winifrid et de se reposer avant l'intervention finale. Elles s'allongèrent de part et d'autre de Mfuru, comme pour l'encadrer de leur soutien. Mais elles eurent l'impression qu'elles venaient à peine de s'endormir quand elles sentirent qu'on les touchait doucement : c'était Winifrid qui les réveillait.

— Ils dorment…

— Ils se remettent de leur journée liquide, hi ! hi ! hi ! l'interrompit Loki. On peut y aller. Chuuut !

Winifrid lui posa la main sur la bouche pour le faire taire et poursuivit :

— J'ai commencé à détacher les liens d'AtaEnsic. La pauvre n'a pas l'habitude d'être attachée : elle est tout écorchée.

Elle libéra Loki qui s'agitait.

— Il reste encore un ou deux liens à défaire et on y va. On va continuer vers le sud par un mauvais sentier qui longe la rivière, après la plage. Les voleurs ne penseront pas que nous sommes partis par là : Mfuru et Loki ont laissé de fausses traces sur le chemin principal. Mais il faut passer devant leur cabane pour rejoindre la berge. Je vais finir de m'occuper d'AtaEnsic, on se retrouve au bord de l'eau.

Loki se frappa la poitrine de ses deux poings, comme un gorille vainqueur appelant au combat le reste de ses adversaires :

— Ho ! ho ! Je suis un grand libérateur de prisonniers opprimés !

— Eh bien, fais attention de ne pas te faire emprisonner à ton tour, parce que personne ne viendra te délivrer ! se moqua Gaïg.

Winifrid avait disparu dans l'obscurité. Gaïg jugea que la nuit devait être bien avancée pour qu'il fasse aussi sombre : elle avait dormi plus longtemps qu'elle ne pensait. Elle suivit les autres le plus silencieusement possible, sachant que pendant la nuit, les sons portaient beaucoup plus loin. Elle percevait les différents bruits de la forêt, principalement le clapotis de la rivière toute proche.

En arrivant devant la maison dont la porte n'était même pas fermée, elle entendit la respiration ronflante des brigands. Combien étaient-ils ? Dans son souvenir, elle en avait aperçu six qui se sauvaient, mais peut-être qu'ils étaient plus nombreux... Cet abri pouvait leur servir de quartier général dans lequel ils retrouvaient des complices.

Gaïg inspecta les lieux d'un coup d'œil circulaire et s'attarda sur la plage, tout en longueur. Le coin était plaisant. Il y avait une barque assez imposante attachée à un débarcadère bien entretenu : les malfaiteurs devaient l'utiliser régulièrement.

Elle se rapprocha du ponton, invinciblement attirée par l'eau, suivie de Dikélédi et de Mfuru auquel on avait bien recommandé de ne pas intervenir : sous l'emprise de l'émotion et de la colère, il pouvait tout faire rater.

Le calme régnait et Gaïg chercha Winifrid des yeux : elle s'affairait auprès d'une tache claire que Gaïg reconnut être la Licorne. Elle avait été séparée des autres chevaux, sans doute à cause de sa nervosité.

Gaïg distingua l'enclos et fut surprise non seulement par sa taille, mais par le grand nombre de bêtes prisonnières : apparemment, ces bandits n'étaient pas des débutants ou des dilettantes. C'étaient de véritables trafiquants qui devaient vendre les animaux volés bien loin des lieux du méfait.

Winifrid avait libéré AtaEnsic et s'apprêtait à les rejoindre. Les chevaux hennissaient nerveusement et s'agitaient de plus en plus dans leur enclos. La Dryade se rendit compte avec horreur que Loki avait ouvert la barrière de leur parc pour qu'ils s'évadent. Présumant l'imminence d'une catastrophe, elle fonça sur-le-champ vers la plage avec AtaEnsic.

Gaïg, qui n'avait rien perdu de la scène, vit Loki en train de fesser les chevaux pour les faire sortir plus vite. Ceux de derrière, ainsi stimulés, poussaient ceux de devant qui encombraient la sortie.

Finalement, ces derniers se décidèrent à avancer, d'abord avec méfiance, puis, comprenant enfin qu'ils étaient libres, ils s'égayèrent dans toutes les directions.

Une grande confusion régnait. Loki continuait à exciter les bêtes, visiblement ravi de l'effet produit.

Un des malandrins, alerté par le bruit, fit irruption sur le seuil et comprit immédiatement ce qui se passait.

— On nous vole! lança-t-il d'une voix tonitruante afin d'avertir ses comparses.

Ces derniers surgirent sans délai et mesurèrent instantanément l'ampleur du désastre. Obnubilés par les chevaux qui les entouraient, ils ne pensaient même pas à regarder vers la rivière.

Gaïg eut l'intuition qu'il fallait profiter de l'effet de surprise créé par cette confusion pour se sauver, mais elle hésitait sur la direction à prendre, ignorant où se trouvait le sentier auquel Winifrid avait fait allusion. «Dans la barque» fit une voix dans sa tête, pendant qu'elle sentait la bague se serrer autour de son doigt.

— Dans la barque, vite! répéta-t-elle sans réfléchir.

Ses camarades, ahuris par ce qui se passait, obéirent sans rechigner. La barque tangua dangereusement sous le poids d'AtaEnsic, puis finit par s'immobiliser. Les yeux exorbités de la Licorne montraient sa frayeur et Mfuru, se rapprochant pour la serrer dans ses bras et la rassurer, provoqua un nouveau tangage.

Gaïg défit promptement l'amarre et poussa l'embarcation en prenant appui sur l'embarcadère pour s'éloigner. Elle remarqua qu'il y avait une perche et des rames au fond, mais qu'AtaEnsic était couchée dessus. Comment récupérer la perche sans risquer de faire basculer la barque une fois de plus?

Elle avisa une autre perche sur l'embarcadère et s'apprêtait à plonger pour aller la chercher, quand elle aperçut Loki qui courait vers eux.

— La perche, Loki, sur le ponton! Prends-la et saute! Il nous la faut!

Ça, c'était un exploit pour un Pookah! Loki, au comble de l'excitation, effectua un majestueux saut à la perche pour rejoindre la barque qui n'était pas encore très éloignée. Il y eut un nouveau tangage quand il se retrouva dans la barque et AtaEnsic ne put réprimer un hennissement de frayeur. Loki tendit la gaffe à Gaïg d'un geste détaché, comme si le saut à la perche faisait partie de son quotidien.

Gaïg, debout à l'arrière, dirigea l'embarcation vers le milieu de la rivière, afin de profiter du courant. Elle retrouvait d'instinct les gestes qu'elle avait vus mille fois accomplis par les pêcheurs de son village. Mais la barque était lourde…

Les voleurs essayaient toujours désespérément de rattraper les chevaux. Ils finirent par se rendre compte qu'il y avait une agitation inhabituelle sur l'eau, mais la barque était déjà trop loin pour qu'ils la rejoignent. Encore éberlués par ce qui se passait, ils ne virent même pas que leur belle prise de la veille, cette jolie jument blanche aux attaches si fines, s'en allait au gré de l'onde.

Gaïg essayait tant bien que mal de se maintenir au milieu du cours d'eau. Pendant un moment, elle crut qu'elle y réussissait, mais elle eut tôt fait de se rendre compte de la réalité : c'était le courant qui décidait ! Et il se révélait assez violent, une fois qu'on était pris par lui. Pourtant, de la plage, la rivière avait l'air calme… Peu profonde aussi. Or la perche s'enfonçait maintenant aux trois quarts de sa longueur.

Gaïg se demanda lesquels, parmi ses compagnons, savaient nager. Sachant combien les Nains détestaient l'eau, elle présuma que Dikélédi et Mfuru couleraient immédiatement. Leurs visages gris de peur et leurs yeux aussi exorbités que ceux de la Licorne – qu'elle inclut dans le lot au passage – ne firent que confirmer sa supposition.

Ces trois-là étaient dépassés par les événements, à cause de la proximité de l'eau qui les effrayait plus que de raison. Les Nains avaient toujours éprouvé une sainte horreur de l'eau et s'en tenaient soigneusement à l'écart. Ce peuple fondamentalement terrien n'avait de goût ni pour la pêche ni pour la navigation. Quant à AtaEnsic, Gaïg supposa qu'elle avait été d'autant plus bouleversée par son enlèvement qu'elle avait déjà eu à subir la cruauté des hommes.

Elle avisa Winifrid : c'était une créature qui vivait dans les arbres, légère et aérienne. Elle n'affichait pas l'air affolé des trois autres. Peut-être qu'elle était capable de marcher à la surface de l'eau sans s'enfoncer…

Restait Loki. Difficile de savoir que pouvait ou non faire un Pookah… Peut-être qu'en s'agitant beaucoup et en criant très fort, il ameuterait tous les êtres susceptibles de lui porter secours…

Ayant ainsi fait le tour de ses « marins », Gaïg sursauta.

— Txabi ! Où est Txabi ?

Ses compagnons tournèrent vers elle un visage abasourdi.

— Txabi ! Il n'est pas dans la barque, n'est-ce pas ? Où est-il ?

— Je suis là, répondit une petite voix mouillée. Mais vous allez vite…

— Là, derrière, dans l'eau ! s'exclama Loki en montrant quelque chose du doigt.

Gaïg eut du mal à distinguer Txabi, minuscule créature perdue dans cette vaste étendue d'eau sombre. Il se trouvait assez loin de la barque, qu'elle essaya d'arrêter pour donner au bébé salamandar le temps de les rattraper. Mais la force du courant entraînait la lourde embarcation et Gaïg n'avait pas assez de force dans les bras pour la freiner. Loki vint l'aider à maintenir la perche enfoncée dans le sable, mais même à deux, ils ne parvenaient pas à immobiliser la barque assez longtemps pour que Txabi la rattrapât.

— Viens nous aider, Mfuru, ordonna-t-elle. Dikélédi et Winifrid, prenez une des rames qui sont au fond et tendez-la à Txabi pour qu'il monte.

Gaïg avait adopté un ton de commandement qui seyait peu à une fillette de son âge, mais elle n'avait pas de temps à perdre. De plus, elle sentait qu'aucun des passagers n'était capable de la moindre initiative : ils étaient tous paralysés par la tournure adoptée par les événements. Et Txabi était toujours à l'eau. Il savait nager, bien sûr, mais pendant combien de temps pourrait-il suivre l'allure de la barque ?

Heureusement, ses compagnons bougeaient et faisaient ce qu'elle leur avait demandé. AtaEnsic s'était soulevée un peu pour faciliter l'accès aux rames et Mfuru et Loki joignaient leurs forces aux siennes pour tenter d'immobiliser l'embarcation.

Après un moment, Txabi, en se laissant porter par le courant, parvint à la hauteur de la rame, sur laquelle il se hissa avant de trottiner jusqu'à la barque comme si de rien n'était. Gaïg se fit intérieurement la réflexion qu'elle ne saurait jamais s'il avait risqué la noyade ou non.

Une fois Txabi en sûreté, ils laissèrent l'embarcation reprendre sa danse dans la rivière. Il n'y avait qu'une seule chose à faire : s'éloigner le plus possible du repaire des brigands. Et le courant les y aidait.

Gaïg craignait la présence de rapides ou de cascades et elle tendait l'oreille, n'osant partager ses inquiétudes avec ses amis. « Dans la mer, il y a les vagues, et dans les torrents de montagne, les chutes. Si la barque se brise sur un rocher et qu'on tombe à l'eau… » Sa pensée n'allait pas plus loin.

Elle se rassura en pensant à la bague : puisqu'elle lui avait suggéré cette solution, c'était qu'il n'y avait pas de danger !

Le fait est que tout allait « bien » : ils étaient tous sains et saufs, ayant délivré AtaEnsic et ayant échappé à une bande de voleurs sans doute armés. L'important, présentement, consistait à ne pas couler. « De toute façon, toutes les rivières mènent à la mer, pensa Gaïg. On arrivera plus vite à la côte, c'est tout ! »

Elle relâcha un peu ses muscles tendus par l'effort, pour les sentir se contracter aussitôt : une bouffée de colère l'envahit en pensant à Loki. Comment avait-il osé risquer ainsi la vie de toute la compagnie en libérant les chevaux ? C'était le plus sûr moyen de donner l'alerte aux bandits, et il y avait superbement réussi.

Gaïg le regarda. Il lui souriait ingénument. Elle se demanda s'il lisait dans ses pensées et tentait ainsi de l'amadouer ou s'il était totalement inconscient des dangers qu'il faisait encourir aux autres. Elle hésitait entre le gronder – de quel droit ? Et à quoi bon ? Il ne changerait pas – et l'ignorer.

Loki, à croire qu'il la narguait, lui souriait de toute sa laideur de Pookah. Un sourire qui découvrait des dents d'une santé et d'une blancheur étonnantes, eu égard aux rides de la face qui en faisaient un petit bonhomme très vieux. Ses yeux écartés luisaient de malice et de tendresse, comme si Gaïg était sa meilleure amie, sa complice, son alliée.

La rivière s'élargissait et le courant perdait de sa puissance : la barque se stabilisait.

Gaïg, toujours en colère, se demanda si elle devait sauter sur le Pookah souriant, lui tirer les oreilles, lui arracher les moustaches avant de le précipiter par-dessus bord et de lui maintenir la tête sous l'eau pour le noyer. À l'idée de sa disparition – comme la vie serait triste et ennuyeuse sans lui ! – elle opta pour une autre attitude : elle éclata de rire.

— Loki, tu es incorrigible ! Que va-t-on faire de toi ?

Loki comprit qu'elle acceptait l'amitié qu'il lui offrait et son regard pétilla. En choisissant le rire et la dérision face à la gravité de la situation, Gaïg venait d'accomplir un grand pas en avant dans la sagesse : ce qu'on ne pouvait pas contrôler et changer, il valait mieux apprendre à l'accepter. Elle lui sourit à son tour.

Winifrid, qui fréquentait les Pookahs depuis toujours, sourit à son tour à Gaïg :

— Tu es en train de te laisser séduire par Loki, alors qu'il a très mal agi. Il aurait pu tout faire rater.

— Mais nous avons réussi ! triompha Loki. Elle est là, cette bonne grosse AtaEnsic, hé ! hé ! et les chevaux sont libres à l'heure qu'il est ! Et en plus, nous naviguons ! ha ! ha ! ha !

Ce disant, il faisait volontairement tanguer la barque, au grand dam de la Licorne et des deux Nains.

— Ça suffit, Loki, arrête ! le gronda Winifrid. Tu as fait assez de bêtises pour aujourd'hui. Tu n'es pas drôle du tout !

Loki se renfrogna :

— Puisque c'est comme ça, je boude !

— Très bien ! Très bonne idée ! approuva vivement Winifrid. Laisse-nous le temps de nous remettre de nos émotions. Je ne sais même pas où on est, ni où on va…

— Moi non plus, l'informa Gaïg, un peu piteuse.

56

Qu'est-ce qui lui avait pris de faire embarquer tout le monde dans cette coque de noix lourde et peu maniable ? Ah oui, la bague… Mais ensuite ? Elle n'avait même pas assez de force pour diriger l'embarcation. Une fois de plus, Gaïg eut l'impression d'avoir entraîné ses camarades dans une aventure qu'elle ne maîtrisait pas. Certes, la bague l'avait toujours aidée, mais jusqu'à quel point pouvait-elle lui faire confiance ? Surtout quand elle n'était pas seule en jeu ?

— Qu'est-ce que c'est, le Nyanga ? demanda-t-elle abruptement aux deux Nains.

Le temps que Mfuru analyse la question et formule une réponse, Dikélédi avait déjà commencé à expliquer :

— C'est le Minerai sacré des Nains. Mais ça, tu le sais, je suppose. Il est très rare. Il est réservé aux Nains parce qu'eux seuls peuvent le voir et…

— Je peux le voir ! l'interrompit Loki.

— C'est parce que tu n'es qu'une demi-portion de créature ! répliqua Dikélédi, qui poursuivit :

— Celui qui trouve du Nyanga doit le garder pour lui : il ne peut pas le vendre. C'est un signe qu'il a été distingué par Mama Mandombé. Il n'a même pas le choix du bijou qu'il fera avec : le

Nyanga choisit lui-même sa forme quand on commence à le travailler. Les Hommes ne peuvent pas le voir, mais certains autres êtres, si. Les Pookahs, par exemple. Ou les Dryades, Ou les Licornes. Ou… Je ne sais pas! On dit que Mama Mandombé parle à ceux qui ont du Nyanga. Mais on n'a pas le droit d'interroger un Nain sur le Nyanga qu'il a en sa possession: c'est très mal perçu.

Gaïg chercha dans sa mémoire, mais ne se rappela pas avoir jamais été interrogée sur la présence de l'anneau à son doigt. Nihassah, la première à l'avoir vue, lui avait simplement dit « Tu as une bien jolie bague! » puis avait ajouté « C'est du Nyanga ». Mais elle n'avait posé aucune question à Gaïg sur la provenance du bijou. Par la suite, malgré la rareté du minerai, on ne lui avait jamais rien demandé. Mais une chose la tracassait et elle ajouta:

— Tu dis que les Hommes ne peuvent pas voir le Nyanga. Mais je le vois, moi!

— Tu n'es pas un homme, tu es une fille! Non, je blague! Mais je n'ai pas de réponse. Normalement, tu ne devrais pas le voir…

— Peut-être que je suis une créature hybride, avec du sang de Pookah dans les veines! plaisanta Gaïg.

Elle se tut, étonnée de sa propre réponse. Une créature hybride… Pourquoi pas? Après tout, elle ignorait tout de ses origines. Mais hybride de quoi? De Nain? Avec si peu d'affinités pour les souterrains obscurs et effrayants? De Pookah, de Dryade, de Licorne? Elle ne se sentait pas non plus attirée par leur monde, si calme et plaisant fût-il. Alors, hybride de quoi?

— Quels sont les autres êtres qui peuvent voir le Nyanga?

— Hum, je ne sais pas. À part ceux que je t'ai nommés, je ne vois pas…

Dikélédi consulta Mfuru du regard en quête d'une réponse, mais il haussa les épaules, avouant ainsi son ignorance: la jeune Naine, de par sa fréquentation précoce de la forêt de Nsaï et de ses habitants, en savait plus que lui.

Gaïg se concentra sur sa perche. Cette conversation la laissait perplexe. Elle insista:

— Pourquoi ne peut-on pas poser de questions à un détenteur de Nyanga?

Cette fois, ce fut Mfuru qui répondit, len-te-ment, en ar-ti-cu-lant soigneusement chaque syllabe, ce qui fit penser qu'il était redevenu « normal » avec le retour d'AtaEnsic.

— La relation qu'un dieu ou une déesse choisit d'établir avec un de ses disciples est unique. Elle est incompréhensible pour un tiers. De ce fait, c'est inutile d'en parler.

— Mais je ne suis pas une disciple de Mama Mandombé ! rétorqua Gaïg. Je ne suis pas une Naine !

— Il n'empêche qu'elle t'a choisie.

— Mais pour quoi faire ?

Mfuru eut une grimace d'ignorance et haussa de nouveau les épaules. Dikélédi l'imita. Loki, Winifrid et AtaEnsic étaient absorbés par la contemplation de la rivière. Txabi dormait.

Gaïg se tut, sentant qu'elle n'apprendrait rien de plus. En outre, ce n'était pas Mama Mandombé qui lui avait fait trouver du minerai de Nyanga dans le sol puisque sa bague lui avait été offerte par la Reine des Murènes en personne. Peut-être qu'elle avait trouvé le bijou perdu au fond de l'océan…

Les rives défilaient de chaque côté, mais l'obscurité devenait moins dense : l'aube approchait.

— Bientôt, il fera jour, constata Gaïg. Mais tant qu'on peut continuer ainsi, autant s'éloigner le plus possible de ces brigands.

Chacun replongea aussitôt dans sa rêverie. Les deux Nains s'étaient accoutumés à la présence de l'eau et avaient moins peur. AtaEnsic aussi semblait rassurée : Mfuru se serrait tout contre elle et la caressait. Au bout d'un moment, il émit quelques clappements de langue et commença à jouer de cette musique sèche et saccadée si particulière, propre au peuple des Nains. Dikélédi se joignit à lui et tous se concentrèrent sur ce concert improvisé, sauf Loki qui s'endormit.

Le soleil était déjà haut dans le ciel quand Gaïg proposa une halte :

— On pourrait s'amarrer à un arbre près de la berge. Il fait chaud, maintenant. J'ai envie de me baigner, mais j'ai sommeil aussi.

— Hi ! hi ! Elle n'est pas guérie de la morsure de la Vodianoï, se moqua Loki qui se réveillait. Il faut tout recommencer !

Gaïg le fusilla du regard :

— Si c'est ça, ton humour… lâcha-t-elle d'un petit ton sec.

Loki avait néanmoins réussi à inquiéter Gaïg.

— Vous croyez qu'il y a du danger, dans cette rivière ? demanda-t-elle à ses amis.

— Hi ! hi ! Elle a tellement peur qu'elle craint de les nommer ! la railla Loki. Les Vodianoïs, Gaïg. Ou Les TicholtSodis ! Ou les Nahias ! Tu as le choix, pourtant.

— Je ne pense pas qu'elles te mordraient une deuxième fois, répondit AtaEnsic d'un ton calme.

— De toute façon, tu es immunisée! insista Loki. Alors elles peuvent te mordre, tu ne risques rien.

Gaïg trouva cette conclusion peu encourageante, mais comme il était temps de s'arrêter de toute manière, elle surveilla les rives, dans l'attente d'un lieu propice à l'amarrage de l'embarcation.

Il y avait de multiples emplacements possibles : elle porta son choix sur une berge en pente douce, bordée par une étroite plage sableuse.

Mfuru et Loki durent l'aider à diriger la barque, et après quelques efforts, ils réussirent à l'échouer sur le sable. Mais ce fut Gaïg qui se mit à l'eau la première.

— Il faudra vous mouiller les pieds que vous le vouliez ou non, annonça-t-elle à la cantonade. Je ne pourrai pas tirer toute seule cette barque sur le sable.

Loki la rejoignit immédiatement, à grand renfort d'éclaboussures :

— Mes ancêtres étaient de grands explorateurs, et parmi eux, il y a eu des navigateurs célèbres! Nous avons le pied marin dans la famille!

Gaïg sourit, amusée. Qui étaient les ancêtres de Loki? Avait-il une épouse? Des enfants? Gaïg avait du mal à l'imaginer en père de famille. Il ne serait pas parti avec eux aussi facilement... Mais il devait bien avoir une mère, puisqu'il était là. Or Gaïg n'avait pas le souvenir d'avoir rencontré des femmes Pookahs. Ou des Pookahs femelles... Loki appartenait-il à la race des êtres humains? Toutes ces espèces différentes... Les Nains étaient des Humains, cela ne faisait aucun doute. Mais les Pookahs? Et les Dryades? Y avait-il des Dryades mâles? Toutes ces questions sans réponse...

Gaïg plongea comme pour se laver le cerveau de toutes ces interrogations. Elle se laissa flotter un moment entre deux eaux, essayant d'oublier pour un instant tout ce qui n'était pas le présent : l'eau, la rivière, et bientôt la mer. Mais cela la projetait déjà dans le futur, elle s'obligea à revenir au présent en se concentrant sur la sensation de l'eau glissant contre sa peau.

Après un moment de rêverie subaquatique, elle émergea et fut étonnée de l'air effaré de ses compagnons, penchés au-dessus de l'eau. Son sang ne fit qu'un tour : il y avait un danger, ils avaient aperçu les Vodianoïs. Elle reprit pied immédiatement et fonça vers la berge, alarmée :

— Quoi ? Qu'est-ce qu'il y a ? Qu'avez-vous vu ?

Ils avaient l'air aussi surpris qu'elle-même. Loki fut le premier à se ressaisir :

— C'est toi qu'on ne voyait pas ! On se demandait si tu t'étais noyée, hé ! hé !

Gaïg respira, soulagée. Ses camarades s'étaient inquiétés pour elle parce qu'ils n'avaient pas encore eu l'occasion de la voir évoluer dans son milieu : l'eau. Elle les rassura.

— Ça va, pour moi. Mais qu'est-ce qu'on fait ? Vous descendez ou non ?

Winifrid se mit à l'eau, mais Mfuru et Dikélédi roulaient de gros yeux soupçonneux.

— Si on continue le trajet en bateau, je n'ai pas besoin de mettre pied à terre, annonça Dikélédi d'une voix ferme. Je peux vous attendre dans la barque.

Mfuru se collait contre AtaEnsic. L'expression de son visage ne laissait guère planer de doutes sur son désir de se mouiller. Il s'exprima néanmoins, plus pour répondre à Dikélédi que pour faire part de sa décision, qui lui semblait évidente.

— Je ne connais pas bien la région et j'ignore s'il y a un sentier ou non. S'il n'y en a pas, il faudra avancer à l'aveuglette. En suivant la rivière, on est certain de parvenir à la côte. Je reste dans le bateau.

— Alors je reste avec eux, déclara tendrement AtaEnsic. Vous nous porterez quelque chose à manger ?

— Tiens ! lança Gaïg malicieusement, en lâchant une grenouille dans le bateau.

Il y eut un bref moment d'affolement avant que la grenouille ne rejoigne d'un bond spectaculaire l'élément liquide.

— On y va ! annonça Winifrid, avide de prendre un bain de feuillage et de sentir la rude écorce des arbres sur sa peau.

— Si vous voulez, je m'occupe de la « viande », proposa Gaïg. Je peux essayer de pêcher…

— Mais on ne pourra pas faire de feu, prévint la Dryade. Ce ne serait pas prudent…

Tous comprirent que c'était pour les arbres environnants : autant les Nains détestaient l'eau, autant les Dryades avaient une sainte horreur du feu.

— D'accord pour les fruits une fois de plus, obtempéra Gaïg. Loki va peut-être nous trouver du pain et du fromage…

— Là, tu deviens imprudente, Gaïg, avertit Winifrid. Il le prendra comme un défi à relever et parcourra toute la région à la recherche de pain et de fromage. Ça peut prendre du temps et c'est surtout une source potentielle d'ennuis. Regarde, il a déjà disparu, et avec Txabi en plus.

Gaïg était consternée.

— Oui, j'aurais mieux fait de me taire… Et il a emmené Txabi… Je disais ça pour plaisanter.

Winifrid haussa les épaules en signe d'impuissance et partit chercher de quoi manger, munie d'un immense morceau de toile trouvé dans le bateau et destiné à servir de sac. Gaïg hésitait, partagée entre l'attrait de l'eau et le désir d'aider Winifrid à trouver des fruits. Cette dernière ne la laissa pas s'interroger longtemps :

— Viens avec moi, je ne pourrai pas tout rapporter toute seule.

Gaïg lui emboîta le pas et fut immédiatement surprise de la facilité avec laquelle Winifrid découvrait des choses comestibles. Gaïg pouvait passer mille fois devant un champignon sans le voir, *a fortiori* s'il était à moitié enfoui sous les feuilles mortes. Quand enfin elle découvrit son premier champignon, bien que très fière de le montrer du doigt à Winifrid, elle n'osa pas le cueillir tellement elle lui trouvait un vilain aspect. Winifrid lui jeta un rapide coup d'œil et trancha de suite : « Celui-là n'est pas comestible », sans s'y attarder.

Gaïg, découragée, conclut dans sa tête « trop brillant pour être honnête. Toujours se méfier des apparences… » et se contenta de suivre la Dryade. Cette dernière se déplaçait sans hésiter, s'arrêtant de temps en temps pour caresser un arbre.

— On peut déjà porter ce qu'on a récolté à ceux du bateau, décida Winifrid. Il y a un pommier plus loin, on reviendra faire des provisions.

Gaïg était stupéfaite :

— Mais comment sais-tu qu'il y a un pommier plus loin ? À cette altitude, en plus…

Winifrid sourit malicieusement :

— On a déjà perdu pas mal d'altitude, et c'est le dernier pommier à pousser aussi haut. Ou le premier, tout dépend dans quel sens on va… C'est le cèdre de tout à l'heure qui me l'a dit.

Gaïg ouvrit la bouche pour formuler un « Oh » de surprise, qui ne sortit pas. Qu'y avait-il d'étonnant dans le fait qu'une Dryade communique avec des arbres ? Walig lui avait bien parlé, à elle…

Pendant un instant, Gaïg eut l'impression d'être un objet de risée pour les arbres environnants : on aurait dit qu'ils se trémoussaient d'aise en la regardant. Oui, elle avait la ferme intuition qu'ils se moquaient d'elle. Elle s'approcha d'un pin et effleura une jeune branche aux aiguilles acérées, d'un vert vif. Une autre branche lui effleura la joue.

Gaïg bondit en arrière. Était-ce le résultat du hasard ? Une branche qui se redressait ? Elle décida de renouveler l'expérience. Elle obtint le même résultat. Winifrid souriait.

— On y va ?

Le retour des deux filles avec des fruits fut salué par des acclamations de la part des occupants du bateau. Après s'être restaurées avec les autres, elles repartirent chercher les pommes.

— Beaucoup de pommes ! précisa Gaïg. Ainsi on en aura pour toute la traversée.

— Je ne sais pas si le trajet est encore bien long, répondit Winifrid. Si on part en fin d'après-midi, peut-être qu'on y sera dans la nuit. Il faudra demander à Mfuru ce qu'il en pense. Mais tu as raison, on peut prendre BEAUCOUP de pommes ! C'est bon pour le moral.

Gaïg et Winifrid firent plusieurs fois le trajet pour rapporter des pommes. BEAUCOUP de pommes. Qu'AtaEnsic croquait au fur et à mesure. Ce qui au début était un sujet de plaisanterie devint vite une corvée, après plusieurs voyages.

Winifrid prenait toujours tout avec le sourire, mais Gaïg, plus habituée à se rebiffer, éclata :

— Mais tu es insatiable, AtaEnsic ! Tu n'as qu'à débarquer et manger. Tu n'as pas peur de l'eau, toi ! Tu peux le laisser une minute, ton Nain préféré, il ne va pas disparaître !

Mfuru les prit en pitié :

— Vas-y, ma belle, va brouter. Tu n'as même pas besoin de t'éloigner, la rive est herbeuse.

Débarquer du bateau ne fut pas plus évident pour la Licorne qu'y monter, mais elle y parvint néanmoins.

— Finalement, je suis bien contente de me dégourdir un peu les pattes. On est un peu à l'étroit, dans cette barque !

— On voit bien que ce n'est pas toi qui la gouvernes ! objecta Gaïg. Elle est très lourde !

— Allez, on va chercher des pommes pour remplacer celles que j'ai mangées. Je vous aiderai à les porter, et un seul voyage suffira. Après, repos !

Ce qui fut dit fut fait, et c'est dans une barque pleine de pommes qu'on fit remonter AtaEnsic, qui ne manqua pas d'en écraser quelques-unes au passage. Elle s'empressa de les manger.

Gaïg et Winifrid avaient décidé de rester à terre. La Dryade disparut une fois de plus dans l'herbe et les floraisons grasses. Gaïg s'endormit en écoutant le clapotis de la rivière qui lui chantait l'eau.

57

On était au milieu de la nuit quand Gaïg se réveilla : elle s'était endormie depuis l'après-midi.

Elle aperçut aussitôt le bateau et ses trois occupants en plein sommeil, au milieu d'un enchevêtrement de membres et de têtes : la barque ressemblait à un monstre géant tapi dans l'eau.

Constatant l'absence de Winifrid, elle en déduisit que la Dryade devait s'être réfugiée dans un arbre. Winifrid « sentait » les arbres et communiquait avec eux : elle leur parlait tout en les caressant et ils répondaient.

Elle dégageait leurs racines, nettoyait leurs branches des détritus organiques qui s'y accumulaient, enlevait les bois morts coincés dans le feuillage et éparpillait ce qu'elle avait récolté. Selon elle, c'était le « déjeuner » de l'arbre, qui se nourrissait ainsi de ses propres déjections. Gaïg sourit dans sa tête : quelle image peu poétique, que celle de la végétation se nourrissant ainsi d'elle-même…

Plus l'arbre était gros, plus Winifrid en prenait soin, prétextant que sa grosseur le rendait moins souple, moins mobile, donc moins apte à se nettoyer lui-même. Gaïg supposait une vérité différente : plus l'arbre était gros, plus il se rapprochait de Walig, le favori parmi tous. Est-ce que Walig manquait à Winifrid ? Elle n'en laissait rien paraître, en tout cas.

Gaïg se dit que la relation que Winifrid nouait avec les arbres était comparable à celle qu'elle-même entretenait avec la mer, ou avec l'eau en général. Elle se dirigea vers la rivière.

Tout était calme et Gaïg connut un moment d'intense bonheur à se baigner ainsi toute seule dans la nuit, dans la nature. Elle n'éprouvait aucune peur, aucune anxiété, et elle se dit que sa vie était bien plus intéressante depuis qu'elle avait quitté Garin et Jéhanne. Il lui restait seulement à trouver une terre d'accueil où elle pourrait s'installer.

Sur ces entrefaites, Loki arriva, pas plus discret que d'habitude malgré la nuit environnante. Il eut tôt fait de réveiller tout le monde :

— Hé ! hé ! Il suffit de demander et le Pookah trouve ! Regardez : du pain et du fromage ! Oh, que je suis fatigué !

— Du pain et du fromage ? répéta Gaïg, surprise. Mais où as-tu trouvé ça ?

— Je suis retourné chez les voleurs ! Et j'ai encore joué aux voleurs volés, hé ! hé ! hé ! Oh, que je suis fatigué !

— Moi aussi je suis fatigué, hé ! hé ! hé ! dit Txabi en se tortillant. On a pris toute leur provision de pain et de fromage. Et on a encore libéré les chevaux, hé ! hé !

Gaïg n'en revenait pas : accomplir tout ce trajet à cause d'une plaisanterie qu'elle avait faite ! Pour rapporter une quantité certes appréciable de pain et de fromage : il y en avait deux sacs, portés par Loki. Elle remercia le Pookah :

— Tu es génial, Loki ! Et toi aussi Txabi ! Merci ! Avec toutes ces provisions, on a de quoi tenir plusieurs jours. On peut goûter ? Et ensuite on reprend le voyage.

Toute la compagnie se restaura, y compris AtaEnsic qui quitta la barque pour paître sur la rive.

L'aube commençait à poindre quand tous embarquèrent pour poursuivre leur périple. La rivière s'élargissait, ce qui avait pour effet d'atténuer le courant.

La journée s'écoula calmement, parfois ponctuée de causeries et de collations. AtaEnsic, bien qu'ayant copieusement brouté, croquait parfois une pomme, « pour passer le temps » précisait-elle à chaque fois. Les autres préféraient la nourriture de Loki, qui n'oubliait jamais de répéter « Oh, que je suis fatigué ! », repris incontinent par Txabi. Gaïg se débrouillait de mieux en mieux avec sa perche.

Il faisait déjà nuit quand ils aperçurent quelques lumières dans le lointain, témoignant de la présence d'habitations.

Gaïg, ne connaissant pas les lieux, n'avait guère envie d'arriver aussi tard dans un village et elle proposa de s'arrêter avant.

— Si nous faisons halte ici, nous serons rendus au village demain matin : c'est peut-être mieux de débarquer en plein jour. Après tout, on ne sait pas qui habite là…

— Je peux aller voir, si vous voulez ! proposa Loki, prêt à sauter à l'eau. Ce serait sûrement une aventure intéress…

— Nous libérerons tous les chevaux du village ! le coupa Txabi, tout excité.

— C'est bien pourquoi il vaut mieux que vous n'y alliez pas, conclut Winifrid. Loki, tu vas encore semer la pagaille avant même que nous ayons atteint le village.

Gaïg amarra l'embarcation à un vieux tronc noir qui dépassait de l'eau sur le bord de la rivière, après avoir vérifié sa solidité. Ils débarquèrent tous, excepté les deux Nains, qui voulaient décidément éviter tout contact avec l'eau. Winifrid rapporta des fruits, « Juste pour changer un peu des pommes ! » plaisanta Gaïg.

Un moment après, ils étaient installés dans la barque, parés pour la nuit, sauf Loki qui avait disparu.

— Penses-tu qu'il soit quand même allé au village, malgré ton interdiction ? demanda Gaïg à Winifrid.

— On ne peut guère « interdire » quelque chose aux Pookahs : ils n'en font qu'à leur tête. Généralement, ils nous écoutent, sauf quand ils sont animés par la curiosité ou attirés par le jeu. Mais peut-être qu'il est resté dans les parages et qu'il veut seulement nous inquiéter…

— On ferait mieux de dormir, proposa Dikélédi. De toute façon, il revient toujours. Et Txabi est là.

Gaïg caressa Txabi et approuva : c'était la meilleure solution. Elle s'endormit en pensant au lendemain : est-ce qu'elle pourrait s'installer dans ce village en attendant de partir à la recherche d'une île ?

Longtemps après, une ombre réintégra furtivement l'embarcation, sans provoquer la moindre éclaboussure. Elle s'amusa un moment avec l'amarre, puis s'installa dans un coin laissé libre par les autres, au milieu des provisions.

Loki, car c'était lui, ne tarda pas à s'endormir lui aussi.

58

Cela faisait maintenant plusieurs jours que les Nains étaient installés à la lisière de la forêt de Nsaï. Ils n'avaient pas pu pénétrer en profondeur dans le bois à cause de la végétation trop dense.

— Je ne me rappelais pas qu'il y avait autant d'arbres ici, avait fait remarquer Matilah. On dirait qu'il en pousse un peu plus chaque nuit. Regardez toutes ces lianes ! Et ces troncs ! Ils sont énormes…

Mukutu avait rigolé :

— M'est avis qu'ça fait longtemps qu't'étais pas sortie d'tes grottes, Matilah ! Les arbres poussent, pendant qu'tu vieillis…

Solidarité féminine oblige, une Affé répondant au nom de Tchitala vola au secours de Matilah :

— Eh bien moi, je t'assure qu'ils poussent pendant la nuit…

Elle fut interrompue par les éclats de rire qui saluaient l'évidence de sa remarque, mais ne se laissa pas démonter.

— Je vous dis qu'ils poussent plus vite que la normale. Un matin, je me suis réveillée au milieu d'un buisson de ronces alors que la veille encore, il n'y avait rien à cet endroit.

— M'est avis qu'tu t'promènes pendant la nuit et qu'tu t'jettes dans les ronces au p'tit matin, Tchitala ! lança Mukutu goguenard.

— Non, Monsieur le Nain, je ne suis pas somnambule, s'entêta Tchitala. Et nous sommes plusieurs auxquels c'est arrivé. Ta propre fille s'est endormie au pied d'un chêne énorme, et le matin, elle disparaissait sous les glands. Et le sentier que nous avions emprunté pour récupérer nos bijoux près du ruisseau est en train de disparaître : il est envahi par la végétation.

— Ce n'est pas pour rien que Nsaï est une forêt enchantée, intervint calmement WaNguira. Elle ne fait que nous tolérer ici et il est évident que nous n'avons pas à y pénétrer. Elle se défend avec ses armes.

— De toute façon, cette croissance rapide a aussi son bon côté : les champignons poussent en une nuit, et les baies aussi. Nous avons ce qu'il nous faut pour subsister.

Tous durent reconnaître la justesse de cette affirmation émise par WaNdéné : la forêt pourvoyait à leurs besoins en matière de nourriture. Ils récoltaient amplement de quoi survivre et n'avaient pas besoin de parcourir de grandes distances en quête d'aliments.

Cette constatation s'avérait d'autant plus importante qu'ils ignoraient pour combien de temps ils occuperaient les lieux. Ils avaient calculé que les émissaires de Seyni seraient de retour le lendemain matin, peut-être le soir même s'ils ne prenaient qu'un jour de repos : c'étaient eux qui se rendaient le plus près. Ceux des collines de Koulibaly ne seraient pas là avant deux semaines environ, tandis que le groupe de Babah avait besoin d'une dizaine de jours pour arriver à la sortie méridionale de la galerie de Sémah et revenir.

C'était donc un séjour assez long qui s'annonçait et les Nains avaient amélioré la précarité de leur habitat avec les moyens laissés à leur disposition par la forêt. Ils avaient entassé des bottes de fougères sèches en guise de lit pour la nuit et avaient commencé à faire sécher des fruits et des champignons.

La majeure partie de la journée s'écoulait en discussions diverses, les groupes se formant et se déformant au gré de chacun. Au fond de leur cœur, Affés, Pongwas et Lisimbahs étaient ravis de se retrouver et de se raconter les dernières nouvelles. Ils n'avaient pas souvent l'occasion de se voir ainsi tous réunis.

Malgré la gravité de la situation, ils avaient là une occasion privilégiée d'échanger des idées, d'établir des liens, de comparer des techniques concernant le travail des métaux, ou simplement de papoter. Ils ne s'en privaient pas et passaient leur temps à parler.

Les grands prêtres discutaient beaucoup de la situation entre eux ou avec les trois chefs. On attendait le retour du groupe de Babah avec une impatience assortie d'une intense curiosité à l'égard de Gaïg :

à quoi ressemblait-elle ? Comment s'y prendrait-elle pour découvrir la terre d'accueil promise par Mama Mandombé ? Peut-être qu'elle avait des pouvoirs cachés, qui se révéleraient à son retour parmi eux... Tous discutaient du meilleur endroit où s'établir en attendant d'avoir trouvé ce nouveau pays.

Les Affés et les Pongwas se montraient catégoriques quant à l'impossibilité de retourner aux pitons de Wassango-Kilolo que la montagne Pelée avait rendus inhabitables pour le moment. Même si l'éruption s'arrêtait, on serait toujours à la merci des émanations de gaz toxiques.

Les monts d'Oko n'étaient guère plus sûrs, entre les secousses sismiques et la présence d'Ihou. Restaient les vastes collines de Koulibaly. Mais comment les Gnahorés prendraient-ils la chose ? Ils avaient bien changé au cours des dernières décennies...

Le contact quotidien avec les Hommes de la côte les avaient modifiés au point de leur conférer des traits de caractère de ces derniers. Ils étaient devenus commerçants dans l'âme, et seule comptait pour eux la commission substantielle qu'ils retiraient de la vente des produits nains.

Ayant fait fortune, ils avaient adopté un autre mode de vie. Certains avaient même quitté l'habitat traditionnel des cavernes pour s'installer dans des maisons. Ils avaient développé des goûts de luxe et leurs tenues vestimentaires, chatoyantes et somptueuses, reflétaient leur richesse et leur rang social.

Leur attitude maniérée, parfois condescendante, prêtait le plus souvent à sourire, mais elle avait déjà énervé plus d'un Nain. Le fait est que plusieurs Gnahorés étaient devenus beaucoup plus fortunés que certains négociants Hommes.

Les Gnahorés n'avaient cure de l'opinion de leurs semblables et continuaient de s'enrichir. Ils avaient renoncé au troc ancestral, préférant commercer avec des okous et des nyamés, la monnaie alors en vigueur dans le pays de N'dé. Un okou valait soixante nyamés.

Mukutu racontait comment les Lisimbahs, ayant été payés en pièces d'or de cent okous, les avaient fondues et ciselées en bijoux qu'ils avaient revendus bien plus cher aux Gnahorés.

— M'est avis qu'ils n'ont toujours rien r'marqué. C'la fait plusieurs fois qu'on leur rend leurs pièces sous forme d'bijoux...

— Peut-être que de leur côté ils fondent vos bijoux pour frapper leur monnaie, insinua Mongo, plein d'humour.

Tout le monde s'esclaffa.

— M'étonn'rait! M'est avis qu'cet or vient des Hommes qui achètent les bijoux: les pièces n'sont pas assez bien travaillées pour êtr'faites par des Nains, rétorqua fièrement Mukutu.

— Et si au lieu de fabriquer des bijoux, vous modifiiez simplement les pièces? En faisant des deux cents okous avec des pièces de cent?

— M'est avis qu'on gagne bien plus avec les bijoux. Et puis ça nous occupe: c'est beau, un bijou! Les pièces, ça n'parle pas comme un bijou.

Mukutu se tut, réfléchissant. Puis, comme s'il se jetait à l'eau, ayant pris une décision qui lui coûtait, il poursuivit, sortant une pièce de cent okous en or de sa poche qu'il fit passer :

— R'gardez ça.

Mongo, le premier à avoir la pièce en main, sursauta, et la passa immédiatement à WaNdéné, comme si elle lui brûlait les mains. WaNdéné tressaillit à son tour et la passa à WaNtumba dont le visage afficha la même expression étonnée. La pièce circulait de main en main, provoquant chaque fois chez celui qui la détenait un sursaut de surprise. Ce fut Aligo qui s'exclama:

— C'est l'emblème des Kikongos.

— L'étoile à quatre branches. La pyramide des Kikongos… continua Batoli.

Un symbole commun, dont l'origine remontait à la nuit des temps, représentait les membres de chacune des cinq tribus de Nains. Les Lisimbahs avaient pour emblème le cube; les Affés, la sphère et les Pongwas l'œuf. Les Gnahorés étaient symbolisés par le cône, et les Kikongos par la pyramide. Quand un Nain représentait son symbole en deux dimensions, il dessinait, selon sa tribu d'appartenance – qui lui était transmise par la voix du sang, donc par sa mère – un carré, un cercle, une ellipse avec un cercle à l'intérieur, un cercle surmonté d'un triangle ou une étoile à quatre branches.

Dans la pièce que Mukutu avait fait circuler était incrustée une minuscule étoile à quatre branches en Nyanga.

— D'où la tiens-tu? demanda Mongo.

— C'est un Homme qui m'a payé avec. M'est avis qu'il n'voyait pas l'Nyanga, et qu'pour lui, la pièce avait un trou. A cru qu'il m'trompait. Ai rien dit, bien sûr, ça m'intriguait trop.

— Mais comment le Nyanga est-il arrivé là? Une étoile, de surcroît… continua Mongo.

— M'suis posé la même question. M'est avis qu'c'est l'hasard. Un morceau d'Nyanga égaré dans une pépite. On fond la pépite pour faire une pièce. L'Nyanga est là, il y reste.

— En forme d'étoile à quatre branches ? insista Mongo, intrigué.

Mukutu haussa les épaules :

— L'Nyanga prend la forme qu'il veut... Tu as une autre explication ?

— Ça... commença Mongo.

— Hé, voilà ceux de Seyni, l'interrompit Séméni, la main en visière sur le front.

59

Gaïg ne sut pas tout de suite ce qui l'avait réveillée. Était-ce une odeur différente de l'air ? Ou un mouvement inhabituel du bateau ? Elle demeurait couchée, immobile, essayant d'identifier ce qu'il y avait de nouveau dans son environnement.

Un ciel d'un bleu intense et pur s'étendait juste au-dessus d'elle, sans le moindre nuage. Seule une brume flottait dans le lointain, au-dessus de l'eau. Ce fut l'immensité de ce ciel qui provoqua le déclic dans son esprit : où étaient passés les arbres ? Et cette odeur… Ce mouvement de la barque…

Son cerveau émettait les questions et les réponses à une telle vitesse que le temps qu'elle se redresse pour examiner les alentours, elle avait déjà compris. La mer. La mer tout autour d'elle, une vaste surface d'eau bleue, séparée de l'espace non moins vaste du ciel par un banc de brouillard léger, mais opaque. Cette odeur, c'était celle de l'océan. Un parfum de varech, de poisson, d'iode, une senteur caractéristique qu'elle portait en elle depuis toujours et qu'elle reconnaîtrait entre mille. Ce mouvement du bateau, c'était un roulis plus accentué que celui de la rivière, à cause des vagues.

Gaïg sentit un élan de joie monter en elle : la mer ! Elle était arrivée. Elle respira à pleins poumons et s'accorda un moment de pure jouissance. Pendant lequel les questions surgirent. Comment ça se faisait ? Avaient-ils navigué pendant la nuit sans qu'elle le sache ?

Qui avait dirigé le bateau ? Et pourquoi la personne ne s'était-elle pas arrêtée au village ?

Gaïg regarda autour d'elle. Nulle côte en vue : l'horizon était caché par la brume matinale. Se trouvaient-ils en pleine mer ou près de la terre ? Et comment était-ce arrivé ? Se pouvait-il qu'elle ait mal attaché la barque la veille ? L'amarre se serait donc dénouée toute seule ? Peut-être sous l'effet du mouvement ? La marée était-elle assez forte pour se faire sentir dans la rivière, en amont ? Pouvait-elle provoquer assez de tangage et de roulis pour détacher le nœud ?

Gaïg était pourtant sûre de son fait : elle avait vérifié la solidité du tronc auquel elle attachait la barque et son enracinement dans la vase. Elle était convaincue de la résistance de son nœud également. Elle regarda : le cordage flottait mollement à la dérive. Et le nœud était toujours là, mou et déformé, certes, mais ce n'était pas lui qui avait lâché.

Elle réveilla ses compagnons. Leur étonnement accentua son sentiment de responsabilité. Elle ne savait que dire, n'ayant aucune explication à fournir. Elle n'éprouvait pas de crainte – l'océan, c'était son domaine – mais elle sentait la montée de la peur chez ses amis. Ils étaient muets de stupeur pour le moment et regardaient tout autour d'eux, découvrant avec ahurissement un paysage inconnu, composé d'espace et de bleu, sans le moindre relief pour arrêter le regard.

Loki, comme toujours très maître de la situation, fut le premier à parler.

— Hé ! hé ! Nous sommes en mer. C'est un grand voyage, maintenant, ce n'est plus cette petite-minuscule-minime-infime rivière de rien du tout. Comment s'appelle-t-il encore, ce ruisseau ? La Yoruba ?

Il avait l'air très content de son sort, pas du tout inquiet ou surpris, et un léger soupçon effleura l'esprit de Gaïg. Mais les autres ne lui laissèrent pas le temps d'approfondir la chose, l'assaillant subitement de questions.

Ses réponses laconiques firent monter la tension de plusieurs crans à l'intérieur de ce qui semblait maintenant une frêle embarcation perdue en mer. Non, elle ne savait pas où on était. Non, elle ne savait pas comment c'était arrivé. Non, elle n'avait pas détaché l'amarre. Non, elle n'avait pas voulu naviguer toute seule pour arriver au village. Oui, son nœud était solide puisqu'il n'était même pas défait. Oui, le tronc d'arbre qui lui avait servi de bitte d'amarrage lui avait paru stable et résistant.

Et ça recommençait. Non, elle ne savait pas où on était. Non, elle ne savait pas où on allait… Ses compagnons finirent par se rendre compte qu'elle était aussi hébétée qu'eux et n'insistèrent plus. Ils avaient aussi besoin d'un moment de silence pour appréhender la situation et tâcher d'apprivoiser l'idée d'une mort prochaine.

Dikélédi et Mfuru envisageaient la noyade au milieu de créatures gluantes et suant les poisons, alors qu'AtaEnsic pensait à la mort par inanition, faute de pommes. Winifrid serrait le gland de Walig dans sa poche, songeant à la soif: pouvait-on mourir de soif au milieu d'une étendue d'eau salée? Et si elle mourait de soif et de dessiccation, Walig subirait-il le même sort de son côté?

Txabi ouvrait des yeux étonnés: peut-être était-il trop jeune pour assimiler l'idée de la mort… Devant l'air atterré de ses compagnons, il fixait Loki d'un regard interrogateur, comme si ce dernier pouvait lui fournir des explications.

Loki, debout à l'avant de la barque, respirait avec force, emplissant ostensiblement ses poumons d'air marin. Tel un capitaine, il scrutait l'horizon avec une attention zélée, sans doute en quête d'une côte accueillante où aborder. Concentration inutile, puisque la brume lointaine dissimulait tout.

Winifrid l'observait, mais il se gardait bien de croiser son regard: il semblait passionné par l'examen du vide qui s'étalait autour de lui. Elle soupira doucement mais ne dit rien et évita à son tour le regard de Gaïg. Néanmoins, le coup d'œil qu'elle échangea avec AtaEnsic n'échappa pas à Gaïg.

Cette dernière fut alors certaine de la justesse de ses suppositions: c'était Loki qui avait libéré l'amarre du tronc. Une vague d'horreur la submergea. Était-il donc stupide à ce point? Ou totalement inconscient des conséquences de ses actes? Il n'hésitait pas, pour le plaisir d'une bonne blague, à mettre en danger son entourage.

Gaïg se rappela les crottes de lapin qu'il lui avait fait manger. Moindre mal, on n'en mourait pas. Mais les dendrobates… les crabes… les chevaux qu'il avait libérés et qui avaient donné l'alerte… Et la mère de Dikélédi qui avait dû accoucher dans une forêt, au pied d'un arbre, à cause de lui…

Gaïg avait la chair de poule. Pour elle, le danger s'accompagnait de laideur et d'antipathie. Garin lui avait toujours semblé menaçant, mais lui au moins, elle ne l'aimait pas: il lui avait toujours paru sale, poilu et bedonnant, puant l'alcool et la sueur. Mais comment une créature pouvait-elle se révéler à la fois sympathique et dangereuse ? Comment Loki pouvait-il être ce Pookah amusant, au sourire charmeur, et ce monstre d'égoïsme qui ne pensait qu'à satisfaire son plaisir personnel, au détriment d'autrui ? Il fallait donc se méfier de tout le monde ?

Gaïg, perplexe, inspectait l'horizon et se posait les mêmes questions que ses amis : où était-on ? Où allait-on ? Qu'arriverait-il ensuite ? Mais à aucun moment elle ne songea qu'elle pouvait mourir. Pour elle, l'océan, c'était la vie.

60

— Déjà ? fut la réponse de Mukutu interloqué, exprimant ainsi à haute voix la pensée commune. Je n'les attendais pas avant c'soir au plus tôt.

— Moi non plus, renchérit WaNguira perplexe. Qu'est-ce qui a bien pu se passer ?

Il n'alla pas plus loin, hésitant à émettre les idées qui l'assaillaient. Ou du moins l'idée : Ihou. Se pouvait-il que le Troll soit remonté jusqu'à la caverne de Seyni ? Ayant trouvé le village de Ngondé déserté de ses habitants, avait-il parcouru les profondeurs jusqu'au refuge le plus « extérieur » des Nains ?

Pourtant, il n'y avait aucun doute sur les silhouettes qui se détachaient dans le lointain : Kikuyu était en tête, avec ce drôle de chapeau à larges bords qu'il ne quittait jamais et qu'il avait acheté à un Homme de la côte. Il avait d'abord prétendu qu'il serait ainsi bien protégé du soleil, et quand on lui avait fait remarquer qu'il n'y avait pas de soleil sous terre, il avait répondu que l'élégance constituait une raison suffisante : ainsi, il avait l'air d'un monsieur.

Jaro et Dofi suivaient Kikuyu, reconnaissables à leur démarche symétrique et dandinante : ces deux-là ne se séparaient jamais. Derrière eux venait un petit groupe composé surtout de femmes et d'enfants parmi lesquels on reconnaissait Awah, la chef de Ngondé. Plus loin, des grappes de Nains lourdement chargés s'échelonnaient le long de ce qu'on devinait être le trajet du sentier.

— M'est avis qu'il y a eu des complications, annonça Mukutu l'air préoccupé.

— On le saura bientôt, dit Mongo, visiblement pressé d'en savoir davantage. Il y a aussi des Pongwas et des Affés avec eux : ceux qu'on avait laissés à Seyni…

Tous les Nains étaient debout, surveillant le sentier au détour duquel apparaissaient leurs frères.

— Ils ne seront pas là avant un bon moment, observa Séméni. Peut-être qu'on devrait aller à leur rencontre. Je veux savoir. J'y vais.

Il se mit en route, et Mongo s'avança aussitôt :

— Je t'accompagne.

Plusieurs Nains leur emboîtèrent le pas d'office, impatients de connaître les dernières nouvelles. Après quelques instants, un nouveau groupe se mit en route, bientôt suivi d'un troisième. Petit à petit, les Nains de Nsaï se décidaient, poussés par la curiosité, à aller au-devant de ceux de Seyni.

Nihassah se tortillait sur sa couche, mais elle savait qu'elle devrait attendre. Bandélé, assis à ses côtés, ne tenait pas en place non plus. Successivement, il s'accroupit, s'agenouilla, se mit debout, tout cela en allongeant le cou tel un héron. Matilah l'observait discrètement. Elle vint finalement s'asseoir auprès de Nihassah :

— Allez, je vais attendre avec toi, sinon tu serais capable d'y aller en marchant sur les mains. De toute façon, on saura bien assez tôt de quoi il retourne.

Bandélé, comme s'il n'avait attendu que cela, se leva :

— J'y vais au pas de course et je reviens vous dire ce qu'il en est.

Il partit immédiatement, ce qui fit rire les deux Naines.

— Parle-moi un peu de cette petite Gaïg, demanda Matilah. Je l'ai très peu vue, finalement.

Nihassah comprit que c'était une manière comme une autre d'accélérer le cours du temps afin de minimiser l'attente, et elle se mit en devoir de présenter Gaïg à sa mère adoptive. Mais la conversation s'éteignait parfois, et Matilah se mettait debout afin d'avoir une meilleure vue sur l'avancée des autres.

Après ce qui leur sembla une éternité, Bandélé fut de retour, avec la nouvelle que le Troll avait attaqué à Seyni.

— J'étais persuadée qu'on avait mis des pierres lumineuses dans les galeries, commenta Nihassah.

— Il faut croire que ça ne suffit pas. Peut-être que leur éclat n'est pas assez intense pour le repousser. Il en aurait fallu davantage. Les pierres l'ont quand même retardé: il n'osait pas avancer, semble-t-il. Mais il s'est jeté en avant, comme s'il avait été poussé par-derrière...

— Poussé par quoi? interrogea Nihassah, la curiosité en éveil.

— Par un autre feu, tu crois? Une lumière plus puissante? suggéra Matilah, soucieuse.

— C'est ce qu'on ne sait pas. Il n'y a que des suppositions. Personne n'ose dire qu'Ihou était effrayé, mais c'est comme si de deux maux, il choisissait le moindre. Il a fait pas mal de dégâts à Seyni...

— Mais qu'est-ce qui a pu le pousser à se rapprocher autant de la surface? insista Nihassah.

— Il y a eu des victimes, continua Bandélé. Pas seulement des blessés...

— Qui?

Bandélé énuméra alors les noms de ceux qui avaient péri. Il y en avait une bonne dizaine. C'était énorme. Matilah et Nihassah les connaissaient tous. Elles étaient effondrées.

— Ce n'est pas possible que le sort s'acharne ainsi sur nous, se rebiffa Nihassah. D'abord Sangoulé, puis la Pelée, maintenant les monts d'Oko... Où irons-nous?

— Est-ce seulement le sort qui s'acharne sur nous? demanda Matilah. Qui veut nous voir quitter le pays?

La lumière se fit dans l'esprit de Nihassah. En un éclair, elle comprit: Ihou, obligé d'avancer parce que fuyant devant une clarté plus forte que celle dégagée par les pierres lumineuses...

— Les Salamandars, tu crois? murmura-t-elle dans un souffle. Ce seraient eux? Mais ils ont tout Sangoulé...

— Peut-être que ça ne leur suffit pas... répondit Matilah.

Nihassah demeura muette: était-il possible de provoquer ainsi la mort pour une question de territoire? Était-ce cela, la guerre? Déclareraient-ils la guerre aux Salamandars? Et quelles étaient les chances de victoire, avec des êtres si discrets qu'on ne les voyait ni ne les entendait? Un ennemi caché, en somme. De plus, à quoi bon déclencher les hostilités si la prophétie était en voie d'accomplissement?

Bandélé, pour une fois, sembla lire dans ses pensées:

— Nous n'avons aucune preuve. Ce ne sont que des suppositions. Ceux de Seyni sont très secoués. Pour le moment, il faut les accueillir du mieux qu'on peut. Ensuite, on avisera.

Des groupes de Nains commençaient à arriver, la tête basse et le visage défait. Il eût fallu consoler ceux de Seyni, mais comment ? Le chagrin et le découragement se lisaient sur leurs traits et l'effarement habitait leur regard. Des enfants Nains se retrouvaient orphelins de père ou de mère et s'accrochaient au parent survivant, ne le quittant pas d'une semelle. Une sorte d'hébétude régnait dans les esprits : que signifiait tout cela ? Pourquoi cet acharnement du sort sur leur peuple ? Tous avaient le deuil des disparus dans le cœur, qui s'ajoutait à celui des familles qui avaient péri dans l'éruption de la montagne Pelée.

WaNguira et Mukutu sentaient, comme tous, que la situation s'aggravait. Et comme tous, ils percevaient leur impuissance à modifier le cours des événements.

Jusqu'à tard dans la soirée, il y eut de nouveaux arrivants. La caverne de Seyni s'était vidée de ses habitants.

61

Le découragement régnait à bord. Cela faisait deux jours et deux nuits que Gaïg et ses compagnons « naviguaient ». Ils abordaient leur troisième journée de dérive en mer par une matinée pâle et brumeuse, comme la veille et l'avant-veille.

Le premier jour, ils avaient bien essayé de ramer, mais pour aller où ? Personne n'avait la moindre idée de la direction à prendre. Ce n'était donc pas la peine de gaspiller ses forces, il valait mieux surveiller l'horizon, dans l'espoir d'apercevoir un bateau. Qui, selon toute apparence, n'était pas pressé d'apparaître.

Les réserves de pain et de fromage, qui avaient semblé si abondantes quand Loki les avait rapportées, étaient terminées. Les pommes avaient servi à se désaltérer, mais elles avaient vite disparu dans le ventre d'AtaEnsic.

Pourtant Loki et Gaïg n'avaient guère touché aux provisions. Le Pookah s'était contenté de grignoter une pomme la première nuit, prétextant le manque d'appétit : il avait néanmoins savouré son fruit le plus longtemps possible, luttant visiblement pour ne pas l'engloutir d'un seul coup. Depuis, il calquait son attitude sur celle de Gaïg, qui essayait de se contenter des produits de la mer, afin de laisser les nourritures terrestres à ses compagnons. Mais à cette distance de la côte, il n'y avait pas grand-chose à espérer en matière de pêche quand on ne disposait même pas du matériel adéquat.

Gaïg avait partagé quelques algues récoltées à la surface avec Loki : même en mastiquant longuement, elles avaient un goût amer. Les dernières, un peu moins mauvaises, avaient néanmoins provoqué de douloureux maux de ventre. Elle s'était baignée plusieurs fois, espérant pêcher quelque chose à main nue, mais l'océan était vide. Et c'était trop profond pour plonger, jamais elle n'atteindrait le fond. Qui devait être aussi vide que le reste, pensait-elle : la vie sous-marine se concentrait sur les côtes et crabes et coquillages se faisaient rares au fur et à mesure que la profondeur augmentait. De toute façon, même en plongeant, elle n'apercevait pas le sable.

Le fait de ne pas pouvoir toucher le fond représentait, quelque part dans sa tête, un défi à relever : jusqu'à quelle distance de la surface pourrait-elle plonger ? Il suffisait de s'entraîner, après tout. Ce qu'elle faisait, disparaissant de plus en plus longtemps, ne remontant que lorsqu'elle sentait que ses poumons n'en pouvaient plus.

Dans la nuit, un poisson volant avait sauté par mégarde dans le bateau, ce qui avait provoqué un affolement momentané des passagers. Gaïg l'avait achevé et avait proposé de le partager. Personne n'avait voulu manger du poisson cru, sauf Loki, qui ressentait en silence les affres de la faim. Gaïg lui avait donné en priorité la chair des filets afin de lui faciliter la tâche : il lui avait souri. Elle s'était sentie attendrie, prête à pardonner, mais s'était endurcie aussitôt et n'avait pas répondu à son sourire : même s'il était inconscient et irresponsable, la situation demeurait trop grave pour faire acte de clémence.

Elle n'avait aucune preuve de sa culpabilité, mais tout dans son attitude prouvait qu'il n'était pas si innocent que cela. Ne serait-ce que cette abnégation dont il faisait preuve face à la nourriture. Et le silence dans lequel il s'enfermait : ce n'était pas dans la nature du Pookah de demeurer muet et effacé. Gaïg savait qu'une réprimande ne changerait rien à la situation : cela ne ferait que créer des tensions entre les occupants du bateau. L'espace disponible était trop restreint pour permettre une dispute. Elle avait donc choisi de calquer son attitude sur celle de Winifrid et d'AtaEnsic, mais c'était parfois difficile pour sa nature impulsive. Elle avait du mal à jouer le jeu de l'indifférence.

Elle se demandait si les deux Nains se doutaient de la vérité. Mfuru, blotti contre AtaEnsic, gardait les yeux fermés la majeure partie du temps, composant une musique connue de lui seul, dont il tapotait les notes avec les doigts sur le corps de la Licorne. Cette dernière, tout à l'écoute des vibrations produites sur sa peau, semblait s'être retirée du présent.

Dikélédi demeurait affalée au fond du bateau, comme pour voir le moins possible la mer. Gaïg la touchait de temps en temps, ou lui parlait, mais la jeune Naine semblait elle aussi perdue dans un autre monde. Peut-être qu'elle pensait à ses parents… Gaïg se demandait quel effet cela faisait de savoir qu'on comptait pour quelqu'un, un père ou une mère qui serait meurtri en apprenant votre disparition. Chaque fois qu'elle pensait à ses parents, Gaïg retombait inévitablement sur Nihassah : c'était elle qui lui avait servi de mère et de père en même temps, bien plus que Jéhanne et Garin, qui n'avaient été que des parents nourriciers – et encore, si on ne tenait pas compte des heures qu'elle avait passé à pêcher pour nourrir toute la famille.

Winifrid s'était réfugiée contre le flanc d'AtaEnsic : c'était elle qui souffrait le plus des ardeurs du soleil. Sa peau, ses yeux, tout chez elle était habitué à la fraîcheur du sous-bois. Elle s'était collée contre la Licorne et avait fermé les yeux, une main dans la poche. Gaïg supposa qu'elle devait penser à Walig. Txabi, au contraire, s'était allongé de tout son long sur l'étroit rebord à l'avant du bateau afin de capter le maximum de rayons solaires : plus il faisait chaud, plus il appréciait. Chacun suivait le fil de ses pensées dans un silence général, ponctué par les clapotements de Gaïg quand elle refaisait surface ou décidait de monter à bord.

En ce matin du troisième jour, depuis un moment, Gaïg n'arrêtait pas de plonger : cela faisait plusieurs fois qu'elle voyait une ombre passer sous le bateau. Mais il suffisait qu'elle plonge pour que tout redevienne comme avant. Ne voulant pas inquiéter ses compagnons, elle avait gardé ses observations pour elle : si c'était un gros poisson, un énorme poisson susceptible de renverser la coque de noix qui leur servait d'embarcation, il valait mieux se taire pour ne pas les alarmer.

Mais elle surveillait, scrutant les profondeurs à la recherche d'une explication. Un reflet dans l'eau ? Reflet de quoi ? Il n'y avait même pas de nuages dans le ciel. Un rocher affleurant à la surface ? Qui disparaissait chaque fois qu'elle plongeait ? Depuis quand les rochers bougeaient-ils ? La curiosité de Gaïg était éveillée : si c'était un poisson intrigué par la barque, pourquoi fuyait-il précipitamment dès qu'elle apparaissait ? Parce qu'elle l'effrayait ? C'était dans l'ordre des choses possibles…

L'amarre flottait toujours à l'arrière. Gaïg, décidée à en avoir le cœur net, déroula ce qui restait de cordage au fond du bateau, afin de donner toute sa longueur à l'amarre. Elle se mit à l'eau et s'accrocha à la corde, se laissant flotter mollement à une certaine distance du bateau, sans provoquer la plus petite éclaboussure. Elle examinait les profondeurs avec attention, tournant doucement la tête de temps en temps pour prendre une bouffée d'air qu'elle faisait durer le plus longtemps possible. Mais rien ne se passait.

Au bout de ce qui lui parut une éternité, elle sentit plus qu'elle ne vit un remous naître dans les profondeurs. Retenant son souffle afin de ne pas laisser échapper la moindre bulle d'air qui la trahirait à coup sûr, elle vit apparaître deux formes ovales, assez imposantes, qui devenaient de plus en plus précises à mesure qu'elles se rapprochaient. Gaïg reconnut d'abord leurs queues, des queues longues et larges aux reflets argentés. Des poissons. De gros poissons. Sans doute attirés par la présence du bateau. Ils n'avaient pas encore vu Gaïg et nageaient pour se rapprocher de l'embarcation.

Gaïg avait du mal à identifier à quel type de poisson elle avait affaire: si la queue lui semblait relever du domaine du connu, elle ne comprenait pas comment le reste du corps était fait. Le crâne, plutôt rond, semblait séparé du reste du corps. C'est en comparant les nageoires avant à des bras qu'elle sentit un frémissement lui parcourir le corps. Était-ce possible? Elle sursauta et plongea la tête plus profondément dans l'eau afin de mieux voir. Ce léger mouvement attira l'attention des deux ombres, qui jetèrent un coup d'œil dans sa direction.

Une des formes disparut presque instantanément dans les profondeurs. La deuxième se rapprocha en un éclair, examina rapidement Gaïg, et remarqua tout de suite la bague qui scintillait de mille feux dans l'eau. Gaïg croisa son regard et eut à peine le temps de lire une expression étonnée sur son visage: elle avait disparu elle aussi.

Gaïg plongea, mais elle savait que c'était inutile: jamais elle ne rattraperait les deux Sirènes. Maintenant, elle était sûre de ce qu'elle avait vu: deux Sirènes grassouillettes qui étaient venues étudier le bateau. La plus farouche, celle qui s'était enfuie immédiatement, avait dû apercevoir l'embarcation la première: c'était son ombre que Gaïg avait aperçue. Elle était si méfiante qu'elle se sauvait dès que Gaïg plongeait. Mais elle avait averti l'autre et elles étaient revenues inspecter les lieux. Gaïg avait bougé malgré elle, sous l'effet de la surprise, et la plus courageuse des Sirènes était venue découvrir de plus près de quoi il s'agissait. Gaïg ne comprenait pas pourquoi elle avait affiché un air si étonné à sa vue. Encore que… Ce ne devait pas être si fréquent, des naufragés dans une barque, avec une fillette accrochée à une corde se laissant flotter à la dérive…

Elle se rappelait le bref instant pendant lequel elle avait croisé le regard de la Sirène : son propre regard devait exprimer la surprise lui aussi…

Gaïg avait déjà rencontré une Sirène plusieurs fois dans le passé, quand elle habitait encore le village de Garin et Jéhanne. Une qui semblait beaucoup plus âgée que ces deux-là. Elle lui avait paru plus imposante, peut-être à cause de son âge, justement.

Des rides sillonnaient sa peau, mais pas seulement sur le visage : son « cuir » – on pouvait sans exagérer employer un tel terme – semblait racorni, tanné par le soleil sur ce qui constituait son buste. Le reste du corps, à partir des hanches, était recouvert d'écailles. Sa chevelure, sans doute noire à l'origine, avait blanchi sur le front et les tempes, l'auréolant d'une couronne de douceur. Car c'était l'impression qui se dégageait d'elle de prime abord : la douceur. Une douceur qui s'accompagnait de compréhension et d'indulgence, perceptibles dans le regard qu'elle posait sur les êtres et les choses.

Elle avait pour habitude de demeurer immobile dans un recoin de rocher où elle se fondait dans le décor et Gaïg ne la voyait jamais du premier coup. Ce n'est que lorsqu'elle sentait une présence, un regard posé sur elle, qu'elle découvrait, quelquefois assez près, cette vieille Sirène qui s'empressait alors de disparaître.

Gaïg s'était parfois demandé si la Sirène la surveillait, ou savait qui elle était. Mais elles ne s'étaient jamais parlé, même si Gaïg avait affirmé le contraire aux enfants du village, histoire de les impressionner. Gaïg aimait bien rencontrer cette « dame de la mer » et elle aurait apprécié pouvoir entrer en communication avec elle. La Sirène lui inspirait confiance spontanément. Mais elle se sauvait dès qu'elle était découverte. Gaïg était sûre qu'elle ne lui voulait aucun mal : elle ne l'avait jamais attaquée, alors qu'elle aurait eu de multiples occasions de le faire. Gaïg avait perçu trop de douceur dans son regard pour se méfier d'elle. Elle aurait même pu affirmer que la vieille Sirène était contente de la voir.

Maintenant qu'elle avait entrevu les deux autres Sirènes, elle aurait bien aimé retrouver l'ancienne, qu'elle qualifia immédiatement de Reine des Sirènes, à cause de son âge vénérable. Les deux autres devinrent dans sa tête la Farouche et la Courageuse. Peut-être que la Reine des Sirènes lui serait venue en aide, si elle avait été là. Gaïg n'aurait pas craint de lui parler, ou tout au moins, d'essayer d'établir une communication avec elle pour lui expliquer la situation critique dans laquelle elle se trouvait avec ses amis.

Mais comment communiquait-on, sous l'eau ? Avec l'esprit ? Elle avait toujours partagé ses idées ou ses observations avec les habitants sous-marins de la baie proche de son village, mais elle ne s'était jamais préoccupée de savoir s'ils la comprenaient ou non. Poussée par le désir de combler sa solitude, elle avait décrété d'office que la réponse était oui, d'autant plus qu'ils étaient plusieurs fois accourus à son secours quand une difficulté avait surgi. Mais à une telle distance du village, pouvait-elle attendre de l'aide du poulpe à sept tentacules et demi ou de la Reine des Murènes ? Suffisait-il qu'elle envoie en pensée un message de détresse à l'un d'eux ? Le recevrait-il ?

Elle préféra se concentrer sur la Reine des Sirènes : puisqu'il y avait des Sirènes dans le coin, peut-être que cette dernière n'était pas très loin… Peut-être aussi que la Farouche et la Courageuse alerteraient tout le monde sous-marin des environs et que la Reine des Sirènes apprendrait par elles que son amie Gaïg était en difficulté. Gaïg sourit : comme l'amitié était facile ! Voilà qu'elle se décrétait amie de la Reine des Sirènes ! Mais elle éprouvait de la sympathie pour cette vieille grand-mère Sirène, qui avait dû voir pas mal de choses dans sa vie, et qui éprouvait encore un sentiment de curiosité assez fort pour venir rendre visite de temps en temps à une gamine qui passait son temps dans l'eau.

Gaïg l'appela mentalement à l'aide. Elle se sentit immédiatement ragaillardie. Ses compagnons et elle seraient sauvés. Elle ne savait pas comment la chose se déroulerait, mais il se passerait quelque chose, c'était certain. Sa bague brillait dans le soleil, et une musique marine lui emplissait les oreilles. Cette musique surgissait toujours dans les moments importants de sa vie ou simplement quand elle se sentait bien, en train de flotter négligemment entre deux eaux. Et là, elle l'entendait très nettement. Tout à coup, elle comprit comment Mfuru pouvait jouer de la musique « dans sa tête ». Elle faisait la même chose, finalement. Sauf que chez elle, ce n'était pas volontaire : la mélodie surgissait toute seule, de façon inattendue, et disparaissait sans qu'elle s'en rende compte.

Elle s'attarda encore un bon moment dans l'eau, à s'agiter et à battre des pieds comme pour faire savoir qu'elle était là, elle remonta dans le bateau, souriante, et fut frappée par l'expression d'accablement de ses passagers. Les choses n'allaient peut-être pas si bien que ça, finalement. Ils avaient tous l'air hébété, absent, ou résigné: Gaïg ne savait quel qualificatif employer. Winifrid était pâle: ses joues, si roses d'habitude, étaient livides, ses lèvres exsangues. On aurait dit une poupée de chiffon au teint défraîchi par le soleil. AtaEnsic avait posé sa tête sur le bord de la barque et respirait bruyamment. Dikélédi se tenait pelotonnée en un petit tas informe à côté de Mfuru, qui ne bougeait pas. Gaïg crut même qu'il avait arrêté de respirer et ressentit un coup au cœur. Mais elle se rendit compte que sa poitrine se soulevait légèrement.

Même le Pookah avait perdu l'assurance qu'il affichait auparavant: il était devenu un petit vieux rabougri, au teint gris, recroquevillé sur lui-même. Il ouvrait les yeux de temps en temps pour scruter l'horizon, puis les refermait aussitôt, comme si la luminosité était douloureuse. Txabi avait adopté la couleur sombre du bateau, et s'était rigidifié en un insignifiant batracien desséché. On le voyait à peine, il se confondait avec le bois. Curieusement, Gaïg ressentait moins d'inquiétude pour lui, en dépit de son jeune âge, que pour ses autres compagnons. Les Salamandars étaient des habitués du feu, et le soleil n'était finalement qu'un grand feu dans le ciel, selon elle.

La faim et la soif faisaient des ravages et l'anxiété envahit Gaïg. Elle n'avait rien à proposer à ses amis. Boire de l'eau de mer? Ils avaient déjà essayé. L'expérience s'était révélée peu concluante, à cause du goût salé. Gaïg était étonnée de sa propre résistance: elle n'avait pourtant pas mangé plus qu'eux. Peut-être que le fait de se baigner l'hydratait naturellement. L'eau de mer la nourrissait. Elle n'avait même pas faim. Enfin, si. Un peu…

Elle tourna la tête: il lui avait semblé percevoir du coin de l'œil un mouvement sur la mer. Mais elle ne détecta rien. Elle était cependant certaine que quelque chose s'était tenu là et avait plongé quand elle avait bougé: les cercles concentriques qui agitaient la surface en témoignaient. Mais quoi? Peut-être la Courageuse, venue aux nouvelles? Gaïg se dit qu'elle aurait pu aussi bien la surnommer la Curieuse… Mais Curieuse ou Courageuse, si elle ne venait pas en aide aux occupants du bateau, pourquoi leur rendait-elle visite? Pour les narguer? Pour attendre le moment de leur mort et les dévorer ensuite?

Gaïg se rebiffa : ils n'étaient pas encore morts, loin de là. Ses compagnons étaient en mauvaise posture, mais elle les sauverait. Si elle le voulait très fort, il se produirait quelque chose, qui modifierait la tournure prise par les événements. Elle réfléchissait activement, en scrutant l'océan, à la recherche d'une idée. Mais rien ne venait. Absolument rien.

Le temps passait et Gaïg se laissait gagner par le découragement elle aussi. Ce n'était pas la peine d'espérer du secours : la mer était vide. Elle ferma les yeux et ralentit volontairement le rythme de sa respiration, selon la vieille technique de survie à laquelle elle avait recours quand la vie la malmenait. En respirant moins vite, elle finissait par ressentir un engourdissement du corps et du cerveau, qui endormait la souffrance.

C'est pourquoi elle ne prêta aucune attention au changement de temps. Le ciel s'était couvert sans qu'elle s'en rende compte. Longtemps après, c'est la sensation de fraîcheur humide qui la fit sortir de sa léthargie, plus que le choc contre la coque du bateau et le léger bruissement de feuillage qui s'ensuivit.

62

Gaïg se redressa. Le ciel était sombre, et des vaguelettes couraient à la surface de l'océan, le parsemant de fugaces crêtes blanches. Il y avait un drôle d'arbre qui flottait près du bateau, accroché par ses branches. À ses racines étranges et monstrueuses, Gaïg reconnut un manguier de mer. Une espèce végétale qui s'était adaptée à l'eau salée et qui poussait sur les rivages, développant tout un réseau de racines aériennes pour échapper à la marée. Comment était-il arrivé là ? Arraché par une tempête lointaine ? Par celle qui allait sévir sous peu ? Il était visible que le temps s'était gâté. Ou apporté par les Sirènes ?

Gaïg opta pour la dernière hypothèse. Elle avait prévu que quelque chose arriverait qui changerait les données de la situation. Un manguier de mer, c'était du feuillage pour AtaEnsic. Et, avec un peu de chance, des coquillages fixés aux racines, pour les autres. Elle examina le pied de l'arbre : ses racines étaient couvertes de moules. Des algues d'une espèce comestible que Gaïg connaissait bien étaient enchevêtrées dans les racines. Des crevettes captives se débattaient dans le feuillage, comme prises dans un filet de pêcheur. C'était un festin providentiel qui s'offrait à eux.

Gaïg toussota afin de sortir ses compagnons de leur prostration hébétée :

— Hum ! Hum ! Ce n'est pas aujourd'hui que nous mourrons de faim. Regardez.

Ils ouvrirent lentement des yeux atones et languissants. AtaEnsic bougea à peine, comme si elle était trop faible pour remuer sa grosse tête. Gaïg cassa une branche et la tendit à Mfuru, qui arracha quelques feuilles qu'il porta à la bouche d'AtaEnsic. Il en tendit une à Dikélédi et en plaça une dans sa propre bouche : tous trois commencèrent à mastiquer sans se poser de questions. La faim leur tordait les entrailles.

— Hé, mais il y a mieux que des feuilles pour nous, s'exclama Gaïg. Ces algues sont comestibles, j'en suis sûre. Et il y a des moules. Et des crevettes.

Elle tendit des algues à tous, puis des crevettes qu'elle décapitait d'une torsion et décortiquait adroitement. Winifrid arracha quand même une feuille de l'arbre et la goûta :

— C'est un manguier de mer, n'est-ce pas ? demanda-t-elle à Gaïg.

— Oui, ce n'est pas un poison. Mais dans ton état, les algues et les crevettes, c'est mieux. Je vais essayer de casser les coquilles de moules avec mes dents. Ce ne sera pas évident.

AtaEnsic murmura faiblement :

— Il y a une pierre dans le fond de la barque : elle n'est pas très grosse, mais je la sens depuis le départ.

La Licorne n'avait pas la force de se relever et Mfuru dut introduire la main sous son ventre pour retirer ladite pierre qu'il tendit ensuite à Gaïg. La pierre était de dimensions on ne peut plus modestes pour l'usage qu'elle voulait en faire, mais c'était mieux que rien. Elle commença immédiatement à arracher les moules des racines auxquelles elles étaient accrochées, à briser leur coquille et à les tendre à ses amis. C'était elle la plus valide pour accomplir cette tâche, mais Loki vint rapidement à son aide : il détachait les moules de leur support végétal, et Gaïg fendait leur coquille avant de les offrir à la main qui se tendait. Pendant un moment, on n'entendit que des bruits de succion et de déglutition. Txabi s'était rapproché et grignotait une algue, tous les sens en éveil.

— Mais Loki, tu peux en manger aussi, fit remarquer Dikélédi. Il n'y a pas que nous… Et toi aussi, Gaïg.

— Je n'en ai pas l'air, mais je mange des algues, répondit Gaïg après avoir avalé sa bouchée.

— Moi aussi, dit simplement Loki, alors que sa bouche était vide.

Gaïg lui tendit une moule, qu'il ne put refuser. Elle lui offrit coup sur coup plusieurs moules, mais dès la quatrième, il les fit passer aux autres.

— Je peux encore tenir, assura-t-il. Ou manger des algues, comme Gaïg.

Aucun des passagers ne se posa de questions sur le fait que les crevettes qu'ils avalaient étaient crues ou que les moules étaient vivantes : ils avaient trop faim pour cela. Ils cherchaient avant tout à se remplir le ventre, afin de ne plus ressentir la torture provoquée par les crampes d'un estomac vide. AtaEnsic se sentait déjà mieux : ayant presque épuisé les feuilles, elle commençait à grignoter les jeunes branches, aidée de Txabi qui les trouvait aussi à son goût.

Seule Gaïg réfléchissait. Le temps avait continué à se gâter et le vent se levait, soufflant par rafales. Il faisait de plus en plus sombre, pas seulement à cause du jour qui déclinait : le ciel s'était couvert de nuages. Elle n'avait pas fait part de ses observations météorologiques à ses compagnons, d'autant plus qu'elle avait remarqué un phénomène étrange. Le bateau se déplaçait. Mais il avançait à reculons. Son arrière était devenu son avant.

Gaïg n'avait pas de points de repères visuels pour déterminer la direction prise par l'embarcation, mais elle était sûre qu'elle se déplaçait, laissant un léger sillage derrière elle. L'amarre, qui d'habitude flottait librement à l'arrière, était enfoncée dans l'eau et se tendait parfois. La barque n'était pas seulement portée par les vagues, ou orientée par le souffle du vent : elle était remorquée, Gaïg en était sûre. Ce qui au demeurant n'avait rien d'étonnant pour elle : elle avait appelé la grand-mère Sirène à son secours et cette dernière était certainement venue.

Tout en constatant ces changements, Gaïg continuait à casser machinalement des coquilles de moules, dont elle absorbait le contenu, ses amis étant repus. Elle se pencha un peu par-dessus bord et aperçut des ombres, bien connues maintenant, sous l'embarcation. Une onde de gratitude l'envahit. Ses amies les Sirènes ramenaient le bateau à la côte.

Winifrid avait repris des couleurs. Elle était maintenant assise bien droite et contemplait la mer.

— C'est drôle, j'ai l'impression qu'on avance, murmura-t-elle. On dirait que le bateau se déplace.

— Nous sommes remorqués, avoua Gaïg, ne sachant pas si elle pouvait en dire plus, et surtout si on la croirait.

Tous ouvrirent de grands yeux.

— Remorqués ? On est sauvés alors ? demanda Loki, une note d'espoir dans la voix.

— Sauvés, je ne sais pas. Je l'espère. Mais le mauvais temps arrive. Et je ne sais même pas où on va. On nous ramène à la côte, je suppose.

— Qui ça, « on » ? demanda Winifrid.

— Je crois que ce sont des Sirènes, souffla Gaïg.

AtaEnsic se retourna en même temps que le Pookah, les couleurs récemment revenues de Winifrid quittèrent son visage :

— Des Sirènes ? Tu les as vues ? Tu leur as parlé ? Elles ne t'ont rien fait au moins ? s'enquit-elle, pleine d'inquiétude.

Gaïg ne comprit pas la raison de cette anxiété.

— Mais non, elles ne m'ont rien fait, tu le vois bien. Elles sont gentilles, elles nous remorquent. Pourvu qu'on arrive en lieu sûr avant la tempête…

AtaEnsic et Winifrid échangèrent un regard et la Dryade haussa les épaules en un geste d'impuissance.

— Je suppose que c'est ainsi que les choses doivent se passer… énonça sentencieusement AtaEnsic.

Gaïg ne comprenait pas trop ce qu'elle interprétait comme une sorte de réticence dans leur attitude et choisit de leur avouer la vérité afin de les rassurer.

— Je les ai à peine vues, vous savez. Elles nagent sous le bateau depuis ce matin, mais elles s'enfuient quand je plonge. Il n'y en a qu'une seule qui se soit approchée de moi. Elle est repartie aussitôt : elle avait l'air très étonné de me voir dans l'eau. Ce que je peux comprendre… Je pense que ce sont elles qui nous ont apporté le manguier des mers.

— Ça veut dire qu'on n'est pas loin de la terre, hé ! hé ! conclut Loki, qui semblait beaucoup plus à l'aise maintenant qu'il y avait de l'espoir.

— C'étaient des Sirènes mâles ou femelles ? interrogea Winifrid.

— Des filles, je pense. Il y a des Sirènes mâles ? À vrai dire, je ne m'étais jamais posé la question. Je croyais qu'il n'y avait de Sirènes qu'au féminin.

— C'est un peuple composé en majorité de femmes, expliqua AtaEnsic. Il y a très peu de Sirènes mâles : les femmes sirènes ont la possibilité de choisir le sexe de leur progéniture en sécrétant des hormones différentes selon qu'elles veulent un garçon ou une fille. Au début, les deux sexes étaient à égalité. Mais les mâles passaient leur temps à guerroyer et ils traitaient très mal les femmes sirènes. Ils les humiliaient et les considéraient comme des êtres inférieurs. Elles étaient complètement asservies. Alors, petit à petit, elles ont arrêté de mettre au monde des garçons. Elles en font un de temps en temps, simplement comme étalon, pour la sauvegarde de l'espèce. Bien que peu nombreux, ils sont en perpétuelle rivalité. Mais ils n'ont plus aucun pouvoir sur les femmes. Ce qui ne les empêche pas de se battre et de donner la mort, malheureusement…

Gaïg était subjuguée, elle attendait une suite qui ne vint pas.

— Tu connais beaucoup de choses, AtaEnsic, laissa-t-elle échapper, admirative. Comment sais-tu tout cela ? Raconte encore…

Il y eut une déflagration à cause d'une vague plus forte que les autres et un paquet de mer s'abattit dans la barque. Mfuru et Dikélédi poussèrent un cri au contact de l'eau : ils étaient blêmes de peur. Il faisait beaucoup plus sombre maintenant, la nuit était tombée plus tôt que d'habitude à cause du mauvais temps. La barque était de plus en plus ballottée par les vagues. Chacun essaya de trouver quelque chose à quoi s'agripper.

Gaïg et ses compagnons se demandèrent s'ils ne couleraient pas avant d'atteindre la terre. Une bonne partie de la nuit s'écoula, sans grand changement : ce n'était plus la mer d'huile des nuits précédentes. Cependant, la violence du vent n'augmenta pas davantage. Finalement, Gaïg décréta que ce n'était même pas une « tempête ». C'était une mer « agitée » et l'angoisse régnant à bord s'expliquait simplement par le manque d'habitude. Personne ne dormit et quand le ciel s'éclaircit légèrement, annonçant l'aube, chacun se sentit soulagé, comme si le danger s'affrontait plus facilement de jour.

Gaïg avait été tentée de se jeter à l'eau plusieurs fois – elle rêvait d'entrer en contact avec les Sirènes – mais Winifrid l'en avait dissuadée, prétextant le mauvais temps qui pouvait les séparer en éloignant le bateau. AtaEnsic avait été plus nette :

— Si les Sirènes fuient quand tu approches, ce n'est peut-être pas le moment de les effrayer ! Nous avons encore besoin d'elles…

— Mais j'essaierais de leur parler. Au moins pour les remercier…

— Tu pourras aussi bien le faire quand nous serons arrivées et que tu auras pied. Si ça tourne mal, au moins tu pourras te réfugier sur la terre ferme !

— Si elles étaient des ennemies, elles ne nous auraient pas remorquées, AtaEnsic. Je te dis qu'elles sont gentilles.

— Sais-tu au moins où elles nous amènent ? avait demandé AtaEnsic en roulant de gros yeux qu'elle essayait de rendre effrayants.

Bien que la situation ne s'y prêtât guère, Gaïg avait ri.

— Dans leur palais sous-marin !

Puis, redevenant sérieuse :

— J'aimerais bien, remarque. Je me demande comment elles vivent. Ça doit être bien, de vivre tout le temps dans l'eau...

— Et comment tu respirerais ?

— Je remonterais parfois prendre une bouffée d'air à la surface.

— Tu as réponse à tout, Gaïg. Moi, j'aimerais bien sortir de ce bateau et me retrouver sur la terre ferme.

— On y arrive, AtaEnsic, avait dit Loki, comme si c'était la chose la plus naturelle du monde. Terre en vue, hu ! hu ! hu !

Tous s'étaient redressés d'un même élan.

— Là-bas, regardez ! On revient à la maison, ha ! ha !

Une masse sombre apparaissait effectivement dans le lointain. La mer était toujours agitée, mais la proximité de la terre rassura tout le monde. Un soupir de soulagement s'échappa de toutes les bouches.

— On pourrait ramer, maintenant qu'on sait où on va, suggéra Gaïg. Elles doivent se sentir fatiguées, elles nous ont traînés toute la nuit.

Mfuru et Loki saisirent chacun une rame et commencèrent à pagayer. Ce n'était pas facile à cause des vagues qui soulevaient parfois la barque, mais ces dernières les rapprochaient aussi du rivage sur lequel ils allaient s'échouer. De plus, ils pagayaient « à l'envers », puisque l'arrière du bateau, auquel était attachée l'amarre, était devenu l'avant. Le jour s'était levé quand ils purent distinguer les détails du littoral.

— Je ne vois pas de village, constata Gaïg. Peut-être qu'on devrait débarquer sur la première plage qu'on trouvera et chercher ensuite.

— Nous avons tous hâte de sortir de ce bateau, dit AtaEnsic, exprimant ainsi la pensée générale. Mettons pied à terre, on verra ensuite.

Les deux rameurs sentaient un regain d'énergie à mesure que le temps passait et que la côte se rapprochait. Cette dernière était plutôt rocheuse et peu accueillante. Finalement, ils distinguèrent une bande de sable qui longeait une petite crique perdue dans la végétation.

— Peut-être qu'on devrait se contenter de cette crique dans un premier temps, annonça Gaïg. Juste pour reprendre des forces après tout ce temps en mer.

— Actuellement, nous n'avons pas les moyens de nous montrer difficiles, fit observer Winifrid. Une fois à terre, on cherchera un village et on saura où on est.

Dans leur impatience d'atteindre la côte, ils ne s'étaient même pas rendu compte que la barque avançait seulement à la force des rames. Gaïg fut la première à s'en apercevoir.

— Hé, les Sirènes sont parties ! s'exclama-t-elle, désappointée. Elles ne nous tirent plus.

— On peut alors ramer normalement, conclut immédiatement Loki, qui commença les manœuvres nécessaires pour tourner le bateau, aidé par Mfuru.

Gaïg était très déçue : elle n'avait pas pu revoir celles qu'elle considérait dorénavant comme des amies, et encore moins les remercier. Elle examinait le fond sous-marin, mais ne voyait rien : la mer était encore agitée et le sable en suspension dans l'eau la rendait opaque.

— Tu les reverras, Gaïg, ne t'inquiète pas, promit AtaEnsic. Tu passes ton temps dans l'eau : je suis certaine qu'elles viendront vérifier si nous sommes bien arrivés.

Il fallut un moment pour aborder, échouer le bateau sur le sable, l'attacher, faire débarquer les passagers. Chacun s'adonnait à la joie de sentir le sol sous ses pieds, de voir des arbres, d'inspecter les environs proches. Loki avait déjà disparu avec Txabi, en quête d'aventures ou de nouvelles sensationnelles à rapporter.

Seule Gaïg gardait le visage tourné vers la mer : elle aurait tellement aimé revoir les Sirènes…

63

Les deux Nains se remettaient de leurs émotions, maintenant qu'ils se trouvaient en sécurité sur la terre ferme. Dikélédi avait annoncé d'une voix ferme qu'elle n'était pas près de remonter dans un bateau: la navigation, ce n'était pas pour elle. Mfuru avait gardé le silence, jugeant inutile de confirmer une évidence. AtaEnsic broutait, pendant que Winifrid batifolait d'arbre en arbre, apportant parfois les fruits de ses découvertes à ses amis.

Chacun essayait d'oublier les difficultés vécues pendant ces trois derniers jours. Les épreuves avaient été rudes à surmonter pour tous. Même Gaïg sentait qu'elle avait besoin de se reposer. De plus, demeurer un peu sur cette petite plage lui laissait une chance de revoir les Sirènes.

La journée s'écoula calmement. Gaïg commençait à se demander où étaient passés Loki et Txabi, qui n'étaient toujours pas revenus. Elle savait qu'elle n'avait aucun contrôle sur les actions du Pookah, mais elle craignait son influence sur le jeune Salamandar. Txabi semblait en effet très intéressé par les faits et gestes de Loki et le suivait volontiers. Depuis « l'incident » de la barque lâchée à la dérive en pleine mer, Gaïg avait perdu toute confiance en Loki et elle se méfiait de l'amitié qui s'était spontanément établie entre Txabi et lui.

Quand ils réapparurent, en fin d'après-midi, Gaïg n'eut pas le temps d'ouvrir la bouche pour une réprimande qu'elle aurait voulu mémorable. Le Pookah atterrit au milieu d'eux, essoufflé et en sueur, suivi d'un Txabi agité, frétillant de la queue, et ne lui laissa pas le temps de placer un mot. Il plaça ses deux mains sur son cœur qui battait la chamade, comme pour le calmer, et commença, sans même reprendre son souffle :

— On a vu des Nains. Il y a des Nains là-bas. Ils sont enchaînés. Prisonniers des Hommes. Ils travaillent dans une mine. Ils sont attachés ensemble au moyen de grosses chaînes. Il y a une sorte de village avec des cabanes, au bord d'une baie. Il y a un bateau dans la baie. Les Nains sont réduits en esclavage par les Hommes. On n'a pas pu leur parler. Il y en a beaucoup. Il y a des enfants aussi. Et des Naines. Ils sont en très mauvais état: ils n'ont pas assez à manger. Ils sont maigres. Les Hommes ont des fouets. Et des chiens. Maigres aussi. Mais les chiens ont peur du Nyanga. Un des Hommes a ordonné à un chien d'attaquer un Nain qui n'allait pas assez vite à son gré. Le chien a sauté sur le Nain, mais le Nain l'a touché avec sa main: il portait un bracelet en Nyanga au poignet et le chien s'est sauvé en couinant comme une souris. L'Homme a battu le Nain avec son fouet. Quand le chien est revenu, il l'a battu aussi. Les Nains sont maigres. Très maigres. Les Hommes sont gros. Énormes. Il y a une mine. C'est de l'or qu'ils cherchent. On a vu un Homme qui pesait des pépites avant de les ranger dans un sac. Les Nains sont prisonniers, je vous dis. Ils sont enchaînés l'un à l'autre. On n'a pas pu les libérer, ils sont trop nombreux. Et il faut des clés. Ils ont un anneau de fer autour d'un pied, relié à la chaîne. Ils sont attachés pas groupes de huit. Leurs pieds sont blessés, à cause de l'anneau. C'est infecté. On a visité tout le campement sans se faire voir. Mais les chiens nous ont sentis. Ils ont voulu croquer Txabi. Ils ont faim. Il faut les libérer. Pas les chiens, les Nains. Ils sont très maigres aussi. Oh, que je suis fatigué! Non, je me trompe: oh, que c'est triste!

Loki se tut, à bout de souffle, visiblement bouleversé. Ses compagnons, sous le coup de la stupeur, demeurèrent muets. Ils restaient suspendus à ses lèvres, attendant la suite. Gaïg se demanda un bref instant s'il mentait. Le Pookah avait l'air sincère: il avait débité d'une traite tout ce qu'il savait.

Txabi prit la relève, comme pour appuyer les dires de son ami:

— Il y a beaucoup de Nains. Très maigres. Et des enfants. Les Hommes les font travailler aussi. Mais Loki a dit qu'on va les libérer. Comme les chevaux.

Gaïg et ses amis étaient stupéfaits, aux prises avec les multiples questions qui s'agitaient dans leur tête.

— Mais qui sont ces Nains ? demanda enfin Dikélédi, s'adressant surtout à Mfuru.

Pour elle, la famille des Nains était complète et elle ne parvenait pas à identifier ceux dont parlait Loki.

— Je ne vois pas, répondit Mfuru, désorienté.

Il semblait profondément troublé. Il ne manquait personne dans les monts d'Oko, et il n'avait pas entendu parler de disparitions dans les pitons de Wassango-Kilolo, chez les Pongwas et les Affés. Encore moins chez les Gnahorés, très occupés à s'enrichir parmi les hommes. Il avait beau réfléchir, il ne trouvait pas de réponse.

— Je ne vois pas, répéta-t-il. Nous sommes au complet. Êtes-vous certains que ce sont des Nains ?

Loki bondit du tronc sur lequel il s'était assis :

— Bien sûr que ce sont des Nains. Ils sont très maigres, mais ce sont des Nains. Ça se reconnaît, un Nain, quand même.

— Si c'est une blague, Loki, elle est de très mauvais goût, avertit Gaïg, sceptique. On commence à en avoir assez, de tes plaisanteries douteuses, d'autant plus qu'elles sont dangereuses. Parce que c'est toi qui avais détaché le bateau, n'est-ce pas ?

Dikélédi et Mfuru ouvrirent de grands yeux étonnés en entendant Gaïg proférer cette accusation, alors que Winifrid rentrait la tête dans les épaules. AtaEnsic intervint :

— Ce n'est peut-être pas le moment d'aborder le sujet. Il faut d'abord éclaircir ce mystère : qui sont ces Nains, et pourquoi ils sont dans un tel état ?

Gaïg s'apprêtait à répliquer, mais Loki avait déjà sauté devant elle, affichant un air hautement outragé :

— Des Nains, des êtres humains sont réduits en esclavage par des Hommes, il faut leur venir en aide et les libérer, et Madame Gaïg traîne encore sur le passé. Tu n'en es pas morte, non ? C'était une petite plaisanterie de rien du tout. Et c'est grâce à moi que nous sommes ici...

Gaïg était outrée par la mauvaise foi du Pookah et elle cherchait une réplique cinglante. Winifrid posa sa main sur son bras pour la calmer.

— Je savais que tu avais deviné, Gaïg. Ça te permet de comprendre pourquoi les Pookahs doivent rester dans la forêt de Nsaï. Loki est avec nous à cause d'un mauvais concours de circonstances : l'éboulement qui a eu lieu dans la grotte des sources chaudes de Tcolawitsé. Sinon, il serait resté à Nsaï.

Gaïg était toujours en colère.

— Ils sont complètement fous, les Pookahs ! s'exclama-t-elle. On ne devrait pas les laisser en liberté !

— En temps normal, ils sont « enfermés » dans la forêt de Nsaï, répliqua Winifrid avec philosophie. Avais-tu déjà rencontré un Pookah avant ? Tu ne connaissais même pas leur existence, je suis sûre.

Gaïg se trouva confondue par la justesse de la remarque. Elle osa même continuer le raisonnement pour arriver à la conclusion que c'était à cause d'elle que Loki se trouvait là et non à Nsaï. Winifrid et AtaEnsic, grâce à leur finesse d'esprit, avaient suivi le cheminement de ses pensées.

— Personne n'est responsable de ce qui nous arrive, Gaïg, poursuivit Winifrid. Ce n'est pas plus à cause de toi que de Loki que nous sommes ici. Parfois, il arrive des choses incompréhensibles et ce n'est que longtemps après que l'on comprend pourquoi.

— Et si on s'occupait de ces mystérieux Nains ? proposa AtaEnsic, montrant ainsi que la discussion était close.

Mfuru était toujours décontenancé :

— Je ne vois pas de qui il s'agit. Je n'ai jamais entendu parler d'esclavage dans le pays de N'dé. Ou de camps de prisonniers. Et si des Nains disparaissaient en grand nombre, on le saurait.

— Et si on n'était pas dans le pays de N'dé ? suggéra Gaïg, prise d'une inspiration subite. Après tout, on a dérivé plusieurs jours.

Encore sous l'emprise de la colère, elle avait parlé malgré elle. Ses compagnons, surpris par son bon sens, la fixèrent, éberlués. Cette hypothèse à laquelle aucun d'entre eux n'avait songé leur paraissait maintenant évidente.

— Une… une île ? bégaya Dikélédi.

— Je ne sais pas. Une île ou un continent. Une autre partie du monde, avec d'autres Nains.

— D'autres Nains ? reprit Dikélédi, en consultant Mfuru du regard.

Mfuru retrouva un semblant d'assurance :

— Il n'y a que cinq tribus de Nains sur terre : les Lisimbahs, les Pongwas, les Affés, les Gnahorés, et…

Le sang se retira de son visage, il devint livide. Il commença à trembler. Il retint un hoquet et sentit remonter son repas dans sa gorge. Sans un mot, la main sur la bouche, il se précipita pour vomir. Des spasmes violents lui contractaient l'estomac, alors qu'il n'avait plus rien à rendre.

Après un moment, il revint auprès de ses camarades. La sueur dégoulinait de ses tempes et il était toujours blanc comme un linge, incapable de parler. Son père, qu'il avait perdu alors qu'il n'était encore qu'un enfant, était un Kikongo. C'était de lui qu'il tenait son goût pour la musique. Et il n'y avait que les Kikongos qui manquaient à l'appel, parmi les enfants de Mama Mandombé.

Petit à petit, l'idée qui n'avait pas été émise fit son chemin et germa dans les cerveaux. Dikélédi était aussi pâle que Mfuru, elle avait saisi. Gaïg, moins au courant de l'histoire des Nains, fut la dernière à comprendre. Elle se rappelait la conversation avec WaNguira, quand Mama Mandombé, la Déesse Magnifique, lui avait fait don de la Pierre des voyages.

— Les Kikongos… souffla-t-elle, pas très sûre de sa mémoire.

Dikélédi la considéra et se tourna vers Mfuru, quêtant anxieusement son approbation :

— Ils ont disparu, n'est-ce pas ? Au moment du Premier Exode ? Ça fait plus de cent ans maintenant. Je n'étais pas née. Ils ont été engloutis dans une coulée de lave, non ? Il n'y a eu aucun Kikongo survivant. On n'a plus jamais entendu parler d'eux, pas vrai ?

Elle répétait ce qu'on lui avait raconté et qu'elle avait toujours cru vrai. Ses questions n'étaient pas des questions, mais des affirmations. Et elle attendait de Mfuru qu'il appuie ses dires. Cependant, elle se doutait, avec une intuition toute féminine, qu'il y avait là un secret douloureux, une énigme inquiétante à éclaircir, une erreur monstrueuse qui marquerait l'histoire des Nains à jamais.

Mfuru semblait anéanti, perdu dans les souvenirs d'un passé heureux, quand il avait encore un modèle masculin à admirer et à imiter. Il retrouva péniblement l'usage de la parole.

— Oui, c'est ce qu'on a toujours cru. Qu'ils avaient disparu à cause du volcanisme. Il y a eu un affaissement de terrain et la mer a envahi leur pays.

— Si ces Nains ne sont pas des Kikongos, qui sont-ils, alors ? demanda Gaïg.

— Ce sont les Kikongos, ce ne peut être qu'eux, affirma Mfuru avec force. Il n'y a pas d'autres Nains sur terre. Il faut aller voir.

Toutes les fibres de son corps se révoltaient à l'idée de ses frères prisonniers, esclaves, de son père maltraité. Comment cela se pouvait-il ? Qu'était-il arrivé ? Et qui étaient ces bourreaux ? Même si les Nains n'avaient jamais développé d'amitié profonde avec les Hommes de la côte, ils n'étaient pas ennemis pour autant. Et l'esclavage, cet horrible pouvoir détenu par un être humain sur un autre, n'avait pas cours au pays de N'dé. Pourquoi les Kikongos étaient-ils captifs ? Est-ce que ça durait depuis le Premier Exode ? Mfuru frémit à cette idée. Dire que pendant plus d'un siècle, on les avait crus morts... Et qu'ils étaient là, si près, en train d'endurer des souffrances épouvantables...

Mfuru se reprit sur le « si près » : pas « si près » que cela, puisqu'il leur avait fallu trois jours et deux nuits de navigation pour parvenir à ce pays inconnu. Son père était-il encore en vie ? Il se leva, surprenant tout le monde par son air décidé : son entourage était toujours décontenancé quand Mfuru la Tortue entrait en action. Il s'adressa à Loki :

— C'est loin ? Tu nous montres le chemin ?

Loki paraissait effondré par sa propre découverte.

— C'est d'autant plus loin qu'il n'y a pas de sentier. Mais il faut y aller : on va les libérer, ces Kikongos. Il faudra faire très attention en arrivant, à cause des chiens. Efflanqués comme ils sont, ils doivent mourir de faim.

Gaïg toucha sa bague : si un chien avait le malheur de s'approcher, elle lui brûlerait le museau jusqu'à la cervelle, se dit-elle. Et il tomberait raide mort, là, devant elle. Et la même chose avec les Hommes. Elle avait triomphé des Vodianoïs, ce n'était pas un vulgaire roquet qui allait l'arrêter.

Ils se mirent en marche et, dès le départ, l'avancée se révéla difficile à cause de l'absence de sentier. Mais ils ne virent pas le temps passer en raison de l'agitation qui régnait dans leur esprit. Dikélédi ne comprenait pas comment l'histoire pouvait changer ainsi, en l'espace de quelques minutes : elle tenait pour acquis que le passé était toujours vrai. Selon elle, les anciens ne mentaient pas, et ils apprenaient la vérité aux jeunes. Ce revirement de l'histoire la confrontait à une vaste remise en question de son monde habituel, composé de ses parents, ses aînés, les chefs de tribu, les grands prêtres, tous ceux qui étaient plus âgés qu'elle. Les adultes pouvaient donc mentir ? Et ce, en toute bonne foi, puisqu'eux-mêmes croyaient vraie une donnée fausse. Où était la vérité, alors ?

La situation déplorable dans laquelle se trouvaient les Kikongos la touchait profondément et elle savait qu'elle ferait tout pour les libérer. Elle était sûre qu'avec l'aide de Winifrid et du Pookah, ses compagnons et elle réussiraient à les remettre en liberté. Elle se demanda si elle serait capable de tuer un Homme pour libérer un Nain. Et elle s'entendit répondre « oui » sans hésiter.

Surprise par sa propre réponse, elle avança d'un pas plus ferme, s'endurcissant mentalement pour entrer en guerre.

QUATRIÈME PARTIE

L'île des disparus

64

Loki progressait en tête, suivi de près par Mfuru. AtaEnsic marchait derrière lui, le heurtant doucement du chanfrein ou lui soufflant affectueusement l'air de ses naseaux dans le cou. C'était une façon de lui montrer qu'elle était solidaire et qu'elle partageait son tourment.

Le chemin, élargi par AtaEnsic, se révélait plus facile pour les derniers de la file. Le sous-bois était constitué de buissons plus ou moins serrés qu'il fallait parfois contourner. Winifrid se plaisait à caresser les troncs des arbres au passage, se rappelant Walig qu'elle avait si peur d'oublier. Elle se rassurait à la pensée que tant que Wakan Tanka veillerait sur lui, il ne lui arriverait rien. Elle aussi était perplexe : d'habitude, tout se savait à Nsaï. Elle ne comprenait pas comment des Nains pouvaient être détenus en grand nombre sans que TsohaNoaï et Wakan Tanka le sachent. Ou alors, ils n'avaient rien dit... Peut-être que tout cela relevait de la fameuse prophétie des Nains : elle avait été plus d'une fois décontenancée par la tournure prise par les événements ces derniers temps...

Ils faisaient route vers le campement depuis un bon moment quand Loki s'arrêta, leur faisant impérativement signe de se taire alors que personne ne parlait. Il s'était remis de l'émotion causée par sa hideuse découverte, et le personnage d'aventurier intrépide qu'il adorait adopter renaissait petit à petit. Avec force mimiques et manières, il chuchota – tellement doucement qu'on l'entendait à peine, ce qui eut pour effet d'agacer une nouvelle fois Gaïg – qu'on atteindrait bientôt un sentier qui menait aux cabanes, et qu'il faudrait se montrer très prudents.

Il semblait tellement redouter l'odorat des chiens, qui ne manqueraient pas de donner l'alerte, que Winifrid suggéra de se frotter le corps avec les feuilles très odorantes d'un pied de menthe sauvage qu'elle avait repéré. Cela retarderait un peu le moment où les chiens percevraient leur odeur. En réalité, elle ne les craignait nullement : son état de Dryade la mettait à l'abri de tous les animaux, dangereux ou non. Elle relevait davantage du monde végétal pour eux. N'ayant rien à redouter d'elle, il ne serait venu à l'esprit d'aucun animal d'attaquer une Dryade.

Elle ignorait cependant quelle serait la réaction des chiens en flairant toutes ces nouvelles odeurs, inhabituelles pour eux. Surtout s'ils étaient affamés… Elle eut un petit sursaut de joie – Loki la fusilla du regard, alors qu'elle n'avait émis aucun son – en découvrant une variété de mousse aux propriétés légèrement hallucinogènes sous le pied de menthe : de la vanora. Les chiens adoraient cette dernière, et se droguaient littéralement en la respirant, en la piétinant, en la mangeant. Ensuite, ils s'endormaient, anéantis par le plaisir, les sens complètement paralysés. Elle en récolta une ample provision pour elle et ses compagnons.

Quand Loki s'engagea sur le sentier, personne ne savait quelle serait la suite : aucun plan n'avait été établi par avance, il fallait d'abord vérifier les dires du Pookah. Non par crainte d'un mensonge de sa part, mais pour se faire une idée par soi-même.

La reconnaissance des lieux s'imposait comme une priorité, et ensuite seulement, en faisant très attention pour ne pas alarmer leurs « gardiens », on pourrait essayer d'entrer en contact avec les Nains, sans les effrayer. Ils étaient les mieux placés pour donner des renseignements sur l'organisation générale du « camp » et la meilleure façon de les libérer.

Le cœur de Mfuru battait à grands coups dans sa poitrine : de plus en plus, il pensait à son père, Do. Des souvenirs de sa prime enfance remontaient à la surface, faisant naître une boule dans sa gorge. Il avait seulement une cinquantaine d'années quand sa mère Macény et lui avaient quitté Sangoulé alors que Do était en visite chez ses propres parents, dans l'extrême sud de Sangoulé.

Macény, Lisimbah d'origine, était partie avec ceux de sa tribu quand le volcanisme avait atteint des proportions inquiétantes. Elle pensait Do en sécurité dans le sud. Il les rejoindrait quand il pourrait. Au fil des mois, elle avait dû accepter l'évidence: Do ne reviendrait pas.

Les Kikongos avaient disparu, engloutis par une coulée de lave, ou noyés par un raz-de-marée. Leur pays avait été inondé par les flots de la mer d'Okan, et aucun Kikongo n'avait plus jamais donné signe de vie. Deux ou trois décennies s'étaient écoulées avant que les quatre tribus restantes concluent à leur disparition.

Des bribes de son enfance remontaient à la mémoire de Mfuru, dans un désordre total. C'était Do qui lui avait enseigné les rudiments de la musique, et ses premiers morceaux. Mfuru avait eu assez de temps pour connaître et apprécier son père et il avait été incapable de le remplacer par une autre figure masculine. Au fil des ans, il était devenu beaucoup plus lent, comme si son corps et son esprit s'engourdissaient, permettant à la blessure de se refermer, au chagrin de s'atténuer.

Il s'était alors adonné à la musique avec passion, n'hésitant pas à innover en la matière jusqu'à être considéré par ses pairs comme un génie musical. Ce qui ne l'empêchait pas de rester désespérément seul à cause de sa lenteur qui en faisait un poids pour les autres et de son talent qui l'isolait. L'arrivée d'AtaEnsic dans son existence avait été une sorte de bénédiction parce que pour la première fois, il s'était senti compris et accepté. Il lui avait tout raconté de sa vie, dans les moindres détails, depuis son premier souvenir: elle l'avait écouté.

Ensuite, cela avait été au tour de la Licorne de se laisser aller aux confidences: elle aussi avait été meurtrie par le destin. Elle lui avait confié comment elle se sentait laide sans sa corne, défigurée et infirme. Combien parfois elle détestait les Hommes, et sentait une folie meurtrière monter en elle. Il s'était montré sensible à sa souffrance et l'avait rassurée: pour lui, elle était la plus belle, il l'aimerait toujours, avec ou sans corne. Une amitié indéfectible était née de cet échange.

À ce jour, AtaEnsic seule avait réussi à rendre Mfuru plus rapide: il lui disait en riant qu'elle avait accéléré sa cadence. Ce à quoi elle répondait invariablement qu'il n'attendait que ça: qu'on le réveille, qu'on le sorte de sa léthargie, et qu'on fasse danser sa vie.

Mfuru fit une caresse par-derrière à AtaEnsic qui le suivait. On avait atteint un sentier, et il fallait redoubler de précautions. Il retournait deux questions dans sa tête : ces Nains étaient-ils les Kikongos ? Et si c'était le cas, son père était-il encore vivant ?

Au bout d'un moment, on distingua des baraquements dans le lointain. La nuit était tombée d'un seul coup, il faisait sombre. Les six compagnons avançaient à la queue leu leu, prêts à sauter dans les fourrés avoisinant le sentier s'il fallait se dissimuler. Le septième compagnon, Txabi, dormait, enroulé autour du cou de Gaïg. Loki avançait de plus en plus précautionneusement au fur et à mesure qu'on approchait. Il s'arrêta bien avant les premières baraques, en adoptant un air de conspirateur :

— Je suppose que les chiens sont en liberté pendant la nuit, chuchota-t-il. Je vais voir avec Winifrid, attendez-nous ici. De toute façon, AtaEnsic fait du bruit avec ses sabots : il vaut mieux annihiler les chiens d'abord.

Winifrid vérifia ses provisions de vanora destinée à droguer les chiens, et s'engagea dans les fourrés avec Loki. Très vite, on ne les vit plus. Mfuru bouillait d'impatience et dansait d'un pied sur l'autre : il se serait volontiers précipité au milieu des cabanes en appelant Do. Dikélédi se sentait prise dans un engrenage qui la dépassait, et Gaïg encore davantage. AtaEnsic s'était allongée et regardait Mfuru, le caressait avec sa tête, mais se sentait impuissante à l'aider.

— On pourrait avancer un peu, proposa Mfuru à voix basse.

— Ça ne servirait qu'à nous faire repérer, avertit la Licorne. Ce n'est pas ce que tu veux, n'est-ce pas ?

Mfuru baissa la tête, penaud, et recommença sa danse sur place. Il laissa échapper un ou deux clappements de langue mais se reprit aussitôt. Un moment passa. Il s'arrêta soudain, on le vit tendre l'oreille, crispé, comme s'il écoutait quelque chose dans le lointain. Puis ses traits se détendirent, et il s'appuya lourdement contre AtaEnsic, enserrant le cou de celle-ci avec ses bras, le visage enfoui dans sa crinière. Il essayait visiblement de se décontracter.

— Ça ira, murmura AtaEnsic pour le rassurer. On va délivrer les Kikongos.

Mfuru s'assit contre elle, et se laissa aller, fermant les yeux. Il les rouvrit au bout d'un moment :

— Vous n'entendez pas ? Cette musique...

— Je l'entends par moments, souffla Dikélédi. Mais je n'étais pas sûre. C'est de la musique de Nain... Il y a quelqu'un qui chante...

Gaïg ne percevait rien d'autre que ce qu'elle pensait être les craquements du bois dans la forêt.

Tout à coup, Mfuru se leva, le visage hagard, et s'engagea dans le sentier. Gaïg et Dikélédi, prises de court, hésitaient sur la conduite à adopter. AtaEnsic décida pour elles :

— Il vaut mieux rester ici. Il commet une imprudence, mais les risques seront accrus si nous l'accompagnons.

Mfuru s'était arrêté un peu plus loin, on le distinguait à peine. Puis il se remit en marche et s'évanouit dans la nuit.

Après son départ, l'attente devint insupportable. Gaïg, Dikélédi et AtaEnsic se taisaient, n'osant bouger. Elles se rendaient compte que la situation était extrêmement risquée : des Hommes capables de maintenir des Nains prisonniers dans les conditions décrites par Loki n'hésiteraient pas à tuer des étrangers entrés sur leur territoire, même s'il s'agissait de naufragés. Ou alors ils les captureraient pour les faire travailler dans la mine : Dikélédi rejoindrait sans délai ses semblables et serait enchaînée, AtaEnsic serait employée comme cheval de trait, et ils trouveraient bien quoi faire de Gaïg. Cette dernière frémit : même si elle n'était pas une Naine, elle ne serait pas épargnée. De toute façon, elle s'imaginait mal trahissant les Nains, ses amis, pour se mettre au service de brigands esclavagistes. Elle se sentait bien plus en danger maintenant que la veille ou l'avant-veille, quand ils étaient perdus en mer.

— Mfuru fait de la musique, annonça Dikélédi à mi-voix. Il est devenu fou, ou quoi ? Écoutez !

AtaEnsic perçut tout de suite l'étrange mélopée à laquelle la jeune Naine faisait allusion, mais Gaïg dut faire un effort pour la discerner. N'étant pas habituée à la musique des Nains, elle croyait avoir affaire aux bruits naturels de la forêt. En se concentrant, elle réussit à distinguer une voix humaine, sans être sûre pour autant qu'il s'agissait de Mfuru. Elle écoutait avec attention et sursauta quand Winifrid sauta légèrement d'une branche : même en étant suprêmement attentive aux sons, elle ne l'avait pas entendue arriver.

— Les chiens sont en train de respirer la vanora, raconta-t-elle. Pour le moment, ils sont excités, mais ils s'endormiront sous peu. J'ai réussi à les entraîner dans une espèce de parc à chevaux vide, mais il y en a peut-être d'autres en liberté. Ils sont pitoyables tellement ils sont décharnés. Les Hommes sont dans une des cabanes, ils mangent et boivent : je pense que c'est de l'alcool, ils ont l'air ivres. Ils sont servis par trois Nains. Les autres Nains sont prisonniers dans une grande case. Mais… où est Mfuru ?

AtaEnsic expliqua qu'il s'était brusquement éloigné en entendant de la musique, et qu'il en avait joué lui aussi.

— C'est donc lui que j'ai entendu, je pense. Mais il y avait également un Nain captif qui chantait dans la case, quelque chose de très lent et de très triste, comme une plainte. Je n'ai pas compris les paroles. Peut-être que Mfuru veut essayer de communiquer avec lui… Pourvu qu'il ne se fasse pas remarquer…

Dikélédi expliqua, la voix tremblante :

— Il s'agit de *La complainte des cœurs séparés.* C'est une chanson en baalââ. Elle est sous forme de dialogue. Je suis sûre que Mfuru est en train de donner la réplique au chanteur de la case.

— Nous pouvons nous rapprocher, suggéra AtaEnsic. Je ferai très attention avec mes sabots.

Winifrid acquiesça : elle faisait beaucoup moins de manières que Loki, pensa Gaïg, et elle n'avait même pas l'air effrayée.

— Je pars devant, je vous avertirai si ça se gâte, dit la Dryade en s'esquivant. Je vais jeter un coup d'œil aux chiens aussi.

Il fallut un temps infini à AtaEnsic, Gaïg et Dikélédi pour atteindre la limite de la vaste clairière dans laquelle les habitations se dressaient. Elles progressaient à pas de loup sur le sentier, la Licorne marquant une pause chaque fois qu'elle avait posé un sabot sur le sol.

Au fur et à mesure qu'elles se rapprochaient, elles distinguaient mieux les tons graves de l'étrange mélopée aux sonorités feutrées et monotones. Mais elles auraient été incapables de préciser l'origine des sons, ou d'identifier le chanteur : c'était la même voix rauque et sourde qui s'arrêtait un bref instant puis recommençait, sans jamais monter plus haut. Gaïg inventa l'expression « chanter silencieusement » pour décrire ce qu'elle entendait, comme si le chanteur – ou « les » chanteurs – ne voulaient pas se faire remarquer, risquant ainsi d'attirer sur eux la hargne des gardiens.

Dikélédi plaça une main moite dans la paume de Gaïg et se colla contre elle. Gaïg se dit que si elle avait appartenu au monde des Nains, elle aurait sans doute été aussi bouleversée, et elle serra très fort la main qu'elle tenait. Elles étaient au bord de la clairière et examinaient le « village » misérable qui se révélait à elles à la lumière de la lune. Il respirait la misère, la pauvreté, le malheur.

Tout à coup, Loki et Winifrid furent à côté d'elles, aussi silencieux que des ombres. Pas une branche n'avait remué pour annoncer leur arrivée. Ils leur firent signe de les suivre, et avancèrent en longeant le bord de la clairière jusqu'à se trouver dans le prolongement d'une vaste cabane. Mfuru chantait là, dissimulé dans les fourrés, les larmes aux yeux.

Il y avait quelque chose de tragiquement beau dans la vision de ce Nain immobile, qui pleurait en chantant – ou chantait en pleurant. Ses lèvres étaient entrouvertes mais aucun muscle du visage ne bougeait : seule la gorge était animée, laissant échapper maintenant une vibration sourde et saccadée. Mfuru maîtrisait parfaitement son appareil phonatoire, et jouait là le chef-d'œuvre de toute sa vie, le cœur déchiré par l'angoisse : la voix qui lui répondait depuis un moment, il l'aurait reconnue entre mille. C'était la même que la sienne, celle qui lui avait enseigné ses premiers mots, ses premiers airs.

Il baissa petit à petit le ton, sans se taire pour autant, jusqu'à ce que la voix de l'intérieur de la case ait pris la relève. Les larmes coulant toujours le long de son visage, sans bouger, sans la regarder, il tendit une main vers AtaEnsic pour qu'elle s'approche et partage avec lui ce moment unique entre tous : il avait retrouvé Do, son père.

65

Gaïg se rendit compte qu'elle était émue et qu'elle pleurait elle aussi. Sans connaître dans le détail l'histoire de Mfuru, elle en savait assez pour comprendre qu'elle assistait à quelque chose de grandiose. Dikélédi avait également les larmes aux yeux : elle n'avait pas lâché la main de Gaïg. Cette dernière mit un moment avant de s'apercevoir que Mfuru avait abandonné le baalââ et commencé à poser des questions tout en gardant le ton de *La complainte des cœurs séparés*. Elle prêta attention aux paroles échangées, et apprit en même temps que lui l'atroce vérité.

Oui, il s'agissait bien des Kikongos, prétendument disparus. Cela faisait plus d'un siècle qu'ils étaient prisonniers sur cette île, n'essayant même plus de s'évader ou de se révolter, luttant simplement pour survivre jusqu'au soir. Leur population avait fortement diminué sous l'emprise des sévices et des maladies, et ils n'étaient plus qu'une poignée, comparativement à avant. Ils n'espéraient plus aucun secours depuis longtemps, et avaient faim.

Au moment du Premier Exode, une faille énorme avait déchiré Sangoulé en deux parties, et un fleuve de lave avait coulé au milieu. La partie méridionale, qui constituait leur pays, n'avait pas été engloutie : elle s'était éloignée de plus en plus des côtes du pays de N'Dé, avant de s'immobiliser. On aurait dit un radeau gigantesque à la dérive sur la mer d'Okan. Mais leur pays, devenu île, ne flottait pas. On avait plutôt l'impression qu'il raclait le fond de l'océan, tellement les séismes étaient nombreux.

Les Kikongos étaient demeurés des mois sur ce bout de terre émergé, craignant l'engloutissement définitif à chaque nouveau tremblement de terre. Puis des Hommes étaient arrivés sur des bateaux, que les Nains en détresse avaient accueillis comme des sauveurs. Ils avaient embarqué avec eux, et avaient appris à naviguer.

Ensuite la décadence avait commencé. Ils avaient été astreints aux tâches les plus dures et les plus rebutantes sur le bateau. Ils ne s'étaient pas révoltés, aveuglés qu'ils étaient par la reconnaissance qu'ils croyaient leur devoir. Ils avaient choisi de s'endurcir, considérant qu'ils «payaient» ainsi leur voyage et la charge supplémentaire que représentait leur montée à bord en matière de nourriture.

Ils avaient été amenés sur cette île, et contraints de travailler dans la mine après avoir construit des baraquements. Ils s'étaient plusieurs fois rebellés, mais les Hommes avaient maté leurs soulèvements avec une violence inouïe. Ces derniers ne faisaient pas de quartier et tuaient sans aucun état d'âme ceux qui se rebellaient. Par la suite, ces tyrans avaient de plus en plus diminué leurs portions de nourriture, pour les affaiblir physiquement et les dompter moralement. Ce, en exigeant d'eux le même rendement au travail.

Beaucoup de Nains avaient déjà succombé, ils étaient environ une quarantaine maintenant, en très mauvais état. Les Hommes étaient moins d'une dizaine, mais en pleine santé, avec des réserves de brutalité d'une intensité phénoménale. Les Nains ne pouvaient plus agir : ils étaient enchaînés la plupart du temps quand ils sortaient de la mine. De plus, leur mauvais état physique ne laissait guère de doute sur l'issue d'une éventuelle bataille : ils seraient écrasés en un rien de temps. Et se sauver sur une île équivalait à un arrêt de mort, puisque tôt ou tard ils seraient repris, et exécutés. Ils avaient d'ailleurs surnommé l'île Sondja, ce qui signifiait la *Terre-du-désespoir-absolu*.

Le chant continuait, dolent et envoûtant, sur le même ton bas et uniforme, malgré l'émotion dont il était chargé. Le découragement et la lassitude en constituaient les paroles, la musique, le fond.

Mfuru demanda à son père s'ils étaient enfermés dans leur cabane et Do répondit que oui. La porte était barricadée de l'extérieur par deux épaisses barres de bois transversales, qu'il suffisait d'enlever pour pénétrer dans la masure. Mfuru annonça alors qu'il était le seul

Nain adulte présent et présenta ses compagnons, en annonçant qu'ils allaient essayer d'entrer.

Do les en dissuada: tant que les trois Nains de service auprès des Hommes ne seraient pas revenus, la situation serait trop risquée. Il valait mieux attendre que les Hommes soient endormis avant de tenter quoi que ce soit. En revanche, si on pouvait leur faire passer n'importe quoi à manger par l'une des misérables fenêtres haut perchées de la bâtisse, ce serait une bonne chose: ils étaient tous tenaillés par une faim intolérable. Deux des enfants se mouraient d'inanition à l'intérieur, l'un d'entre eux ne passerait peut-être pas la nuit. Dans l'immédiat, ils ne tenteraient rien contre les Hommes, vu l'état de faiblesse qui était le leur.

Mfuru et ses compagnons furent étonnés par cette réticence de Do à entamer une action qui marquerait un premier pas vers la liberté mais se plièrent à sa volonté: le vieux Kikongo savait mieux qu'eux à qui il avait affaire et de quoi les autres étaient capables. Loki et Winifrid partirent immédiatement, disant qu'ils avaient repéré une masure où se trouvaient des provisions.

Sans écouter personne, Mfuru se lança à découvert dans la clairière, le temps de courir jusqu'à la cabane des Nains afin d'inspecter la façade percée d'ouvertures, qui donnait heureusement sur la forêt. Après tant d'années, il ne pouvait pas attendre plus longtemps pour serrer son père dans ses bras. Gaïg le vit coincer obliquement contre le mur une vieille planche qui traînait sur le sol et commencer à grimper avec une agilité surprenante.

Malheureusement, la planche était trop courte – ou le Nain pas assez grand. Il redescendit, inspectant les lieux autour de lui, en quête d'une idée. Finalement, il avisa un vieux tonneau pas très loin et le fit rouler jusqu'à la planche. Gaïg et ses compagnons frémirent en entendant le roulement du tonneau sur les cailloux, et l'aboiement d'un chien les fit se jeter dans les fourrés. Mfuru agit de même, mais comme le jappement ne se répétait pas, il repartit à l'assaut de la façade.

Il plaça le tonneau debout et bloqua la planche dessus, contre le rebord: cette fois-ci, l'échafaudage se révéla suffisamment haut et il atteignit le côté de la fenêtre. Il n'éprouva pas trop de difficulté à se jucher à califourchon dans l'encadrement de cette dernière et marqua un temps d'arrêt. Gaïg se demanda comment il procéderait pour l'intérieur: il ne pourrait pas sauter de cette hauteur sans risquer de se rompre le cou. Elle le vit cependant disparaître dans la cabane, comme avalé par la fenêtre.

Elle pressa la main de Dikélédi, elle se sentait tendue comme la corde d'un arc. Elle cherchait dans sa tête comment aider les Nains, mais dans l'immédiat, ne voyait pas en quoi elle pourrait être utile. Un autre aboiement retentit dans le silence de la nuit. Loki et Winifrid firent diversion en revenant avec des sacs de vivres : il y avait de gros biscuits de facture assez grossière et des fruits. C'était tout ce qu'ils avaient pu trouver, ne disposant pas de beaucoup de temps et ne voulant surtout pas donner l'alerte. Winifrid glissa à Gaïg une grosse poignée de vanora au passage en lui demandant d'aller la donner aux chiens qui se réveillaient. Gaïg sentit la peur l'envahir instantanément : elle ne pourrait jamais se déplacer dans la clairière à la recherche des chiens. Mais Winifrid ne lui laissa pas le choix :

— Ils sont dans l'enclos près de la plage, chuchota-t-elle d'une voix douce mais impérative. Tu ne risques rien toute seule. Il vaut mieux que Dikélédi reste ici. Longe le bois et tu y arriveras.

Un autre aboiement se fit entendre et Winifrid poussa fermement Gaïg le long de la clairière, avant de se diriger vers le tonneau et la planche laissés par Mfuru. Loki était déjà en train de les escalader, ses sacs arrimés tant bien que mal sur le dos.

Gaïg pensa qu'elle aurait aimé être aussi à son aise que lui dans les aventures trépidantes qu'elle vivait depuis quelque temps. Malheureusement, elle avait toujours peur. Le fait qu'elle s'en soit sortie indemne jusqu'à ce jour ne la rassurait pas : elle se sentait comme un poisson hors de l'eau. Elle n'était à l'aise ni sur terre ni sous terre alors qu'en mer elle n'avait craint à aucun moment pour sa propre vie. Elle avançait doucement, cherchant du regard le fameux enclos à chevaux (pour quels chevaux ? où étaient passés ces derniers ?) et la plage.

Un léger miroitement lui indiqua la direction de la mer, et elle rassembla son courage pour s'acheminer vers l'enclos qu'elle ne voyait pas encore. Elle avait presque le nez dessus quand elle le découvrit, occupé par cinq molosses qu'elle jugea énormes. En réalité, bien que d'une taille respectable, ils n'étaient guère épais. L'un d'entre eux s'agita dans son sommeil, huma l'air alentour et se réveilla : il fit quelques pas autour de l'enclos et se mit à aboyer. Gaïg s'immobilisa, pétrifiée.

Au même moment, une porte s'ouvrit et un Homme sortit, un géant. Gaïg l'aperçut qui titubait vers un buisson sur lequel il se soulagea. Il lança un retentissant « Ta gueule, le cabot ! » avant de s'engouffrer dans la maison voisine. Un deuxième individu suivit peu après, exécutant les mêmes gestes. Gaïg plongea dans les fourrés et se tint aussi immobile qu'une pierre. Le calme qui régnait dans le camp disparut : les Hommes regagnaient leur domicile, apparemment dans un état d'ivresse avancée. Ils ne se donnaient même pas la peine de fermer leurs portes, assurés d'être les seuls maîtres de l'île.

Gaïg, terrifiée, n'osait plus respirer. Un autre chien s'était réveillé et avait joint ses aboiements à ceux du premier. Elle décréta pour se rassurer que les Hommes ne se poseraient pas de questions sur les jappements des chiens : des chiens qui aboient la nuit quand il y a du mouvement, c'était normal. Dans sa logique à elle, le silence se serait révélé plus inquiétant. Mais était-ce leur logique ? Comme cela lui procurait un prétexte pour attendre avant de se rapprocher de l'enclos, elle décida que oui.

Deux petites silhouettes apparurent dans l'encadrement de la porte, aussitôt couvertes par deux plus grandes. Gaïg comprit qu'on ramenait les Nains « de service » à leur masure et elle se tapit encore davantage dans son fourré. Un des Hommes revint en arrière et cria dans l'embrasure de la porte :

— Alors, Kodjo, c'est pour aujourd'hui ou pour demain ? Tu veux que je vienne te chercher ?

Une silhouette fluette se profila rapidement dans la lumière et rejoignit les Nains qui marchaient devant. Gaïg identifia immédiatement un enfant, et frémit : elle avait assez travaillé pour Jéhanne depuis son enfance pour savoir ce que la jeune personne devait endurer. Elle entendit qu'on dégageait les barres de bois de la porte des Nains, puis qu'on les replaçait un moment après.

Un des Hommes riait grassement, sans raison. Son compagnon le réprimanda :

— T'as encore trop bu, Crépin. T'es complètement soûl.

— Parce que t'as pas bu, peut-être, rétorqua celui qui s'appelait Crépin. T'es à sec, Raoul, oui !

Et il partit d'un nouvel éclat de rire tonitruant.

— Suis encore capable de tenir debout, moi. Et de raisonner. Mais où sont les cabots ? Je les entends, mais ne les vois pas...

Gaïg se rendit alors compte que les cinq chiens donnaient de la voix.

— Si tu les entends, céquissonlà, articula péniblement Crépin.

Zondû attraper quèquechose. Moi aussi, je peux raisonner, moooosieu Raoul !

— Ouais, t'as raison. Va cuver, maintenant.

Les deux Hommes se dirigèrent vers l'habitation qu'ils partageaient, et accomplirent le même rituel que leurs prédécesseurs avant de s'engouffrer dans la cabane. Gaïg ressentit un bref soulagement en sachant que tout le monde serait bientôt endormi et cela lui donna le courage de s'approcher de l'enclos et d'y lancer rapidement la vanora, sur laquelle les molosses se jetèrent immédiatement, sans s'occuper d'elle. Elle revint au pas de course là où elle avait laissé AtaEnsic et Dikélédi : il n'y avait personne.

— Par ici, Gaïg, l'appela la Licorne. On a dû se cacher davantage quand ils sont venus.

Gaïg les rejoignit, à moitié rassurée. Loki et Winifrid les retrouvèrent peu après. Le Pookah semblait sur le point de se trouver mal.

— Ça pue, là-dedans, lâcha-t-il en prenant une profonde inspiration. Ce n'est pas possible de traiter des Nains comme ça, ces gens-là méritent la mort.

— C'est sans doute ce qui va arriver, malheureusement, murmura Winifrid. Les Nains seront sans pitié. Mais je les comprends…

— Tu as vu dans quel état ils sont… commenta Loki. Ils n'ont que la peau sur les os. Et ceux qui sont amputés…

— Amputés ? demanda Gaïg.

— Ils y en a plusieurs qui n'ont qu'une seule main : on leur a coupé l'autre parce qu'ils ont essayé de voler de la nourriture, expliqua Winifrid.

— Quelle horreur ! s'exclama Gaïg à voix basse.

— Et ce n'est pas tout, ajouta Loki. Le père de Mfuru a les oreilles coupées, et il est aveugle. C'était un dur à cuire, lui, un vrai rebelle, fier et insoumis. Mais ils ont gagné. Il n'est en vie que pour jouer de la musique pour les autres, afin de leur donner du cœur à l'ouvrage.

— Ils ont les pieds dans un état lamentable, avec ces anneaux de fer autour, compléta Winifrid. Ils nous ont expliqué que la clé de leur prison se trouve dans la cabane des deux ivrognes, Crépin et Raoul. On va tenter de la récupérer. Il y a des aliments dans la pièce où ils mangeaient : elle leur tient lieu de cuisine. AtaEnsic, il vaut mieux que tu restes là. Mais Gaïg et Dikélédi peuvent aller aux provisions pendant que nous volerons la clé. Faites attention, quand même ! On ouvrira la porte plus tard, quand les Hommes seront profondément endormis.

Gaïg admirait la Dryade, et la facilité avec laquelle elle organisait les choses en attribuant un rôle à chacun. Pour sa part, elle était bien trop effrayée pour décider quoi que ce soit et elle ne pouvait qu'obéir. Et encore n'était-ce pas sans effroi... Elle attrapa Dikélédi par la main et se dirigea vers la masure qui tenait lieu de cuisine. La jeune Naine la suivit sans un mot: elle était épouvantée.

Gaïg demeura muette tout le temps que dura l'approvisionnement. Elle mit tout ce qu'elle trouva d'immédiatement consommable dans des sacs qu'elle rapporta près du tonneau qui supportait la planche. Dikélédi la suivait comme son ombre, accomplissant les mêmes gestes qu'elle, essayant de ne pas penser à ce qui se passerait si un des gardiens se réveillait. Elles firent plusieurs voyages, vidant les placards de tout ce qui pouvait se manger. Les sacs s'accumulaient au pied du tonneau. Jamais Gaïg ou Dikélédi n'oserait grimper là-haut, mais Gaïg avait peur d'appeler Mfuru de crainte de réveiller les dormeurs.

Loki revint assez vite, brandissant victorieusement une clé, qu'il s'empressa de porter dans la masure des Nains captifs, toujours en passant par la fenêtre. Winifrid était allée amadouer les chiens: AtaEnsic expliqua que ce n'était qu'une expérience, un essai, mais que si ça marchait, les Nains n'auraient rien à redouter d'eux.

Ce fut Loki qui fit des allées et venues sur la planche installée par Mfuru pour monter la nourriture et la passer aux prisonniers. Il avait expliqué qu'il y avait des étagères contre les murs intérieurs, qui permettaient de descendre. La première était loin de la fenêtre et il fallait sauter d'assez haut pour l'atteindre. Ils utilisaient les suivantes comme une échelle.

Gaïg et Dikélédi restaient collées contre AtaEnsic, attendant la suite des événements. Cette dernière, en proie à une nervosité sans bornes, ne tenait pas en place. Les deux filles essayèrent vainement de la rassurer sur le sort de Mfuru. À la fin, elle avoua dans un sanglot:

— Je l'ai reconnu: c'est le dénommé Crépin qui a scié ma corne.

66

Gaïg frissonna. Décidément, ces Hommes ne reculaient devant rien pour assouvir leur désir de richesse. Elle se rappela la Licorne en furie, intraitable et majestueuse dans sa colère brute et craignit pour l'avenir. Comment tout cela se terminerait-il? Avec de tels adversaires, quel serait le prix à payer?

Winifrid vint les rejoindre. Gaïg sursauta en la découvrant accompagnée d'un des chiens, qu'elle tenait par le cou. Dikélédi se réfugia derrière AtaEnsic, peu désireuse d'affronter le cerbère.

— C'est pour qu'il s'habitue à nous, expliqua la Dryade. J'amènerai les autres à tour de rôle pour qu'ils vous sentent et sachent que vous ne leur voulez pas de mal. Pas vrai, le toutou?

Elle caressait l'animal sous le cou, sur le poitrail, entre les oreilles, sans aucune crainte. Tout en le flattant, elle lui serinait une étrange mélodie, en lui donnant à renifler un objet que Gaïg n'identifia pas. Elle le conduisit tour à tour près de Gaïg, d'AtaEnsic et de Dikélédi. Le chien les flairait avidement, mais ne disait rien. Il semblait avoir perdu toute agressivité. Il s'agita un peu en reniflant Txabi, qui s'était réfugié une fois de plus sur la nuque de Gaïg. Le Salamandar disparaissait souvent pour un long moment, puis revenait faire un petit somme, lassé de ses explorations.

La même scène se répéta avec les quatre autres chiens et Gaïg osa même faire une caresse timide au dernier, un peu moins imposant que les autres. Les chiens n'en avaient pas spécialement après Dikélédi, bien qu'elle fût Naine : ils avaient avec elle la même attitude qu'avec les autres. Seule la présence de Txabi les excitait un peu. À la fin de chaque visite, Winifrid récompensa le chien présent avec un biscuit dérobé, dont chacun ne fit qu'une bouchée.

La nuit était bien avancée et des ronflements sonores émanaient des cabanes habitées par les hommes. Winifrid décida d'aller voir ce qui se passait chez les Nains et escalada l'échafaudage mis en place par Mfuru. Elle ressortit assez vite, suivie de Loki et Mfuru, tous les trois bouleversés. Deux Kikongos, maigres à faire peur, arrivèrent peu après.

— Un des enfants est mort, annonça tristement Winifrid. De faim et d'épuisement.

Gaïg sentit tout son corps se contracter. Tout cela finirait mal, très mal. Elle regarda les deux Kikongos : ils étaient sur leur garde, et inspectaient constamment les alentours. Leur visage était impénétrable, on n'y lisait aucun sentiment. Fallait-il qu'ils soient effrayés et traumatisés, pour avoir attendu tout ce temps pour ouvrir la porte ! Ils n'avaient pas voulu prendre le moindre risque plus tôt, de peur qu'un des Hommes ne soit pas encore assez profondément endormi.

AtaEnsic murmura quelque chose à Mfuru qui lui répondit doucement dans le creux de l'oreille.

— On va ouvrir la porte ? demanda un des Nains libérés.

— Je viens, répondit Mfuru, qui se leva en faisant une caresse à AtaEnsic.

Avec mille précautions, les trois Nains soulevèrent la première barre de bois qui condamnait la porte. Ils progressaient très lentement, déplaçant la barre de l'épaisseur d'un doigt chaque fois. Gaïg rejoignit Winifrid qui calmait les chiens : ces derniers se rendaient compte qu'il se passait quelque chose d'anormal et ne tenaient pas en place, laissant échapper un bref jappement de temps en temps. Gaïg décida qu'elle se montrerait plus utile en aidant à apaiser les chiens, qui l'effrayaient moins depuis leur passage avec la Dryade.

Elle entra dans l'enclos et commença à les caresser sur le poitrail et sur le cou, imitant Winifrid qui la remercia d'un sourire approbateur. Cette dernière continuait à chantonner pour les chiens. Gaïg surveillait les cabanes des gardiens bien plus que celle des Nains, tellement elle avait peur que l'un d'entre eux se réveille par hasard, ne serait-ce que pour satisfaire un besoin naturel. Elle retenait son souffle, à l'écoute du moindre bruit.

La deuxième barre enlevée et posée sur le sol à côté de la première, les Nains mirent presque autant de temps pour pousser les doubles battants de la porte : le moindre grincement pouvait être fatal.

Peu après, les habitants de la masure commencèrent à sortir. Gaïg fut horrifiée par les squelettes ambulants qui apparurent : ce n'était pas possible, ce n'était pas des Nains. Et pourtant...

Dans le plus grand silence, elle les vit se diriger vers l'entrée de la mine. « Quelle drôle d'idée ! » pensa-t-elle, s'interrogeant sur leurs intentions. L'explication ne se fit pas attendre : quand ils ressortirent, ils étaient armés de pics et de barres à mine. Tous.

Les cheveux de Gaïg se dressèrent sur sa tête quand elle constata que les Nains s'acheminaient vers les habitations des Hommes et y pénétraient. Elle ferma les yeux, serrant très fort ses paupières. Mais elle ne put s'empêcher d'entendre. Tout alla très vite. Des coups sourds. Parfois un cri étouffé. Encore des coups. Les Nains frappaient avec toute la souffrance physique et morale accumulée pendant plus d'un siècle. Ils frappaient. Et frappaient encore.

Crépin, en sang, apparut sur le seuil et fit quelques pas dans la cour avant de s'écrouler lourdement sur le sol, suivi par un groupe de Nains dont faisait partie Mfuru.

Une tornade blanche surgit, hennissant de rage et de douleur. Gaïg ne put s'empêcher d'ouvrir les yeux. Une folie tapageuse et destructrice hantait AtaEnsic : elle ne s'appartenait plus. Mfuru dit simplement « Laissez-le-lui ». Les Nains, surpris, s'écartèrent.

La Licorne, debout sur ses pattes arrière, entama une danse sauvage autour de Crépin. Elle se cabrait et se laissait retomber, faisant trembler le sol chaque fois. Crépin, hagard, ne comprit pas tout de suite. Quand la lumière se fit dans son esprit, AtaEnsic commença à le piétiner avec ses sabots. À chaque cabrage, elle retombait sur lui, tout son poids concentré sur les sabots de devant. Crépin ne résista pas longtemps : très vite, il devint une bouillie sanglante de viscères et de muscles. Il fut littéralement écrabouillé.

Les Nains regardaient dans le plus grand silence, le visage toujours totalement dénué d'expression. Pas un ne fit un mouvement pour calmer AtaEnsic : tout en ignorant ce qui s'était passé entre cette belle jument blanche et le déchet d'humanité qui mouillait le sol de son sang, ils comprenaient qu'elle le haïsse. Ils étaient même solidaires de sa haine. On ne pouvait que haïr ce boucher humain, qui mutilait les Nains d'un coup de hache ou de couteau et donnait leur chair à manger aux chiens.

AtaEnsic écrasa tout. Elle pila, foula, broya, concassa, pulvérisa. L'abdomen, le thorax, les membres, la tête. Tout. Seuls les os lui résistèrent, encore qu'aucun d'entre eux ne demeurât entier après le traitement. La Licorne était rouge du sang de son ennemi. Elle ne s'arrêta que quand il ne resta plus rien sur le sol qui permît d'identifier l'individu Crépin. Elle se dirigea alors vers la mer pour se laver, suivie par Mfuru qui ne la lâchait pas d'une semelle, puis vint s'allonger près de l'enclos. Winifrid abandonna les chiens un moment et alla l'embrasser. Elle lui parla à l'oreille un instant. On entendait seulement la respiration de la Licorne.

Gaïg avait l'estomac au bord des lèvres. Elle n'en voulait pas à AtaEnsic, elle ne la jugeait pas, mais le spectacle avait été éprouvant. C'était donc cela, un Homme ? Seulement cela ? Ce mélange de chair et d'os, de mollesse et de dureté, baignant dans un liquide d'un beau rouge vif ? Comment une créature si faible et si fragile pouvait-elle être capable d'une telle cruauté envers ses semblables ? Elle ne pensait donc jamais que ce qu'elle faisait subir aux autres, d'autres pourraient le lui imposer un jour ?

L'estomac de Gaïg se retourna à cause du nouveau tableau qui s'offrait à elle. Les Nains transportaient les déchets sanglants de leurs bourreaux dans le drap ensanglanté qui leur servirait de suaire et les jetaient à la mer. Aucun rite funéraire. « Et alors ? se dit Gaïg. Ils n'ont que ce qu'ils méritent. Encore heureux s'ils n'empoisonnent pas les poissons… »

Il n'y avait pas un seul survivant parmi les Hommes. Un silence de mort régnait sur le campement. La nuit reculait, une aube blafarde se levait. Un groupe se dirigea vers la masure réservée à la cuisine, et commença à préparer un repas. Un autre groupe sortit un petit paquet de chiffons de la bâtisse qui servait de dortoir, et commença à creuser un trou à la limite de la forêt. On enterrait l'enfant mort.

Les autres Nains étaient affaissés sur le sol, par groupes, trop remués pour parler. La nuit avait été rude pour les nerfs. Ils étaient passés sans transition de l'enchaînement à la liberté et ils avaient besoin de temps pour assimiler les changements. Ils avaient mobilisé leurs dernières forces dans cette ultime chance de salut qui leur était offerte et ils étaient épuisés. L'énergie leur manquait maintenant qu'ils se retrouvaient délivrés, certes, mais le corps meurtri, couverts de plaies et de blessures autant physiques que morales.

Momentanément requinqués par le ravitaillement nocturne, ils avaient pu agir dans un état second, nécessité par l'urgence de la situation. C'était cette nuit-là ou jamais. Sans même se consulter, ils savaient dès le départ qu'ils ne feraient pas de quartier. Aucune pitié. Chacun avait perdu qui un enfant, qui un parent, qui un ami ou un être cher. Ils avaient tous été humiliés, maltraités, fouettés, certains avaient été mutilés. Pas une Naine n'avait échappé au viol. Mais aucun enfant né de ces accouplements forcés n'avait survécu : les Naines avaient refusé toute progéniture qui porterait en elle les gènes des tyrans. Chaque Kikongo abritait assez de haine et de colère en lui pour se sentir capable de tuer un des Hommes. Tous ensemble, ils avaient agi. Il n'y avait pas de coupable.

Ils avaient enfoui leurs « bons » sentiments pour mener à bien leur entreprise : frapper, frapper, et encore frapper. Dans l'immédiat, c'était tout ce qu'ils pouvaient faire, tout ce qu'ils devaient faire. Le souvenir d'un siècle de tourments et de supplices avait été leur moteur pendant cette tuerie qu'ils jugeaient légitime. Ils ne ressentaient aucun sentiment de lâcheté en attaquant par surprise et en mettant à mort ces Hommes endormis. La vie était faite de cycles, ce n'était qu'un retour des choses.

Généralement, les Nains étaient d'un naturel placide et pacifique. Mais ils étaient en mesure de se défendre quand la situation l'exigeait. Le visage impénétrable qu'ils avaient affiché en sortant de leur cabane s'humanisait petit à petit. Un sourire triste et évanescent errait parfois sur des lèvres sèches et ridées, le regard perdait quelquefois de sa vacuité, brièvement éclairé par un éclair de vie. La tension retombait tout doucement.

Mfuru avait amené son père près de l'enclos, à côté d'AtaEnsic. Le vieillard aveugle se déplaçait appuyé sur un bout de bois, les paupières closes. Il avait eu les yeux brûlés par un tison brandi par Crépin. À la place des oreilles, il avait deux trous : leur pavillon avait été sectionné d'un coup de couteau. Par Crépin.

Chaque Nain était occupé avec son propre corps à soigner. Le seul cas extrêmement urgent, l'enfant, était mort pendant la nuit. Les autres cas étaient seulement urgents, sans plus. Dorénavant, ils avaient le temps. Ceux qui avaient survécu étaient les plus résistants.

Ils étaient tous aussi mal en point les uns que les autres, et dans leur esprit, se prendre personnellement en charge était le meilleur moyen de venir en aide à la communauté. En ne pesant pas les uns sur les autres, ils reprendraient des forces et reconstitueraient leur unité bien plus rapidement.

Winifrid et Gaïg avaient donné à manger aux chiens : c'était encore la meilleure méthode pour briser leur agressivité. Puis elles s'étaient jointes à Loki, Dikélédi et Mfuru qui allaient de l'un à l'autre, portant de l'eau, des plantes et des chiffons propres en guise de bandage pour nettoyer les plaies.

Petit à petit, en même temps que le jour se levait, les Nains commencèrent à parler. D'abord doucement, par monosyllabes, au sein même de leur groupe. Puis on vit quelques-uns d'entre eux se déplacer. Certains pleuraient. De nervosité autant que de chagrin.

Le village revint totalement à la vie avec la distribution du repas. Une soupe épaisse et réconfortante, distribuée sans restriction, jusqu'à ce que tous se sentent repus. L'estomac plein, les langues se délièrent un peu plus.

Mfuru emmena son père à la mer, le lava avec soin, et lui mit des habits propres. En revenant, le « vieillard » marchait déjà plus droit, il avait gagné quelques centimètres et son visage avait changé.

— Nous avons besoin de retrouver notre dignité, dit-il. Le reste suivra. Merci à toi, mon fils.

La première journée s'écoula dans un calme de commencement du monde. Les Nains passèrent beaucoup de temps à se laver dans la mer. Après leur bain, ils se vêtirent avec les habits les plus présentables de leurs tortionnaires, n'hésitant pas à retrousser ou à couper jambes et manches.

Comme le soir tombait, Gaïg les vit faire un tas des paillasses qui leur servaient de lit et y mettre le feu. Ils y ajoutèrent les haillons qu'ils avaient quittés. Ils finirent par alimenter le brasier avec tout ce qui leur rappelait leur situation passée.

Ils incendièrent également la bâtisse misérable dans laquelle on les enchaînait pour dormir, et décidèrent de passer leur première nuit de liberté en plein air.

Tous se sentaient exténués, y compris Gaïg et ses compagnons.

67

Les jours suivants se passèrent dans le repos : autant les Nains pouvaient parfois se montrer passionnés et acharnés au travail, autant ils pouvaient rester à ne rien faire si les circonstances l'exigeaient. Leur objectif principal pendant les jours qui suivirent leur soulèvement et leur libération fut la récupération de leurs forces physiques.

Ils agissaient dans un état second, dicté par la biologie : ils étaient seulement occupés à satisfaire les besoins du corps. Il n'y avait pas d'emploi du temps, pas de descente à la mine, pas d'horaire à respecter. Ils cherchaient avant tout à se refaire une santé physique, qu'ils ne trouveraient qu'à travers le repos et la bonne nourriture.

Trop épuisés pour se lancer dans l'exploration de l'île – dont ils connaissaient déjà plus ou moins les recoins – ils accomplissaient le minimum de tâches nécessaires.

Ils soignaient consciencieusement leurs plaies, faisant très attention à juguler des infections purulentes qui ne demandaient qu'à se développer. Dans le passé, ils avaient vu la rapidité avec laquelle la gangrène s'installait et entraînait la mort par empoisonnement du sang.

Un grand soin était apporté à la préparation des repas, qui surprenaient par la quantité impressionnante de nourriture mise à la disposition de chacun. La famine avait sévi, et les Kikongos avaient l'impression qu'ils n'auraient plus jamais assez à manger pour oublier le temps du manque. Heureusement, l'île avait été récemment approvisionnée en denrées de toutes sortes, et les provisions ne manquaient pas.

Gaïg et les siens en savaient un peu plus maintenant sur le fonctionnement du camp. Les Hommes qui occupaient l'île et maintenaient les Nains dans cet état d'asservissement étaient à la solde d'autres Hommes plus riches et plus puissants qui habitaient les villes de la côte dans le pays de N'Dé. Un bateau chargé de vivres passait tous les deux mois récupérer l'or extrait du sous-sol par les Nains et en profitait pour renouveler les réserves de nourriture. Il était reparti il y avait une semaine de cela et les Nains disposaient donc d'un répit avant d'entrer en guerre à nouveau. Il était encore trop tôt pour savoir s'ils livreraient bataille ou s'ils tendraient un piège. Ils préféraient ne pas y penser, dans l'immédiat.

Ils racontaient leur vie à Gaïg et aux autres, comme s'ils voulaient exorciser leurs souffrances par la parole. Les détails les plus affreux relevaient du quotidien, et Gaïg se sentit plus d'une fois révoltée ou remplie de dégoût en entendant leur récit. Elle retirait de leurs témoignages une certaine aversion pour les Hommes – déjà qu'elle ne les aimait pas beaucoup, ayant davantage souffert à cause d'eux que l'inverse – et se réfugia souvent dans la mer, la gorge serrée, les larmes prêtes à couler.

L'île n'était pas déplaisante en soi et les baraquements avaient été construits dans une clairière qui donnait sur la plage, laquelle était équipée d'un débarcadère rudimentaire en bois. Gaïg ne perdait pas une occasion de se baigner, explorant ces fonds sous-marins nouveaux pour elle. Ce faisant, elle avait le secret espoir de rencontrer une des Sirènes qui les avaient amenés sur cette terre.

Elle se demanda à plusieurs reprises si les Sirènes savaient ce qui se passait sur l'île et si elles les y avaient conduits à dessein ou s'il ne s'agissait que d'une pure coïncidence : elles les avaient simplement remorqués jusqu'à la terre la plus proche.

Parfois, Kodjo et d'autres Naines se baignaient avec elle. Gaïg avait découvert que la silhouette fluette de la première nuit était une fille et elle avait sympathisé avec elle. Mais elle était toujours étonnée de la facilité avec laquelle toutes les Naines entraient dans l'eau, passant leur temps à se laver et se frotter avec du sable jusqu'à s'égratigner la peau.

Kodjo prétendait que c'était pour se purger et pour se purifier : elle voulait aider son corps à se débarrasser de ses souillures. Par la suite, elle confia à Gaïg que toutes les Naines avaient été violées de multiples fois par les Hommes du camp. Elles se sentaient salies, souillées, profanées par ce geste infâme, même si elles n'en étaient aucunement responsables. Le désir de se laver était plus fort qu'elles, c'était une façon symbolique d'effacer l'humiliation, de conjurer un passé abject et d'évacuer la douleur.

De nombreuses Naines avaient dû étouffer leurs sentiments maternels et s'incliner devant la volonté commune de ne garder aucune trace de ces faits odieux. La raison dictait des actes auxquels on souscrivait intellectuellement, mais la blessure demeurait. Après, il fallait cicatriser. Le bain aidait à guérir les plaies.

La crainte immémoriale qu'éprouvaient les Nains envers l'eau n'habitait plus les Kikongos : ils avaient eu le temps d'apprivoiser cet élément par la force des choses, sur le bateau ou sur l'île. Les Naines expliquaient à Gaïg que les Kikongos ne seraient peut-être jamais de grands marins, mais qu'ils sauraient naviguer sur un bateau le jour où les circonstances le réclameraient. Elles n'en disaient pas plus, mais Gaïg comprenait que tôt ou tard, les Nains quitteraient cette île, porteuse de trop mauvais souvenirs.

Gaïg entendait chaque jour de multiples récits remplis d'horreur. Une fois, elle eut droit à l'histoire de Do, le père de Mfuru, qui avait été promu grand prêtre par WaNgolo lui-même, quand celui-ci avait senti venir sa fin. La transmission des savoirs et des pouvoirs d'un grand prêtre s'étendait d'habitude sur de longues années. Le grand prêtre en activité choisissait, vers le milieu de sa vie, aux environs de quatre cents ou de quatre cent cinquante ans, un jeune Nain d'une soixantaine d'années. Il le formait jusqu'à sa propre mort, moment auquel le nouveau grand prêtre était intronisé.

C'était un certain Mahou qui aurait dû succéder à WaNgolo et devenir WaNmahou. Mais Mahou avait l'âme d'un rebelle, et refusait de se soumettre aux ordres des Hommes. La première fois qu'il avait été surpris en train de voler de la nourriture, il avait été amputé d'une main. À la deuxième tentative, on lui avait tranché l'autre main, et on l'avait attaché à un poteau pour attendre la mort : sans mains, il ne pouvait plus travailler, et était devenu inutile.

Mahou avait agonisé pendant des heures : aucun Nain n'avait le droit de l'approcher. Ils avaient tous été obligés de descendre dans la mine après cette scène, qui s'était passée le matin. Le soir, ses compagnons l'avaient revu, toujours en vie. Ses souffrances se seraient sans doute prolongées pendant des jours si WaNgolo ne l'avait aidé à mourir dans la soirée : se faisant volontairement poursuivre par les chiens en furie et courant de façon désordonnée dans la clairière, il avait buté comme par mégarde sur Mahou, lui enfonçant dans la bouche un champignon vénéneux récolté en bordure de forêt. Mahou avait compris : au lieu de recracher, il avait mastiqué et avalé.

L'agonie par empoisonnement avait été violente et douloureuse, mais courte. Pendant deux heures, Mahou avait été victime d'hallucinations tour à tour plaisantes ou effrayantes, avant de passer de vie à trépas. WaNgolo s'en sortait avec plusieurs morsures de chiens, mais les Hommes avaient été dupes : il n'y avait pas eu de retombées. La déception s'était lue sur leurs visages quand ils s'étaient aperçus que Mahou avait succombé aussi « rapidement », mais ils n'avaient pas soupçonné WaNgolo, fort occupé à faire saigner ses morsures.

À la suite de quoi, WaNgolo avait dû prendre une décision concernant sa succession et son choix s'était porté sur Do, encore entier à l'époque. Ce dernier, bien que dans la force de l'âge, n'était plus de première jeunesse : il avait presque atteint les trois cents ans mais le temps pressait. Les jeunes n'étaient pas plus à l'abri que leurs aînés et Do possédait déjà un savoir dicté par l'expérience, que n'aurait pas un sexagénaire naïf et inexpérimenté.

WaNgolo ignorait alors que ses jours étaient comptés et que sa fin était proche. Les symptômes de la rage s'étaient manifestés chez un des chiens qui l'avaient mordu dans les jours qui avaient suivi : on l'avait abattu. Il n'avait fallu qu'un mois pour que le grand prêtre des Kikongos soit fixé sur sa propre contamination. Ensuite, les choses étaient allées très vite. Les Hommes, ayant compris que le chien enragé avait eu le temps de propager son microbe, avaient craint la contagion. Ils avaient alors tué WaNgolo, en proie aux premières hallucinations de la maladie, non pour abréger ses souffrances, mais pour éviter l'épidémie.

C'est ainsi que Do était devenu WaNdo, sans y avoir vraiment été préparé. Ne possédant pas le savoir de WaNgolo et la capacité de détachement donnée par l'âge et par la connaissance, il était encore très impulsif, bouillant de la même rage que ses congénères. Il l'avait payé cher.

Un jour, il avait osé traiter les Hommes d'affameurs, alléguant qu'ils ne nourrissaient pas mieux leurs chiens que les Nains.

— Tu penses donc que les chiens ont faim ? avait demandé Crépin sur un ton doucereux. Il faudrait leur donner à manger ?

— Oui, et ça leur éviterait peut-être de vouloir bouffer du Nain! avait rétorqué WaNdo avec une insolence non dissimulée.

— Mais c'est bon, le Nain! Ils aiment ça!

En moins de deux, Crépin avait jeté WaNdo sur le sol, s'était agenouillé sur lui, l'immobilisant entre ses puissantes cuisses et il lui avait tranché le pavillon des deux oreilles.

— Regarde, ils mangent, ces chiens! Ils aiment ça, le Nain! avait-il claironné en lançant les oreilles de WaNdo aux chiens, qui les avaient dévorées.

Même ses comparses avaient été choqués.

— T'es encore soûl, Crépin, avait jeté Raoul. Allez, viens te coucher.

— Tu abîmes le matériel, avait plaisanté un autre, dénommé Renart.

S'en était suivie une bagarre entre les Hommes, de laquelle Crépin, vexé à mort, était sorti avec deux dents en moins. Comme il était fou furieux et continuait à se battre, ses camarades l'avaient assommé et transporté dans son lit.

De ce jour, à cause des deux dents perdues, la haine de Crépin envers les Nains s'était accentuée, en se cristallisant sur WaNdo dont il avait fait son souffre-douleur.

La suite de l'histoire de WaNdo relevait du même registre, celui de l'infamie et du crime atroce.

L'alcool, bien qu'interdit sur l'île, faisait des ravages. Les Hommes s'en procuraient en soudoyant les marins qui les ravitaillaient. Crépin était le plus riche, celui qui se faisait débarquer trois ou quatre tonnelets quand les autres n'en recevaient qu'un seul. Comme il partageait volontiers sa boisson lorsque les réserves particulières étaient épuisées, personne ne se posait de questions sur l'origine de sa richesse. Jusqu'à ce que WaNdo découvre qu'il détournait à son profit une partie de la récolte aurifère des Nains.

Le jeune grand prêtre avait été de service ce soir-là pour le repas des hommes, et avait dû rester un peu plus tard pour nettoyer le sol des vomissures rejetées par un des Hommes, ivre. Les deux autres Nains avaient été raccompagnés à la cabane commune et enchaînés. Le sort, Crépin en l'occurrence, avait désigné WaNdo pour la tâche rebutante du lessivage de vomi. Le grand prêtre, seul avec la brute, lavait le sol de son mieux, attentif à ne pas provoquer sa colère, toujours prompte à se réveiller.

En quittant la cuisine avec le Nain, Crépin, dans un état d'ivresse avancé, avait glissé sur le sol mouillé. Une pépite était tombée de la poche intérieure de son gilet. Il l'avait ramassée avec une vivacité proche de l'éclair, surprenante chez quelqu'un pris de boisson à ce point-là. WaNdo n'avait pas eu le temps de détourner les yeux : Crépin avait vu qu'il avait remarqué. Et qu'il avait compris.

L'or récolté par les Nains était immédiatement récupéré et mis dans un sac, avant d'être pesé. Toutes les opérations étaient soigneusement surveillées. Aucun Homme n'avait de raison valable de détenir de l'or sur lui, dans sa poche. Surtout en ayant l'air de vouloir dissimuler ce fait, comme c'était le cas pour Crépin.

WaNdo n'était même pas surpris : Crépin était capable des pires agissements. Qu'il détournât une partie de la récolte constituait une malversation qui n'avait en soi rien d'étonnant, dans ce milieu d'exploiteurs dénués de morale, baigné par l'alcool. Mais WaNdo n'avait pas saisi tout de suite qu'il devenait un dénonciateur en puissance, qui pourrait desservir Crépin auprès de ses camarades. Crépin, dégrisé, avait juré entre ses dents, attrapé un tison rougeoyant dans le feu et l'avait approché très près des yeux de WaNdo. Ce dernier avait reculé jusqu'à se retrouver dos au mur.

— T'as rien vu, le Nain ! Compris ? RIEN vu ! Si tu parles, tu meurs !

Crépin, les dents serrées, les yeux fous, maintenait WaNdo acculé contre le mur avec son tison qu'il rapprochait dangereusement. Sous l'effet de la chaleur dégagée par le bout incandescent, WaNdo avait hurlé de douleur. Crépin, fou d'une rage qu'il ne contrôlait pas, avait encore rapproché le tison. Il l'aurait sans doute collé sur le visage de WaNdo, si Renart, sorti par hasard de sa cabane pour se soulager, n'avait accouru en entendant les cris.

— Mais t'es fou, Crépin ! Ça suffit, maintenant. Arrête. Si tu les abîmes tous, qui va travailler ?

Crépin avait dû fournir un effort monumental sur lui-même pour baisser le bras, ramené à la raison par le dernier argument. WaNdo s'était laissé glisser sur le sol, dos au mur, geignant de douleur, les mains sur les yeux : il ne voyait que du rouge.

Il avait senti qu'on l'attrapait sous un bras et qu'on le ramenait à la cabane des Nains. Cette nuit-là, on ne l'avait pas enchaîné, mais il aurait été bien en peine de tenter une évasion.

Par la suite, il n'avait jamais recouvré la vue. Les Hommes avaient décidé de le tuer, puisqu'il ne servirait plus à rien. Mais Renart, de façon totalement inattendue, avait plaidé sa cause: WaNdo pouvait chanter pour donner du cœur à l'ouvrage aux autres Nains. Ça n'apporterait rien de le tuer, et ce n'était pas ce qu'il mangerait qui épuiserait les réserves. Crépin avait commis assez de crimes comme ça, il était temps d'arrêter.

Les autres Hommes n'avaient accepté qu'à la condition de supprimer la maigre ration alimentaire de WaNdo. Les Nains n'auraient qu'à le nourrir sur leurs propres portions, pourtant déjà si congrues. Renart n'avait pas pu négocier, et il avait été contraint de s'incliner. Parfois, quand les autres étaient ivres morts, il lui arrivait de donner à manger à WaNdo.

68

WaNguira était inquiet. Il n'était pas le seul. Keyah, Afo, Kalenda, Babah et Témidayo, partis à la recherche de Gaïg et Dikélédi, auraient dû être de retour depuis cinq jours déjà. Rien n'expliquait leur retard. Ce n'était pourtant pas si loin, la galerie de Sémah et les premiers contreforts montagneux de Sangoulé. Qu'est-ce qui les retardait?

Déjà que la situation n'était pas brillante avec les Gnahorés... Les cinq émissaires envoyés par Mukutu étaient revenus la veille, donc assez rapidement, accompagnés de deux Gnahorés seulement. WaNkoké, leur grand prêtre et Abomé, leur chef, n'avaient pas daigné se déplacer en personne: ils avaient délégué des « représentants », ce qui avait agacé les Nains. Depuis quand se faisait-on « représenter » par un autre? On était présent ou on était absent, c'était tout: personne ne pouvait prendre la place de personne et décider en son nom.

Décidément, les Gnahorés adoptaient de plus en plus les manières incompréhensibles des Hommes... Les Lisimbahs, comme les Pongwas et les Affés, étaient déconcertés par cette façon d'agir, qui ne répondait pas à la logique implacable de la présence et de l'absence. Comment pouvait-on être là tout en n'y étant pas? En se faisant « représenter », avaient expliqué les deux porte-parole d'un ton las. WaNkoké avait envoyé son successeur présumé, celui qui serait un jour WaNétibako, mais qui, pour le moment, n'était encore qu'Étibako tout court, un jeune bicentenaire timide et emprunté, plutôt taciturne.

Ce dernier, s'exprimant au nom de son grand prêtre, avait déclaré que rien ne pressait tant qu'on n'était pas « sûr ». Il faisait bien évidemment allusion à Gaïg et à la prophétie. WaNguira s'était senti profondément vexé. Il était plus ancien que WaNkoké, et mettre en doute ses paroles constituait une insulte. D'autant plus que rien n'avait été gardé secret : tout le monde connaissait l'histoire de Gaïg et de Nihassah, et elle avait été fidèlement rapportée aux Nains de la côte.

Le doute émis par WaNkoké était d'autant plus vexant qu'Abomé n'avait guère fait mieux de son côté. Oui, certes, les Nains pouvaient venir habiter dans les collines de Koulibaly : il ne serait pas dit qu'il laisserait ses « frères » dans le besoin.

Mais les relations avec les Hommes étaient extrêmement délicates, il fallait faire preuve de diplomatie et de savoir-vivre, leurs mœurs étaient complexes et subtiles, et ils se révélaient très sensibles à la différence. Ils s'habituaient tout juste à la présence des Gnahorés dans certaines villes. Ces derniers avaient complètement abandonné l'habitat des collines. Mais même si celles-ci étaient vides, il n'était pas certain que ce fût une bonne idée. Les Hommes commençaient seulement à ne plus appeler les Nains les Taupes fouisseuses, ou les Vers de terre, et ce serait dommage de leur rappeler ce passé souterrain, que les Gnahorés n'appréciaient plus de toute façon : la vie au grand air était plus saine et plus distrayante.

Les Lisimbahs, les Pongwas et les Affés seraient accueillis, bien sûr, s'ils n'avaient nulle part où aller. *S'ils n'avaient nulle part où aller...* Néanmoins, il n'était pas bon d'arriver en trop grand nombre, afin que les Hommes ne se sentent pas brutalement envahis. Et tôt ou tard, il faudrait qu'ils s'habituent à vivre dans des maisons, en ville.

Les Gnahorés s'étaient battus pour accéder à un certain rang dans la société des Hommes, ce serait dommage de tout gâcher avec des pratiques rudes et ancestrales. Ou alors, si leurs « frères » acceptaient de demeurer cachés dans les cavernes des collines, les Gnahorés les approvisionneraient sans problème : ce n'était pas l'argent qui faisait défaut. Dans un premier temps, on s'occuperait d'eux, en veillant à ce que rien ne manque.

Par la suite, les « frères » pourraient travailler pour eux et rembourser leur dette : les bijoux nains étaient fort appréciés des Hommes et connaissaient un véritable engouement dans les villes. Heureusement, l'or ne manquait pas sur le marché, il y avait des exploitations aurifères dans les îles du sud.

Si vraiment *aucune autre solution* n'était envisageable, les « frères » des Gnahorés pouvaient entreprendre un énième exode vers les collines de Koulibaly. Le terme « frère » avait été répété tellement souvent dans la conversation que Mukutu avait demandé si les « sœurs » étaient comprises dans la réponse. Mossi, premier-né et représentant d'Abomé, s'était renfrogné le temps d'un éclair, avant d'afficher de nouveau son masque jovial et diplomate, riant de la finesse de la plaisanterie : le « frère » Mukutu avait toujours le mot pour rire ! Bien sûr que les « sœurs » étaient incluses, leurs épouses se feraient un plaisir de leur montrer comment se vêtir, se chausser et se coiffer pour paraître plus grandes.

Les Naines de Nsaï étaient demeurées muettes de stupeur : elles s'étaient mutuellement regardées, cherchant ce qui, dans leur tenue traditionnelle, devait être modifié. Tchitala avait pouffé en montrant discrètement à ses compagnes les chaussures à hauts talons de Mossi. Elle avait enchaîné en défaisant les tresses serrées à même le crâne de ses cheveux crépus et en les ébouriffant vers le haut, histoire de gagner quelques centimètres. Ensuite, cachée par ses compagnes, elle s'était dandinée sur la pointe des pieds en remuant des hanches et en faisant des mines, à l'instar de Mossi qui paradait dans sa tenue chamarrée, éventail à la main. Tchitala s'était contentée d'une feuille de chou sauvage en guise d'éventail, mais la caricature était tellement grotesque qu'une onde de rire avait parcouru le groupe des femmes sans que les hommes pussent avoir la moindre explication sur la raison de cette hilarité.

Mukutu, Mongo et Séméni bouillaient intérieurement. Ils n'étaient pas dupes des chatteries de Mossi et de ses réponses onctueuses et circonspectes. Ils comprenaient que leur présence était indésirable et cela ne faisait que renforcer leur résolution d'aller coloniser les collines, d'autant plus qu'elles étaient vides maintenant : ils ne gêneraient donc personne. Sans même se consulter, ils avaient arrêté leur décision, pour eux et pour leur peuple. Puis un rapide et discret échange de regards les avait confortés dans leur unité. Mongo, plus diplomate que Mukutu, avait pris la parole, s'adressant aux Nains réfugiés de Nsaï avec force circonvolutions oratoires, digne en cela de son interlocuteur gnahoré :

— Grâce à la grande noblesse d'âme de nos augustes frères, nous ne sommes plus de pitoyables errants, des sans domicile fixe, indigents et miséreux. Nos frères, ces seigneurs sublimes, ont l'extrême obligeance de laisser à notre humble disposition les collines qu'ils n'habitent plus, et nous en profiterons. Qu'ils soient bénis pour leur immense générosité et que Mama Mandombé, notre Déesse Magnifique, les comble de ses bienfaits.

Séméni avait continué, sur le même ton :

— Ce serait indigne de nous autres, viles Taupes fouisseuses ou Vers de terre rampants, d'être à la charge de l'Illustre Abomé et des siens, alors qu'ils font preuve d'une telle magnanimité. Nous travaillerons et nous apprendrons à commercer avec les Hommes, suivant en cela leur édifiant exemple. Nous maîtrisons le travail des métaux, de tous les métaux, et nous vendrons directement nos produits aux Hommes. Il n'est plus question d'importuner nos nobles frères en leur demandant de servir d'intermédiaires. Les plus beaux bijoux seront sertis dans nos ateliers, les meilleurs outils seront façonnés dans nos forges. Les Hommes se presseront à la porte de nos cavernes pour passer commande, et il y aura des listes d'attente pour le moindre objet. Les prix monteront, et nous deviendrons aussi riches que l'Illustrissime Abomé 1er, chef fameux des glorieux Gnahorés !

Mossi, bien qu'il affichât un sourire d'une quarantaine de dents, pâlissait sous ses poudres, face à cette concurrence future qui ne se dissimulait même pas. Mukutu, ne voulant pas être en reste, s'essaya lui aussi à la prise de parole :

— M'est avis qu'on a trouvé où s'loger ! Et sans payer d'loyer en plus ! Allez, les deux « Gnas », on vous invite à croûter pour fêter ça !

Mossi avala sa salive de travers en s'entendant traiter de « Gna », Étibako rentra la tête dans les épaules, et, à défaut de dignité, se drapa dans sa toge de voyageur. Ils se consultèrent un moment et finirent par décliner l'invitation, pressés qu'ils étaient de rapporter aux leurs « les résultats stupéfiants de cette entrevue d'un grand intérêt commercial ». Personne n'insista pour les faire rester mais on leur fit don de force provisions pour la route, en remerciement de leur générosité.

WaNguira avait à peine parlé avec Étibako, une fois qu'il avait reçu le message de son maître. Il l'avait laissé aux bons soins de WaNtumba et de WaNdéné, ne désirant pas envenimer la situation. Les données avaient changé : s'il faisait valoir son rang et que les « Gnas » – Mukutu avait eu bien raison de les dénommer ainsi – ne le reconnaissaient pas, il risquait le ridicule. Il n'allait pas se battre pour un titre, il n'avait rien à prouver à ces marionnettes en perte d'identité qui singeaient les Hommes pour se valoriser.

Il valait mieux garder son énergie pour organiser l'avenir. Mais pourquoi Babah et les autres ne revenaient-ils pas ? Est-ce qu'ils n'avaient pas retrouvé Gaïg et Dikélédi ? Les Salamandars les auraient-elles gardées en otage ? Cela ne concordait pas avec les dires des deux Dryades. Mais jusqu'à quel point pouvait-on se fier à ces créatures trop intelligentes ? Elles n'étaient même pas intéressées par les ressources fabuleuses du sous-sol, alors qu'elles pouvaient aller partout : elles étaient capables d'approcher la roche liquide et de marcher dessus…

Cette pensée ramena WaNguira au trésor des Lisimbahs entreposé dans la caverne de Ntangu. Si on devait partir vers les collines, il faudrait songer à le récupérer. Encore un souci en perspective, avec Ihou dans les parages. Mais WaNguira connaissait les siens : ils n'abandonneraient pas leur trésor, accumulé au fil des générations, et représentant une fortune incommensurable. De toute façon, ils en auraient besoin, s'ils voulaient survivre dans les villes de la côte où tout relevait du commerce, de la richesse, et du rang social octroyé par cette dernière. Mais l'opération de récupération serait difficile. Très difficile.

Les Nains discutaient avidement des derniers événements, en mimant Mossi, et WaNguira s'éloigna en soupirant : il avait besoin d'être seul pour réfléchir. Il disparut rapidement sous les arbres.

Il était de son devoir de grand prêtre de proposer une solution, ou même plusieurs, mais il n'en voyait aucune. Les Nains ne pourraient attendre Babah et ses compagnons pendant une éternité en bordure de forêt, alors qu'un territoire avait été mis à leur disposition, même à contrecœur. WaNguira n'émettait aucun doute sur le fait que les habitants de la forêt devaient déjà connaître les moindres détails de l'entrevue avec les « représentants » des Gnahorés, non, des « Gnas » !

Le départ des Nains pour les collines était donc proche. Babah et les siens devineraient quelle direction ils avaient prise. WaNguira pouvait également charger les Dryades d'un message pour eux. En ce qui concernait le trésor…

WaNguira s'assit, pensif, au pied d'un chêne centenaire, et sursauta quand une de ses racines se mit en mouvement et lui adressa la parole.

— Bonjour, grand prêtre. Vous avez l'air bien soucieux !

WaNguira mit un moment avant de se ressaisir. Il était impressionné par la taille du Salamandar, et par la beauté qui s'en dégageait, maintenant qu'il retrouvait ses couleurs naturelles, noir tacheté de jaune. Le mimétisme avait été parfait puisque le grand prêtre n'avait rien remarqué, quant à la présence d'une racine différente des autres.

— Je suis Patxi.

Une deuxième racine s'anima, sous le regard interloqué du grand prêtre.

— Bonjour. Je suis Maïalen.

WaNguira se demanda combien il y avait de Salamandars ainsi dissimulés dans les racines apparemment innocentes de ce chêne plus que centenaire.

— Il n'y a que nous deux, fit Patxi.

WaNguira eut envie de hurler, tant pour se venger de la finesse d'esprit de ce Salamandar qui devinait tout, que pour évacuer les tensions accumulées. Il s'imaginait, lui le grand prêtre, lancé dans une danse sauvage et hystérique, digne d'AtaEnsic, hurlant et hennissant à la face des deux Salamandars ahuris.

Patxi et Maïalen sourirent, comme s'ils partageaient sa vision. WaNguira se reprit, mortifié : d'habitude, c'était lui qui lisait dans l'esprit des autres...

Il voulut reprendre le contrôle de la conversation.

— Savez-vous où sont Gaïg et Dikélédi ?

Les deux Salamandars eurent l'air étonnés. Trop étonnés, selon WaNguira.

— Je les ai laissées à la sortie de la galerie de Sémah, avec le Pookah et la Dryade, expliqua celui qui s'appelait Patxi. Il y avait un Nain et une Licorne qui les attendaient à l'extérieur.

— Gaïg est guérie, nous avons cautérisé sa plaie, ajouta Maïalen.

— Et depuis ?

— Depuis ? interrogea Patxi, faisant mine de ne pas comprendre où WaNguira voulait en venir.

« Qui croit-il tromper ? » se demanda WaNguira, tous les sens en éveil.

— Nous ne savons pas ce qu'elles sont devenues, déclara Maïalen. Elles doivent être sur le chemin du retour.

— Nous essaierons de nous renseigner, proposa Patxi, trop gentil pour être honnête, se dit WaNguira.

— Merci, nous vous serions reconnaissants si nous pouvions avoir de leurs nouvelles, répondit-il d'un ton qu'il aurait désiré plus neutre.

WaNguira se demandait ce que les Salamandars lui voulaient. D'habitude, ils fuyaient les Nains. Et si ce n'était pas Gaïg l'enjeu de leur approche, que désiraient-ils ?

— Nous voulions vous proposer notre aide, lâcha Patxi en réponse à sa question non formulée.

WaNguira était stupéfait :

— Votre aide ? Pour quoi ?

— Votre trésor. Vous voulez le récupérer, non ?

Le sang de WaNguira ne fit qu'un tour. Son esprit fonctionna à la vitesse de l'éclair. Les Salamandars dans les monts d'Oko. Ihou. Évidemment. Les Maîtres du feu… Celui qui craignait la lumière… Ensemble dans les monts d'Oko… Tout s'expliquait. Le hasard n'y était pour rien, le volcanisme, un prétexte tout trouvé. Les Salamandars avaient envoyé Ihou en avant pour dégager le terrain… Une bouffée de colère noire envahit WaNguira.

— Nous pouvons aller chercher votre trésor pour vous, fit Patxi avec un calme plein de suavité. Nous savons qu'Ihou se promène dans le coin.

WaNguira avait envie d'exploser. Ces créatures démoniaques avaient récupéré Sangoulé et ça ne leur suffisait pas. Elles voulaient les monts d'Oko et pour ce faire, elles avaient utilisé Ihou. Et maintenant, elles allaient se livrer à un chantage redoutable avec leur trésor. Quel serait le prix à payer ?

Patxi et Maïalen ne disaient mot, un regard angélique et ingénu fixé sur WaNguira qui avait l'impression qu'ils lisaient à livre ouvert dans ses pensées. De toute façon, les Nains n'avaient plus le choix. Ihou dans les galeries, avec les Salamandars à l'arrière-plan, c'était la mort assurée.

— Que voulez-vous en échange ? murmura WaNguira, s'attendant au pire.

— Mais… Rien ! répondirent d'une même voix les deux Salamandars, le visage empreint d'une infinie pureté.

WaNguira ne comprenait plus. Il sentit qu'il avait du mal à respirer.

— Nous le transporterons pour vous à l'entrée de la galerie, précisa Patxi. Vous n'aurez qu'à venir l'y chercher dans les jours à venir.

WaNguira lisait de l'amusement dans son regard.

69

— Winifrid se promène avec ses fiancés !

C'était Dikélédi, hilare, qui s'adressait à Gaïg, attirant son attention sur la Dryade accompagnée des cinq chiens. Depuis la nuit du soulèvement des Nains, les molosses s'étaient attachés aux pas de Winifrid et ne la lâchaient pas d'une semelle. Gaïg sourit :

— C'est drôle, quand même. Elle ne peut plus se déplacer toute seule. Ils la suivent tout le temps.

— Au moins, ils n'attaquent plus les Nains. Ils sont énormes, maintenant qu'ils ont à manger…

— Même s'ils dorment, ils se réveillent pour aller avec elle. Comment ça se fait ?

— Moi je sais, intervint AtaEnsic, allongée nonchalamment non loin.

— Alors raconte ! firent Gaïg et Dikélédi ensemble.

— Vous n'avez pas remarqué qu'elle chantonne tout le temps ? C'est une ballade en ancien sawyl. Elle s'intitule *Le pacte des loups.*

AtaEnsic s'arrêta, mais Gaïg et Dikélédi attendaient la suite, suspendues aux lèvres de la Licorne.

— Ce n'est qu'une légende, bien sûr, reprit AtaEnsic du ton de quelqu'un qui voulait laisser entendre le contraire. Au commencement du monde, il y avait les chênes. Et leurs Dryades. Et les loups.

Les loups mangeaient les Dryades, et les chênes mouraient. Jusqu'à ce que les chênes fassent un pacte avec les loups : s'ils acceptaient, par la magie des chênes, de devenir des chiens, ils n'auraient plus jamais faim, parce que les hommes les nourriraient. Ils ne mangeraient donc plus de Dryades. Effectivement, ceux qui ont accepté de se laisser transformer en chien ont été adoptés par l'homme. Et n'ont plus jamais eu faim. De ce fait, les chiens sont très reconnaissants aux chênes de ne plus être des loups, tenus de chasser pour se nourrir. Mais quand les hommes ne nourrissent pas les chiens, leur nature de loup ressort davantage, et ils attaquent. Il faut alors leur rappeler qu'ils sont des chiens et les nourrir. C'est ce que fait Winifrid en leur chantant la ballade du *Pacte des loups* et en les nourrissant. Et elle leur fait flairer le gland de Walig pour mieux les convaincre.

Gaïg était subjuguée et écoutait de toutes ses oreilles.

— Mais les loups mangent toujours les Dryades ? demanda-t-elle.

— Il n'y a pas de loups dans la forêt de Nsaï, expliqua la Licorne.

— Tiens, c'est vrai... constata Dikélédi.

— Winifrid est donc en danger quand elle sort de la forêt ? insista Gaïg.

— Je ne sais pas si les loups l'attaqueraient encore : c'est une vieille histoire. Mais on est toujours un peu plus en danger quand on quitte son milieu naturel...

— Comme Loki, qui n'aurait pas dû sortir de Nsaï, conclut Dikélédi.

— Sauf que Loki n'est pas en danger, corrigea Gaïg. C'est lui le danger...

Toutes les trois éclatèrent de rire. Comme il semblait loin, le temps de la peur et de la détresse ! Les habitants de l'île connaissaient un répit et s'abandonnaient momentanément à une certaine douceur de vivre. Les Nains pansaient leurs plaies, dont certaines avaient déjà cicatrisé. Loki et Txabi se livraient à une exploration effrénée de l'île, visitant ses moindres recoins. Mfuru rattrapait toutes les années perdues avec son père et partageait son temps entre AtaEnsic et lui. Le plus souvent, il évoluait avec les deux.

De ce fait, WaNdo était avec le groupe de Gaïg la plupart du temps et il semblait éprouver un vif intérêt pour cette dernière. Il lui posait de multiples questions sur elle-même, sur ses origines, sur son itinéraire dans la vie, auxquelles Gaïg était bien incapable de répondre. Les compagnons de Gaïg avaient une lignée familiale toute tracée derrière eux, qui expliquait leur provenance. Gaïg n'avait pas cette chance et ne pouvait pas remonter plus loin qu'elle-même dans le temps.

WaNdo ne pouvait expliquer ni pourquoi elle l'intriguait ni pourquoi il se sentait attiré par elle. Il se dégageait d'elle, de sa personnalité, une énergie étrange et ambiguë. Le vieillard, de par sa cécité, avait développé d'autres formes de perception qui échappaient à la raison. Il sentait que quelque chose de spécial émanait d'elle, sans pouvoir préciser quoi. Il avait interrogé Mfuru, mais ce dernier n'avait pas pu le renseigner : il en savait si peu lui-même !

— C'est drôle, elle dégage les mêmes vibrations que le Nyanga, avait fait remarquer le grand prêtre aveugle.

— Ce n'est pas elle, Pépé Do, c'est sa bague, avait révélé Mfuru. Elle porte une drôle de bague en Nyanga, faite de deux anneaux emmêlés.

— C'est donc ça ! Et bien sûr, tu ne sais pas d'où elle la tient…

— Comment le saurais-je, Pépé Do ? Je ne peux pas lui poser la question, quand même ! Mon père serait furieux si je me montrais aussi grossier !

— Je le lui demanderai, moi !

— Tu oseras ? s'était exclamé Mfuru, un peu choqué.

— Oui, parfaitement ! Elle a quelque chose d'insolite, cette petite. Et comme elle n'est pas Naine, les règles de vie des Nains ne s'appliquent pas à elle !

C'est ainsi que WaNdo s'était attaché tant bien que mal aux pas de Gaïg, attendant le moment propice pour poser sa question. Sa cécité le gênait pour se déplacer, mais comme Gaïg passait la plupart de son temps dans la mer, il n'avait généralement pas trop de mal à la localiser. Il se postait sur la plage ou sur le débarcadère et quand elle sortait de l'eau, elle venait toujours vers lui, *a fortiori* s'il était seul, pour le ramener au village.

Gaïg ne s'était aperçue de rien et vivait au jour le jour, obsédée par une seule idée : revoir les Sirènes. Pour ce faire, elle se baignait de plus en plus longtemps, de plus en plus loin. Peut-être que les Sirènes ne s'approchaient pas trop près des côtes… Gaïg avait encore amélioré ses performances respiratoires et pouvait flotter au large plusieurs heures d'affilée sans se sentir fatiguée.

Toute à ses recherches sous-marines, elle ne s'étonnait pas de l'assiduité de WaNdo à ses côtés. Elle s'était habituée à la présence du Nain et lui vouait une certaine amitié du fait de ses infirmités.

— Comment c'est, sous l'eau ? avait demandé WaNdo un jour, de façon totalement inattendue.

Le premier réflexe de Gaïg avait été de lui proposer une sortie sous-marine accompagnée. Elle avait pris conscience juste à temps de l'incongruité d'une telle offre et avait commencé à décrire avec passion les fonds sous-marins. Elle avait voulu amener WaNdo au bord de l'eau et lui avait pris la main. Le Nain avait saisi cette occasion pour lui tâter la main, comme tout aveugle qui prend connaissance des choses par le toucher.

Gaïg l'avait laissé faire, comprenant son désir. WaNdo s'était attardé sur la bague en Nyanga, l'étudiant avec attention, ainsi que les doigts alentour. Écartant les doigts de Gaïg pour mieux tâter la bague, il avait senti les membranes qui les reliaient à la base.

— J'ai de petites palmes, avait expliqué Gaïg. C'est une infirmité puisque les autres personnes n'en ont pas. Je le sais, j'en suis parfois gênée. Mais c'est très pratique, pour nager.

— Si tu étais une Naine, on t'aurait nommée Wolongo…

— Wolongo, Fille de l'Eau, l'avait interrompue Gaïg. On m'a déjà appelée ainsi.

— Ce n'est pas étonnant, vu le temps que tu passes dans l'eau : c'est le nom qu'on donne aux Sirènes chez nous.

Puis, sans transition, il avait interrogé Gaïg :

— D'où te vient cette bague ?

Gaïg s'était contractée. Si elle parlait à WaNdo de la Reine des Murènes, il se moquerait d'elle ou ne voudrait pas la croire. Peut-être même qu'il penserait qu'elle l'avait volée… Avec une présence d'esprit étonnante pour son âge, elle choisit d'éluder la question :

— Je croyais que les Nains ne pouvaient pas poser de questions sur la provenance du Nyanga…

— Oui, certes. Mais tu n'es pas une Naine, tu es une Wolongo, une fille de l'eau, avait répondu WaNdo sur un ton badin pour ne pas l'effaroucher avec sa curiosité.

Gaïg avait adopté le même ton léger pour répondre à WaNdo :

— Alors je suis une Sirène et c'est mon amie, la Reine des Murènes, qui m'a offert la bague.

WaNdo avait sifflé, rempli d'admiration :

— Je me doutais bien que tu étais une princesse, et que tu fréquentais des personnes de la haute société !

— Tu connais WaNguira ?

— Bien sûr que je le connais. Enfin, je l'ai connu autrefois. C'est un très grand prêtre.

— C'est lui qui m'appelait Wolongo.

Gaïg se sentait de nouveau en confiance.

— Et pas lui seul… avait-elle ajouté à voix si basse que seul un aveugle ayant développé à outrance ses autres sens pouvait l'entendre.

— Qui d'autre?

Gaïg s'était tue, subitement gênée. Tout cela était si personnel, si intime… Et les enfants du village s'étaient déjà tellement moqués d'elle, affirmant qu'elle inventait des histoires pour se rendre intéressante. Pour faire diversion sans vexer WaNdo, et comme preuve de ses futures affirmations, elle lui avait tendu sa Pierre des voyages:

— Et ça, tu connais?

WaNdo avait gardé le silence un long moment, la Pierre à la main. Il avait l'air profondément concentré, comme à l'écoute d'une voix intérieure qui lui racontait une histoire. Gaïg se dit qu'il essayait de deviner ce que ce caillou pouvait avoir de spécial. Elle ignorait que l'Akil minéral, sous certaines conditions, dans les mains de certaines personnes, pouvait rapporter le récit de sa propre vie, sa vie de pierre. WaNdo était de celles-là. Sa cécité faisait de lui un clairvoyant, à même de lire les signes les plus obscurs, et la Pierre des voyages de Gaïg l'avait reconnu comme tel. Son initiation à la grande prêtrise ne s'était pas faite de façon traditionnelle, sous l'égide d'un autre grand prêtre, WaNgolo en l'occurrence, puisque ce dernier avait été pris de vitesse par le temps. Mais WaNdo avait développé une intuition phénoménale en perdant la vue: il n'avait plus à lutter contre ce qu'il voyait pour se rapprocher de la vérité, il sentait celle-ci.

Il tenait la Pierre de Gaïg à la main, et se laissait imprégner par tout ce qu'elle lui contait, affichant un air de plus en plus étonné. Gaïg attendait, hésitant sur la conduite à adopter. Finalement, il la lui avait rendue, surpris, l'esprit encore ailleurs.

— Alors? avait demandé Gaïg.

— J'ai reconnu, avait répondu WaNdo, sans donner de plus amples précisions. Tu as des objets très précieux en ta possession, Wolongo, et tu fréquentes des gens très importants, petite princesse…

Gaïg était restée interdite, un peu frustrée par le laconisme de la réponse. Elle le savait, que ses objets étaient précieux: c'était tout ce qu'elle possédait de bien à elle, les seuls cadeaux qu'on lui eût jamais offerts. Elle aurait aimé apprendre du nouveau par WaNdo… Et puis tous ces Nains qui l'appelaient petite princesse… Bon, c'était bien gentil, mais enfin, elle le savait bien, qu'elle n'avait rien d'une princesse. Même les habits qu'elle portait lui avaient été donnés : un acte charitable des Dryades et des Licornes, pour rendre visite aux Salamandars…

Elle avait raccompagné WaNdo au village, et l'avait laissé aux bons soins d'AtaEnsic et de Winifrid, partagée entre la déception et la mauvaise humeur. Mais qu'espérait-elle, aussi ? Que WaNdo lui apprenne qui elle était ?

Une fois de plus, Gaïg ramenait son malaise au mystère qui planait sur ses origines. Elle savait qu'elle était de mauvaise foi en pensant que WaNdo aurait pu lui révéler quelque chose, mais elle ne pouvait s'empêcher d'être déçue. Comme si elle avait eu l'intuition que le grand prêtre des Kikongos en savait plus que les autres…

70

WaNguira, accompagné de tous les Nains, Pongwas, Lisimbahs et Affés, qui s'étaient retrouvés à Nsaï, arrivait en vue des collines de Koulibaly. Ils avaient pris la route depuis plusieurs jours, aussitôt après avoir récupéré le trésor des Lisimbahs. Ce dernier avait été entreposé par les Salamandars presque à l'entrée de la galerie qui menait à la caverne de Seyni, et plus profondément encore, à celle de Ntangu.

Les Salamandars avaient fait du bon travail, rien ne manquait, il n'y avait aucun bris à signaler. WaNguira et les siens avaient été impressionnés par l'importance de leur propre trésor : c'était une chose d'amasser des richesses sous terre, bien à l'abri des regards envieux, c'en était une autre de se déplacer en plein air avec une telle fortune.

Le grand prêtre était dépassé. Il ne comprenait plus. Que signifiait cette gentillesse des Salamandars ? Ces derniers avaient eu la délicatesse de laisser les chariots qui avaient servi au transport à l'entrée de la galerie, avec le trésor. C'étaient les propres chariots des Nains, ceux qu'ils utilisaient pour transporter à l'extérieur le trop-plein de terre extrait des galeries en cours de creusage.

Quinze chariots étaient garés là, chargés à ras bord de vases, de plats, de sculptures, de bijoux et d'objets divers. Des couvertures recouvraient négligemment le tout, afin de protéger le trésor des regards indiscrets.

Les Nains, bon enfant sous leurs dehors rudes, avaient été touchés de ces petites attentions. Ils n'aimaient pas les Salamandars, mais en apprenant que ceux-ci allaient récupérer leur trésor pour eux, sans qu'ils aient à lever le petit doigt pour cela, et encore moins à affronter Ihou, ils avaient à moitié oublié leurs défauts. Personne n'était parfait, ici-bas, et si les Salamandars s'étaient parfois montrés odieux dans le passé, ou simplement un peu envahissants, ils se rattrapaient aujourd'hui par ce magnifique geste de solidarité.

En voyant les chariots et les couvertures en plus, les Lisimbahs avaient totalement pardonné leurs fautes passées aux Salamandars, qui n'étaient pas si mauvais bougres que ça, après tout…

Néanmoins, WaNguira n'était pas dupe. Une telle gentillesse, sans rien demander en retour, n'était pas de mise chez ce peuple égoïste, uniquement préoccupé de sauvegarder sa paix et sa tranquillité, le plus près possible de la chaleur et de l'eau. Quel était donc l'intérêt des Salamandars pour agir ainsi ?

Le grand prêtre n'avait pas eu à réfléchir longtemps : les Lisimbahs étaient simplement mis à la porte de chez eux ! Ils avaient fui Ihou, et la seule raison qu'ils avaient de retourner dans les profondeurs des monts d'Oko, c'était le recouvrement du trésor. En le mettant ainsi à leur disposition, les Salamandars s'étaient montrés suprêmement habiles. Ils avaient agrandi leur territoire sans guerre et en se faisant aimer de surcroît. La plupart des Nains étaient éperdus de reconnaissance, admirant et comparant leurs œuvres, discutant sur le travail de leurs ancêtres, remerciant dans leur cœur ces bons Salamandars qui avaient empêché que de tels chefs-d'œuvre ne se perdissent.

Seul Mukutu, ce vieux grognon, avait trouvé moyen de rouspéter, sans aller jusqu'au bout de sa pensée cependant.

— M'est avis qu'les monts d'Oko, c'est adieu qu'il faut leur dire…

Les Nains alentour l'avaient regardé, interloqués.

— M'est avis qu'on n'est pas près d'y rev'nir…

— Où est le problème, puisqu'on a le trésor ? avait demandé le jeune Yédo, le frère de Dikélédi.

— Oh, y a pas d'problème ! Y a jamais d'problème, avec les Salamandars. C'est bien là l'problème, d'ailleurs…

Yédo avait cherché à comprendre la réponse, il s'était creusé la tête un moment, puis avait renoncé : Mukutu avait une réputation qui le précédait, celle d'un vieux bougon jamais content, et une fois de plus, il faisait honneur à cette réputation. « Un vrai Nain, quoi ! » avait conclu Yédo intérieurement.

WaNguira s'était rapproché de Mukutu, et lui avait grommelé, adoptant sans le vouloir sa façon de parler :

— M'est avis qu'on pense la même chose.

Mukutu avait opiné du chef :

— Ils nous ont eus, sans même qu'on puisse leur en vouloir, puisqu'ils nous rendent notre bien. On n'pourra même pas les traiter d'voleurs…

Puis il avait ajouté :

— M'est avis qu'c'est des voleurs d'terre, quand même…

— Même pas, avait lâché WaNguira d'une voix lasse, officiellement, c'est Ihou qui nous a fait partir, n'oublie pas…

Ils avaient échangé un regard qui en disait long, et avaient donné le signal du départ. Il n'y avait plus aucune raison de s'attarder, il valait mieux rejoindre les collines de Koulibaly le plus vite possible afin de mettre cette fortune fabuleuse à l'abri de la cupidité des Hommes.

Les Nains étaient parfaitement conscients du danger qu'il y avait à errer ainsi, avec leur trésor caché dans des chariots qu'ils tiraient eux-mêmes à tour de rôle. Des bandes de voleurs parcouraient parfois les routes, en quête de n'importe quel butin. Tout pouvait être mis en vente, à commencer par l'or et les bijoux, et rapporter un bénéfice d'autant plus important que les objets volés n'auraient nécessité aucun investissement de départ…

Malheureusement, les Nains n'avaient pas le choix. Encore heureux qu'ils aient pu récupérer ledit trésor… Ils avaient pensé un moment à le cacher quelque part, quitte à revenir le chercher après par petits groupes, plus discrets que la longue cohorte qu'ils formaient avec les Pongwas et les Affés. Mais ils étaient trop méfiants pour pouvoir entreposer leurs richesses ailleurs que dans une caverne secrète, à des lieues sous terre, en les protégeant par un sortilège.

Déjà que ça n'avait pas été facile pour WaNguira et Mukutu de lever le sortilège de Ntangu à distance, afin que les Salamandars puissent déplacer les précieux objets… Même en se concentrant profondément, ils n'y étaient pas arrivés : il avait fallu l'aide des deux autres grands prêtres. WaNguira leur avait expliqué en quoi consistait le sortilège et ils avaient ajouté leur énergie à celle des deux Lisimbahs. WaNguira n'avait été assuré de la levée du sort qui liait le trésor à la caverne de Ntangu que quand il avait vu celui-ci à l'entrée de la galerie.

Les collines de Koulibaly devaient être encore à une journée de marche environ, on apercevait au loin leurs rotondités mamelues, et les Nains accéléraient le pas, pressés d'arriver. En effet, les collines étaient le dernier rempart avant la côte, sur laquelle villes et villages s'échelonnaient, peuplés d'Hommes. Non que les Nains redoutassent les Hommes en temps normal, mais justement, on n'était pas « en temps normal » quand on se déplaçait avec une telle richesse en étant aussi vulnérable.

La protection offerte par la forêt de Nsaï était bien loin maintenant qu'ils avançaient à découvert. Vu leur nombre, il était difficile de passer inaperçu, alors que ce qu'ils désiraient par-dessus tout, c'était ne pas attirer l'attention.

— M'est avis qu'on d'vrait s'disperser, avait proposé Mukutu. On est trop visibles comme ça.

— Oui, ce n'est pas bon pour nous si les Hommes se sentent envahis, avait ajouté Mongo.

— Les Pongwas sont les moins nombreux, je peux partir en avant avec eux, avait proposé Séméni. Et on reviendra vous dire comment les choses se présentent.

— En marchant vite, vous pouvez atteindre les collines dans la nuit, au petit matin au plus tard, avait calculé WaNguira. Il vaut mieux que personne ne vous voie arriver. Moins les Hommes sauront combien nous sommes, mieux ce sera, tout au moins au début.

— M'est avis qu'la bonne solution s'rait qu'on arrive tous d'nuit, par p'tits groupes, avait confirmé Mukutu. On peut établir plusieurs p'tits camps, au lieu d'un seul : ça effrayera moins les Créatures...

Cette sage précaution reçut l'approbation de tous. Les Pongwas partirent en avant, avec Séméni et WaNtumba. Les Affés et les Lisimbahs se dispersèrent dans la savane, en se partageant la garde des chariots.

WaNguira et Mukutu se placèrent d'un commun accord dans le dernier groupe afin de s'assurer que personne ne resterait en arrière.

— C'est drôle, observa WaNguira, je sens que la terre est creuse par ici.

Mukutu le fixa, songeur. Il savait le grand prêtre particulièrement sensible et intuitif en matière de cavernes et de souterrains et prenait sa remarque au sérieux. Lui-même commençait à ressentir un certain vide dans le sous-sol environnant et il s'abîma un moment dans ses réflexions. Tout à coup, son visage s'éclaira : il avait gagné, il était meilleur que WaNguira, grand prêtre des Lisimbahs, dépositaire de la mémoire collective de la tribu ! Il n'était pas question d'humilier WaNguira en public, mais Mukutu ne pouvait non plus laisser passer une telle occasion de se mettre en valeur. Il se redressa, le regard brillant, et toussota négligemment afin de donner de l'importance à son propos.

— Hum ! Hum ! M'est avis qu'on est dans les parages d'la galerie d'Lendo-Lendo… Celle qu'les Gnahorés n'ont jamais pu creuser, tout au début. Ils voulaient relier les collines aux monts par un tunnel. Étaient encore des Nains à l'époque, les « Gnas » ! Mais ça s'effondrait tout l'temps.

WaNguira se montra beau joueur : de toute façon, son honneur était sauf puisqu'il avait été le premier à sentir le ventre vide de la Terre.

— Gagné, Mukutu ! Si Babah était là, il dirait que tu n'es pas le chef pour rien !

Mukutu baissa la tête, l'air faussement modeste, au milieu des sourires et des congratulations de ses frères qui n'étaient point dupes de son apparente humilité.

— M'est avis qu'si on cherche, on saura où passer les nuits à venir. On y sera mieux qu'en plein air, et nos p'tites choses s'ront plus à l'abri !

Il n'en fallait pas plus pour que tous les Nains du groupe sentissent se réveiller en eux un instinct millénaire, celui du chercheur de cavernes, du détecteur de failles, du découvreur de boyaux. Ils se mirent en quête immédiatement : c'était à celui qui trouverait le premier le trou qui mènerait à la galerie désaffectée de Lendo-Lendo.

Nihassah, allongée sur sa civière, rongeait son frein en silence. Comme elle aurait aimé participer à cette chasse au trésor ! Indépendamment du jeu, ce serait un grand honneur pour celui qui trouverait l'entrée de la galerie. Mais avec sa jambe cassée, elle était immobilisée sur sa civière et ce serait cruel de sa part de demander à Bandélé de la porter. Il accepterait mais cela le retarderait et il serait désavantagé par rapport aux autres.

Nihassah ferma les yeux, pensant à Gaïg. Tout de suite, elle entendit l'eau. Puis elle la vit. Une cascade. À côté, un énorme rocher. Trop gros, comparé aux autres. Pas naturel. Derrière lui, le vide. Elle appela Bandélé.

— La cascade, chuchota-t-elle. Cherche la cascade.

Bandélé la regarda, l'air ahuri.

— La cascade? répéta-t-il. Quelle cascade?

— Je ne sais pas quelle cascade, répondit Nihassah, légèrement énervée par la lourdeur d'esprit de son amoureux. Puisque je te dis de la chercher!

Bandélé la regardait toujours, se demandant si elle avait perdu la tête.

— Il y a un énorme rocher à côté. Il cache l'ouverture de la galerie. Ce doit être de la pierre ponce.

Bandélé ne bougeait pas. Nihassah soupira.

— Tu veux que je la cherche pour toi, peut-être?

Puis elle reprit, pleine de patience, en martelant chaque syllabe:

— La-ga-le-rie-de-Lendo-Lendo-se-trou-ve-der-riè-re-le-ro-cher-qui-est-près-de-la-cas-cade. Cher-che-la-cas-ca-de.

— Ah, fit enfin Bandélé. Fallait le dire tout de suite! J'y vais, j'y cours!

Nihassah ne put s'empêcher de penser à Matilah, qu'elle trouvait parfois dure envers les Nains: cette dernière jugeait les mâles lourds et lents d'esprit et ne les ménageait pas dans ses propos. Nihassah se demanda en souriant si c'était cela qui marquait la différence entre la jeune Naine et la Naine expérimentée. Auquel cas, elle perdait son statut de jeune femme pour devenir une femme d'expérience…

Un grand moment s'écoula, pendant lequel elle eut tout le loisir de réfléchir à sa récente découverte. Longtemps après, elle entendit dans le lointain un cri de joie de Bandélé qui la sortit de sa rêverie sur la vivacité d'esprit des Nains mâles.

— J'ai trouvé. Elle est là! C'est de la pierre ponce. J'ai trouvé!

71

WaNdo était de plus en plus perplexe. C'était donc elle, la descendante de Yémanjah annoncée par la prophétie. Comme la vie était curieuse… Et comme les événements s'enchaînaient de façon bizarre… Maintenant qu'il était libre, il se sentait plus enchaîné que jamais : un destin devait s'accomplir, et lui, l'aveugle défavorisé entre tous, faisait partie intégrante de ce destin. Parce qu'il *savait*, parce qu'il détenait la *connaissance*.

Grâce aux confidences de la Pierre des voyages, il en connaissait un peu plus sur le passé de Gaïg, mais l'avenir demeurait mystérieux. WaNdo, éberlué, se trouvait confronté aux mêmes interrogations que WaNguira : que faisait-on maintenant ?

Il apprenait à son corps défendant que le savoir n'était pas un cadeau gratuit. Passé le premier stade de la fierté, celui qui avait été choisi pour détenir le savoir se retrouvait très rapidement confronté à ses responsabilités. En l'occurrence, aider Gaïg à accomplir son destin. La protéger. Et mener les Nains vers la terre promise par Mama Mandombé.

Mais comment protéger un poisson dans la mer ? En effet, c'était l'image que WaNdo se faisait de Gaïg : un petit être fragile et sans défense, confiant et fugace, lâché en plein océan, avec une mission qui le dépassait.

WaNdo ne tarda pas à comprendre que c'était l'ignorance de son propre destin qui protégeait Gaïg. Le sachant, elle aurait sans doute succombé devant l'ampleur de la tâche. L'ignorant, elle avançait, à la fois naïve et méfiante, acceptant ce que la vie lui apportait, sans même se poser de questions sur l'injustice du sort qui semblait s'acharner sur elle.

Si les Nains de Jomo et de Ngondé s'étaient demandé pourquoi la Vodianoï avait mordu Gaïg et si WaNguira avait expliqué à Keyah et Afo que seules les Licornes pouvaient la soigner, à ce jour, seul WaNdo avait la réponse complète. C'était Yémanjah elle-même qui avait donné aux Vodianoïs l'ordre de mordre Gaïg afin de l'immuniser à tout jamais contre tous les poisons de la terre et de la mer, y compris le venin redoutable et définitif des Sirènes mâles. Et Gaïg, ignorante des dangers qu'elle courait, passait le plus clair de son temps dans l'eau...

WaNdo frémit, déconcerté comme chaque fois qu'il pensait au récit de la Pierre. Gaïg... Où était-elle encore, cette petite ? Comment pouvait-on attendre d'un aveugle essorillé qu'il protège une élue des dieux ? Ces derniers voulaient se divertir, ou quoi ? Le paradis était-il donc si ennuyeux, dans sa perfection divine, que ses habitants s'amusaient à accumuler ainsi les difficultés ? Pourtant, ça avait l'air plutôt mouvementé, chez eux aussi.... Pourquoi lui ? Il était dans l'ordre des choses d'investir un héros dans la force de l'âge d'une mission grandiose de protection, après tout, c'était là le récit de toutes les épopées naines du temps jadis. Mais dans ce cas précis, les dieux devaient s'être trompés : « J'ai tout de l'antihéros, se dit WaNdo, et me voilà promu au rang de bonne d'enfant ! »

Le grand prêtre nain éclata de rire, un rire plein de dérision devant le grotesque de la situation. Il se sentit invincible tout à coup : c'était donc cela, ces dieux que l'on honorait et redoutait tant ? Des êtres inconscients et joueurs, qui confiaient le destin de leur peuple à une enfant mi-humaine, mi-sirène, accompagnée d'un aveugle ? Avec en prime un bébé salamandar toujours en partance, un Pookah en folie, une Dryade sans chêne et une Licorne sans corne ? Il y avait de quoi devenir athée jusqu'à la fin des temps... Quelle plaisanterie !

WaNdo se dit qu'il perdait la foi justement au moment où les dieux s'adressaient à lui. Il faut dire que vu comme ça se passait chez eux... Quelle dérision... À moins d'entrer dans leur jeu, ne serait-ce que pour les confronter à leur échec et leur montrer que tout dieux qu'ils étaient, ils pouvaient encore se tromper. Quelle blague, alors! De quoi le faire rire jusqu'à la fin de sa vie... Mais il avait bien mérité de s'amuser un peu, après tous ses malheurs! Il partit, tâtonnant le sol avec son bâton d'aveugle, en quête de Gaïg. Le sourire qu'il affichait fit se retourner plus d'un Nain sur son passage: qu'est-ce qui pouvait ainsi amuser WaNdo, grand prêtre des Kikongos? Il avait lancé un défi aux dieux, ou quoi?

Rejoignant le groupe de Mfuru, il se rendit compte de la présence du Pookah et du bébé salamandar: où qu'ils soient, Loki et Txabi passaient difficilement inaperçus, à moins de le vouloir vraiment. Loki avait retrouvé son formidable entrain, pour la plus grande joie de Txabi qui l'accompagnait partout.

Maintenant, ces deux-là connaissaient parfaitement l'île, l'ayant explorée dans ses recoins les plus intimes, y compris la mine. Ils avaient disparu plusieurs jours d'affilée dans celle-ci, au point que Gaïg s'était inquiétée pour Txabi. D'habitude, le sachant avec Loki, elle ne se sentait pas trop inquiète. Non qu'elle éprouvât quelque confiance que ce soit dans le Pookah, qu'elle savait capable des pires actions pour satisfaire son goût de l'aventure. Mais dans ce cas précis, elle avait vu Loki sortir de la mine en catimini à la tombée de la nuit, seul. Il était allé chercher à manger, avait fait d'amples provisions, et était retourné dans les profondeurs. Pourquoi Txabi n'était-il pas avec lui?

Gaïg s'était rassurée, se disant que Txabi devait l'attendre à l'intérieur: les Salamandars étaient comme les Nains, ils aimaient les souterrains, et si Loki acceptait de servir de domestique à Txabi, c'était son affaire. Mais elle était intriguée, et avait commencé à interroger WaNdo sur la mine. Ce dernier ne l'avait guère tranquillisée pour autant sur le sort de son petit protégé:

— Nous creusions des galeries pour les tyrans, pour leur rapporter de l'or. Nous sommes partis de là-haut, dans la montagne. Comme nous n'avions aucune indication sur la direction à prendre, nous avons creusé vers l'ouest, vers le pays de N'Dé. Cela signifie que nous sommes descendus assez profondément, puisque nous espérions pouvoir percer un tunnel sous la mer. Nous serions remontés ensuite, de l'autre côté, et avec un peu de chance, ou même beaucoup, nous serions ressortis à Sangoulé.

Gaïg était ébahie de la persévérance dont pouvaient faire preuve les Nains, en entreprenant un travail d'une telle envergure.

— N'oublie pas que le temps ne s'écoule pas de la même façon pour nous, avait rappelé WaNdo. Une vie de Nain, c'est neuf cents ou mille ans : ça en laisse, du temps pour creuser.

— Mais les Hommes ne se rendaient compte de rien ?

— Au début, non. Ils se sont doutés de quelque chose quand l'or a commencé à devenir plus rare. Ils voulaient que nous changions de direction. Pour leur redonner confiance, nous avons commencé à fondre discrètement le peu qui restait de notre propre trésor, pour fabriquer des pépites, que nous prétendions avoir trouvé dans le sol. C'était difficile : nous devions toujours justifier la taille des feux que nous faisions sous prétexte de nous réchauffer, la température n'était jamais assez élevée, et nos pépites avaient vraiment une piteuse apparence. Il fallait vraiment l'aveuglement des Hommes, fascinés par l'or, pour croire que des cailloux aussi lisses et réguliers pouvaient être de l'or à l'état natif.

— Mais ils le croyaient ?

— De l'or, c'est toujours de l'or, quel que soit son aspect. Et quand l'or apparaît, les difficultés s'évanouissent. Une fois, longtemps après, j'ai même réussi à incruster un morceau de Nyanga dans une fausse pépite. J'avais l'espoir que cet or arriverait sous une forme ou une autre à nos frères du pays de N'Dé, et qu'ils se poseraient des questions. C'est drôle, le Nyanga adopte la forme qu'il veut, et celui-là s'était mis en pyramide… Avant, c'était un anneau…

S'en était suivie une longue explication sur les symboles géométriques représentatifs des différentes tribus, et comment la pyramide avait été attribuée aux Kikongos.

— Et ?

— Et rien… Les hommes ne voient pas le Nyanga, ils ont rangé la pépite avec les autres. Je suppose qu'ils en ont fait un bijou. Ou de la monnaie… S'ils ont aplati la pépite, la pyramide sera peut-être devenue une étoile à quatre branches, qui sait…

— Et ensuite ?

— Nous étions décidés à creuser le plus loin possible, quitte à ce que notre trésor y passe tout entier. Du moins le peu qui en restait… Mais un jour, nous sommes arrivés à un lac souterrain. Immense. Tellement grand, tellement profond qu'on l'a appelé Nimissa, ce qui signifie la *Mer-du-désespoir-sans-fond*. On n'a jamais pu naviguer dessus, de toute façon. Les Hommes ne nous ont pas laissé l'explorer. Il était impossible d'aller plus loin.

— Même dans une vie de Nain ?

— Même dans une vie de Nain, pour la bonne et simple raison que nous n'avions pas de bateau, sous terre…

— On pourrait l'explorer maintenant, puisqu'on a deux bateaux. La barque dans laquelle on est arrivés a été ramenée dans la baie, et il y a celle des Hommes…

WaNdo avait haussé les épaules, l'air las.

— À quoi bon ? Soit nous restons ici et faisons nôtre cette île, soit nous la quittons la tête haute, sur un vrai bateau. Mais pour aller où ?

Gaïg avait baissé la tête, pensant à cette fameuse prophétie dont lui avait parlé WaNguira. Il était temps qu'elle se réalise : bientôt, les Nains n'auraient plus nulle part où aller.

Sans qu'elle lui ait rien demandé, WaNdo avait repris :

— C'est la façon dont j'ai trouvé le Nyanga qui est curieuse. C'était près de ce fameux lac. Je ne voyais déjà plus. J'étais sur la berge, tout près de l'eau et je n'avais pas le cœur à chanter. Plein de rage et de désespoir, j'ai donné de toutes mes forces un coup de pic dans le sol, devant moi. Il paraît que j'ai fendu un énorme rocher, dans un fracas épouvantable. Les autres se sont précipités, croyant à un éboulement. Moi, j'ai seulement senti la présence du Nyanga, dans une cavité au milieu du rocher. Ils m'ont dit que j'ai mis la main dans les flammes qui s'élevaient d'un cercle de roche liquide pour saisir l'anneau qui se trouvait sur un petit piton, au milieu. Je n'ai pas senti de chaleur. Comme j'étais aveugle, je n'avais pas vu les flammes. Sinon, je ne l'aurais pas fait. De la sorcellerie, en somme… Pourquoi, je n'en sais rien. L'eau du lac est devenue toute noire, m'a-t-on raconté. Il y avait comme une tempête dans les profondeurs. Mais je n'ai pas remis l'anneau à sa place : le Nyanga, c'est le métal des Nains !

Gaïg décrocha à ce moment-là : si on tombait dans la sorcellerie, maintenant… WaNdo n'avait pas senti la chaleur parce que les Nains y résistaient bien, c'était tout. On amplifie ce qu'on imagine jusqu'à lui donner vie, Nihassah le lui avait dit. Peut-être que si on ne voit pas les flammes, elles ne brûlent pas… Et l'eau du lac était noire parce que sous terre, tout est noir… Dans l'immédiat, elle s'inquiétait pour Txabi. Que dirait-elle à Maïalen, si elle avait perdu son petit ?

Ledit « petit » était réapparu peu après, arborant l'œil brillant de celui qui avait vu ce qu'il ne fallait pas voir et tenant de longs conciliabules avec Loki. Ils étaient devenus inséparables, et Gaïg se demandait si elle devait intervenir dans cette amitié, sous prétexte de protéger

Txabi. Mais le protéger de quoi? Et comment? Elle n'allait pas le mettre en cage, tout de même.

Elle s'était vaguement rassurée en se disant que Loki serait le premier à défendre un ami si cher, et qu'elle se tourmentait pour rien. Elle n'éprouvait même pas de jalousie, puisque Txabi n'avait pas changé dans ses relations avec elle. Son «coin» favori pour les siestes impromptues était toujours constitué par la nuque de Gaïg, autour de laquelle il se lovait, la queue s'enroulant autour du cou. Elle aurait pu sauter, courir, danser, rien ne l'aurait délogé de ce refuge douillet et chaud, plein de la bonne odeur de son amie.

Gaïg s'était promis de descendre dans la mine un jour, mais rien ne pressait. Ou plutôt si, une chose pressait: retrouver les Sirènes. Mais elle revenait toujours bredouille de ses bains interminables très au large de la côte de l'île.

Les Naines se baignaient souvent en sa compagnie, essayant de réaliser ses prouesses en natation et en plongée. Elles avaient grandement amélioré leurs performances dans l'eau, en prenant exemple sur Gaïg, qui était devenue un modèle à imiter. Kodjo, fine et légère, était la plus gracieuse quand elle plongeait du bout du quai. Elle avait convaincu Dikélédi, qui essayait à son tour d'apprivoiser cet élément étranger. Même les Nains se baignaient parfois, pour la plus grande joie de ces dames.

La conquête de l'eau représentait un défi que les Kikongos relevaient bravement, sous l'égide de Thioro, la Naine la plus dynamique de tout le groupe. Énergique et décidée, elle avait été une des premières à reprendre des forces après l'arrivée de Gaïg, et elle s'était tout de suite consacrée aux autres, se dépensant sans compter pour le bien de tous.

Elle avait l'esprit plus vif et plus rapide que la moyenne naine et c'était d'elle que venaient les idées nouvelles. Elle allait bravement de l'avant, ne craignant pas d'innover et de remuer les esprits. Elle avait été la première à dire que les Kikongos devraient prendre la mer un jour, ne serait-ce que pour dire à leurs frères du continent qu'ils étaient vivants. Ils demeureraient coincés sur l'île tant qu'ils n'auraient pas de bateau suffisamment grand pour naviguer, mais un jour viendrait où il faudrait embarquer de nouveau.

Certes, ils avaient plusieurs semaines à attendre avant le retour du bateau de réapprovisionnement mais ce délai n'était pas inutile: ils avaient encore besoin de récupérer leurs forces. Thioro, par son dynamisme et son optimisme, jouait un rôle important dans le groupe et dans la cicatrisation de ses blessures, en le poussant à agir et à réagir.

Gaïg aimait bien sa compagnie, malgré la différence d'âge qui les séparait. De son côté, elle commençait à connaître les profondeurs de la baie qui se trouvait en face du village. Elle s'aventurait de plus en plus sur les plages avoisinantes et attendait qu'une occasion se présente pour retourner à l'anse du premier débarquement. Peut-être que les chances d'entrer en contact avec les Sirènes seraient plus grandes de ce côté-là de l'île…

Elle était toujours escortée de quelques Naines. Au début, cela lui plaisait d'avoir de la compagnie. Du jour où elle avait remarqué l'assiduité de ses compagnes, elle s'était posé des questions. On aurait dit que dès qu'elle bougeait, deux ou trois Naines abandonnaient ce qu'elles étaient en train de faire et proposaient de l'accompagner. Il n'était pas question de refuser, bien sûr, les Naines n'étaient pas pesantes ou indiscrètes et Gaïg s'amusait aussi avec elles. Si elle désirait réellement un peu de solitude, il suffisait qu'elle plonge ou qu'elle s'éloigne au large.

Gaïg se demandait néanmoins ce qui se cachait derrière cet accompagnement systématique et si elle était « surveillée ». Mais surveillée pour quelle raison ? Elle n'allait pas quitter l'île à la nage, tout de même. De toute façon, elle n'avait aucune raison de vouloir fuir les Nains. Alors, pourquoi cette escorte ?

72

Bandélé, aidé de WaNguira, n'avait eu aucun mal à déplacer la pierre qui se trouvait à côté de la cascade. Effectivement, c'était de la ponce, et une galerie s'ouvrait derrière. Après quelques pas à l'intérieur, ils se rendirent compte très vite qu'elle était en mauvais état, abandonnée depuis longtemps. Le danger d'effondrement augmentait au fur et à mesure qu'on avançait en profondeur. Mais en ne s'enfonçant pas trop profondément, les Nains pouvaient y trouver refuge pour quelques jours, en attendant de rejoindre les collines de Koulibaly. Ils s'installèrent donc à l'entrée.

WaNguira décida quand même de pousser son exploration un peu plus loin et il s'engagea dans la galerie. En faisant très attention à ne pas prendre appui sur les parois et en progressant tout doucement, il limitait le risque d'effondrement. Il comprit vite pourquoi les Gnahorés avaient abandonné le creusage de cette galerie : la terre était meuble, presque sableuse, et il fallait constamment étayer la voûte et les parois. C'était un travail titanesque et fragile.

La proximité de la rivière rendait cette tâche aléatoire, à cause des infiltrations qui fragilisaient le sol. Le tunnel s'élargissait maintenant, et WaNguira avançait plus facilement. Il progressa un bon moment, étonné de constater une amélioration dans l'état des lieux. La galerie était bien plus abîmée près de la sortie. Peut-être qu'avec quelques travaux, elle serait habitable… Les Lisimbahs seraient ainsi moins proches des Hommes et ils feraient moins honte aux « Gnas ».

WaNguira sourit malgré lui. Mukutu avait trouvé là une dénomination qui passerait à la postérité, du moins tant que les Gnahorés calqueraient leur attitude sur celle des Hommes. Ils retrouveraient leur nom au complet quand ils redeviendraient des Nains à part entière…

Le grand prêtre examinait les lieux avec un regard de connaisseur, de plus en plus intéressé par la possibilité d'une installation. Mais il déchanta vite en arrivant à un effondrement qui obstruait pour ainsi dire totalement la galerie. Il y avait bien un étroit passage possible entre le plafond et les gravats, mais WaNguira jugea plus prudent de ne pas s'y aventurer.

Il s'assit entre deux pierres lumineuses abandonnées là, essayant de réfléchir. L'absence de nouvelles le taraudait et quand il ne se posait pas de questions sur Gaïg et Dikélédi, il s'en posait sur Babah et sa troupe. Il appuya doucement son dos contre la paroi, et la sentit bouger.

WaNguira fut sur pied en un instant, pressentant l'effondrement et s'apprêtant à courir, quand une voix l'arrêta.

— Hum ! Ce n'est que moi, grand prêtre. Patxi.

WaNguira se dit que ces Salamandars allaient finir par le rendre fou. Allait-il toujours échouer sur eux, où qu'il allât ? Ils le faisaient sursauter chaque fois. Que faisaient-ils là ? Les Nains avaient quitté les monts d'Oko depuis plusieurs jours, ils avaient laissé leur deuxième territoire aux Salamandars, ces derniers allaient-ils les poursuivre aussi dans les collines de Koulibaly ? Et en plus, il fallait les remercier pour le trésor sauvé…

Le grand prêtre se demanda pourquoi il avait toujours envie de hurler quand il se trouvait face aux Salamandars. Il se sentait redevenir complètement infantile, avec une envie de trépigner, de piétiner, de crier, de s'époumoner en s'arrachant les cheveux, de bramer, de mugir, de… de… de…

WaNguira prit une profonde inspiration, ne voulant pas affronter le regard qu'il devinait narquois du Salamandar. Il fallait d'abord qu'il se ressaisisse. Une pierre s'anima en face de lui, venant à son secours :

— Je suis là aussi. Maïalen.

Elle ajouta immédiatement :

— Il n'y a que nous deux.

WaNguira sentit qu'il allait de nouveau être sous l'emprise de l'énervement et de la danse mentale effrénée et ridicule à laquelle il s'adonnait pour évacuer ses tensions. Il s'arrêta tout de suite, dominant ses pulsions destructrices.

— Nous n'avons pas pu vous remercier pour la récupération de notre trésor, il n'y avait personne. Je le fais donc maintenant, au nom de tous les miens. Nous vous sommes très reconnaissants pour cet acte de bienveillance à notre égard.

— Oh, ce n'est rien, répondit Patxi sur un ton cérémonieux. Nous sommes contents de vous aider à déménager.

— Je n'en doute pas, rétorqua WaNguira. Si à notre tour, nous pouvons vous aider un jour à déménager, nous le ferons très volontiers.

Patxi émit un petit gloussement qui pouvait passer pour un rire, face à l'humour dont faisait preuve WaNguira. Il poursuivit :

— Nous sommes venus vous donner des nouvelles de vos deux protégées.

Porté par l'émotion, WaNguira perdit incontinent sa belle contenance.

— Vous les avez retrouvées ? Vous savez où elles sont ?

Maïalen prit la parole :

— C'est une longue histoire, grand prêtre, pleine d'émotions pour vous et pour votre peuple. Vous pouvez vous asseoir, ce sera mieux.

Quand WaNguira, intrigué, se fut assis, elle continua :

— Votre Gaïg a mon petit avec elle. Il s'appelle Txabi. C'est par lui que nous avons eu des nouvelles. Il a réussi à rejoindre un des nôtres, bien loin dans le sud, pendant que nous transportions vos biens. Nous n'avons appris tout ce que je vais vous raconter qu'après votre départ de la caverne de Seyni. C'est pourquoi nous sommes ici maintenant.

WaNguira se taisait, attendant la suite. Il était impatient d'avoir des renseignements sur Gaïg et Dikélédi et il ne comprenait pas pourquoi Maïalen prenait toutes ces précautions.

— Txabi porte en lui l'âme d'un explorateur. Malgré son jeune âge, il ne craint pas de s'aventurer très loin pour découvrir le monde. Il a parcouru un long chemin, sans même savoir où il allait aboutir. Simplement parce qu'il avait découvert un lac souterrain immense, avec une anfractuosité dans une paroi. Cette anfractuosité n'était accessible qu'à la nage, et bien trop petite pour que quiconque puisse s'y glisser. Sauf un bébé salamandar, bien entendu. Le trajet a été long, et lui a pris plusieurs jours. Il est retourné là-bas maintenant.

Quand Maïalen s'arrêta pour reprendre son souffle, WaNguira sentit monter en lui un frémissement d'impatience qui le ferait tonitruer une fois de plus et effaroucherait la Salamandar à tout jamais. Au prix d'un violent effort sur lui-même, il se contint. Maïalen le remercia d'un regard et reprit son récit sur un rythme plus rapide : elle en avait assez de ce Nain rustaud et impulsif qui ne pensait qu'à hurler et à brailler. Puisqu'il voulait savoir, il saurait, et elle n'aurait rien à se reprocher en cas d'attaque cardiaque sous l'effet de la surprise.

— Ce lac est sur une île, au sud, dans la mer d'Okan. Gaïg et ses compagnons ont dérivé sur une barque pendant plusieurs jours avant de débarquer sur cette île. Ils y ont retrouvé…

Maïalen se tut. WaNguira attendait, il semblait solide. Elle reprit :

— Ils y ont retrouvé vos frères disparus… Les Nains Kikongos… Réduits à l'état d'esclaves…

L'air sembla se raréfier dans la galerie. WaNguira ouvrit et ferma la bouche comme un poisson hors de l'eau : on aurait dit qu'il étouffait. Il regardait Maïalen sans la voir, cherchant sa respiration. Puis il se perdit dans la vision d'un autre monde, éteint depuis plus d'un siècle. Les Kikongos ! Les Kikongos n'étaient pas morts, mais vivants. Esclaves, sur une île, au sud, dans la mer d'Okan ! Et Gaïg était avec eux. Et Dikélédi. Et les autres. Y compris ce bébé salamandar, messager du destin. WaNguira avala pour la énième fois la salive qu'il n'avait pas dans la bouche, tellement sa gorge était sèche. Patxi lui tendit une outre, qu'il avait sortie d'on ne sait où.

— Buvez, grand prêtre, fit-il simplement.

WaNguira obéit sans réfléchir tellement il était abasourdi. Il n'était même pas capable de remettre en question les dires de Maïalen. Tout ce qu'il pouvait faire, ou voulait faire, c'était rester assis là, sans bouger, jusqu'à la fin des temps, quitte à se transformer en pierre. Une pierre, c'était ce qu'il voulait devenir. Quel beau destin pour un Nain ! Pas de pensées, pas de sentiments, pas d'effets de surprise, pas de découvertes horribles ou mirobolantes, l'inexistence dans toute sa splendeur, quoi. On donnerait son nom à une pierre : comme il y avait la pierre ponce, la pierre de lave, la Pierre des voyages, il y aurait la pierre WaNguira !

Les deux Salamandars suivaient attentivement les expressions du visage de WaNguira. Ils se doutaient que grâce à l'intrépidité de Txabi, ils détenaient des informations capitales, qui bouleverseraient le monde des Nains. Ils avaient choisi WaNguira comme récipiendaire de ce savoir parce que c'était lui le grand prêtre, lui qui avait demandé des renseignements sur Gaïg et Dikélédi, et encore lui qui semblait le plus apte à accepter ces informations dans l'immédiat.

Effectivement, les couleurs revenaient petit à petit sur le visage de WaNguira, sa respiration devenait plus régulière. Il n'avait toujours rien dit. Maïalen continua son récit, comme s'il ne s'était rien passé.

— Les Kikongos ont été libérés, grâce à Gaïg et à ses compagnons. Ils sont délivrés des Hommes qui les asservissaient pour l'exploitation d'une mine d'or. Mais ils sont encore prisonniers sur l'île, puisqu'ils n'ont pas de bateaux pour rejoindre le pays de N'Dé.

Maïalen s'arrêta enfin. Voyant que WaNguira gardait le silence, elle poursuivit, afin de lui laisser le temps de digérer cette nouvelle qui avait surpris les Salamandars eux-mêmes.

— Gaïg et Dikélédi vont bien, elles sont en bonne santé. Mfuru a retrouvé son père, Do, qui est devenu WaNdo. Le grand prêtre WaNgolo est décédé. Le chef des Kikongos également. C'est à peu près tout ce que nous savons.

Patxi intervint, posant une main sur le bras de Maïalen.

— Nous ne pouvons pas y aller, grand prêtre. Txabi dit que le passage est très étroit, c'est une faille dans le sol, qui s'enfonce sous la mer. À cause du volcanisme, elle peut se refermer à n'importe quel moment.

WaNguira était incapable d'émettre le moindre son. Les mots de remerciement qu'il aurait dû prononcer se bousculaient dans sa tête, mais rien ne sortait de sa bouche. Il était littéralement hébété. Patxi jeta un coup d'œil à Maïalen, qui haussa discrètement les épaules en signe d'impuissance. Elle était prête à partir, ayant rempli sa tâche. Déjà qu'elle ne voyait pas l'intérêt d'informer les Nains de ces faits… C'était Patxi qui avait voulu. Pourquoi ? Elle n'en savait rien. Il était bizarre, parfois.

C'était lui qui avait décidé de rendre aux Nains leur trésor. Il avait usé de l'argument du territoire à libérer de leur présence, mais Maïalen n'était pas dupe. Il avait *aussi* voulu les aider.

De plus, il lui avait beaucoup parlé de Gaïg récemment, ce qui l'avait étonnée. N'éprouvant pas de sentiments, l'amitié était inconnue chez les Salamandars, et Maïalen éprouvait de la difficulté à suivre Patxi dans ses méandres affectifs.

D'autant plus que Patxi lui-même ne pouvait pas expliquer ce qu'il ressentait. C'était subtil et complexe, impossible à décrire avec les mots et la raison. Il sentait que l'intérêt qu'il portait aux Nains et à leur prophétie dépassait le stade de la curiosité amusée. Il était même touché par leurs déboires…

WaNguira prit une profonde inspiration. Il se sentait aussi démuni qu'un enfant.

— C'est tout ? demanda-t-il presque timidement.

— Si nous apprenons quelque chose, nous vous le dirons, promit le Salamandar.

— Merci, Patxi. Merci, Maïalen.

C'était la première fois que le grand prêtre appelait les Salamandars par leur nom. Patxi sentit quelque chose s'agiter au fond de son esprit. Était-ce du plaisir ? Maïalen le tapota sur le bras pour attirer son attention, puis s'engouffra dans l'étroite ouverture laissée par l'effondrement.

Patxi la suivit, mais juste avant de disparaître de l'autre côté, il se retourna :

— Au revoir, WaNguira, murmura-t-il d'une voix presque hésitante.

73

— Voilà, c'est tout ce que je sais.

Les épaules de WaNguira s'affaissèrent. Il avait terminé. Que pouvait-il dire de plus ? Il avait informé ses compagnons et l'expression figée de leurs traits en disait long sur leur stupéfaction et leur incrédulité. Il pouvait lire sur leur visage la succession de sentiments contradictoires, y compris celui fort déplaisant du grand prêtre devenu fou.

Lui-même était resté un long moment au fin fond de la galerie de Lendo-Lendo après le départ de Patxi et Maïalen. Lui aussi, il avait remis en question les dires des deux Salamandars, se demandant s'ils étaient sains d'esprit. Ou s'ils mentaient. Et ce, dans quel but ? Quel était leur intérêt ? Il avait tourné et retourné ces questions dans sa tête, se fournissant à lui-même les réponses les plus extravagantes, simplement pour que la réalité soit différente : les Kikongos n'étaient pas en vie, réduits en esclavage sur une île pour l'exploitation de l'or. Non qu'il préférât les croire morts, loin de là, mais l'idée de ses frères esclaves à cause de la cupidité des Hommes le révulsait.

WaNguira avait la gorge nouée et il avait mis du temps à retrouver son calme. Il avait envisagé un moment de ne rien dire aux autres, tellement il prévoyait leur réaction. Mais les Nains, dans leur diversité, étaient tous construits sur le même modèle, issus du même moule : ils étaient fils de Mama Mandombé, et la solidarité constituait une des bases de leur civilisation. Comme WaNguira après le départ des Salamandars, ils mettraient du temps à digérer la nouvelle, cherchant le détail qui effacerait tout, en prouvant la fausseté de l'information. Ils envisageraient eux aussi la crise de folie qui précipite l'interlocuteur dans un monde imaginaire délirant, prodigue en situations invraisemblables. Ils douteraient de la véracité des dires du grand prêtre, de sa santé mentale, et de cette confiance qu'il témoignait aux Salamandars. Depuis quand ces derniers étaient-ils fiables ?

Et puis, comme WaNguira, un doute s'insinuerait petit à petit dans leur esprit : et si c'était vrai ? S'il y avait des Kikongos survivants ? Si la terre s'était vraiment déchirée pour accoucher finalement de cette horreur ? L'esclavage, le joug de l'homme sur l'homme, l'asservissement du plus faible au plus fort…

Contrairement aux fois précédentes où il avait hésité, ne sachant quelle conduite adopter, WaNguira avait pris sa décision très vite après la visite de Patxi et Maïalen. Il savait qu'il l'avait prise dès leur départ, et que la période de réflexion qui avait suivi n'avait servi qu'à peser le pour et le contre, à essayer d'envisager le problème sous ses différents aspects, à vérifier que c'était la bonne décision. Maintenant, il attendait simplement que ses compagnons, passé la première surprise, arrivent aux mêmes conclusions que lui.

Un long moment s'écoula. Les Nains présents se fuyaient mutuellement du regard : une espèce de gêne les habitait. L'offense subie par les Kikongos humiliés était aussi la leur, l'affront était ressenti par tous, de même que la souffrance, la douleur, toute l'horreur engendrée par l'esclavage. Ils partageaient le même sentiment de dégoût et d'indignation envers l'atrocité qui leur était révélée, se demandant jusqu'à quel point ils en étaient eux-mêmes responsables. Ils avaient pourtant cherché pendant des mois, des années, après le Premier Exode. Le moindre indice qui aurait pu les mettre sur une piste avait été étudié, examiné, analysé. Aucune recherche n'avait été laissée au hasard. Mais ils n'avaient rien trouvé. Et voilà qu'on venait leur dire que leurs frères étaient vivants, esclaves sur une île…

WaNguira exprima la pensée commune, dans l'espoir d'apaiser les cœurs :

— Nous avons tout fait pour les retrouver. Je ne pense pas que nous devons nous sentir coupables de négligence.

Les Nains approuvèrent, ne demandant qu'à être rassurés. Seul Mukutu demeura tête baissée, épaules basses, complètement replié sur lui-même. Les conversations reprirent, à voix basse d'abord, puis de plus en plus passionnées. WaNguira se rendait compte, avec une secrète satisfaction, que les réactions successives de ses frères prenaient l'orientation escomptée. Il ne fut donc pas étonné quand il entendit Nihassah suggérer que « vrai ou pas, il faut vérifier, donc y aller ». Matilah réagit immédiatement en lui rappelant qu'avec une jambe cassée, elle devait calmer sa bougeotte et qu'elle ne serait pas du voyage. Le mot fatidique ayant été prononcé, le grand prêtre sut qu'on ne reviendrait pas en arrière : il y aurait un « voyage ».

Le silence de Mukutu l'intriguait néanmoins. Pourquoi ce vieux bougon râleur se taisait-il ? Ce n'était pas dans ses habitudes, lui qui avait toujours une opinion sur tout. Se pouvait-il qu'il ne fût pas d'accord ? WaNguira le cogna discrètement avec le coude pour attirer son attention et le sonda du regard. Mukutu poussa un profond soupir, et retomba dans son apathie.

— Ne fais pas cette tête-là ! Puisqu'on parle de voyage ! On saura à quoi s'en tenir, expliqua le grand prêtre afin de le stimuler.

— M'est avis qu'on aurait pu l'savoir avant… grogna Mukutu.

— Tu vas souvent en mer, toi ? Ou même sur la côte ? Alors comment aurait-on pu l'apprendre, s'il te plaît ?

Mukutu tendit un objet au grand prêtre :

— Avec ça.

WaNguira saisit la pièce de cent okous qui lui était présentée, avec l'étoile à quatre branches en Nyanga au milieu.

— Même avec ça, on n'aurait pas pu agir, Mukutu. On l'a tous vu, on a tous été stupéfaits, mais personne n'a pensé que les Kikongos pouvaient être vivants. Ce n'est pas la peine de s'embarrasser avec le remords. En revanche, armer un bateau, partir vers le sud, ça, c'est possible, maintenant que nous avons une piste. Et c'est ce que nous ferons.

— M'est avis qu'tu n'sais pas plus naviguer qu'moi, toi. Tu n'aimes pas beaucoup l'eau, qu'je sache…

— Nous sommes riches, Mukutu, très riches. Nous avons de quoi payer un équipage, et même plusieurs.

— Comment vas-tu armer un bateau ? Tu f'ras affaire avec les Créatures ?

— Je ne m'en réjouis pas, mais s'il le faut, oui. Les Gnahorés nous aideront.

— M'est avis qu'ceux-là, faudra pas trop leur en demander…

— M'est avis qu'si on peut payer, tout s'arrange! conclut WaNguira, décidé et légèrement agacé.

Mukutu lui jeta un regard noir, davantage à cause du « M'est avis qu'si... » dans lequel il avait senti poindre une certaine moquerie qu'à cause de la résolution de WaNguira. Ce dernier se concentrait déjà sur les conversations alentour, à l'écoute de la moindre information susceptible de lui servir pour son expédition. Malheureusement, ses compagnons n'étaient pas des marins, loin de là, et il se rendait compte de plus en plus qu'il aurait besoin de l'aide des « Gnas » et de leur expérience avec les Hommes.

D'habitude, c'étaient les Hommes qui se trouvaient en situation de demande face aux Nains, désireux d'acheter des outils, ou même des bijoux. Là, les rôles seraient inversés: c'étaient les Nains qui avaient besoin des Hommes. Ces Hommes qui avaient réduit leurs frères en esclavage. Comment leur faire confiance? Même en payant, comment être sûr de leur honnêteté? D'autant plus que le scandale serait énorme, quand on saurait pourquoi les Nains, créatures terriennes entre toutes, voulaient prendre la mer. De là à ce que les « responsables » fassent tout ce qui était en leur pouvoir pour les empêcher de partir...

WaNguira commençait à entrevoir la nécessité du secret. Il avait confiance dans les Lisimbahs, les Pongwas et les Affés, tous les Nains en partance pour les collines. Mais les « Gnas »? Quel jeu jouaient-ils, au fond? La pensée qu'ils étaient peut-être au courant effleura WaNguira, mais il la rejeta bien vite. Ce n'était pas parce que les « Gnas » avaient un peu perdu de leur identité qu'il fallait les accuser de tous les maux. Non qu'ils fussent au-dessus de tout soupçon... Mais de là à savoir leurs frères maintenus en esclavage et à garder le secret...

WaNguira s'en voulut un peu de cette pensée qui remettait en question l'intégrité de la nanitude. Si les « Gnas » ne se ridiculisaient pas autant, à vouloir imiter les Hommes... Comme s'ils n'appartenaient pas à l'espèce humaine, eux aussi... Le grand prêtre se rendait compte qu'il faudrait jouer serré. Avoir de quoi payer ne suffirait peut-être pas... L'entreprise se révélait plus difficile qu'il ne l'avait escompté de prime abord.

Il aurait aimé pouvoir discuter de la situation avec des personnes qui s'y connaissaient en Hommes, en navigation, en affaires. Dans cette optique, seuls les Gnahorés lui venaient à l'esprit. Mais quelle confiance pouvait-il accorder à ces fantoches de Nains qui portaient des chaussures à talons hauts pour se grandir et devenir l'égal des Hommes ? Ces anciens forgerons qui ne supportaient plus la chaleur, au point de se déplacer avec un éventail ? D'ici à ce qu'ils veuillent changer la couleur de leur peau… WaNguira sentait l'énervement monter en lui chaque fois qu'il pensait aux Gnahorés.

Pour la première fois de sa vie, il éprouva le besoin d'avoir un successeur, avec lequel il aurait pu discuter, échanger des idées, peser le pour et le contre. Bien qu'ayant passé l'âge du choix d'un disciple – il comptait déjà ses six siècles bien tassés – WaNguira n'en avait pas. Pour la simple raison qu'il n'avait encore trouvé personne digne de lui succéder dans cette lourde tâche de grand prêtre. Il avait longuement réfléchi, il s'était arrêté sur chacun des hommes de la tribu des Lisimbahs, mais aucun ne lui avait semblé apte à assumer la charge. Ses compagnons le taquinaient parfois à ce sujet, lui demandant s'il se considérait comme irremplaçable, pour se montrer aussi difficile.

Il aurait aimé pouvoir désigner quelqu'un, à condition que ce quelqu'un arrivât. Il avait alors abaissé l'âge général de la prêtrise, et s'était tourné vers les plus jeunes. Il étudiait soigneusement les caractères des adolescents, les comportements des enfants dans leurs jeux, les lignes de vie des nouveau-nés, allant même jusqu'à se réjouir de l'annonce de toute nouvelle grossesse chez les Naines, mais aucun jeune ne présentait les signes favorables qui pousseraient WaNguira à le choisir comme successeur.

Un chatouillis subit entre les sourcils le sortit de ses pensées successorales. Nihassah le regardait en souriant.

« Le temps est venu de bouger, peut-être. Traverser l'eau en fait partie, qui sait ? Et si c'était l'île des Kikongos, notre terre promise ? »

Il vit Nihassah rire : elle s'était rendu compte qu'il avait capté son message. Une onde d'apaisement traversa WaNguira. Décidément, elle était bien, la fille de Mukutu. Calme et décidée, sereine et détendue, persévérante et intuitive. Ce n'était pas par hasard que les dieux l'avaient choisie pour protéger Gaïg. Il lui répondit.

« C'est vrai que tu as la bougeotte, toi ! Traverser l'eau ne te fait pas peur ? »

« Pas trop. J'ai vécu longtemps dans un village au bord de la mer, rappelle-toi ! Je crains davantage les Hommes… »

« Il faudra bien faire affaire avec eux, pourtant. Non que cela me plaise… Surtout dans les circonstances actuelles… »

« C'est vrai qu'on ne sait pas trop à qui se fier. Et si ceux auxquels on s'adresse sont ceux-là même qui ont asservi nos frères ? »

« Ils nous feraient disparaître en mer sans laisser de traces. Le risque est énorme. Mais il faut le prendre. Seuls les volontaires seront du voyage. »

« Je comprends. »

L'échange s'arrêta là, WaNguira et Nihassah étudiant la situation chacun de son côté. Puis Nihassah reprit :

« Et si on demandait aux Floups ? »

WaNguira sursauta, électrisé. Les Floups ! Ces pirates sanguinaires, ces tueurs sans pitié, ces écumeurs des mers qui n'aimaient les flots que rouges du sang des Hommes… Leur réputation n'était plus à faire. Elle résidait dans un unique mot : cruauté. Se plaçant en dehors de toute société étrangère à la leur, ils estimaient n'avoir à obéir à aucune loi édictée par d'autres qu'eux-mêmes.

Et pourtant… WaNguira réfléchissait à la folle proposition de Nihassah. Les Nains et les Floups, ne relevant pas du même élément, n'étaient pas ennemis. Les Nains étendaient leur empire sous la terre, alors que les Floups couraient les mers. Par conséquent, leurs chemins ne se croisaient jamais.

Les Nains n'avaient affaire à eux que pour la vente d'armes : des sabres, des épées, des poignards, des cimeterres, des yatagans, des dagues, des lances, des pointes de flèches, un arsenal entier de lames toutes plus acérées les unes que les autres. Les Floups ne marchandaient jamais le prix demandé, estimant que leur vie valait bien plus que ce dernier, si élevé fût-il. Une bonne arme, c'était une espérance de vie prolongée de plusieurs années. Et la réputation des Nains n'était plus à faire : ils demeuraient les meilleurs forgerons de la terre, capables de fabriquer des armes de qualité supérieure.

Les Floups, comme les Nains, étaient de petite taille. Rageurs et vindicatifs, ils détestaient les Hommes qui avaient voulu, dans le passé, en faire des domestiques, ou pire, des serfs. « Encore un point commun… » se dit WaNguira. À croire que les Hommes voulaient dominer le monde. Comme s'il n'y avait qu'eux, sur la planète. Les Floups s'étaient révoltés plusieurs fois et avaient rompu les ponts en se réfugiant sur l'eau. Ils avaient donné leur congé aux Hommes et étaient devenus des marins émérites, construisant eux-mêmes des bateaux réputés pour leur légèreté et leur rapidité.

Vivant sur l'eau à longueur d'année, ils avaient une connaissance inégalée des océans. Le bruit courait qu'ils possédaient des îles secrètes loin dans le sud, dans les profondeurs desquelles ils entreposaient leur butin. Ce qui ne les empêchait pas de dilapider parfois leurs richesses au vu et au su de tous, sans doute par désir de montrer leur puissance.

Pendant leurs longues journées sur les bateaux, ils avaient développé un art martial bien particulier qu'ils dénommaient la florinette, extrêmement efficace sous ses apparences de danse. WaNguira en avait entendu parler mais ne les avaient jamais vus à l'œuvre.

Plus il y réfléchissait, plus il estimait que Nihassah lui suggérait une solution possible. Il la regarda. Elle lui souriait toujours, calme et détachée, allongée sur sa couche, la jambe immobilisée entre deux attelles.

« Toi, si tu veux te faire pirate, il faut te dépêcher de guérir ! » lui répondit-il en souriant à son tour.

74

WaNguira avait réfléchi toute la nuit, cherchant, sans la trouver, la faille dans la suggestion de Nihassah. Les Floups, en dépit de leur détestable réputation, n'avaient jamais eu maille à partir avec les Nains. Ils se montraient des clients réguliers depuis des siècles et avaient toujours payé les objets commandés, sans jamais discuter le montant réclamé. Les Nains, sachant que leur travail était apprécié à sa juste valeur, s'appliquaient d'autant plus. Les relations avec ces forbans miniatures mais féroces n'étaient ni déplaisantes ni amicales, chacun respectant l'autre.

Les Floups, riches du butin de leurs pillages maritimes, réglaient souvent leurs achats en pierres précieuses venues d'ailleurs, ce qui n'était pas pour déplaire à un peuple d'orfèvres nés. Dans le passé, il était parfois arrivé que les Nains réclamassent une gemme spécifique qu'ils ne trouvaient pas dans leur sous-sol, et malgré un délai d'obtention assez long, les Floups avaient toujours fini par leur donner satisfaction.

WaNguira se disait qu'il ne serait pas trop difficile de convaincre ses propres frères d'accepter l'idée de Nihassah. Les Hommes avaient perdu tout prestige à leurs yeux et ils préféreraient courir le risque de la navigation avec un peuple sur lequel ne pesait pas le soupçon de l'esclavage. Le grand prêtre se demanda si les Floups étaient au courant de la situation des Kikongos, mais il éloigna bien vite cette idée.

De mémoire de Nain – et elle pouvait être très longue – on n'avait jamais vu d'entente entre les Créatures et ces sanguinaires écumeurs des mers. Une haine immémoriale les séparait.

C'est sur cette haine que WaNguira comptait s'appuyer pour persuader les Floups de leur venir en aide. Proposer de payer le prix fort constituait un argument de peu de valeur puisqu'ils étaient déjà riches, très riches. Ils seraient plus sensibles au problème de l'asservissement des Nains par les Hommes qu'au profit matériel.

WaNguira présumait l'alliance possible, tout en sachant qu'il faudrait jouer serré. Les Floups, habitués à agir de façon indépendante, pouvaient tout aussi bien se désintéresser de la question et décréter qu'il n'était pas de leur ressort de sauver des Nains. Ils avaient quitté la terre ferme, les peuples qui l'habitaient ne faisaient plus partie de leur monde. Le grand prêtre cherchait avec ténacité un point faible sur lequel agir pour rallier ces hardis navigateurs à sa cause.

Insister sur la bassesse et la vilénie des Hommes ne suffirait peut-être pas, puisque de toute façon, les Floups détestaient ces derniers et ne perdaient pas une occasion de le leur faire savoir. Ils n'avaient pas besoin des Nains pour augmenter l'intensité de leur haine, née de la servitude à laquelle on avait voulu les réduire. Ils attaquaient pour ainsi dire tous les bateaux qu'ils rencontraient : « Aborder d'abord », telle était leur devise.

WaNguira se demandait comment les gagner à l'idée d'une expédition dans le sud, à la recherche d'une île sur laquelle se trouvait un peuple en perdition. Comment susciter leur intérêt ? Quel procédé employer pour qu'ils se sentent concernés ? Alors que ses compagnons sommeillaient encore, il se creusait la tête, à la recherche de l'argument adéquat.

« Ce sont nos armes qui les intéressent. Proposons-leur de les payer avec ! »

C'était Nihassah qui lui parlait. WaNguira rétorqua avec humour : « C'est toi qui lis dans mon esprit, maintenant ? De si bon matin ? »

« Ce n'est pas bien difficile à deviner, tu sais, pour peu qu'on réfléchisse à la même chose… J'y ai pensé toute la nuit… »

WaNguira la considéra un moment, saisi par une pensée pas si nouvelle pour lui. Il se rendait subitement compte de la communauté d'esprit qui régnait entre Nihassah et lui. Et si… Mais ce n'était pas le moment de se laisser distraire, il préféra retourner à sa réflexion sur les Floups.

« Oui, ils seraient plus intéressés par les armes que par les bijoux ou les outils de jardinage, c'est sûr... Mais comme ils ont les moyens de se les offrir... En plus, avec leur florinette, ont-ils réellement besoin d'armes ? Sans doute, puisqu'ils nous en achètent... » répondit-il à la Naine.

« On pourrait leur inventer de nouvelles armes... Ou essayer de réaliser celles qu'eux-mêmes auront créées... »

« Oui, certes... »

Nihassah, trouvant que WaNguira faisait le difficile, lança, un peu moqueuse : « On pourrait sculpter des figures de proue pour leurs bateaux ! Mais il ne faudrait pas oublier le gouvernail... »

Il la fixa, incrédule, comme si elle venait d'une autre planète. Nihassah rentra la tête dans les épaules, regrettant de s'être montrée insolente. Qu'est-ce qui lui prenait, de s'adresser ainsi au grand prêtre, dès le petit matin ? Par la pensée, en plus ! Quelle familiarité... Elle sentit le rouge lui monter aux joues et s'apprêtait à s'excuser, quand WaNguira s'approcha et, la saisissant aux épaules, s'adressa à elle à haute voix :

— L'art ! Mais oui. C'est ça qui leur fait défaut. C'est ça qu'ils n'auront jamais. Ils sont de bons charpentiers, des marins émérites, ils font même d'excellents pirates, mais ce sont de piètres artistes ! Tu as raison ! Elles sont grotesques, leurs figures de proue ! Mais ils adorent leurs bateaux. C'est comme cela qu'on va les persuader. Avec une figure de proue ! On va sculpter la plus belle figure de proue qui soit, et on ira la leur porter ! Une Sirène, bien sûr ! Ils ne résisteront pas à notre Sirène ! Elle les charmera d'autant plus qu'on leur donnera aussi le bois pour le gouvernail. Ah, Nihassah, tu es unique !

WaNguira secouait Nihassah par les épaules, sous les regards médusés de ses compagnons tirés du sommeil par ses exclamations enthousiastes.

— Hum... Des pirates excellents avec des figures d'proue grotesques... M'est avis qu'vous parlez des Floups... Y a qu'eux pour répondre à c'signal'ment ! maugréa Mukutu, réveillé par le ton excité de WaNguira s'adressant à sa fille.

Il était de notoriété publique que les Floups, en bons marins et en pirates qui se respectent, étaient superstitieux dans l'âme. Ils avaient de nombreuses croyances, destinées à protéger le bateau contre le mauvais sort. La figure de proue tenait une place privilégiée dans ces croyances puisque c'était elle qui ouvrait la route au bateau. Elle devait protéger ce dernier aussi bien des monstres marins issus des profondeurs que des tempêtes, des courants, des vagues géantes, du calme plat, des rats et des ennemis en tout genre.

Les Floups, construisant eux-mêmes leurs bateaux, avaient pour habitude de sculpter cette figure de proue. Cette dernière devait être réalisée dans le même bois que le gouvernail, afin d'assurer la solidité du bateau à travers une unité symbolique.

Malheureusement, pour bons marins qu'ils fussent, les Floups se révélaient piètres sculpteurs. Leurs figures de proue étaient donc extrêmement simples, réduites à un visage de femme plus souvent peint que sculpté. Tous leurs efforts se portaient sur la finesse de l'étrave, sur la coupe effilée du bateau et sur sa légèreté, destinées à lui assurer une maniabilité idéale. En cela, ils étaient passés maîtres.

Ils demeuraient cependant l'objet de la risée générale en matière de figure de proue. Ce qui expliquait l'emballement de WaNguira pour la suggestion de Nihassah. Le grand prêtre s'empressa d'exposer son plan aux siens, sans oublier de mettre en valeur la fertile imagination de la fille du chef.

— M'est avis qu'il nous faut chercher du bois maint'nant, conclut Mukutu, gagné à la cause. Où va-t-on trouver un tronc assez gros ?

— Ça, on peut l'acheter aux Hommes sans éveiller les soupçons, déclara WaNguira. De plus, la planche du gouvernail est symbolique : elle n'a pas besoin d'être immense. En revanche, nous devrons porter toute notre attention à la sculpture.

— Elle n'a pas besoin d'être immense non plus, observa Nihassah. Leurs bateaux sont fins et légers. Mais on peut la travailler dans un beau bois.

— Du mahogany ? suggéra Matilah. Ou du merisier ? C'est beau, quand c'est bien poli…

— Pourquoi pas du noyer ? proposa Bandélé. Ça fait de jolis dessins…

— Il ne faut pas oublier que c'est un bois qui sera exposé aux intempéries, corrigea Nihassah, toujours pleine de bon sens. Il vaut mieux miser sur la résistance à l'eau, au sel, au soleil, et même aux chocs…

— M'est avis qu'on d'vrait s'mettre en route vers les collines aujourd'hui même, annonça Mukutu. On verra bien c'qu'les Créatures ont en réserve dans leurs échoppes…

Nul ne trouva à redire à la proposition du chef : les données avaient changé, il fallait s'adapter. Les décisions précédentes se trouvaient annulées à cause de la tournure prise par les événements et les Nains procédèrent rapidement à leurs préparatifs de départ. Ils n'avaient pas eu le temps de s'installer trop confortablement dans la galerie de Lendo-Lendo et c'est sans regret qu'ils la quittèrent. Pour l'heure, une seule chose importait : s'assurer de la véracité des dires des Salamandars. Et il n'y avait qu'une chose à faire pour cela : aller vérifier sur place.

Tout en marchant, Mukutu réfléchissait et essayait de lier conversation avec WaNguira afin de développer une stratégie pour les jours à venir. Le chef se sentait plus à l'aise maintenant qu'une résolution avait été prise et il examinait la situation sous différents aspects afin de ne laisser qu'une part minime au hasard. Il classait les questions selon un ordre chronologique correspondant au déroulement présumé des événements et cherchait toujours une ou deux solutions de remplacement pour le cas où la première échouerait.

Trouver du bois ne serait pas difficile : il y avait plusieurs villes sur la côte et, dans chacune, un certain nombre de marchands, abondamment fournis puisque le bois constituait le principal matériau de construction en matière d'habitation. Mais à qui confier la réalisation de la figure de proue ?

Il y avait quelqu'un de tout indiqué pour cela : Bélimbé le sculpteur. Il avait de l'or dans les mains, tellement il était doué pour cet art. Il possédait le pouvoir de transformer n'importe quel morceau de bois en quelque chose de beau. Il suffisait qu'il ramasse une branche sèche sur le sol pour qu'elle commence sa vie d'objet d'art, rien que par la façon dont il la tenait, l'angle sous lequel il la présentait aux autres.

Sculpter une figure de proue en forme de sirène serait pour lui un jeu d'enfant. Il regarderait longuement son billot de bois, le toucherait, le palperait, le tâterait, le soupèserait, le scruterait, puis le contemplerait encore, sans bouger. Cette opération, pendant laquelle il prétendait se pénétrer de l'âme du bois, pouvait durer de quelques heures à plusieurs jours. Pendant ce temps, il valait mieux ne pas l'approcher. De toute façon, il était inutile de lui parler, il ne répondrait pas. Il était devenu bois lui-même. Fondu dans l'essence même du végétal, il traçait dans sa tête le chemin qui le mènerait à l'objet final. Puis, d'un seul coup, il attaquait le matériau brut, sans hésiter, et ne le lâchait plus jusqu'au dernier coup de chiffon destiné à le faire reluire.

Mukutu l'avait déjà vu au travail, et savait que la plus belle figure de proue serait celle par lui sculptée. Mais il y avait un hic : Bélimbé était Gnahoré. Quelle avait été son évolution depuis son départ pour les collines ? Accepterait-il de sculpter un objet pour les Floups, ces bandits des mers ennemis des Hommes ? S'il refusait, qui d'autre, à part lui, pouvait se voir proposer la facture de la sculpture ? Toute une série de noms se présentait alors à l'esprit de Mukutu, dont les détenteurs se débrouillaient plutôt bien, à force de travail et d'application : Babah, Séméni, Bayé, Dofi, Aligo… Mais Bélimbé, lui, était un artiste et c'était là que résidait toute la différence.

Une fois la sculpture réalisée, où trouver les Floups ? Ces derniers étaient plus souvent en mer qu'à terre puisqu'ils fuyaient les Hommes. Ou alors dans une de leurs lointaines îles. Comment entrer en contact avec eux ? Il faudrait un hasard providentiel pour que l'un d'entre eux cherchât justement à se procurer une arme fabriquée par un Nain.

Mukutu, ne trouvant pas de solution satisfaisante à cette question, interrogea plusieurs fois WaNguira. Ce dernier, l'esprit visiblement ailleurs, émettait des réponses floues, des « oui » qui ne répondaient à aucune interrogation, des « on verra » vagues et indéterminés.

— Enfin, WaNguira, m'est avis qu'il faut bien savoir dans quelle direction on va, non ? s'écria Mukutu, excédé, en l'attrapant par le bras.

WaNguira réagit à peine, se contentant de lui jeter un regard absorbé.

— Je crois que j'ai enfin trouvé mon successeur, lâcha-t-il comme pour lui-même.

75

Les différentes nouvelles s'étaient répandues rapidement, créant la tempête dans les esprits tour à tour bouleversés ou remplis d'espoir. Cela faisait plusieurs jours que WaNguira, Mukutu et les derniers groupes de Nains avaient rejoint leurs frères dans les collines de Koulibaly. La discrétion était de mise, puisqu'il ne fallait surtout pas alerter les Hommes par une invasion inopinée. Même les Gnahorés ignoraient que leur ancien domicile était maintenant investi par la nanitude au complet.

Ils envoyaient des vivres en quantités qu'ils croyaient généreuses – et effectivement largement suffisantes pour nourrir quelques bouches – mais qui se révélaient congrues quand il s'agissait de les partager entre tous. Les nouveaux habitants des collines compensaient les manques avec ce qu'ils grappillaient dans les environs, y ajoutant les produits peu fructueux de la chasse, et ceux, plus substantiels, de la pêche. Un équilibre précaire s'était installé.

Tous savaient que la situation était provisoire. Ils vivaient donc au jour le jour, soucieux de ne pas se faire remarquer, tout en éprouvant une certaine curiosité à l'égard des villages de la côte. Quand l'achat de nourriture se révélait nécessaire pour pallier l'insuffisance des provisions fournies, ils prenaient soin d'aller dans les villages les plus lointains, afin de donner l'impression d'être des voyageurs de passage. Ce faisant, ils dressaient discrètement l'inventaire des bois disponibles sur le marché, interrogeant les marchands sur les qualités respectives de chaque essence.

Malgré leur discrétion, le bruit commençait à se répandre que des Nains en voyage étaient en quête d'une bille de bois solide, susceptible de résister aux rudes intempéries marines. Une émulation naissait parmi les commerçants, qui avaient l'intuition d'une affaire prometteuse. Il était rare que ce soit les Nains qui aient besoin des Hommes, il y avait là une petite revanche à prendre. On le leur ferait payer cher, ce bois…

Le cours des événements s'était accéléré avec le retour de Babah et de sa troupe. Ils revenaient bredouilles en ce qui concernait Gaïg et Dikélédi, dont ils n'avaient trouvé aucune trace.

Partis vers le sud en passant à l'ouest de la forêt de Nsaï, ils étaient remontés vers le nord en empruntant la route de l'est, qui longeait la côte. Ce faisant, ils avaient parcouru tous les villages de la côte est du pays de N'Dé, en quête du moindre indice qui les mettrait sur la voie pour retrouver les deux filles. Peine inutile, ils avaient allongé leur voyage pour rien, avait conclu Babah, exténué et découragé : Gaïg et Dikélédi avaient disparu.

C'est en arrivant au village de Shango, le plus proche des collines de Koulibaly, qu'ils avaient appris que des Nains de Nsaï avaient élu domicile dans ces dernières. Ils avaient été fort surpris, en y arrivant, d'y découvrir la nanitude presque au complet, en dehors des Gnahorés.

On leur avait alors communiqué les récentes informations reçues des Salamandars et on les avait informés des derniers projets en cours, avec les nombreuses interrogations qui les accompagnaient. Babah et son groupe avaient éprouvé des sentiments divers en entendant les nouvelles stupéfiantes concernant les Kikongos, sentiments néanmoins identiques dans leur succession à ceux éprouvés auparavant par leurs frères.

L'idée de la figure de proue sculptée à offrir aux Floups avait rencontré l'approbation de Babah, qui avait surpris tout le monde en annonçant qu'il savait où trouver les pirates.

— Quelqu'part en mer, j'suppose, avait lancé Mukutu, narquois. M'est avis qu'Babah a appris à nager pendant son voyage…

— Pas besoin de savoir nager pour les joindre, avait rétorqué Babah très sérieusement. Ils ont un village caché sur la côte.

— À terre? Tu veux rire? Et puis s'il est caché, comment tu l'sais?

— Nous avions quitté la route pour la nuit et nous nous étions rapprochés de la mer pour nous reposer. Une idée romantique de Dame Keyah, qui voulait dormir en entendant la rumeur des vagues. Pourquoi pas? On a beau préférer les cavernes et les grottes, une nuit à la belle étoile au bord de l'eau, c'est aussi une expérience à faire.

« Et puis, nous étions trop fatigués et démoralisés pour chercher un abri souterrain... Nous nous sommes installés sur la première plage de sable que nous avons rencontrée.

« C'est dans le milieu de la nuit que nous avons été réveillés par des cris. Un groupe de brigands, des Hommes, qui avaient capturé trois Floups, dressait son campement tout près de nous, sans savoir que la plage était déjà habitée. Pas commodes, les Créatures, je peux vous l'affirmer... C'est à coups de poing et de bâton qu'ils s'adressaient aux Floups prisonniers.

« Mais c'est vrai qu'il faut se méfier de ces derniers. Même attachés, ils lançaient des coups de pied redoutables. Leur fameuse florinette... Les Hommes les ont jetés sur le sable pour la nuit, ont soupé rapidement sans rien leur donner d'autre que de l'eau, et se sont endormis immédiatement, abrutis par l'alcool qu'ils avaient ingurgité.

« C'est ce qui nous a permis de délivrer facilement les Floups. Nous n'en menions pas large, bien sûr, mais l'obscurité représentait un avantage pour nous. Une fois que les Floups ont eu pris conscience de notre présence, nous avons pu couper leurs liens sans problème et les libérer. Après, il a fallu s'enfuir, bien sûr, mais ils connaissaient la côte par cœur, et ils nous ont amenés à leur village. »

L'auditoire, subjugué, avait écouté le récit de Babah. WaNguira, en l'entendant, s'était dit que les événements s'enclenchaient d'eux-mêmes dans la direction qu'il souhaitait leur donner. Tous avaient attendu la suite avec impatience.

— Nous avons été très bien reçus, comme de bien entendu, puisque nous avions libéré trois des leurs qui étaient prisonniers. Ce village est tout petit. Leurs véritables repaires sont dans des îles plus ou moins lointaines, dans le sud: ils ne veulent plus fréquenter les Hommes. Mais Flopi, un de leurs plus redoutables capitaines, s'est installé sur cette presqu'île: il prétend qu'il veut avoir un pied à terre dans le pays de N'Dé si jamais il devient cul-de-jatte! Il a un certain humour, le Floup...

Après s'être arrêté un moment, il avait repris, contraint de continuer par tous ces regards qui convergeaient vers lui :

— Les maisons sont construites sur pilotis. Mais certaines sont en réalité des pirogues habitables. Le village est très bien caché par les arbres. Il est difficilement accessible par voie de terre, à cause de la végétation. Si on ne sait pas qu'il est là, on ne soupçonne même pas son existence.

— Mais tu pourrais l'retrouver ? avait interrogé Mukutu.

— Je pense que oui, sans problème.

— Et ils accepteraient d'nous aider ?

— La réponse est plus délicate. Mais ils détestent toujours les Hommes, et ces derniers ne leur font pas de cadeau non plus, puisqu'ils les pourchassent. Ils kidnappent parfois leurs enfants pour en faire des mousses qu'ils peuvent maltraiter tout leur soûl en mer. Mais ces derniers réussissent à s'échapper dès qu'ils sont un peu plus âgés...

— On a déjà le bois pour la figure de proue ? avait demandé brusquement Afo, passant du coq à l'âne. Qui va la sculpter ? Bélimbé ? Pour elle comme pour Mukutu, Bélimbé s'imposait comme le sculpteur tout désigné pour réaliser ce travail.

— On a trouvé une bille d'gommier blanc qui d'vrait faire l'affaire, avait répondu Mukutu. C'est un bois qui s'conserve bien avec l'eau d'mer. M'est avis qu'il faudra marchander ferme, la Créature a senti qu'on l'voulait. Elle d'mande l'prix fort.

— On paiera ce qu'elle demande, avait annoncé WaNguira. Mais maintenant qu'on a trouvé le bois, il faut contacter Bélimbé. On s'apprêtait à le faire quand vous êtes arrivés. Il habite à Shango, dans une drôle de maison à la façade tarabiscotée, mais il ne sculpte plus, semble-t-il.

— M'est avis qu'il est trop occupé à faire l'beau sur ses talons hauts dans les salons...

— Je peux venir avec vous, avait proposé Afo, malgré sa fatigue. On a beaucoup joué ensemble autrefois. On s'entendait bien.

WaNguira avait arrêté son regard sur elle, cherchant dans ses souvenirs. C'était vrai que Keyah et Afo avaient été compagnes de jeu de Bélimbé, avant le Premier Exode. Peut-être qu'elles pourraient le convaincre mieux que lui. Mais les Gnahorés avaient tellement changé... Qui pouvait prévoir leurs réactions ? Il avait acquiescé néanmoins, désireux de mettre toutes les chances de son côté.

La conversation avait encore duré longtemps. Babah et ses

compagnons avaient raconté leur voyage dans le détail, n'omettant aucune de leurs péripéties. Mais ils interrompaient parfois leur récit pour poser des questions à leurs frères de Nsaï sur leurs propres aventures. À la fin, WaNguira avait donné le signal du coucher, annonçant qu'il partirait le lendemain à l'aube avec Afo et Keyah, pour rendre visite à Bélimbé.

Mukutu aurait aimé faire partie du voyage, mais il savait sa patience très restreinte quand il s'agissait des « Gnas ». Il les avait vus plusieurs fois à l'œuvre quand, inquiets et furtifs, ils apportaient des chariots de nourriture aux nouveaux habitants des collines. Ils avaient une peur bleue de se faire remarquer par les Hommes, mais ils n'entraient pas pour autant dans les cavernes, qui leur rappelaient par trop un passé qu'ils rejetaient. Ce qui arrangeait bien les Nains sur place, qui ne tenaient pas à ce qu'on devine leur nombre.

Les Naines dévisageaient avec avidité les rares femmes gnahorés qui, poussées par la curiosité ou par le désir d'étaler leurs richesses et de montrer leurs « belles manières », s'aventuraient jusque-là. Tchitala était subjuguée par les éventails de ces dames, et prétendait qu'il n'avait jamais fait aussi chaud. Elle utilisait ce prétexte pour se saisir de la première chose un peu plate qui lui tombait sous la main, couvercle de marmite ou feuille de chou, et s'éventait avec affectation. Petit à petit, le mouvement de son poignet s'accélérait, et à la fin, elle s'écroulait de rire, en sueur, prétendant que cette invention infernale donnait encore plus chaud.

Kalenda se juchait sur n'importe quoi pour se grandir, voulant vérifier si le monde était différent vu de plus haut. Elle avait essayé toutes les chaussures mises à sa disposition, les fameux « cadeaux » de Zembélé aux siens, allant même jusqu'à placer des cailloux à l'intérieur, afin de créer un faux talon. Mais là non plus, l'expérience n'avait pas été concluante : elle ne comprenait pas pourquoi les femmes gnahorés se faisaient souffrir ainsi.

Généralement, les essais de mode se terminaient dans le rire, avec force « ma chère sœur » et « très chère amie », et on revenait bien vite aux mœurs traditionnelles qui avaient fait leurs preuves depuis des siècles. Non que les Naines refusassent d'évoluer, mais encore fallait-il leur prouver que cette évolution était justifiée et qu'elles avaient à y gagner.

Le même état d'esprit régnait chez les hommes, et l'ambiance générale était plutôt à la moquerie affectueuse. Sauf Mukutu et quelques autres rouspéteurs de la même génération, qui avaient du mal à rire des petits travers des « Gnas » et à garder leur calme. Ils bougonnaient et maugréaient dans leur coin, marmonnant que tout cela n'avait rien de drôle, et que la nanitude était déjà bien assez éparpillée comme ça, pour ne pas créer encore une nouvelle ségrégation.

De lui-même, Mukutu avait décrété qu'il ne mettrait jamais les pieds chez un Nain porteur de chaussures à talons hauts. La caractéristique fondamentale du Nain résidait dans sa petite taille, et pour lui, c'était renier sa race que vouloir se grandir. En revanche, il voulait bien s'occuper de l'achat de la bille de bois : marchander, c'était son fort, avait-il décrété avec fierté.

WaNguira, connaissant son caractère bourru, avait été secrètement soulagé par cette décision sans appel concernant une visite aux « Gnas », et sans lui donner le temps de changer d'avis, avait annoncé de but en blanc qu'il avait trouvé celle qui prendrait sa succession.

Le silence s'était fait immédiatement, et en un instant, il était devenu le point de mire de l'assemblée. Les Nains n'étaient pas certains de ce qu'ils avaient entendu, tellement la nouvelle paraissait incroyable. Non seulement WaNguira s'était enfin décidé à choisir son successeur, mais de plus… Non, ce n'était pas possible…

Les regards convergeaient maintenant vers Mukutu : c'était lui le chef, il devait être au courant. Mais ce dernier ouvrait des yeux ronds, preuve de son ignorance et de son incrédulité. Il avala plusieurs fois sa salive avec difficulté, ne cherchant même pas à dissimuler sa surprise, et finit par articuler péniblement :

— « Celle » ?

— Oui, « Celle » ! Celle qui me succédera, avait repris WaNguira d'un ton détaché, comme s'il annonçait que le temps changeait ou que l'heure du dîner approchait.

Les Nains étaient perdus, ils ne comprenaient plus. Se pouvait-il que le prochain grand prêtre soit une femme ? Ce n'était pas possible, cela ne s'était jamais vu auparavant. Les regards allaient de l'un à l'autre, chacun essayant de se représenter intellectuellement la chose et de deviner qui était l'élue. Finalement, les regards se portèrent d'eux-mêmes vers Nihassah blottie sur sa couche, la seule à ne pas afficher un air étonné et interrogateur. Elle fut saisie d'un accès de timidité mais WaNguira vola immédiatement à son secours :

— Je suis heureux de voir que vous avez deviné. C'est donc que j'ai bien choisi.

76

Une fois son annonce faite, WaNguira avait disparu avec Afo et Keyah sous prétexte de préparer sa démarche auprès de Bélimbé. Il désirait en apprendre le maximum sur ce dernier. Mais tant de temps s'était écoulé depuis ses premiers jeux d'enfants avec les jumelles… Plusieurs décennies… Quelle sorte d'adulte était-il devenu ? Et le souvenir qu'en avaient gardé les jumelles serait-il plus proche de la réalité que la vision de l'artiste extrêmement doué que WaNguira avait en tête ? Les deux portraits se compléteraient sans doute.

Finalement, la zone d'ombre du personnage résidait dans son évolution récente. Bélimbé était-il encore un Gnahoré, un Nain à part entière avec une sensibilité d'artiste et de la magie dans les mains, ou était-il devenu un « Gna » ? Le fait qu'il ait abandonné lui aussi l'habitat traditionnel cavernicole pour cette drôle de maison basse, écrasée par ses voisines à étages, ne plaidait pas en sa faveur. Mais l'originalité même de la façade, sculptée à outrance, pour ne pas dire tarabiscotée, laissait un espoir : malgré les rumeurs, il continuait peut-être à exercer son art.

WaNguira discuta longuement avec Keyah et Afo avant de se laisser aller au sommeil. Mukutu de son côté réfléchissait au marchandage du lendemain. Macény, la mère de Mfuru, avait proposé de l'accompagner, prétextant qu'une présence féminine déstabiliserait le commerçant. Tout le monde avait compris que c'était une façon pour elle de participer à l'entreprise générale de sauvetage des Kikongos, et plus particulièrement de Do, son époux adoré trop tôt disparu.

Elle avait été bouleversée par l'annonce de WaNguira lui apprenant que son compagnon était vivant, mais en piteux état. Bien que soulagée de savoir Mfuru aux côtés de son père, elle estimait que plus tôt elle le retrouverait, mieux cela vaudrait pour lui : elle était seule habilitée à prendre soin de lui de façon adéquate. Et pour ce faire, elle était prête à remuer ciel et terre. L'achat de la bille de gommier blanc ne représentait qu'une première étape avant la réunion familiale, étape qui serait escamotée s'il le fallait : elle était prête à voler le bois et à l'emporter sur son dos si le marchand ralentissait la vente en demandant un prix de départ trop élevé.

La nuit fut longue et agitée pour elle comme pour Mukutu, WaNguira, Keyah et Afo. La préparation des entrevues du lendemain se fit aussi bien en rêves qu'en pensées, et réveillés dès potron-minet par un énervement teinté d'anxiété, ils choisirent de se mettre en route sans plus attendre.

— On peut faire route ensemble jusqu'à Shango, avait proposé WaNguira. Ensuite, vous continuerez seuls jusqu'à Bamako.

Les premières lieues s'étaient effectuées dans la fraîcheur du petit matin, ce qui leur avait permis d'avancer rapidement. Chacun était plongé dans ses pensées et le silence régnait. Longtemps après, des sifflements stridents avaient attiré leur attention. C'était Babah qui, à la surprise de tous, essayait vainement de les rattraper.

— Vous avez le feu aux trousses, ou quoi ? avait-il demandé, tout essoufflé. Je ne vous ai pas entendu partir et depuis l'aube, je vous suis à la trace. Mais vous marchez vite…

— M'est avis qu't'aurais dû prévenir qu'tu voulais être du voyage, l'Nain, avait rétorqué Mukutu. Me s'rais fait un plaisir d'te s'couer pour t'réveiller, crois-moi !

— C'est bien ce que j'ai voulu éviter, figure-toi. Mais sachant le bruit que tu fais quand tu te déplaces, j'ai cru que je vous entendrais partir.

— Perdu, alors ! Suis plus léger qu'un nuage quand j'veux ! Tu vas voir Bélimbé ou tu viens à Bamako avec nous ?

Babah hésita.

— À vrai dire, je ne sais pas… Les deux options m'intéressent.

— Faudrait voir à t'décider avant qu'on s'sépare, alors.

— Et pourquoi n'irions-nous pas acheter le bois ensemble? proposa Keyah. Bélimbé est plus susceptible de se laisser fléchir s'il a le gommier sous les yeux, non ? Ça lui fera envie...

— Et si on le laisse le toucher, il ne pourra plus refuser, annonça Afo. Une bille de beau bois brut, ça ne se refuse pas, quand on est sculpteur dans l'âme comme lui...

— C'est un piège, commenta WaNguira, mais c'est une bonne idée. D'accord pour la suivre. Allons tous à Bamako.

Le fait de savoir qu'ils feraient les choses ensemble les rasséréna. La solidarité nécessaire à la survie en milieu souterrain les avait habitués à agir en groupe. Dans ces cas-là se créait un esprit commun, propre au groupe et focalisé sur l'action à accomplir, beaucoup plus puissant que l'esprit individuel.

Mukutu n'émit aucune objection, assez content au fond de lui de rester avec les autres pour acheter le bois. Pour la suite, il verrait, le moment venu, s'il irait ou non chez les « Gnas ». Ce serait peut-être un moyen de satisfaire la secrète curiosité qu'il éprouvait à leur égard, malgré ses bruyantes et volubiles critiques. Sûr qu'ainsi, il trouverait de nouveaux arguments pour étayer ses diatribes, preuves à l'appui !

Le soleil commençait à se faire haut dans le ciel quand ils virent des silhouettes qui se détachaient dans le lointain. Une prudence ancestrale les poussa à avancer en se cachant dans les fourrés disséminés le long du sentier. Les Nains n'étaient jamais totalement à l'aise hors de leurs cavernes et les grands espaces dénudés les faisaient se sentir vulnérables. Tant qu'ils ne savaient pas à qui ils avaient affaire, ils préféraient ne pas se faire remarquer.

Tout à coup, Macény, qui les précédait, les fit sursauter en sautant au milieu du sentier, où elle commença à agiter les bras. Ils surent alors qu'il n'y avait rien à craindre et la rejoignirent.

— M'est avis qu'c'est l'équipe d'ravitaillement des « Gnas », observa Mukutu. Non mais, r'gardez-les avancer, avec leurs chaussures et leurs chapeaux en hauteur ! Même leur démarche a changé...

— C'est pourquoi j'ai mis du temps à les reconnaître, avoua Macény. Je les trouvais trop grands pour des Nains...

— Des Nains... Des Nains... M'est avis qu'c'est plus des Nains, ces gens-là !

— Estimons-nous déjà heureux qu'ils nous nourrissent, Mukutu, commenta WaNguira. Après tout, rien ne les y oblige...

— Dis plutôt qu'ils n'veulent pas trop nous voir dans les villages d'la côte... On leur fait honte, à nos « frères », avec nos pieds écrasés et notre p'tite taille...

WaNguira s'arrêta et plongea sans ambages son regard dans celui de Mukutu.

— Personne ne te demande de changer ce que tu es, chef des Lisimbahs. Alors laisse aux autres le choix de leur destinée.

Il y avait dans la voix de WaNguira une intonation qui ne laissait aucune place à la réplique, et Mukutu comprit la leçon. Même si c'était humiliant pour lui de se faire rappeler à l'ordre par le grand prêtre en présence de tiers, il savait que le meilleur moyen de garder la tête haute et son prestige de chef était de donner l'exemple en acceptant la remontrance. De façon impulsive, il ouvrit la bouche pour répliquer, mais serra les lèvres et baissa le regard.

Afo et Keyah, pour ne pas le gêner davantage, s'absorbèrent dans la contemplation des Gnahorés qui approchaient, tandis que Macény avançait à leur rencontre. Babah, pour alléger l'atmosphère, lui donna une sympathique bourrade dans le dos en lui murmurant quelque chose à l'oreille. Mukutu, comme s'il n'avait attendu que cela, se retourna avec une prestesse étonnante, et lui décocha un coup de poing dans le ventre, auquel Babah répliqua immédiatement. Les deux Nains roulèrent sur le sol, et s'ensuivit une mêlée dans la poussière du chemin. Mukutu frappait de façon désordonnée, Babah esquivait en riant.

Afo et Keyah respirèrent, WaNguira sourit : Mukutu passerait ses nerfs sur Babah et l'incident n'aurait pas de suite. Babah l'avait volontairement provoqué en l'insultant dans le creux de l'oreille afin de lui permettre d'évacuer sa colère en se battant contre lui. C'était là un bel exemple d'amitié et WaNguira se sentit réconforté : la nanitude n'était pas en perdition et les valeurs ancestrales régnaient encore.

La bataille entre Mukutu et Babah perdait de sa force et se transformait en une joute amicale de laquelle fusait un début de rire. Le groupe de Gnahorés tirant un chariot de vivres arriva sur ces entrefaites et acheva de créer la diversion. Les deux adversaires se relevèrent, rigolards et couverts de poussière, cheveux et vêtements en désordre. Mukutu, essoufflé, avait déjà oublié les causes de la bataille, et dévisageait, à la fois jovial et curieux, les êtres qui se tenaient en face de lui.

— Salut, les « Gnas » ! dit-il en guise d'accueil. En forme ? M'est avis qu'vous nous apportez d'la subsistance, dans votr' chariot. C'est bien aimable à vous !

— On vous le laisse là? demanda aussitôt un des Gnahorés, visiblement peu désireux d'aller plus loin.

WaNguira intervint:

— Malheureusement, nous n'allons pas vers les collines, mais vers Shango. On va rendre visite à Bélimbé.

— À Bélimbé? reprit, interloqué, un Gnahoré répondant au nom de Fé.

— Oui, à Bélimbé, reprit Macény. Il y a un problème?

Fé baissa la tête:

— Il ne veut voir personne. Il est très démoralisé et s'enferme chez lui.

— Pourquoi? interrogea Afo, surprise. Pourquoi est-il comme cela?

Fé baissa encore plus la tête. On l'entendit à peine.

— C'est mon ami. Il n'est pas heureux. Je pense que la vie en ville ne lui plaît pas. Au lieu de construire des étages, comme tout le monde, il a creusé des pièces en profondeur, dans le sous-sol de sa maison. Il sort de moins en moins.

— Il est seul? questionna Afo. Enfin, je veux dire, il n'a pas de compagne?

Elle se sentit rougir en disant cela, mais personne ne releva. Tous attendaient la réponse.

— Oui, il est seul. Il a un mal secret qui le ronge et le rend triste. Il sculpte de moins en moins. On dirait que plus rien ne l'intéresse...

Fé continua:

— À un moment, il a envisagé de retourner vivre dans les collines. Mais Abomé s'y est opposé. Il dit que nous ne sommes pas des taupes ou des vers de terre. J'aimais bien les collines, moi aussi.... J'étais prêt à y revenir, pour accompagner Bélimbé... C'est pourquoi je suis toujours volontaire pour y conduire le chariot de vivres...

La voix de Fé n'était plus qu'un chuchotement. Visiblement, cela lui déplaisait, de parler ainsi devant ses frères gnahorés. Mais ces derniers, voûtés, gardaient le silence et WaNguira se demanda s'ils ne partageaient pas secrètement les envies de Fé et de Bélimbé. Pour la première fois, les Lisimbahs percevaient une fissure dans l'édifice social des Gnahorés et pressentaient une tyrannie de leur chef.

— Accompagne-les, Fé, proposa un des Gnahorés présents. On sera bien assez pour pousser le chariot. Peut-être qu'ils réussiront à sortir Bélimbé de sa léthargie… Et si vous pouvez le ramener aux collines, ça ne sera pas plus mal, ajouta-t-il doucement.

Fé hésitait. WaNguira prit la direction des opérations.

— Il a raison, Fé : cela nous aiderait, si tu venais avec nous. Nous ne sommes pas très au courant de la situation dans les villages de la côte. Et si Bélimbé est si abattu que ça, il peut refuser de nous recevoir. Avec toi, ce sera plus facile. On lui apporte du travail. Peut-être que ça le sortira de sa mélancolie…

Ce dernier argument balaya les hésitations de Fé.

— D'accord, je viens. À plus tard, les amis, lança-t-il en direction de ses compagnons.

Les deux groupes se séparèrent, chacun s'éloignant dans une direction opposée. WaNguira attendit qu'ils fussent à bonne distance, hors de portée d'oreille, pour poser sa question.

— Alors, Fé, dis-nous ce qui se passe réellement chez les Gnahorés, demanda-il abruptement.

— Il ne se passe rien, justement. Tout ce qui touche de près ou de loin aux activités traditionnelles des Nains est banni. Pas de forge, pas d'orfèvrerie, rien. Abomé ne veut pas de « mains sales ». Il désire faire de nous des commerçants, et seulement ça. Alors Bélimbé se meurt de langueur parce qu'il ne peut plus sculpter.

— M'est avis qu'le cousin Abomé a perdu la tête ! conclut immédiatement Mukutu. Et pas lui seul, sembl…

Babah l'avait cogné du coude pour qu'il se taise. WaNguira lui jeta un regard reconnaissant, puis s'adressa de nouveau à Fé :

— Crois-tu que Bélimbé accepterait de réaliser une sculpture pour nous ?

— Si Abomé ne s'y oppose pas, je pense que oui. Bélimbé a vraiment besoin d'être secoué, sinon il mourra de langueur.

— On ne demandera pas d'autorisation à Abomé, c'est tout, déclara fermement WaNguira.

Puis, s'adressant à la compagnie :

— Puisque Fé nous accompagne, je propose que nous nous rendions d'abord à Shango, chez Bélimbé. On essaiera de le décider à venir choisir le bois avec nous, ça le motivera.

77

Les Kikongos réinvestissaient la mine petit à petit. Ils préféraient de loin cet habitat cavernicole aux cabanes des Hommes. De plus, ils avaient un trésor à reconstituer, et maintenant qu'ils pouvaient exploiter le gisement aurifère pour leur propre compte, ils s'en donnaient à cœur joie. Ils avaient construit une forge rudimentaire, et creusaient de nouvelles galeries dans le sous-sol de l'île.

Gaïg profita de cette reprise d'activités pour visiter la mine. Pour une fois, elle n'avait pas d'escorte. Les Naines l'accompagnaient volontiers dans l'eau ou sur l'île, mais là, personne ne se déplaça. Gaïg en déduisit qu'elle se faisait des idées et qu'elle n'était nullement surveillée par qui que ce soit. Seul Txabi l'accompagnait, enroulé comme d'habitude autour de son cou pour un somme.

Gaïg pénétra dans la mine et, dès l'abord, elle constata qu'elle aimait toujours aussi peu les souterrains. Mais ceux-ci lui semblaient moins redoutables et elle ne craignit pas d'avancer, d'autant plus qu'elle rencontrait parfois des Nains à l'ouvrage. Ils lui disaient tous bonjour gentiment, avec une affection teintée de respect, lui semblait-il. Après des années de lutte pour survivre dans un village hostile, Gaïg appréciait de se sentir aimée et d'avoir des amis, même si elle trouvait qu'elle n'avait pas fait grand-chose pour mériter cette amitié, et encore moins ce respect, nouveau pour elle.

Elle ne considérait même pas qu'elle avait aidé à libérer les Kikongos puisqu'à ses yeux elle n'avait joué aucun rôle déterminant dans l'histoire. Elle n'avait pas guidé volontairement la barque vers l'île, c'étaient les Sirènes qui l'avaient conduite là. Gaïg commençait à désespérer de revoir ces dernières, elles n'avaient plus donné signe de vie depuis l'arrivée sur l'île. Pourtant, ce n'était pas faute de les avoir cherchées, y compris sur les plages avoisinantes.

Une ou deux fois, Gaïg avait perçu une ombre, un mouvement, une vibration dans l'eau, mais le temps qu'elle arrive sur les lieux, il n'y avait plus rien. Elle était retournée avec Loki et Txabi sur la plage du débarquement initial mais là non plus elle n'avait rien trouvé. Ou plutôt si : de curieux déchets de poissons au fond de l'eau, comme si un festin avait été interrompu. Des coquillages fraîchement ouverts et vidés de leurs habitants, de grandes arêtes de poissons, des crevettes à moitié décortiquées, tout cela voisinait avec des nids d'algues dans lesquels reposait encore ce qui pouvait être considéré comme le reste du repas, pas encore consommé.

Gaïg n'avait pas compris tout de suite et avait d'abord cru à un amoncellement de débris dû au courant. C'est quand elle avait constaté la relative fraîcheur des déchets qu'elle avait émis l'hypothèse qu'elle dérangeait un animal en train de se nourrir. Mais les nids d'algues avaient attiré son attention : quel animal marin plaçait ainsi les mets sur un plat avant de les déguster ? Gaïg était restée longtemps dans l'eau ce jour-là, à inspecter les moindres rochers de l'anse. Peine perdue, aucun animal inconnu n'était apparu, et encore moins une Sirène.

Gaïg pensait à ces débris alimentaires sous-marins quand elle arriva en vue du lac souterrain. WaNdo avait raison : malgré l'obscurité, elle jugea qu'il devait être immense.

Elle aperçut un groupe de Nains au bord du lac, entourés de pierres lumineuses. Elle s'approcha et vit qu'ils avaient construit une espèce de radeau en transportant des troncs d'arbres depuis la surface. Loki était avec eux, agité et sautillant, pas vraiment utile, mais fort intéressé par l'opération. Gaïg pensa immédiatement que c'était lui qui avait suggéré aux Nains l'idée de ce radeau pour explorer le lac.

Elle s'assit à côté d'eux, les regardant travailler, peu désireuse de s'aventurer dans ces eaux sombres qui lui rappelaient les Vodianoïs. Le radeau était terminé et les Nains essayaient de le mettre à l'eau. L'opération se révélait plus difficile que prévu, à cause de la lourdeur des troncs d'arbres qui le composaient. Il était visible qu'il avait été construit rapidement. Gaïg jugea que ce n'était pas là le travail habituel des Nains et que Loki avait dû houspiller un peu ces derniers pour qu'ils aillent plus vite. Elle sourit intérieurement, se disant qu'ils seraient bien attrapés s'ils coulaient. Les Nains apprendraient à leur détriment qu'il ne fallait pas écouter un Pookah.

Gaïg humait sans s'en rendre compte l'air alentour, à la recherche d'elle ne savait quoi. Ce fut Txabi qui la mit sur la voie en lui chuchotant doucement à l'oreille d'une voix encore ensommeillée « Ça sent la mer, hein ? »

Il lui laissa à peine le temps d'analyser sa pensée et continua, bien réveillé cette fois :

— Le lac communique avec l'extérieur. Il y a une ouverture qui donne sur une côte rocheuse. On ne peut pas la voir de l'extérieur, ça a l'air d'une flaque laissée par la mer dans les rochers. Mais c'est profond. J'y suis allé.

Gaïg était ébahie.

— Mais comment as-tu pu aller aussi loin tout seul ? C'était dangereux…

— Je me suis laissé flotter sur un morceau de bois. Parfois, j'ai nagé. Je suis un grand explorateur, comme Loki. J'ai visité tout le lac.

Gaïg n'en revenait pas.

— C'est donc ce que tu faisais quand tu as disparu plusieurs jours de suite ?

Txabi allait continuer, mais Loki arriva sur ces entrefaites.

— Hi ! hi ! le radeau flotte ! Prêts à embarquer, hé ! hé ! On vous invite !

Gaïg hésita, considérant ce que Loki appelait le « radeau » : un assemblage de troncs mal équarris, susceptibles de se séparer au moindre choc. Mais elle était intriguée par les paroles de Txabi, et la curiosité l'emporta. De toute façon, elle pourrait toujours nager, en cas de besoin. Et les Nains ? Bah, eux aussi savaient nager maintenant. Ils étaient déjà sur le radeau, avec l'air de l'attendre. Txabi les avait rejoints. Elle se décida.

Il ne lui fallut pas longtemps pour constater que le radeau était lourd et difficile à manier, les rames grossières, mais Loki était debout à l'avant, tel un capitaine, l'air conquérant et sûr de lui, essayant de percer l'obscurité. Les Nains n'avaient pas plus que ça l'air rassurés, mais ils ramaient, et le radeau avançait.

Gaïg, une fois de plus, regrettait l'absence de lumière. Elle se demandait ce qui pouvait pousser Loki à cette exploration, étant donné qu'il ne voyait pas mieux qu'elle dans l'obscurité. Il avait placé une rangée de pierres lumineuses à l'avant du radeau, mais leur éclat était dérisoire face aux ténèbres ambiantes. Gaïg s'assit plus confortablement, n'ayant rien d'autre à faire que jouer aussi à l'exploratrice. Elle verrait bien ce qu'il en résulterait.

Elle goûta l'eau : effectivement, elle était salée, avec un léger arrière-goût de moisi. Gaïg la recracha et en déduisit que malgré la communication avec la mer, le lac ne devait pas renouveler la totalité de son eau chaque fois.

Les Nains naviguaient en suivant les bords du lac, afin d'être sûrs de ne pas se perdre : en en faisant le tour, ils étaient sûrs de revenir tôt ou tard à leur point de départ. Loki avait repris ses conciliabules avec Txabi, tout en inspectant soigneusement les parois à pic de la caverne qui dominait le lac. La voûte n'était pas très élevée, et Gaïg se demanda si l'eau ne rejoignait pas le plafond au moment des grandes marées. Auquel cas, le lac n'existait même plus en tant que tel.

Elle se sentait oppressée par une angoisse diffuse qu'elle ne contrôlait pas, mais qu'elle aurait été incapable de définir. Elle n'aimait pas ce lac, c'était tout, et elle n'aimait pas les cavernes en général, et tout ce qui avait trait à la vie souterraine. Elle avait presque envie de plonger et de rejoindre à la nage la petite plage sur laquelle elle avait embarqué. Mais les Nains ne comprendraient pas. Peu désireuse de jouer les trouble-fêtes, elle s'assit sur une pierre lumineuse et se perdit dans sa propre rêverie, entendant sans écouter le babillage diffus de Loki et de Txabi.

Les mots « galerie », « faille », « Salamandar », « Nain » revenaient souvent, mais Gaïg ne s'en émut pas outre mesure. Depuis quelque temps, c'était là leur lot quotidien. Elle dressa l'oreille en entendant « passage sous-marin », mais les deux compères baissèrent la voix à ce moment-là et Gaïg replongea dans ses pensées. Loki fit approcher le radeau tout près de la paroi de la caverne et inspecta soigneusement l'intérieur d'une anfractuosité. Txabi y disparut un moment, mais revint assez vite, prétendant que c'était « tout inondé » là-dedans.

La navigation se poursuivait sans accroc et Gaïg finit par oublier où elle était. Très longtemps après, ce fut l'agitation subite des occupants du radeau qui la tira de sa rêverie. Effectivement, on devinait une vague clarté dans le lointain. Les Nains ramèrent avec davantage d'énergie, pour arriver à la fameuse ouverture dont Txabi lui avait parlé. La voûte retombait assez bas sur la surface de l'eau, mais on percevait sans difficulté la luminosité du dehors, déjà décroissante avec l'approche de la nuit.

Gaïg comprit mieux ce que Txabi lui avait expliqué quant à la communication du lac avec l'extérieur. De l'autre côté de ce qui apparaissait comme une vaste « flaque » laissée par la mer en se retirant, il y avait un mur de rochers, assez élevé pour dissimuler l'ouverture de la caverne quand on regardait de la mer.

C'est à ce moment-là qu'elle se rendit compte qu'elle se séparait du reste du radeau. Le tronc sur lequel elle était assise s'était détaché de l'ensemble et se retournait sur lui-même. Très vite, ce fut la débandade : les troncs, maintenus par des cordages maintenant relâchés, avaient du jeu et s'éloignaient les uns des autres. Gaïg essaya de rejoindre le radeau afin de rester avec ses compagnons, mais ce mouvement eut pour effet d'accélérer le démantèlement final de l'embarcation. Deux Nains et Loki eurent le temps de se mettre à califourchon sur un tronc, le reste de la compagnie se retrouva à l'eau, nageant vers la lumière.

Loki semblait ravi de cette mésaventure, et il fut le dernier à se laisser glisser dans l'eau, avec la volupté du faux naufragé qui sait qu'il ne se noiera pas. Heureusement, la mer était calme et l'absence de vague permit à chacun de se retrouver dans ce que Gaïg appela le « bassin », l'appellation « flaque » devant être réservée à quelque chose de moins profond. À l'extérieur, les Nains reprirent pied rapidement et grimpèrent sur la falaise abrupte : le voyage en radeau était fini pour eux, ils décidèrent de rejoindre le village par la surface, la nuit ne tarderait pas à tomber. Loki partit avec eux, heureux de servir de guide dans cette partie de l'île qu'il avait déjà explorée avec Txabi.

Gaïg résolut de rester se baigner un moment, elle voulait explorer le bassin. Aussitôt, Thioro, la Naine la plus dynamique du groupe, changea d'avis et choisit de prendre un bain elle aussi. « Évidemment ! » se dit Gaïg, même pas étonnée de ce retournement. Elle aurait aimé apprendre pourquoi elle était toujours accompagnée, mais elle savait qu'en posant la question, elle se heurterait au visage étonné de la Naine, qui nierait tout, prétendant adroitement qu'elle se faisait des idées. Gaïg haussa les épaules sous l'eau. Thioro n'était pas déplaisante, elle pouvait même être drôle quelquefois.

Gaïg émergea avec un sourire, prit une ample respiration et plongea, disposée à faire une farce à la Naine en restant très longtemps sous l'eau. Thioro s'inquiéterait, s'agiterait, plongerait, la chercherait partout, et Gaïg réapparaîtrait brusquement en lui faisant peur.

Elle s'aplatit discrètement dans le fond du bassin, dissimulée dans l'ombre du mur de rochers qui le séparait de l'océan. Moins elle bougerait, plus elle pourrait demeurer longtemps sous la surface. Le bassin était assez profond pour qu'on ne l'aperçoive pas de là-haut et Gaïg promenait distraitement son regard sur les fonds environnants, quand elle sursauta. En face d'elle, presque sous son nez, se trouvaient des déchets alimentaires, du même type que ceux de l'anse du débarquement. Ils étaient plus anciens, les nids d'algues étaient défaits, mais Gaïg était certaine d'avoir affaire à des débris analogues. Quel animal se nourrissait ainsi?

Au même moment, une ombre obscurcit le bassin. Gaïg tourna légèrement la tête vers le haut, pensant que Thioro s'était décidée à plonger à sa recherche. Elle demeura figée sur place.

L'ombre ne pouvait voir Gaïg: elle se maintenait habilement entre deux eaux, regardant vers la surface, vers les jambes de Thioro que cette dernière agitait doucement afin de garder sa position verticale dans l'eau. Mais Gaïg ne rêvait pas. Elle avait bien une Sirène sous les yeux. Plus petite que celles qu'elle avait déjà aperçues, plus trapue, plus musclée aussi. Gaïg se rendit compte avec une certaine stupéfaction qu'il s'agissait d'une Sirène mâle. C'était la première fois qu'elle en voyait une, et elle observait de tous ses yeux, n'osant pas bouger. Elle savait que la Sirène déguerpirait à toute vitesse si elle manifestait sa présence. Elle la contemplait de dos, mais le dessin des muscles sous la peau, la carrure générale des épaules, la taille des mains, tout indiquait le mâle. Il portait une nageoire tout le long de l'épine dorsale et écartait les bras du corps pour garder son équilibre, en s'aidant de sa queue qu'il remuait doucement. Gaïg fut étonnée du panache qui terminait la queue, un bouquet de filaments presque transparents qui ondoyaient gracieusement dans le courant. Elle ne se rappelait pas avoir remarqué que les dames sirènes étaient aussi joliment décorées. Une opulente chevelure blonde et bouclée, flottant négligemment dans l'eau, ajoutait à la beauté du spectacle.

Gaïg, qui avait tant rêvé de rencontrer les Sirènes, était subitement assaillie par une timidité angoissante qui l'empêchait de se manifester. Le fait que la Sirène soit de sexe masculin la paralysait totalement. Elle n'osait plus bouger et ne faisait rien pour signaler sa présence. Elle se rendit compte qu'elle préférait passer inaperçue, tout au moins pour cette première fois, se dit-elle afin de se justifier. Elle considérait avec étonnement les mains de la créature marine, ses doigts soigneusement écartés, reliés par une fine membrane de peau. Une série de piquants, ou de dards, courait tout le long des avant-bras.

Elle s'aperçut que Thioro s'agitait, s'apprêtant à plonger. La Sirène dut arriver aux mêmes conclusions que Gaïg, car elle donna un puissant coup de queue et s'engouffra à toute vitesse dans le lac souterrain. Thioro décrivit un bel arc de cercle sous l'eau, sans se douter le moins du monde qu'elle avait été l'objet d'une attention soutenue pendant un moment. Gaïg avait perdu le goût de jouer des farces, elle refit surface comme si rien ne s'était passé. Elle rejoignit Thioro et lui proposa de rentrer au village.

Cette dernière se mit en route, et Gaïg allait lui emboîter le pas, lorsque Txabi surgit du lac et grimpa sur la falaise à toute vitesse. Gaïg attendait qu'il les rattrapât quand elle vit la surface du lac agitée d'un puissant remous. Juste à ce moment, Txabi sauta autour de son cou, et lui tendit fièrement un objet brillant :

— Tiens, Gaïg, c'est un cadeau pour toi.

Gaïg saisit l'objet scintillant que lui tendait Txabi. Elle reconnut immédiatement le Nyanga dont il était fait avant même d'identifier sa forme : un anneau ouvert, brillant dans le crépuscule.

— Mais… où as-tu trouvé ça, Txabi ?

— C'est pour toi. C'est un cadeau. Mets-le tout de suite.

Gaïg portait habituellement sa bague en Nyanga à l'annulaire de la main gauche. Tout en disant à Txabi « Mais ce n'est pas à moi… » elle essaya machinalement de passer l'anneau au majeur de la même main. À sa grande surprise, l'anneau se tendit, devint droit un court instant, puis se tordit dans l'autre sens jusqu'à former un cercle, toujours ouvert, qui alla s'enrouler autour des deux anneaux qu'elle portait déjà.

La surface du bassin était agitée d'un remous de plus en plus violent, on aurait dit qu'une tempête se déchaînait dans les profondeurs du lac. Gaïg n'y prêtait qu'une attention distraite, trop surprise par le comportement de sa propre bague, qui vibrait doucement. Elle tenta de l'enlever mais n'y parvint pas.

— Allons-nous-en, chuchota Txabi.

Thioro lui attrapa la main droite, et la tira pour courir :

— Viens, Gaïg, éloignons-nous d'ici, la supplia-t-elle. Regarde le bassin.

Gaïg jeta un coup d'œil au bassin : son eau était devenue sombre, presque noire, et des vagues issues de l'intérieur de la caverne venaient s'écraser sur le mur de rochers. Trop abasourdie pour résister, elle se mit à courir avec Thioro sur l'ébauche de sentier dessinée par Loki et les Nains. Elle se sentait lourde et maladroite, la pensée confuse. Elle avait l'impression qu'un esprit essayait de pénétrer dans le sien, sans y parvenir cependant. Elle sentait que sa tête allait éclater et elle courait pour échapper à cet esprit qui la poursuivait.

À un moment, n'y tenant plus, elle s'arrêta pour enlever la bague.

— Mais qu'est-ce que c'est, Txabi, cet anneau ? Où l'as-tu pris ? D'où ça vient ?

Elle essayait désespérément d'ôter la bague de son doigt, mais celle-ci ne dépassait pas la première phalange : une force inconnue la maintenait en place, malgré les efforts désespérés de Gaïg. Son mal de tête augmentait rapidement, jusqu'à devenir insupportable. De plus en plus angoissée, elle éclata en sanglots, tout en essayant de se débarrasser de la bague :

— Mais c'est quoi, ce machin ? D'où ça vient ? Pourquoi il ne veut pas sortir ?

Thioro l'attrapa par le bras et la tira doucement :

— Viens, rentrons au village. On pourra t'aider là-bas.

— J'ai mal à la tête ! Oh, que j'ai mal…

Gaïg pleurait, tout en s'épuisant sur la bague : elle devinait que tout venait de là, et qu'il lui fallait l'enlever, mais elle n'y réussissait pas. Tous ses efforts demeuraient inutiles. Elle avait envie de retourner vers le lac, mais Thioro ne l'avait pas lâchée et l'entraînait vers le village. Gaïg voulait résister et faire demi-tour, mais la Naine la tenait fermement, insistant pour qu'elle avance.

— Allons au village, Gaïg. Il ne faut pas rester ici. Il se passe quelque chose dans le lac.

Gaïg entendait Thioro, la comprenait, voulait suivre son conseil, mais une force plus grande l'appelait, la poussant à revenir sur ses pas. Il lui semblait que sa résistance aggravait son mal de tête, et elle présumait que le soulagement ne viendrait que quand elle aurait fait demi-tour ou se serait débarrassée des anneaux.

Txabi commençait à s'affoler, se demandant s'il avait bien fait de ramasser ce beau jonc scintillant au milieu de flammes s'élevant directement d'un cercle de lave. Seul un Salamandar pouvait braver ainsi le feu pour s'emparer du joyau. Txabi n'avait pas hésité, et s'était jeté dans le brasier. Pour se rendre compte, à sa grande surprise, que ce dernier n'existait pas. L'illusion était parfaite, puisqu'il s'était laissé prendre, mais les flammes n'étaient que visuelles, la lave également. Aucune chaleur ne s'en dégageait. Sur le moment, il avait ramassé l'objet sans se poser de questions, pensant l'offrir à Gaïg, comme un complément aux anneaux qu'elle portait déjà. Mais en voyant Gaïg aux prises avec une magie malfaisante qui la faisait souffrir, il se demandait si l'objet n'avait pas un propriétaire. Il l'avait pourtant trouvé dans une grotte accessible depuis le lac par un siphon, et il était certain qu'aucun Nain n'avait pu s'y rendre.

Gaïg se libéra brutalement de l'emprise de Thioro et fit demi-tour, prête à se sauver en courant. Elle se rendit compte immédiatement que toute ébauche de sentier avait disparu. Elle se trouvait face à un rideau de végétation impénétrable. Elle cherchait le sentier par lequel elle était arrivée et ne le trouvait pas. Si mal dessiné soit-il, il existait encore, quelques instants auparavant. Elle tentait désespérément de découvrir une issue, une voie de pénétration, mais se heurtait à une barrière végétale d'une rare densité. De nombreuses lianes étaient enchevêtrées dans les branches des arbres, les troncs de ces derniers s'étaient rapprochés, et des arbustes bouchaient les espaces qui demeuraient entre eux, quand ce n'étaient pas les racines elles-mêmes, noueuses et tordues comme des tentacules emmêlés.

Gaïg vivait un cauchemar, elle était prisonnière de deux forces opposées. Fortement attirée par le lac, elle était physiquement empêchée de s'y rendre, à cause des arbres. Elle voyait les yeux de Thioro agrandis par la peur, exorbités et implorants. Txabi avait disparu.

Sa dernière vision fut celle d'AtaEnsic surgissant au galop sur le sentier qui menait au village. Elle s'évanouit, tellement la douleur qui lui vrillait le crâne était insupportable.

78

WaNguira était presque content. Même si la situation générale n'était pas parfaite, les événements suivaient leur cours, et on progressait. Bélimbé n'avait pas été trop difficile à convaincre. Il avait d'abord refusé d'ouvrir la porte à Fé, criant qu'il désirait qu'on le laissât en paix. L'annonce de la visite de WaNguira et compagnie ne l'avait pas ému outre mesure, jusqu'à ce que Fé prononçât le nom d'Afo. Un long silence avait suivi, puis les battants de la porte sculptée dans un beau bois d'acajou s'étaient lentement écartés, laissant apparaître un Nain à l'air accablé qui n'était plus que l'ombre de lui-même.

Il avait immédiatement cherché Afo du regard et un léger sourire s'était dessiné sur ses lèvres. Cette dernière s'était précipitée vers lui et l'avait spontanément pris dans ses bras. Cela faisait plusieurs années qu'ils ne s'étaient pas vus, mais il était évident qu'une profonde complicité les unissait.

— Alors, tu nous invites à entrer ou tu préfères nous recevoir sur le seuil ? avait plaisanté WaNguira. Nous avons marché toute la matinée, et tu nous ferais honneur en nous offrant un rafraîchissement…

Bélimbé s'était alors effacé pour les laisser pénétrer dans son logis. Ce qui frappait dès l'abord, c'était la profusion de bois à moitié sculptés : des œuvres commencées, prometteuses, mais… inachevées. Le maître des lieux les avait alors menés au deuxième sous-sol : ce que les autres ajoutaient en hauteur à leur demeure, Bélimbé le réalisait en profondeur. Il n'avait pu résister au désir ancestral des Nains de creuser, et avait recréé l'intérieur traditionnel cavernicole. Avec, comme touche personnelle, de nombreuses sculptures disséminées un peu partout.

Les visiteurs regardaient avec avidité le spectacle qui s'offrait à eux, remplis d'admiration. Il était indéniable que Bélimbé possédait un don inné pour son art. La majeure partie de ses réalisations était en bois, mais il s'était aussi essayé au métal, à la pierre, et même à la nacre, dans de minuscules tableaux en relief d'une extrême finesse.

Il invita ses visiteurs à s'asseoir sur de drôles de sièges pliants, composés de deux parties enchevêtrées taillées dans un même tronc. Chaque siège possédait sa propre décoration, ce qui en faisait un objet unique, mais l'ensemble présentait un assortiment très réussi dans sa diversité. Il possédait de nombreux meubles, bien plus que la moyenne habituelle, mais il était évident que ces derniers avaient été confectionnés davantage pour le plaisir que par nécessité.

WaNguira se félicitait de son choix : si Bélimbé acceptait de sculpter une figure de proue, nul doute que ce serait un chef-d'œuvre qui séduirait les Floups et emporterait leur adhésion au projet de voyage des Nains. Et Bélimbé avait accepté !

Il avait suffi qu'Afo présentât la requête pour qu'il répondît « Si tu veux », sans même se préoccuper des tenants et aboutissants de cette étrange sollicitation. Il ne la quittait pas du regard, et on sentait qu'Afo était bouleversée. Keyah, si proche de sa jumelle, devinait les émois de sa sœur et se réjouissait pour elle.

Afin de le sortir de sa léthargie, WaNguira avait proposé à Bélimbé de venir avec eux choisir le bois : si la bille de gommier blanc qu'ils avaient repérée ne convenait pas, le sculpteur serait plus à même qu'eux de sélectionner autre chose. Ce dernier avait consenti immédiatement à quitter sa demeure.

Fé n'en revenait pas et ne pouvait s'empêcher de considérer Afo : quel pouvoir magique détenait-elle donc pour que le sombre Bélimbé souscrive aussi facilement à sa volonté, après des mois d'enfermement sur lui-même ? Si Fé ne s'était pas autant réjoui de voir son ami le plus cher émerger de sa torpeur languide, il aurait pu éprouver de la jalousie, après s'être autant démené pour lui venir en aide.

Du coup, il se mit à examiner Keyah avec attention. Jolie, la Naine ! Plus ronde que sa sœur, certes, mais il fallait bien qu'il existât un moyen de les distinguer. Ce serait plus pratique, pour la suite… Il rit silencieusement de la pensée qui naissait dans son esprit et se rapprocha de celle qu'il venait de décider de séduire. Plongeant son regard dans celui de Keyah afin de la déstabiliser, il se renseigna sans aucune discrétion, ce qui était pour le moins surprenant chez un Nain :

— Mais que voulez-vous faire de cette figure de proue, au fait ?

Keyah hésitait entre la grossièreté, l'effronterie, ou le courage, la franchise avec un rien de provocation, pour qualifier cette attitude du Nain. Mais le personnage avait réussi à éveiller sa curiosité. WaNguira intervint :

— Ta question était inévitable, Fé. Dans la situation actuelle, je choisis de vous faire confiance et de vous avouer la vérité. Toute la vérité. À charge pour vous de jouer franc jeu avec nous et de nous confier tout ce que vous savez.

— Parole de Nain, parole d'honneur, répondit immédiatement Fé, en utilisant la formule consacrée.

Bélimbé enchaîna immédiatement, le regard fixé sur Afo :

— Parole de Nain, parole d'honneur. Si je peux vous aider, je suis prêt.

S'en était suivie une longue discussion, ponctuée d'interrogations diverses et de cris de surprise. WaNguira, à son grand soulagement, constata que les Gnahorés n'avaient pas partie liée avec les Hommes et ignoraient tout de la situation présumée des Kikongos sur leur île.

Les « Gnas » gravitant autour d'Abomé étaient très occupés à imiter les Hommes et à se grandir par tous les moyens : ils évoluaient dans un monde totalement artificiel, où le paraître et l'avoir représentaient les valeurs maîtresses. Beaucoup de Gnahorés s'étaient enrichis dans le commerce et ils compensaient les désagréments supposés de leur petite taille par une accumulation effrénée d'okous et de nyamés, la monnaie alors en vigueur dans le pays de N'Dé.

Néanmoins, ils étaient de plus en plus nombreux à vouloir effectuer un retour aux sources. Abomé s'y opposait avec une vigueur proche du despotisme. Des dissensions, d'abord insignifiantes, étaient nées et avaient pris de l'importance. Les autres tribus étaient arrivées à Koulibaly à un moment où la cohésion de l'édifice social des Gnahorés commençait à se fissurer. Abomé avait saisi le prétexte des « frères » à accueillir dans les collines pour empêcher ceux de sa tribu d'y retourner.

Mais il s'était bien gardé de toute allusion à Gaïg. Son fils Mossi, WaNgolo, leur grand prêtre, et Étibako, le successeur présumé de ce dernier, s'étaient également tus et, à ce jour, rien n'avait été annoncé de façon officielle chez les Gnahorés. Quelques rumeurs avaient néanmoins commencé à se répandre. Mukutu bouillait d'indignation, tout comme ses amis. Une telle attitude politique était impensable chez les Nains et pour tout dire, indigne : fallait-il qu'Abomé et les siens soient aveuglés par le factice éclat des Hommes pour se livrer à une telle rétention d'information et pour imposer ainsi leur propre volonté !

WaNguira réfléchissait à tout cela en faisant route vers Bamako avec ses compagnons. Fé et Bélimbé n'avaient pas pris beaucoup de temps pour choisir leur camp : ils avaient opté pour la liberté retrouvée, le choix de leur destinée, et une vie à construire. Bélimbé marchait aux côtés d'Afo et ne la quittait guère des yeux. Il se sentait revivre. Il percevait en lui une vibration créatrice bien connue, qui avait disparu ces derniers temps. Il avait envie de sculpter et se réjouissait de cette mission inespérée qui lui était confiée : la réalisation d'une figure de proue pour un bateau de Floups. Tout en marchant, il réfléchissait à son œuvre, se laissant porter par les méandres de la création artistique. Il imaginait des visages, des attitudes, étudiait les nombreuses idées qui fleurissaient dans son esprit, tout en sachant qu'une fois la matière brute en main, la forme s'imposerait d'elle-même. À son contact, le bois réagissait comme le Nyanga pour les autres Nains : il adoptait lui-même sa configuration définitive.

Fé discutait à bâtons rompus avec WaNguira, Macény, Mukutu et Babah, en étant parfaitement conscient de l'attention portée par Keyah à ses paroles. Se sachant écouté, il faisait preuve d'humour, et se réjouissait quand il percevait un éclair de gaieté dans ses yeux. L'esprit ainsi occupé, les marcheurs furent étonnés de la brièveté du trajet.

— Le temps passe plus vite quand on est en groupe, fit remarquer WaNguira. Nous voici déjà arrivés à Bamako.

— Où se trouve le marchand qui vend la bille de gommier que vous aviez repérée ? s'enquit Fé.

— À l'autre bout du village, juste avant la plage. C'est celui qui propose le plus grand choix de bois. Mais il va demander cher, il sait que nous sommes intéressés…

— Je le connais, intervint Bélimbé. J'ai déjà acheté chez lui. Il a de nombreuses essences en stock. Certaines sont magnifiques. Mais il n'a aucune raison de monter les prix: le gommier n'est pas un bois précieux en soi.

— M'est avis qu'il a compris qu'on la veut, sa bille d'gommier, commenta Mukutu.

— Je peux y aller seul, si vous voulez, proposa Bélimbé. Il sait que je connais la valeur des différents bois. Il sera moins tenté d'augmenter ses prix…

— Essaie, acquiesça WaNguira. Pendant ce temps, on va faire un tour dans les autres échoppes pour voir s'il y a eu de nouveaux arrivages.

Bélimbé s'éloigna rapidement, suivi par le regard plein d'envie de Macény qui aurait aimé l'accompagner. Après tout, elle était venue avec un rôle à jouer bien précis en tête: «déstabiliser» le marchand par la seule puissance de sa présence. Mais elle n'osa pas s'imposer, et partit avec le reste de la troupe afin de découvrir les richesses de la concurrence.

De nombreuses billes de bois, toutes plus belles les unes que les autres, avaient fait leur apparition sur le marché en l'espace de quelques jours. Les commerçants se montraient on ne peut plus affables, à la limite de l'obséquiosité, et ne tarissaient pas d'éloges sur la qualité de leur marchandise.

— M'est avis qu'les Créatures ont vite compris c'qu'on voulait! commenta Mukutu. Il n'aura pas fallu une s'maine pour qu'elles s'approvisionnent. Dommage pour elles, nous n'voulons pas *des* billes d'bois, mais *une*! Une seule et unique! Vont rester avec leur stock sur les bras, les Créatures…

— Pas si sûr, répondit WaNguira. Dans l'immédiat, certes. Mais nous ne savons pas encore ce que nous réserve l'avenir. Qui sait, si ça plaît aux Floups, peut-être que Bélimbé devra se spécialiser dans la sculpture des figures de proue à destination de leurs bateaux…

Les sept compagnons déambulaient de boutique en boutique, étudiant et comparant les avantages respectifs des différentes essences.

— Peut-être que j'aurais dû lui conseiller de ne pas trop discuter le prix, déclara WaNguira. Après tout, nous avons réellement besoin de ce bois. Et nous avons les moyens de payer. Le but que nous poursuivons l'emporte sur le reste… Il faut absolument vérifier si ce que nous ont raconté les Salamandars au sujet des Kikongos est vrai.

Macény se proposa aussitôt:

— Je peux aller lui dire, si tu veux. J'ai repéré la boutique. C'est vrai que ce n'est pas le moment d'épargner. Mon pauvre Do... Il ne sera pas dit qu'on l'aura abandonné sur son île pour économiser quelques okous... et Mfuru, mon seul enfant, ma petite tortue adorée... et Dikélédi, fille unique de Doumyo et Mvoulou ... et la p'tite Gaïg... et tous les autres...

Elle avait des trémolos d'émotion dans la voix, destinés à sensibiliser les cœurs les plus blasés. Tout le monde attendait avec curiosité la suite de l'énumération, pour voir quand elle s'arrêterait.

— Vas-y, Macény, puisque tu en meurs d'envie, répondit WaNguira avec un sourire. Et on te comprend : le sort des Kikongos nous importe à tous. Peu importe le montant demandé. Si le bois convient, dis à Bélimbé de le prendre, quel que soit son prix.

La Naine, ravie d'avoir réussi à émouvoir son entourage avec ses lamentations, ne se le fit pas dire deux fois, et s'éclipsa promptement.

— Je pourrais y aller aussi, suggéra Afo. On ne sait jamais...

Personne ne sut comment elle envisageait d'aider, elle avait déjà disparu. Mukutu commença à s'agiter à l'idée de l'achat auquel il ne participerait pas. Après tout, il était venu pour ça, lui aussi...

— M'est avis qu'notre chef meurt d'envie d'y aller, se moqua ouvertement Babah en imitant volontairement la façon de s'exprimer de Mukutu. R'gardez-le s'trémousser...

Mukutu lui jeta un regard de roi offensé, puis lança à l'intention de WaNguira :

— M'est avis qu'on pourrait aussi bien s'diriger par là, non ? Puisqu'on paiera c'que d'mande la Créature...

— Allons-y tous, alors, lança WaNguira, les bras levés au ciel avec fatalisme.

Ils avaient à peine fait quelques pas en direction de l'échoppe du marchand de bois qu'ils voyaient Macény revenir à grands pas.

— C'est déjà fait ! annonça-t-elle. Je n'ai jamais vu une affaire se conclure aussi vite. Quand je suis arrivée, il quittait le marchand sans avoir rien acheté. Mais ce dernier l'a rappelé : il a senti qu'il perdrait tout en voulant trop gagner. Du coup, Bélimbé a acheté une autre bille de bois qu'il avait repérée : il a décrété que ça l'inspirait, de sculpter des figures de proue. Il a dit ça en regardant Afo. Pas besoin d'être sorcier pour deviner à qui elles vont ressembler, ses figures de proue...

— À Keyah, peut-être ! plaisanta Fé.

— M'est avis qu'ça s'ra pas difficile, s'amusa Mukutu. L'une ou l'autre, c'est du pareil au même…

WaNguira jubilait. Les choses prenaient tournure. Il avait eu raison de s'adresser à Bélimbé.

— Allons payer nos dettes, alors ! conclut-il avec un large sourire.

79

— Je suis persuadé que c'est du Nyanga noir. Deux fois de suite ces flammes sans feu… Ça voulait être une protection.

Dans un songe, Gaïg entendait la voix de WaNdo. Une brume entourait son esprit, un épais nuage blanc et cotonneux qui encerclait sa pensée, l'empêchant de se rappeler les derniers événements. Elle écoutait WaNdo, mais ne comprenait pas à quoi il faisait allusion. Que s'était-il passé ?

— Ça y est, elle se réveille. On dirait qu'elle reprend des couleurs. Alors, Gaïg, ça va mieux ? Tu as beaucoup dormi.

Cette fois, c'était la voix de Thioro. Gaïg se sentit rassurée, et regarda autour d'elle. Elle savait qu'il était arrivé quelque chose, mais quoi ? Elle était allongée sur le sol, le dos appuyé contre AtaEnsic, au centre d'un cercle formé par ses compagnons habituels, avec en sus Thioro et WaNdo. Les autres Nains formaient un deuxième cercle, un peu plus éloigné.

Gaïg se demanda pourquoi ils l'entouraient ainsi. Elle cherchait désespérément dans sa mémoire, mais ne retrouvait aucun souvenir cohérent susceptible d'expliquer cet attroupement. Pourtant, elle reconnaissait tout le monde, même si le visage de chacun était empreint d'une gravité inhabituelle.

— Qu'est-ce qui s'est passé ? demanda-t-elle en se redressant.

En la voyant revenir ainsi à la vie, WaNdo fit un geste pour inciter les Kikongos du deuxième rang à se disperser. Le second cercle s'effilocha instantanément en petits groupes, apparemment très occupés à diverses activités, mais personne ne s'éloigna réellement.

Gaïg réfléchissait toujours, à l'intérieur de cette brume qui lui environnait l'esprit. Elle retrouvait à peu près tout ce dont elle essayait de se souvenir, mais une chose lui échappait toujours, une pensée fugace concernant un fait qui s'était déroulé. Elle se rappela les paroles de WaNdo alors qu'elle venait de se réveiller.

— Qu'est-ce que c'est, le Nyanga noir? interrogea-t-elle.

— C'est du Nyanga qui a été volé à son propriétaire, répondit WaNdo. Il devient maléfique comme s'il s'imprégnait de tout ce que le voleur porte en lui de mauvais, de négatif. Normalement, on ne vole jamais du Nyanga.

— On a volé du Nyanga?

— Personne ici n'a volé de Nyanga, Gaïg.

— Alors pourquoi tu en parles?

— Il est arrivé hier soir quelque chose dont tu ne te souviens pas, Gaïg. C'est pour te protéger. Winifrid a fait l'échange du sang avec toi pour te permettre d'oublier. Avec son sang, tu prends un peu de sa personnalité, tu deviens comme elle, quoi. Et tu oublies…

— Oublier quoi?

— Ta question prouve que ça a marché, heureusement.

— Mais qu'est-ce que je dois oublier? Qu'est-ce qui s'est passé? Expliquez-moi, à la fin. Je ne me souviens de rien.

Gaïg vit ses compagnons échanger un timide sourire de contentement. Leur soulagement était manifeste. Winifrid se rapprocha d'elle pour lui parler.

— Les arbres t'ont aidée: c'est un signe, Gaïg. C'est ce qui m'a permis de t'aider à mon tour. Tu es un peu une Dryade, maintenant, puisque tu as du sang de Dryade qui coule en toi. Mais ta mémoire est devenue différente… Ça ne va pas durer éternellement, rassure-toi.

Le visage désorienté de Gaïg montrait qu'elle n'était pas plus avancée et alors qu'elle sentait l'énervement monter en elle, elle s'apercevait que ses compagnons se réjouissaient de son ignorance. AtaEnsic vint à son secours:

— Quand nous pensons, nous émettons des vibrations, qui peuvent permettre à certaines créatures très sensibles de nous localiser dans l'espace. Pour peu qu'on pense à un objet que quelqu'un cherche, on montre sans le vouloir où se trouve l'objet. Et où on se trouve soi-même. Si on ne pense jamais à l'objet, il est perdu pour celui qui le cherche. L'oubli est une bonne chose, parfois. Mais nous ne pouvons t'en dire plus pour l'instant. Fais-nous confiance.

— Mais de quel objet tu me parles, AtaEnsic ? Pourquoi tu me dis tout cela ? Et…

— C'est ce bon vieux Txabi qui nous a avertis, hi ! hi ! l'interrompit Loki pour faire diversion. Tu avais mal à la tête, et on t'a guérie, hi ! hi ! Comme avec ta jambe pourrie, hi ! hi ! hi !

Gaïg essayait de mettre ensemble ces différentes données afin d'en faire un tout cohérent, mais elle ne trouvait pas le fil conducteur qui permettrait de les relier entre elles. Il était question de Nyanga volé, d'arbres, de mal de tête et d'échange de sang, d'objet et d'oubli. Aurait-elle dérobé le Nyanga de quelqu'un par mégarde ? WaNdo avait assuré que non.

Ses derniers souvenirs remontaient à la descente dans la mine. Une longue galerie obscure dont elle n'était ressortie que pour entendre le grand prêtre suggérer qu'il s'agissait de Nyanga noir. Gaïg se perdait en conjectures, sans trouver de solution satisfaisante. Le problème, c'est qu'elle ignorait dans quelle direction orienter ses recherches, ou ses questions. Peut-être qu'en retournant dans la mine, la mémoire lui reviendrait ? Elle ne savait même pas combien de temps s'était écoulé depuis ce moment-là. Elle était descendue le matin dans la mine, et on était le matin. Était-ce le même jour ? Non, puisque Thioro lui avait dit qu'elle avait beaucoup dormi. On devait être au lendemain…

En tout cas, si elle avait eu mal à la tête, c'était terminé maintenant. Mais ensuite ? Ses amis répondaient à ses questions, certes, mais leurs réponses n'avaient pas de sens pour elle. Et ils ne se montraient pas plus explicites, malgré son insistance. Un objet volé qui serait en Nyanga… Machinalement, Gaïg vérifia qu'elle portait toujours sa bague. Cette dernière brillait à son doigt. Il sembla à Gaïg qu'elle avait changé, mais elle n'en était pas très sûre non plus. Elle la regardait avec attention, en quête d'indices, mais tout le monde se mit à lui parler en même temps. Winifrid lui proposa une promenade dans les bois, Txabi sauta sur elle pour réclamer un câlin, AtaEnsic lui offrit une pomme prise dans un panier juste à côté, Loki lui chatouilla la plante des pieds et Mfuru se mit à jouer de la musique avec acharnement, en tapant deux bouts de bois sur un troisième.

Dikélédi se laissa tomber bruyamment à côté d'elle, la bousculant presque, pendant que Thioro la tirait par la main pour qu'elle se lève et vienne voir une fleur qui poussait non loin. Il était impossible de répondre à chacun et, pendant un moment, Gaïg ne sut où donner de la tête. Ses compagnons se regardèrent et éclatèrent de rire, mais Gaïg eut l'impression que leur entrain était un peu forcé.

— Je crois que je vais me baign… commença-t-elle en se levant.

Elle n'eut pas le temps de terminer sa phrase: ils étaient tous devant elle, l'empêchant d'avancer.

Gaïg considéra un moment ses compagnons, interloquée. Ils formaient une barrière infranchissable entre elle et la mer. Eux-mêmes n'avaient pas l'air très à l'aise. Mais la détermination se lisait sur leur visage.

Elle avait besoin d'être seule. Elle voulait réfléchir. Mais comme elle ne pouvait le faire en présence de tiers, il lui avait semblé tout naturel de se retirer dans l'eau, le seul endroit où elle pouvait réellement s'isoler. Or voilà que même cet endroit lui devenait interdit. Était-elle prisonnière? Mais de qui? Et pourquoi? Et si c'était le cas, comment aurait-elle pu se sauver, alors qu'elle se trouvait sur une île? Les Kikongos, bien plus nombreux, n'avaient pas pu le faire pendant un siècle. De toute façon, elle ne cherchait pas à se sauver.

Les questions défilaient dans sa tête, malheureusement sans réponse. Elle se dit que dans l'immédiat, ce qu'elle désirait par-dessus tout, c'était un peu de solitude. Pour la première fois, elle se sentit attirée par les arbres, la forêt; elle éprouva le désir de se blottir entre les racines noueuses et solides d'un chêne centenaire et de lui confier ses secrets. Pressentant que ça la calmerait, elle demanda simplement:

— Je suppose que je peux aller me promener dans la forêt?

Puis elle ajouta immédiatement:

— Toute seule…

Ses compagnons semblaient gênés. Ce fut Winifrid qui prit la parole:

— Oui, bien sûr. Les arbres veilleront sur toi.

Gaïg se sentait fatiguée, sans aucune envie de discuter. Mais cette dernière remarque l'agaça un peu: si elle n'était pas venue de la Dryade, peut-être que Gaïg aurait explosé. Elle se contenta de hausser les épaules avec lassitude, peu désireuse d'engager une discussion ou même une dispute: elle n'était plus dans son village de la côte, personne ne lui voulait de mal, et, dernier argument, elle considérait toujours que c'était à cause d'elle que tout était arrivé. Le fait d'avoir retrouvé et délivré les Kikongos représentait l'aspect positif de l'équipée, mais n'annihilait pas le danger à s'éloigner de la forêt de Nsaï pour trois d'entre eux et la séparation de Dikélédi d'avec sa famille. De plus, le risque de mort pour Walig et Winifrid n'était pas à négliger, malgré les paroles apaisantes de Wakan Tanka. Or tout cela était arrivé par sa faute, selon elle.

Gaïg s'enfonça dans le sentier forestier qui partait du village, sous les regards qu'elle devinait attristés, anxieux ou perplexes de ses amis. Elle était étonnée par ses propres capacités de réflexion et de patience. Elle sentait qu'elle changeait, que son caractère s'affinait, mais elle était étonnée de la vitesse à laquelle s'effectuaient les changements, et du fait qu'elle en était consciente. Elle arrivait mieux à dominer la combativité qui lui servait de protection au village et à tenir compte de la gentillesse générale de ses amis à son égard avant de réagir.

Était-ce cela, grandir? Tant de fois Nihassah avait essayé de ramener le calme dans son esprit aveuglé par la colère, sans y parvenir. Au courroux succédaient généralement le ressentiment et le désir de vengeance et Gaïg avait parfois éprouvé une certaine joie quand elle avait réussi à prendre sa revanche sur ses «ennemis», constitués principalement par les autres enfants du village. Depuis son passage chez les Nains, elle éprouvait des sentiments nouveaux pour elle: elle avait rencontré des êtres qui lui apprenaient la gentillesse et le dévouement, et elle n'avait pas envie de les peiner.

Elle se demanda si elle était devenue plus «sage» et si Nihassah serait fière d'elle. En pensant à la Naine, les larmes coulèrent immédiatement. Comme elle aurait aimé l'avoir à ses côtés, là, maintenant, sa confidente de toujours, sa seule amie. Gaïg se dit que Nihassah lui avait pour ainsi dire servi de mère et de sœur à la fois et elle se sentit encore plus triste.

Elle n'avait plus envie d'être seule, elle aurait aimé que Nihassah soit là. Que la Naine lui expliquât une fois de plus ce qui se passait, quel était cet objet secret, cette histoire de mal de tête et de Nyanga volé, et qu'elle apaisât son angoisse avec de réconfortantes paroles. Mais Gaïg, sans nouvelles, pouvait seulement espérer que les Nains de Jomo avaient réussi à porter secours à Nihassah blessée.

Les derniers événements lui montraient qu'elle avait encore besoin de sa présence réconfortante. En l'absence de la Naine, elle devait se débrouiller toute seule et trouver elle-même la réponse à ses interrogations. Pour le moment, elle disposait de très peu d'informations, plutôt disparates. Le Nyanga volé l'intriguait : comment un métal pouvait-il s'imprégner de vibrations négatives ? Et qu'est-ce que cela entraînait pour la suite ? Est-ce qu'il portait malheur à celui qui l'avait volé ?

L'échange de sang avec Winifrid lui semblait tout aussi mystérieux, mais moins redoutable, puisqu'elle éprouvait une certaine confiance envers la Dryade.

80

Bélimbé avait fait vite. Très vite. Il y avait longtemps qu'il ne s'était pas senti aussi dynamique. Il avait terminé les deux figures de proue en un temps record, mais une intense fièvre créatrice l'habitait encore. Il se sentait prêt à sculpter le monde entier. Il ramassait tous les morceaux de bois qu'il trouvait, les étudiait un moment, et se mettait au travail. La majeure partie du temps, il en tirait un petit personnage qu'il offrait à Afo. Cette dernière contemplait un moment son cadeau, l'examinait soigneusement, le tournant et le retournant entre ses doigts, puis murmurait quelque chose à l'oreille de Bélimbé. Le plus souvent, il avait un geste d'acquiescement et tous les deux éclataient de rire. Parfois, il faisait non de la tête et considérait avec attention son personnage. Il le reprenait alors et le travaillait de nouveau. Puis la même scène se répétait, jusqu'au geste final d'acquiescement suivi de l'éclat de rire complice.

Keyah n'avait pas mis longtemps à deviner ce qui se passait. Après un moment, elle s'approchait, et sa sœur lui tendait discrètement le personnage. Keyah l'étudiait à son tour, chuchotait quelque chose à Afo et toutes les deux s'esclaffaient.

Fé, voulant comprendre, demanda à voir une des sculptures de son ami. Afo lança un clin d'œil en direction de Bélimbé, fouilla un moment dans son sac en tissu et choisit une figurine qu'elle lui tendit.

Macény, qui regardait par-dessus son épaule, gloussa d'aise, ce qui éveilla immédiatement la curiosité des autres. Ils s'approchèrent à tour de rôle, puis s'éloignèrent en regardant Fé et en riant. Ce dernier, très sérieux, ne saisissait pas la cause de l'hilarité de ses compagnons.

Afo sortit alors sa collection de petits personnages et les disposa sur le sol. Pendant un moment, on n'entendit que des rires ponctués de plaisanteries. Fé, en voyant les autres sculptures, comprit alors que c'étaient de vrais Nains que Bélimbé avait sculptés, en exagérant leurs traits distinctifs. Alors qu'il ne s'était pas reconnu lui-même, il eut vite fait d'identifier ses compagnons, ainsi que les Nains les plus représentatifs des différentes tribus.

— M'est avis qu'le Nain Babah ignorait qu'il avait les jambes torses à c'point-là... s'amusa Mukutu

— M'est avis qu'notre grand chef Mukutu ne s'voyait pas aussi p'tit... rétorqua Babah.

Bélimbé, un peu gêné face à ses compagnons, tenta de se justifier :

— Je n'ai pas voulu me moquer de vous. C'était juste pour m'occuper. Le morceau de bois était minuscule, c'est pourquoi Mukutu est si petit.

Ses compagnons le rassurèrent : ils ne se sentaient absolument pas vexés et s'inclinaient plutôt devant son savoir-faire, puisque ses personnages étaient parfaitement identifiables. Afo se rapprocha de lui :

— De toute façon, tes figures de proue sont magnifiques. Je n'en ai jamais vu d'aussi belles. Je suis sûre qu'elles plairont aux Floups.

— M'est avis qu'la Naine Afo, elle s'envoie des fleurs elle-même ! Pas difficile d'complimenter l'sculpteur dans ces cas-là, n'est-ce pas, Afo ?

L'hilarité fut générale.

— Ce n'est pas ce que je veux dire et tu le sais très bien ! riposta vivement Afo. Toi-même, tu t'es extasié devant ses deux sculptures quand tu les as vues la première fois. Même si ce n'était pas les sirènes que tout le monde attendait... Elles sont très belles, un point c'est tout.

— Et voilà ! M'est avis qu'elle r'commence à s'mettre en valeur, la p'tite jeunesse. C'est plus fort qu'elle...

— Oh ! Tu exagères, Mukutu. Tu exagères toujours.

— Ne t'occupe pas de lui, c'est un vieux grognon jaloux, assura Babah. Sûr qu'il aurait aimé avoir son effigie à la proue d'un navire de Floups... Non mais, tu t'es vu, le Nain ? Remarque, ça serait efficace pour effrayer les monstres des profondeurs...

Mukutu lui décocha négligemment un coup de poing symbolique dans les côtes, sans même essayer de lui faire mal.

Bélimbé, tranquillisé par les réactions de son entourage, contempla ses deux figures de proue un instant : il les trouvait superbes. Pas seulement parce qu'il les avait faites. Mais parce qu'il avait réussi à rendre l'expression des deux visages qu'il avait voulu représenter. Ses compagnons avaient immédiatement identifié le visage mutin d'Afo quand il avait eu terminé la première. Ils n'avaient pu s'empêcher de l'espionner pendant qu'il réalisait la seconde. Les paris étaient ouverts : serait-ce une deuxième Afo, ou bien Keyah ? La rondeur du visage, en tout point semblable au premier, les avait vite renseignés : Bélimbé avait choisi de représenter la sœur jumelle de sa Naine favorite.

Il ne lui avait fallu que quelques jours pour réaliser les deux figures. Il était loin, se répétait-il à lui-même, le temps où il devait attendre l'inspiration pendant une éternité, en étudiant la matière brute. Là, tout avait coulé de source. Il s'était senti inspiré dès le départ par cette voie nouvelle qui s'ouvrait devant lui et dans laquelle il mourait d'envie de s'engager : la sculpture de figures de proue. C'est d'ailleurs ce qui l'avait poussé à acheter deux billes de bois au lieu d'une…

Et maintenant, il se sentait prêt à entamer la troisième figure de proue de sa carrière : il réfléchissait au visage de Macény. Ce serait bien, pour Do qui avait tant souffert, que ce soit un bateau à l'effigie de sa bien-aimée qui vienne le chercher… Il ne la verrait pas, bien sûr, mais il pourrait la toucher, l'imaginer... Qu'y avait-il de mieux que le rêve, après tout ? Il faudrait qu'il en parle à WaNguira. Tout dépendrait du nombre de bateaux que les Floups seraient prêts à mettre à leur disposition pour cette expédition. S'ils acceptaient…

Dans l'immédiat, il fallait atteindre ce fameux village secret que Babah certifiait pouvoir retrouver. Afin d'amortir les chocs de la route, Bélimbé jeta négligemment des sacs en tissu bourrés de feuilles sèches dans le fond du chariot qui devait transporter les deux sculptures. Puis il enveloppa soigneusement ces dernières dans de nombreux chiffons et les plaça dans le chariot. Il n'oublia pas de récupérer les deux morceaux de bois qu'il avait gardés pour le gouvernail et sans lesquels ses magnifiques figures de proue n'auraient aucune valeur aux yeux des Floups.

Il s'était même amusé à décorer les deux planches de motifs géométriques, pour le plaisir. Maintenant, le départ s'imposait. Plusieurs jours s'étaient écoulés depuis l'achat des billes de bois et le temps était venu de porter leurs « cadeaux » aux Floups en espérant qu'ils les accepteraient. Et qu'en échange…

WaNguira se sentait plus optimiste depuis quelque temps. Il avait l'impression qu'après une série de catastrophes, les choses s'amélioraient un peu pour les Nains. En tout cas, elles suivaient leur cours. Il donna le signal du départ et commença à avancer en compagnie de Babah. Les autres se mirent en branle et les suivirent. Afo et Bélimbé tiraient le chariot, aidés par Keyah et Fé qui le poussaient dans les passages difficiles. Macény suivait derrière, en compagnie de Mukutu avec lequel elle devisait.

Très vite le silence se fit, et les Nains se concentrèrent sur leur progression. Ils avaient été habitués dès leur plus jeune âge à économiser leurs forces, en prévision de l'effort à fournir sur le long terme. Peu rapides de manière générale, ils étaient davantage éduqués dans l'optique de la persévérance et de l'endurance.

Selon l'estimation de Babah, le village des Floups devait se trouver à une bonne demi-journée de marche. Avec le chariot à déplacer, ils progresseraient moins vite et arriveraient en début de soirée. S'il n'y avait pas de complications… Les Nains ne craignaient pas trop les attaques des bandits de grand chemin : cette fois, il n'y avait pas de trésor à transporter. Ils s'étaient bâti une réputation de durs à cuire et avaient réussi à se faire respecter dans le pays de N'Dé. Mais on était toujours à la merci d'une pièce brisée dans le chariot ou… de n'importe quoi d'autre, se disait WaNguira. Et si Babah ne retrouvait pas le chemin ? Si les Floups avaient déserté leur village ? Si… WaNguira s'arrêta, surpris par ses propres pensées. Depuis quand était-il anxieux à ce point ?

Il ramena ses pensées à sa marche et ne parla guère de tout le trajet, même pendant les pauses. Ses compagnons respectèrent d'autant plus son silence qu'eux-mêmes avaient la tête pleine d'idées diverses, parfois contradictoires.

Le soleil commençait à descendre sur l'horizon quand Babah annonça qu'on approchait. Il quitta le chemin, en quête d'un sentier menant au village des Floups, mais revint bien vite.

— Je ne pense pas qu'il y aura un sentier net et bien dessiné qui partira de la grande route pour nous mener au village, expliqua-t-il. Les Floups sont bien trop farouches pour ça. Ils ne veulent absolument pas avoir affaire aux Hommes. Mais je suis sûr que le village se trouve à ce niveau. Peut-être que nous devrions nous enfoncer dans les halliers et avancer vers la côte ?

— C'est impossible avec le chariot ! conclut immédiatement Keyah.

— Nous pouvons rejoindre la plage où nous avions dormi, et emprunter le même sentier qu'eux, proposa Afo. Mais ça nous oblige à avancer pour retourner sur nos pas ensuite… Et je ne suis pas tellement sûre que le sentier soit bien marqué…

— Je crois que nous n'avons pas tellement le choix, et que c'est la solution la plus sage, dit WaNguira. Mais même en passant par la plage, il nous faudra tôt ou tard abandonner le chariot. De toute façon, les roues s'enfonceront dans le sable…

— M'est avis qu'Babah peut aussi aller chercher les Floups, et nous, on les attend sur la plage, suggéra Mukutu. Ils pourront venir en bateau chercher les figures d'proue. Mais est-ce qu'ils accepteront de s'déplacer, c'est là la question…

— Ils n'ont aucune raison de refuser, s'ils sont encore dans leur village, déclara WaNguira. Ne serait-ce que par curiosité… Babah n'a qu'à ne pas leur dire pourquoi nous désirons leur parler.

— Ils se méfieront moins si je vais les chercher avec Afo et Keyah puisqu'ils nous ont vus récemment, avertit Babah. On peut faire comme le préconise Mukutu.

Puis il ajouta, moqueur :

— Après tout, c'est lui l'chef !

Pour une fois, Mukutu ne releva pas la raillerie et les huit compagnons reprirent leur marche. Une fois arrivés sur la fameuse plage, ils se séparèrent. La nuit avait commencé à tomber, mais la noirceur ne constituait pas un problème pour des Nains habitués à évoluer constamment dans l'obscurité des cavernes. Babah et les jumelles eurent vite fait de disparaître dans la végétation environnante pendant que les autres s'installaient pour attendre.

Bélimbé prenait grand soin de ses figures de proue, aidé par Macény. Ce faisant, il étudiait les attitudes de la Naine, les expressions de son visage, afin de s'imprégner de sa personnalité. Il avait hâte de se lancer dans la réalisation d'une nouvelle œuvre. Sa propre impatience le surprenait, habitué qu'il était depuis quelque temps à l'apathie et au découragement. Une fièvre créatrice l'habitait depuis qu'il avait retrouvé les Lisimbahs et son amie d'enfance, Afo. Il se saisit d'un bout de bois flotté qui traînait sur la plage, usé par les courants et blanchi par le soleil, et commença à l'étudier. Ce serait un bon moyen de passer le temps en attendant le retour de Babah. Fé, Macény et Mukutu se laissèrent aller à un repos bien mérité après la marche.

Longtemps après, ils furent réveillés par le clapotis provoqué par une embarcation qui accostait. Les Floups, puisque c'était eux, sautèrent à l'eau pour tirer la barque et l'échouer sur le sable. Babah, Afo et Keyah, toujours un peu réticents quand il s'agissait de l'élément liquide, attendirent que l'avant de l'esquif soit à sec avant de poser pied à terre.

WaNguira et Mukutu étaient d'abord demeurés à leur place, tout en se levant pour accueillir les arrivants. Il convenait de prêter une grande attention aux règles de savoir-vivre et de préséance, les Floups étant d'un naturel susceptible et irascible. Ce qui pouvait se comprendre, après le destin que les Hommes avaient voulu leur imposer.

Puis, la main droite placée au niveau du cœur, WaNguira et Mukutu avancèrent et s'inclinèrent devant un petit bonhomme à la silhouette très droite. C'étaient les Nains qui étaient en état de demande, c'était à eux de faire les premiers pas, d'autant plus que les Floups leur avaient déjà fait un grand honneur en acceptant de venir sans savoir la raison de ce déplacement. C'était même étonnant, sachant le désintérêt qu'ils éprouvaient pour tout ce qui concernait les affaires terrestres.

Flopi, puisque c'était lui, répondit au salut du grand prêtre et du chef des Lisimbahs, puis considéra le groupe formé par Fé, Macény et Bélimbé. Ces derniers s'inclinèrent. Les accompagnateurs de Flopi se placèrent alors derrière leur chef et saluèrent à leur tour.

La scène se déroulait dans le plus grand silence. L'usage voulait que ce soit Flopi qui prenne la parole en premier, puisque c'était lui qui était le plus proche de son domicile habituel : de ce fait, il était considéré comme étant chez lui.

— Que les Nains qui nous rendent visite ce soir se sentent accueillis dans un domicile ami. Qu'ils sachent notre cœur vide de toute amertume et de toute rancœur à leur égard.

WaNguira respira. La formulation de ces deux phrases montrait que tout s'annonçait pour le mieux. Mais il se garda bien d'intervenir : c'était Mukutu, l'égal de Flopi, qui devait lui répondre en premier.

— Les Nains ont vidé leur cœur d'toute méfiance pour v'nir en ces lieux. Ils s'réjouissent d'l'accueil qui leur est fait.

Le grand prêtre s'avança alors, c'était à son tour de prendre la parole :

— Merci à toi, Flopi, d'avoir accepté de te déranger. Merci aux tiens également. Seule l'ignorance du lieu où vous trouver nous a dicté cette conduite immodeste. Sinon, c'est nous qui nous serions déplacés jusqu'à toi.

Flopi s'inclina sans mot dire : cela signifiait qu'il acceptait la situation telle qu'elle se présentait.

Mukutu reprit la parole :

— Nous sommes v'nus en amis, Flopi, mais en amis dans l'besoin.

Flopi ne broncha pas. Il attendait. Il eut été malséant de faire preuve de curiosité. Mais il était évident pour lui que la situation était grave. Sinon, les Nains ne seraient pas venus sur son « territoire » : ils auraient attendu la visite d'un Floup en manque d'arme dans leurs cavernes et en auraient profité pour commander une pierre rare ou un métal inhabituel, introuvables dans le pays de N'Dé. Il savait qu'il avait une dette envers eux, à cause des trois Floups libérés par Babah et ses amis. Mais il ne prévoyait pas la visite de ces derniers aussi rapidement. Il était un peu surpris, il fallait l'avouer.

Il s'assit le premier à même le sol, dans un endroit parfaitement découvert afin d'avoir une vision globale des alentours et d'un geste, il invita les Nains à faire de même. WaNguira fit un signe discret à Bélimbé et à Fé : ils apportèrent les figures de proue et les planches de gouvernail encore enveloppées et les posèrent aux pieds de Mukutu qui continua :

— Avant d'commencer, nous voudrions t'offrir ces cadeaux, en signe d'notre bonne foi. Ils ont été spécial'ment réalisés pour vous, les Floups, ces derniers jours, et uniqu'ment pour vous. Ils n'ont d'autre utilité que l'plaisir qu'ils vous procur'ront, et sois assuré qu'si tu les r'fuses, ils rest'ront en mon logis jusqu'à ce qu'tu veuilles bien les accepter.

L'affront aurait été grand si Flopi avait dédaigné les présents : cela équivalait, comble de la grossièreté, à encombrer la demeure de Mukutu pendant un temps indéfini, puisque ce dernier s'engageait, par ses paroles, à ne pas leur trouver d'autre destination, d'autre utilité que celle pour laquelle ils avaient été créés.

— Je les accepte, répondit simplement Flopi. Ils sont magnifiques.

Qualifier de « magnifiques » des cadeaux qu'il n'avait pas encore vus ne relevait pas seulement de la politesse : c'était faire preuve d'une grande confiance envers les Nains. Flopi se montrait aussi grand seigneur que Mukutu en disant cela.

Afo et Keyah écoutaient, subjuguées : elles n'avaient pas souvent eu l'occasion de voir Mukutu agir dans le cadre de la politique extérieure. Elles cherchaient, dans le personnage imposant et protocolaire qui évoluait devant elles, le Nain bedonnant au langage familier ponctué de « M'est avis que… », celui qui se chamaillait avec Babah et qui avait institué le terme de « Gnas » pour dénommer les Gnahorés. Elles comprirent à ce moment-là pourquoi Mukutu était chef et le demeurait au fil des ans.

Après ces préambules cérémonieux destinés à mettre les cœurs au diapason, la conversation se poursuivit sur un ton beaucoup moins formel. Les Floups furent mis au courant de la situation rapportée par les Salamandars à propos des Kikongos réduits en esclavage sur une île au sud, dans la mer d'Okan.

Ils pensaient savoir de quelle île il s'agissait : les Hommes qui l'habitaient en défendaient farouchement l'accès aux bateaux étrangers. Et comme ils n'avaient eu aucune raison valable d'y accoster jusqu'à ce jour, ils n'avaient jamais cherché à savoir ce qui s'y passait.

— Nous vous aiderons, avait conclu Flopi avec calme.

81

En pensant à Winifrid, Gaïg regarda autour d'elle : elle n'avait jamais trouvé les arbres aussi beaux. Très vite, elle se sentit apaisée par la quiétude qui se dégageait d'eux. Elle toucha un tronc près d'elle. Ce n'était pas seulement du bois, de l'écorce rugueuse : « ça » vivait.

Un assemblage de feuilles, de branches, de racines, tout cela relié à un tronc, formait un tout, un être vivant. Gaïg eut l'impression de pouvoir « lire » la forêt, y déchiffrer des signes qui la confrontèrent à la notion de temps. Ce monde était vieux, très vieux : les Nains l'habitaient depuis toujours, et les arbres aussi. Les Nains parlaient avec les pierres, et les Dryades avec les arbres.

Gaïg n'avait pas réussi à faire sien le monde minéral et froid des Nains, mais elle se sentait en accord avec les arbres. Peut-être à cause de l'échange des sangs, se dit-elle. Ce qui la frappait, c'était leur âge. Chaque arbre était bien plus vieux que lui-même : il portait en lui la mémoire de la terre dont il se nourrissait.

Gaïg découvrait la forêt sous un nouvel aspect et elle comprenait mieux les réactions de Winifrid. Il y avait une unité sous-jacente, qui maintenait un équilibre entre les êtres. Il ne fallait pas détruire cet équilibre. Elle continuait d'avancer, sensible au dessin de chaque tronc, à l'implantation particulière des branches et des feuilles, à la variété des formes et des couleurs. On ne pouvait pas rester indifférent à la majesté qui se dégageait de toute cette végétation.

Elle percevait avec une acuité nouvelle pour elle le bruissement du feuillage et le mouvement produit par le vent dans les frondaisons, elle découvrait avec surprise les mille et une teintes de la végétation. C'était donc cela, être une Dryade. En partie seulement, puisque Gaïg se doutait bien qu'elle n'avait changé que partiellement de personnalité. Comme le monde de Winifrid devait être riche, comparé au sien !

Captivée par l'observation de cette forêt qu'elle découvrait alors qu'elle croyait la connaître, Gaïg avait arrêté de pleurer. Elle marchait, subjuguée par les bruits, les couleurs, les odeurs. Elle s'arrêtait de temps en temps pour suivre avec la main le dessin compliqué d'une écorce, éprouver la souplesse d'une branche ou la douceur d'une feuille à l'aspect velouté. Totalement à l'écoute de ses sens, elle oublia tout ce qui n'était pas végétal et elle se laissa tomber plutôt qu'elle ne s'assit, le dos contre un arbre : au passage, elle perçut la rugosité de l'écorce sur sa peau et cela la rassura. Elle se sentit protégée par la force qui se dégageait de l'énorme tronc et ferma les yeux.

À travers ses paupières closes, elle continua à « lire » la forêt. Les feuilles et les branches s'arrangeaient en tableaux successifs, se faisant et se défaisant au gré du vent. L'ensemble était assez flou, et il ne fallait pas chercher à distinguer les détails. Des scènes d'une grande violence se succédèrent rapidement au début : une Sirène mâle saisissait avec brutalité une de ses semblables et essayait de l'entraîner avec elle. Cette dernière résistait de toutes ses forces et se débattait avec rage. Mais la partie était inégale. La Sirène mâle la giflait avec rudesse et profitait de l'éblouissement qui s'ensuivait pour lui tordre le bras derrière le dos et ouvrir de force le poing qu'elle tenait serré. Le mâle écartait les doigts de la femelle et essayait de saisir quelque chose, qu'elle refusait obstinément de lâcher.

Un autre tableau montrait des Sirènes en bataille, rouges et échevelées, formant un rempart de leur corps pour protéger une des leurs, visiblement enceinte, pâle et essoufflée, qui s'éloignait en laissant une traînée écarlate. La Sirène mâle, en furie, fonçait dans le tas, bras en avant, dards relevés, tranchant tout sur son passage. Mais elle était arrêtée par une vieille murène qui grossissait démesurément et se déformait jusqu'à former un mur de chair flasque et hideuse qui séparait les belligérants.

Plusieurs tableaux se succédèrent, montrant la Sirène enceinte en fuite, perdant son sang dans l'océan, puis s'échouant sur une plage. Sans transition, des Nains apparurent, lourdement chargés : ils marchaient dans une savane, le long d'une forêt.

Gaïg se réveilla, oppressée et mal à l'aise. À son grand désespoir, le spectacle ne s'arrêta pas pour autant. Elle se demanda si elle avait réellement dormi. Elle continuait à voir des images dans la végétation. Mais ce qu'elle y découvrait était moins angoissant. Les Nains, toujours encombrés de sacs et de paquets, avançaient vers la mer. Une île se détachait dans le lointain, pâle relief sur la ligne d'horizon. Des Sirènes apparaissaient, évoluant avec grâce dans des fonds sous-marins d'une clarté cristalline.

Gaïg, regardant de tous ses yeux, ne savait plus si elle dormait ou si elle était réveillée. En tout cas, elle était consciente. Elle ne fut guère étonnée d'entendre l'arbre auquel elle était adossée émettre des borborygmes, qui se transformèrent bientôt en paroles intelligibles. Elle était donc en état d'éveil. Elle se rappelait la fois où Walig lui avait parlé. Toujours cette voix caverneuse, à l'énonciation lente et difficile, qu'elle avait un peu de mal à comprendre. L'arbre était un chêne lui aussi.

— Nous sommes la mémoire de la terre. La lumière et le vent, la terre et l'eau nous apportent les images dont nous devons nous souvenir.

— Ce que j'ai vu, ça s'est vraiment passé ? demanda Gaïg dans un souffle.

— Je suppose que oui. Nous n'inventons rien, nous ne faisons que nous souvenir.

— Mais comment pouvez-vous vous souvenir de choses que vous n'avez pas vues ?

— Nous les absorbons par nos racines, nos feuilles, nos branches, et nous nous souvenons.

Gaïg était perplexe : elle ne comprenait pas. Toujours adossée au chêne dont elle sentait les irrégularités de l'écorce dans son dos, elle réfléchissait, le regard perdu dans les branches au-dessus d'elle.

— Cette Sirène mâle, c'est celle qui habite dans le lac souterrain ? interrogea-t-elle, la curiosité en éveil. Qu'est-ce qu'elle voulait prendre à l'autre ? Et la Sirène femelle, elle attendait un bébé, n'est-ce pas ? Il est né ? Qu'est-ce qui va arriver maintenant ?

— Je n'en sais rien. Tout ce que nous pouvons faire, c'est nous souvenir, émit l'arbre, choisissant, dans cette avalanche de questions, de ne répondre qu'à la dernière.

— Tu pourrais te souvenir de ce qui m'est arrivé récemment ? Ou dans ma vie passée ? Tout au début, quand je suis née ? Et me le montrer ? Tu pourrais, dis ?

L'espoir faisait vibrer la voix de Gaïg, dont le cœur battait à grands coups dans sa poitrine. Était-il possible que la solution soit là ? Si proche ? Il suffisait donc d'interroger un arbre pour savoir d'où on venait ? Et elle l'avait ignoré pendant tout ce temps ? Il est vrai qu'elle ne s'était jamais préoccupée de faire la causette aux végétaux. Et voilà que grâce à Winifrid, grâce à tout ce qui s'était passé avant l'échange de sang – même si elle ignorait quoi – elle saurait. Le mystère de ses origines lui serait enfin dévoilé. Les pensées défilaient très vite dans sa tête et elle regardait avidement les frondaisons.

Mais elle fut déçue. Le chêne n'avait rien répondu, comme s'il réfléchissait. Et voilà qu'il lui montrait de nouveau les images précédentes. Encore cette Sirène mâle brutalisant une femelle, qui s'enfuyait, ensanglantée, avant de s'échouer sur une plage.

Gaïg était désappointée : elle se retint pour ne pas pleurer. Elle avait déjà vu tout cela, ce qu'elle voulait maintenant, c'était voir sa propre histoire, ses débuts dans la vie, ses parents, sa mère... Elle s'apprêtait à fournir des précisions à l'arbre, afin qu'il cherchât mieux dans ses souvenirs, mais Winifrid surgit inopinément, silencieuse et légère, et sauta depuis une branche aux pieds de Gaïg. Elle était toute rose, comme si elle s'était dépêchée.

— Gaïg, il faut que tu viennes. Il y a un bateau qui s'approche de l'île. Selon les Kikongos, ce n'est pas le bateau habituel, celui qui les ravitaille. Il est beaucoup plus petit. Mais il s'apprête à aborder. Il vaut mieux que nous soyons tous ensemble. On ne sait pas qui est à bord. Les Kikongos se sont cachés en attendant, mais ils sont sur le pied de guerre.

Gaïg s'était relevée, tous les sens en alerte. Et maintenant, elle hésitait. Qu'est-ce qui était le plus important ? Aller aider les Kikongos ? À quoi faire ? À se défendre ? Une poltronne comme elle ? Ou rester et continuer à interroger le chêne ?

— Je ne peux pas venir, Winifrid, annonça-t-elle d'une voix qu'elle aurait voulue plus ferme. Je reste ici.

La Dryade n'eut même pas l'air étonnée par sa décision. Elle considéra pensivement l'arbre et Gaïg perçut un échange entre les deux.

Mais c'était trop rapide pour elle, elle ne put rien intercepter. Winifrid la considéra :

— Il faut que tu viennes, Gaïg. Tu ne peux pas rester ici. L'après-midi est déjà bien avancé…

Gaïg répondit, le plus calmement qu'elle put :

— Je ne peux pas aller dans la mer, je ne peux pas rester dans la forêt. Et quoi d'autre ? Tu crois vraiment que c'est moi qui sauverai les Kikongos ? Tu crois que je pourrais attaquer un homme deux fois plus grand que moi ? Je préfère rester ici. Je suis occupée.

— Je sais, Gaïg, répondit Winifrid d'un ton apaisant. Mais ce chêne ne t'apprendra plus rien : il t'avait prise pour une Dryade. Je lui ai expliqué ce qui s'est passé.

Gaïg ouvrit la bouche, époustouflée et désarmée. Dire qu'elle était passée si près de la vérité ! Il aurait suffi de quelques informations de plus pour s'identifier auprès du chêne : il aurait cherché dans sa mémoire et lui aurait dévoilé le mystère qui planait sur sa naissance. Mais peut-être aussi qu'il se serait tu, en apprenant qu'elle n'était pas ce qu'il croyait… En tout cas, c'était fini pour cette fois.

Gaïg avait de nouveau envie de pleurer. Elle regarda tristement Winifrid :

— Mais pourquoi lui as-tu confié que je ne suis pas une vraie Dryade ?

— Je lui ai avoué la vérité, Gaïg, et c'est lui qui décide de se taire ou de continuer. Il dit qu'il t'a montré ce qu'il fallait et que c'est assez. Allez, viens, il y a peut-être du danger à rester ici. Allons rejoindre les autres.

Gaïg garda le silence, puis décida de suivre Winifrid. Ce n'était que partie remise, pensa-t-elle, elle reviendrait. Et si ce n'était pas ce chêne qui lui révélait sa provenance et sa filiation, c'en serait un autre. Dans l'immédiat, il valait mieux ne pas éveiller la méfiance de la Dryade.

Cette dernière soupira, soulagée de l'apparente docilité de Gaïg.

— Tu as parcouru beaucoup de chemin dans la forêt. Peut-être que le bateau aura déjà accosté quand nous arriverons. On l'a vu au dernier moment. Tout le monde s'est caché, en attendant de voir qui va débarquer.

Les deux filles se turent, se concentrant apparemment sur leur marche. En réalité, chacune réfléchissait. Winifrid se demandait si les occupants du bateau étaient des amis ou des ennemis et si leur embarcation pouvait servir pour que Gaïg quittât l'île, qui devenait par trop dangereuse pour elle. La proximité de la Sirène mâle l'inquiétait : Txabi lui avait raconté le peu qu'il avait vu, et Winifrid en avait tiré ses propres déductions.

Gaïg pensait toujours au chêne : dire qu'elle avait été si près de connaître la vérité sur ses origines ! À la première occasion, elle retournerait dans la forêt pour s'enquérir auprès des arbres. En attendant, il valait sans doute mieux s'inquiéter de cette embarcation et de ses habitants. D'après les Kikongos, le ravitaillement ne devait pas avoir lieu avant plusieurs semaines. Pourquoi ces Hommes étaient-ils là ? Venaient-ils en amis ou en ennemis ?

Elle accéléra le pas, tout à coup impatiente de retrouver les autres : plus vite elle saurait, mieux ce serait. Le trajet lui semblait interminable, elle ne s'était pas rendu compte à quel point elle s'était éloignée. Elle comprit pourquoi c'était Winifrid qu'on avait envoyée à sa rencontre : on avait simplement choisi la plus rapide. Gaïg, malheureusement, ne pouvait pas emprunter le chemin des branches pour le retour, elle était obligée de marcher. « Dans la mer, je serais plus rapide songeait-elle. Et que les Nains le veuillent ou pas, je vais prendre un bain à mon retour. Quelle chaleur. Et que j'ai soif ! »

Après avoir longuement cheminé, les deux filles commencèrent à reconnaître les lieux : elles approchaient enfin du camp.

Elles virent Dikélédi et AtaEnsic qui s'avançaient à leur rencontre. Ces dernières avaient l'air sombre.

— Tout est fini, annonça AtaEnsic. C'est allé très vite. Les Kikongos ont reconnu de loin les Hommes du bateau quand ils ont débarqué sur le quai, c'étaient les complices de ceux qui demeuraient sur l'île. Ils les ont laissé mettre pied à terre, et leur ont réglé leur sort en moins de deux. Ils ont profité de l'effet de surprise. Il n'y a pas de survivant.

Gaïg et Winifrid gardèrent le silence. Quel carnage. Tant de morts en si peu de temps.

82

Bélimbé était ravi. Il se sentait le cœur tellement léger qu'il aurait voulu s'envoler, comme ces vastes oiseaux des mers, indolents compagnons de voyage, qu'il voyait planer dans l'azur. Ces voyageurs ailés lui ouvraient les portes d'un nouvel élément à conquérir : l'air. Terrien de nature, il avait accepté d'apprivoiser l'eau en s'embarquant sur cette fine goélette. Il ignorait alors qu'il y découvrirait autre chose, un élément beaucoup plus subtil mais doté d'une force incroyable qui l'aspirait dans une ascension vertigineuse vers des hauteurs insoupçonnées où la sculpture était l'art absolu.

Les Floups avaient adoré ses deux figures de proue. Du coup, il avait embarqué une bille de bois avec lui. Mais depuis deux jours et trois nuits qu'ils étaient en mer, il avait été incapable d'y toucher. Il avait d'abord découvert la légèreté de la goélette qui s'envolait littéralement quand le vent s'engouffrait dans les voiles blanches qui lui tenaient lieu d'ailes. Ensuite, les albatros, ces princes des nuées, l'avaient appelé. Et depuis, il planait.

Il demeurait assis de longues heures sur le pont, sa bille de bois entre les jambes, le regard dans le vide. Afo lui faisait de longues visites, pendant lesquelles il lui tenait la main. Ils ne se parlaient guère, à peine un mot de temps en temps. Ce n'était pas la peine d'en dire plus, la communication avait lieu de toute façon. Il était à la porte du paradis, rien ne pressait. Il savait qu'il y entrerait et qu'il reviendrait chercher sa bien-aimée.

Il vivait quelque chose de totalement nouveau pour lui. Les Nains ont généralement la phobie des grands espaces : habitués à vivre dans l'univers restreint des grottes, l'immensité leur en impose. Ce qui avait été le cas pour ses compagnons, qui étaient restés agglutinés les uns aux autres jusque-là. Ils commençaient seulement à se détendre. Babah et Mukutu, un peu pâles, contemplaient la mer de part et d'autre d'une magnifique figure de proue fraîchement dressée à l'avant de la goélette.

— M'est avis qu'la mer, c'n'est pas mon élément naturel, affirma Mukutu avec force. Aux vrais Nains, c'est la terre qu'il faut !

— Ce qui explique pourquoi tu as été si malade ces derniers temps ! Tu n'avais plus rien à rendre que tu vomissais encore ! se moqua Babah.

— M'est avis qu'tu n'en m'nais pas beaucoup plus large, vieux frère… L'fait est qu'les Floups, ils ont r'fusé ton aide pour la navigation ! Et pas à cause d'ton ignorance… Tu puais !

Les deux compères s'esclaffèrent avec un bel ensemble. Depuis deux jours qu'ils avaient embarqué, ils avaient d'abord été écrasés par l'immensité environnante, puis terrassés par le mal de mer. C'était la première fois qu'ils éprouvaient un répit avec ce dernier. Ils l'avaient presque tous eu : Babah, Mukutu, Fé, Afo, Keyah, Macény. Seuls Bélimbé et WaNguira y avaient échappé. Afo, Keyah et Fé s'étaient remis assez vite, après quelques heures de navigation, sans doute aidés par leur jeunesse. Babah et Mukutu commençaient à se sentir mieux : leur corps s'habituait au mouvement perpétuel du bateau et à cette impression constante d'être en perte d'équilibre.

La pauvre Macény était celle qui souffrait le plus. Bien que n'ayant jamais mis les pieds sur un bateau, elle avait tenu à être du voyage, sans savoir qu'elle serait aussi ballottée. Elle éprouvait une nausée continuelle qui lui rappelait l'époque où elle était enceinte de Mfuru, sans la consolation de son gros ventre porteur d'une vie à venir. Keyah et Afo se relayaient auprès d'elle, munies de bassines et de compresses humides. Mais Macény, incapable de se nourrir, avait l'estomac vide et ne rendait plus que de la bile.

WaNguira, lui, était songeur. Il aurait aimé que Nihassah soit là. Il se doutait qu'elle lui reprocherait tôt ou tard d'être parti sans elle à la rencontre de Gaïg. Et même si elle ne disait rien, par respect pour le grand prêtre, elle n'en penserait pas moins : elle se sentait tellement responsable de Gaïg !

WaNguira trouvait que le cours des événements s'était accéléré malgré lui. À partir du moment où Flopi avait dit « Nous vous aiderons », les Nains avaient été pour ainsi dire dépossédés de leur pouvoir de décision puisque Flopi avait tout pris en charge. Mais les Nains n'avaient pas pu protester, puisqu'ils avaient recours aux Floups justement à cause de leur incapacité à organiser un voyage en mer.

À la fin de l'entretien nocturne pendant lequel Mukutu avait demandé de l'aide à Flopi, les Floups avaient ramené les Nains en bateau dans leur village secret. Ces derniers avaient constaté avec surprise qu'il pouvait exister des habitations encore plus petites que les leurs.

Les maisons des Floups étaient construites sur pilotis, au cœur de la végétation. Certaines « maisons » étaient en réalité des pirogues au fond plat, munies d'un toit. Des « allées » avaient été tracées d'une demeure à l'autre, dans lesquelles on circulait à l'aide de petites barques mobiles.

Flopi avait prévu le départ pour la fin de la matinée, le temps de préparer les bateaux. Mukutu s'était alors enquis desdits bateaux, qu'il n'avait pas encore aperçus. Flopi avait souri de son ignorance.

— Ce n'est pas assez profond ici, nos bateaux s'envaseraient très vite, avait-il expliqué. Ils sont à l'ancre dans une baie secrète. Sinon, il faudrait creuser davantage les canaux qui se combleraient de toute façon très rapidement. Et déboiser les alentours. Du coup, notre village ne serait plus caché... Déjà que je suis étonné que le sieur Babah ait pu nous retrouver ! Il n'y était venu qu'une seule fois, et de nuit de surcroît...

— M'est avis qu'le capitaine Flopi oublie qu'le sieur Babah est un Nain, habitué à s'déplacer dans l'obscurité des cavernes, avait rétorqué fièrement Mukutu.

Flopi s'était incliné devant l'évidence avec majesté :

— Je peux donc continuer à considérer que notre village est bien dissimulé et qu'un Homme ne saurait pas comment s'y rendre...

— M'est avis qu'les Hommes n'savent même pas qu'elle existe, votr'cité sur l'eau, avait affirmé Mukutu. Et vous pouvez compter sur nous pour n'pas l'leur dire.

Flopi avait alors proposé d'envoyer des Floups en mission pour avertir les Nains des villages du voyage prochain de leurs frères.

— Pas «les Nains des villages», avait immédiatement corrigé Mukutu. Plutôt ceux des collines d'Koulibaly, si c'n'est pas trop loin. M'est avis qu'notre démarche doit rester la plus s'crète possible. Qu'tes Floups d'mandent à parler à Mongo, à Séméni, à WaNdéné ou à WaNtumba et ceux-ci décid'ront d'la marche à suivre sur place.

— Ou à Nihassah, avait ajouté WaNguira.

Flopi avait donné des ordres en conséquence, puis s'était excusé: il fallait qu'il s'occupe de la préparation de l'expédition et l'approvisionnement des navires occuperait une bonne partie du temps qui restait.

— Nous pouvons vous aider, avait proposé WaNguira. Il n'est pas dit que nous resterons inactifs et que nous nous ferons servir.

— Considérez que vous êtes nos invités, avait répondu Flopi, magnanime. Nous pensons partir avec deux bateaux, celui de Pafou et le mien. Ça devrait être suffisant s'il y a du monde à ramener. Mais ce serait aussi vous faire affront que de ne pas accepter votre aide. Nous ferons donc appel à vous si besoin est.

Effectivement, les Nains avaient participé au chargement des vivres et des tonneaux d'eau douce sur les barques qui faisaient la navette entre le village et les goélettes. Le soleil était déjà à son zénith quand ils avaient embarqué à leur tour sur les frêles embarcations, à destination des bateaux qui prendraient le large.

Ils avaient été surpris de trouver les deux figures de proue déjà montées sur les goélettes. Ils supposèrent que les Floups qui s'affairaient dans des barques à l'arrière s'occupaient des planches du gouvernail. Bélimbé se réjouit de cette diligence: il n'avait pas travaillé pour rien. Visiblement, le cadeau avait plu aux Floups. Il avait alors proposé de sculpter une troisième figure de proue dans une bille de bois qu'il avait aperçue devant une case. Les Floups s'étaient empressés d'aller la chercher pour la monter à bord.

Depuis deux jours qu'ils voguaient en mer, les Nains avaient eu le temps d'étudier un peu leurs compagnons floups. Ces derniers, simplement vêtus de pantalons qui leur arrivaient à mi-mollet, toujours dans des tons de mauve, violet, rose foncé et noir, le plus souvent buste nu, faisaient preuve d'une agilité surprenante pour se mouvoir. Plus petits que les Nains, ils ressemblaient à des Hommes miniatures, dotés d'oreilles pointues, mobiles et soyeuses comme celles de chats, dont ils avaient également les yeux. Tout en eux rappelait d'ailleurs le jeune chat, toujours prêt à jouer, d'autant plus qu'ils communiquaient souvent par gestes.

Ils ne perdaient pas une occasion de pratiquer leur art martial, la florinette, dans lequel le jeu de jambes était primordial. Les Hommes, campés sur leurs membres inférieurs, se battaient avec les bras et les poings, les Floups, au contraire, se tenaient sur leurs bras et se battaient avec les jambes et les pieds. Leurs adversaires étaient le plus souvent décontenancés par cette forme nouvelle de combat et perdaient l'avantage. D'autant plus que les Floups faisaient preuve d'une mobilité inouïe, n'étant jamais là où on les attendait : ils montraient une grande maîtrise de la feinte et de l'esquive, comme si lutter équivalait à un divertissement. À les voir s'entraîner sur le pont, les Nains avaient l'impression qu'ils cherchaient davantage à dominer le jeu qu'à vaincre l'adversaire. Le fait est qu'il n'y avait pas d'adversaire réel en face et qu'ils pouvaient se permettre toutes les fantaisies acrobatiques de leur choix.

Ils étaient partout à la fois et rien ne leur échappait. Leur monde était constitué par la goélette, dont ils prenaient grand soin. Ils entretenaient soigneusement les ponts, les voiles, les cordages, et plongeaient de temps en temps pour effectuer une rapide inspection de la coque. Bien que centrée sur le bateau, leur attention ne se relâchait pourtant pas en ce qui concernait les alentours : ils possédaient plusieurs longues-vues, volontairement laissées à la disposition de tous sur le pont. N'importe qui pouvait en saisir une et inspecter la mer.

Néanmoins, ils faisaient avant tout confiance à la vigie juchée dans son nid-de-pie. Il suffisait qu'elle avertisse ses compagnons de l'apparition d'un relief sur la surface plane de la mer pour que tous se précipitent. C'était ce qui s'était passé au petit matin, alors qu'ils entamaient leur troisième journée de navigation.

Le matelot de vigie avait crié « Bateau en vue » et le pont s'était peuplé immédiatement d'une multitude de Floups prêts à livrer bataille. Les Nains, tirés du sommeil, avaient été stupéfaits de constater l'agitation féroce de ces petites créatures, apparemment si pacifiques jusque-là. Ils avaient alors compris que la réputation des Floups n'était pas surfaite et qu'ils pouvaient se montrer irascibles et sanguinaires dans certains cas. Un grand branle-bas de combat régnait à bord.

Les Floups en ébullition couraient d'un bout à l'autre de la goélette, sautillaient sur place, examinaient l'horizon avec l'assurance gourmande du futur vainqueur dans le regard. Ils se mettaient en position de combat, avançaient sur les mains en agitant les jambes, échangeaient des coups de pied sans se toucher, adoptaient des postures qui, pour inhabituelles qu'elles fussent, n'en étaient pas moins extrêmement gracieuses et légères. Les engagements simulés qui leur tenaient lieu d'entraînement au combat faisaient penser à une danse, pendant laquelle leurs compagnons, réunis en cercle autour d'eux, frappaient dans leurs mains en chantant, faisant ce qu'ils appelaient la roda.

Ils se préparaient à livrer bataille en s'excitant mutuellement comme s'il ne s'agissait que d'un jeu qu'ils étaient sûrs de gagner. Armés jusqu'aux dents, ils se démenaient dans des joutes fictives, au cours desquelles leurs jambes, comme montées sur des ressorts, décochaient des coups de pied d'une puissance redoutable.

La deuxième goélette était immédiatement montée à tribord pour se placer au même niveau que la première, ce qui avait tout de suite induit une conversation par gestes. Les Floups des deux bateaux s'énervaient mutuellement, fanfaronnaient à coup de gageures et de défis amicaux et avaient l'air de s'amuser follement.

En faisant abstraction de l'effervescence violette qui régnait sur le pont, les Nains étaient sensibles au spectacle dansant qui se dégageait des figures de proue dont la gémellité était accentuée par la symétrie du mouvement. Néanmoins, ils n'avaient guère envie d'assister à un carnage entre Hommes et Floups. Ils avaient une mission bien précise en tête et ils ne désiraient pas se laisser distraire. Mais ils n'avaient aucun moyen de peser sur le choix de leurs hôtes.

— M'est avis qu'il y a du grabuge dans l'air, murmura sombrement Mukutu en se rapprochant de Flopi qui avait coiffé un immense tricorne améthyste.

Ce dernier se tourna vers lui, l'air surpris :

— Nous nous échauffons, c'est tout. Il faut toujours être prêt pour l'ennemi. Mais nous n'allons pas livrer bataille. Nous n'avons pas le temps. Nous devrions être dans les parages de votre île.

Mukutu n'en revenait pas. Babah le cogna discrètement en murmurant un « Ferme ta bouche, le Nain » auquel Mukutu obéit machinalement. Toute cette agitation pour rien…

Flopi continua, sur le même ton détaché :

— De toute façon, ce bateau est soit vide, soit doté d'un équipage de fous. Il n'a pas de direction précise. On dirait qu'il se laisse porter par les flots. Pourtant la voile est mise. On pourrait aller voir mais ça nous retarderait. Il nous faut commencer à chercher votre fameuse île.

Mukutu, anéanti, se laissa tomber sur le pont, encadré par Babah et WaNguira. Les Floups étaient de bien curieuses créatures, pensaient-ils tous les trois, avec une psyché à l'opposé de la mentalité naine qui visait en tout l'économie des forces. Toute cette excitation les laissait rêveurs : quel gaspillage d'énergie !

Les petits pirates mirent du temps à se calmer : tant que le bateau demeura en vue, ils furent en proie à une fiévreuse agitation, se réunissant en rodas qui se dissolvaient aussi vite qu'elles s'étaient formées.

Longtemps après, dans l'après-midi, quand les Nains entendirent la vigie annoncer « Terre en vue », ils ne réagirent même pas.

83

Gaïg, Winifrid, AtaEnsic et Dikélédi avançaient, la tête basse, perdues dans leurs pensées. Elles se sentaient un peu dépassées par les événements. En arrivant au village, elles se rendirent vite compte que ses habitants n'en menaient pas large. Ils avaient fait ce qu'ils estimaient devoir être accompli, devinant que les Hommes ne les épargneraient pas en découvrant la disparition de leurs semblables. Mais c'était une chose d'exterminer ses tourmenteurs quand on venait d'être libéré de ses chaînes et c'en était une autre de massacrer à froid de nouveaux arrivants en présumant de leurs actions futures. Même en sachant qu'il n'aurait pas été prudent d'agir autrement, ils ne pouvaient empêcher les questions d'affluer dans leur tête. Quand pourraient-ils cesser d'être sur leurs gardes et poser les armes? Faudrait-il toujours tuer? Quand connaîtraient-ils la paix?

L'idée qu'il était plus que temps pour eux de quitter les lieux germait dans leur esprit. Sondja, la *Terre-du-désespoir-absolu:* quel avenir les attendait sur cette île, avec un nom pareil? Même si c'étaient eux qui l'avaient ainsi baptisée? D'autres Hommes viendraient, à la recherche de leurs compagnons disparus, qu'il faudrait supprimer à leur tour. Ce serait sans fin. À moins de partir.

Les yeux se tournaient de plus en plus vers le bateau amarré au débarcadère. Quelques Kikongos l'avaient inspecté pour être certains qu'il n'y avait pas d'autres ennemis cachés à l'intérieur. Ayant constaté qu'il était vide, ils avaient rejoint leurs semblables à terre, fuyant tout ce qui leur rappelait l'oppresseur. Puis les pensées avaient cheminé, lentement, certes, mais dans la même direction : la nécessité du départ se précisait.

Quand Gaïg arriva avec ses compagnes, elle considéra rapidement le village, qui avait déjà repris son aspect habituel. N'étaient-ce les regards vides et fuyants des Nains qui se sentaient un peu mal à l'aise face à la tournure prise par les événements, on aurait pu croire qu'il ne s'était rien passé : ils s'étaient dépêchés de tout nettoyer, désireux d'abolir une fois de plus toute trace de ce passé exécrable.

Apercevant WaNdo et Mfuru assis sur un tronc proche du débarcadère, elle emboîta le pas à AtaEnsic qui se dirigeait vers eux, suivie de Dikélédi et Winifrid. Elle résista à son désir de se jeter à l'eau, emportée par un mouvement de sympathie pour WaNdo : comme ce devait être difficile de ne pas voir ce qui se passait ! Il ne pouvait même pas se protéger… Bien sûr, Mfuru avait dû prendre grand soin de son père et veiller à ce qu'il ne lui arrivât rien, mais quand même…

Gaïg saisit spontanément la main de WaNdo :

— Viens avec moi, on va faire un tour.

Il sourit tristement :

— C'est bien gentil, mais où veux-tu aller ? On ne peut fuir son destin… répondit-il, accablé.

— Alors ton destin t'emmène sur l'eau ! plaisanta Gaïg en le tirant. Allons visiter le bateau.

WaNdo, n'ayant rien de mieux à proposer, se leva nonchalamment et se laissa conduire. Dans le calme environnant, il entendit les autres se redresser pour les accompagner : leurs pas résonnèrent sur le quai de bois, accentuant par contraste le silence inhabituel qui régnait sur les lieux.

— C'est drôle, je n'entends même pas le bruit de la mer, fit-il remarquer. Il n'y a pas de vagues, n'est-ce pas ? Pas le moindre clapotis…

— C'est ce qu'on appelle une mer d'huile, répondit Gaïg. Attention, on monte sur le pont. Tiens, vous êtes là, vous deux ?

Loki et Txabi venaient d'apparaître, sortant d'une écoutille.

— Nous avons procédé à une inspection détaillée des lieux, déclara cérémonieusement Loki. Il n'y a plus âme qui vive sur ce bâtiment. Vous pouvez vous installer, hé ! hé !

Ils disparurent dans les profondeurs du navire aussi subitement qu'ils étaient apparus.

— Je ne suis pas certaine de vouloir m'y « installer », corrigea Dikélédi. En ce qui me concerne, je préfère toujours la terre ferme. Pas vrai, Mfuru ?

WaNdo répondit à sa place :

— Sûr que la place d'un Nain, c'est sur la terre, et même *dans* la terre. Mais on n'a pas toujours le choix, malheureusement, et tôt ou tard, il nous faudra bien reprendre la mer. Ne serait-ce que pour quitter cette île de malheur…

— Mais ce bateau est trop petit pour nous contenir tous, Pépé Do, expliqua Mfuru. Et même en se répartissant dans toutes les embarcations, on n'est pas sûr de pouvoir embarquer au complet. On n'est pas bien nombreux, mais quand même…

— On n'est pas obligés de partir tous en même temps. Il peut y avoir plusieurs voyages. Une fois que ceux du pays de N'Dé seront au courant, ils nous aideront. Moi, je peux attendre. Les plus vaillants prendront les devants et reviendront chercher les autres.

— Je resterai avec toi alors. Je ne t'ai pas retrouvé pour te quitter, annonça Mfuru.

— Et moi, je resterai avec toi, précisa affectueusement AtaEnsic.

Winifrid se serra contre AtaEnsic :

— Tu es sûre que tu ne veux pas retrouver la forêt de Nsaï ? Moi, j'ai hâte de revoir Walig. Je me demande ce qu'il devient, sans moi…

— Et moi, j'aimerais bien retrouver ma famille, lâcha Dikélédi, pensive. Mais s'il faut attendre, j'attendrai.

Gaïg se taisait, le problème ne se posant pas pour elle en ces termes : elle n'avait personne à retrouver. Nihassah, certes. Mais un peu plus tôt ou un peu plus tard… le temps n'importait pas autant pour elle que pour les autres. Elle ne fuyait rien. Ou plutôt si, elle avait fui Garin et son village. Mais c'était chose faite, maintenant. Peut-être qu'elle était arrivée ? Après tout, c'était ce qu'elle avait envisagé auparavant : s'installer sur une île. Alors pourquoi ne pas demeurer sur celle des Kikongos ? D'autant plus qu'ici… Gaïg se rendit compte que sa décision était à moitié prise : elle demeurerait sur place parce que c'était là qu'elle avait les meilleures chances d'entrer en contact avec les Sirènes. Et puis, ce chêne qui lui avait parlé, il avait encore des choses à lui apprendre… Si Winifrid n'était pas arrivée… Elle fit un effort pour se rappeler les derniers événements, après être descendue dans la mine. Rien. La nuit. Le vide. Un grand trou dans le temps. Elle s'était réveillée au moment où WaNdo parlait de Nyanga noir. Ce faisant, elle regarda sa bague. Toujours cette impression de nouveauté, comme si quelque chose avait changé : elle la reconnaissait sans la reconnaître. Gaïg se creusait désespérément l'esprit en quête de souvenirs explicites, mais se heurtait au flou d'une pensée latente qui ne voulait pas naître. C'était donc cela, la mémoire ? Ou plutôt la perte de mémoire ? On savait que quelque chose avait été mais on ne pouvait en dire plus.

Elle lâcha la main de WaNdo qu'elle tenait toujours pour sortir sa bague de son doigt, mais ne put accomplir son geste.

— Alors, petite princesse, tu me le fais visiter, ce bateau ? demandait le grand prêtre. Tu es bien silencieuse tout à coup...

Gaïg revint immédiatement à la réalité : tant qu'elle ne serait pas seule, elle ne connaîtrait aucune tranquillité pour se livrer à ses réflexions. Elle n'en voulait pas à WaNdo, bien sûr, puisque c'était elle qui lui avait proposé de monter à bord. Mais elle avait absolument besoin de solitude. Elle décida qu'elle ne rentrerait pas dormir à terre. Connaissant les Nains, elle était certaine qu'ils voudraient sentir le sol sous leurs pieds, ce qui « éliminait » d'un seul coup WaNdo, Mfuru et AtaEnsic puisque ces trois-là étaient devenus inséparables. Dikélédi se joindrait à eux. Cela en faisait quatre de moins. Gaïg, étonnée de sa propre virulence, continua à « éliminer » les présences sur l'embarcation : Winifrid préférerait dormir dans un arbre, et d'ici là, Loki aurait trouvé un nouveau terrain d'exploration, pour lequel il avait un petit compagnon tout désigné. Pourvu qu'aucune Naine n'ait l'idée de « rappliquer » pour lui « tenir compagnie » ! Non, les Nains, c'était à terre qu'ils devaient rester !

— Bien sûr que je te le fais visiter, s'entendit-elle répondre avec l'assurance de celle qui a un plan en tête. Viens.

Jamais visite ne fut menée aussi rondement, d'autant plus qu'il n'y avait pas grand-chose à voir. Et comme WaNdo ne voyait pas, de toute façon... Quelle idée saugrenue, aussi, cette proposition... Gaïg, un peu étonnée du manque de gentillesse dans les pensées qui la visitaient, refusa cependant de s'y attarder. Elle était énervée et fatiguée, voilà tout. Le bateau était effectivement petit, plutôt sale et mal entretenu, et elle en eut vite fait le tour.

— Et voilà ! C'est fini ! annonça-t-elle à la cantonade.

Elle se retint juste à temps pour ne pas dire « Vous pouvez débarquer, maintenant ». Qu'est-ce qui lui arrivait ? Pourquoi se sentait-elle aussi agacée ? Parce qu'elle désirait être seule ? Elle qui avait tant rêvé d'avoir des amis auparavant, voilà qu'elle voulait se débarrasser de ceux que ses aventures lui avaient amenés. Quelle inconstance, quand même… Elle ajouta, plus gentiment :

— Moi, j'ai envie de rester dormir à bord cette nuit. Rien que pour entendre le clapotis des vagues contre la coque.

Winifrid ne se laissa pas démonter :

— Quelle bonne idée ! Je reste avec toi.

À la grande surprise de Gaïg, tous ceux qu'elle avait « éliminés » en esprit trouvèrent une bonne raison de rester. WaNdo jugea qu'ainsi il se réhabituerait aux mouvements de tangage et de roulis d'un bateau, ce qui impliqua immédiatement la présence de Mfuru et d'AtaEnsic. Dikélédi décréta qu'elle surveillerait Loki pour qu'il ne détache pas l'amarre, et Txabi par la même occasion, des fois qu'il veuille prendre la relève du Pookah.

Gaïg était interloquée, mais elle garda le silence et se dirigea vers un gros tas de cordages près du bastingage, à la proue : de là, elle pourrait voir la mer.

Cette dernière était toujours aussi calme et Gaïg, en approchant, fut surprise de voir des cercles concentriques qui s'éloignaient doucement du bateau. Elle se pencha. Quelque chose avait été là, tout contre la coque, qui avait plongé, c'était sûr. Sans le moindre bruit, puisqu'on n'avait rien entendu. Donc la « chose » ne voulait pas être vue. Immédiatement, l'esprit de Gaïg entra en ébullition : une Sirène ? Alors c'était un bon coin pour dormir. Bien que n'ayant aucun souvenir conscient de l'existence de la Sirène mâle qu'elle avait aperçue dans le bassin, Gaïg se souvenait de celles qui les avaient amenés sur l'île.

Elle garda sa découverte pour elle, ne voulant pas se heurter à une opposition concernant son projet naissant de bain nocturne. Elle s'installa tranquillement comme si de rien n'était, regarda un moment les autres accomplir leurs préparatifs pour la nuit et plongea très vite dans le sommeil. Tout au moins était-ce l'impression qu'elle voulait donner à ses compagnons. Ce qu'elle réussit très bien puisqu'ils ne tardèrent pas à s'endormir à même le pont, enroulés dans une voile de rechange qui se trouvait là sans qu'on sache pourquoi.

Gaïg, quand elle n'entendit plus aucun bruit, ouvrit doucement les yeux sans bouger d'un pouce. Elle sursauta. Quelqu'un se déplaçait sur le pont. Bien que de petite taille, il ne s'agissait pas d'un Nain. Ce ne pouvait être Loki, qu'elle apercevait un peu plus loin, pelotonné contre AtaEnsic. Un survivant de l'équipage ? Un enfant, alors. Mais comme il était petit !

Gaïg le vit s'engouffrer dans une écoutille ; elle se redressa, hésitant un peu, prête à le filer mais il ressortait déjà, chargé d'un sac qu'il passa en bandoulière. Il devait effectivement connaître les lieux et savait où trouver ce qu'il était venu chercher : de la nourriture peut-être ? Elle fut tentée de donner l'alerte mais, distraite par un éclat inattendu de sa bague dans le noir, elle n'en fit rien. Le temps de relever les yeux, l'enfant était déjà en train d'enjamber le bastingage, tout près d'elle.

Il avait dû percevoir la lumière de l'anneau, parce qu'il regardait dans sa direction. La surprise se lut sur son visage, en même temps qu'une certaine crainte puisqu'il disparut aussitôt. Gaïg attendit de le voir réapparaître sur le quai, mais en vain. Pourquoi n'avait-il pas emprunté le pont, tout simplement ? Peut-être qu'il voulait rejoindre l'île à la nage… Avec son sac ?

Elle se leva doucement et se pencha par-dessus bord, à l'endroit où elle l'avait vu s'éclipser. Il n'y avait là qu'un énorme amas de cordages jetés en désordre sur le bossoir mais rien d'autre. Le bateau était toujours amarré au quai, rien ne bougeait dans l'eau. Gaïg était intriguée. Qui était cet « enfant » ? Était-ce un enfant, d'ailleurs ? Était-il dangereux ? Où était-il passé ? Elle n'avait quand même pas rêvé… Devait-elle réveiller ses compagnons ? Au risque de le faire tuer ? Elle avait beau avoir confiance en eux, elle avait vu AtaEnsic à l'œuvre avec le dénommé Crépin, celui qui avait scié sa corne, et elle savait que les Kikongos, une fois au courant, ne feraient pas de quartier. Elle opta pour le silence.

Si c'était réellement un enfant, ce pouvait être le mousse. Auquel cas, il devait être maltraité par les marins, donc plus à plaindre qu'à blâmer. Gaïg décida de lui laisser une chance. S'il se faisait attraper une fois à terre, tant pis pour lui. Mais il était si petit qu'il passerait inaperçu…

Voyant l'eau si proche, elle ne put résister au désir de se baigner. Le bruit d'un plongeon risquait de réveiller ses compagnons et elle se dirigea vers le quai, d'où elle se laissa glisser silencieusement dans l'eau. Son bain la détendit. Elle se livra à une vigoureuse séance de natation sous l'eau, en faisant très attention à ne pas produire en surface des éclaboussures qui l'auraient trahie. Au bout d'un moment, elle se sentit fatiguée et ensommeillée. Son esprit avait du mal à penser et un mal de tête naissant la poussa à réintégrer son tas de cordes. Elle sombra alors dans un sommeil sans rêve.

Sommeil lourd dont elle émergea brusquement au petit matin avec l'impression d'avoir déjà vécu un moment semblable. Ce mouvement du bateau, ce silence, ce ciel bleu, cette odeur… Elle identifia rapidement la « nouveauté » de la situation : elle se trouvait en pleine mer, une fois de plus. Comment, pourquoi, à cause de qui, elle n'en savait rien pour le moment. Loki, encore ? Non, pas deux fois de suite la même chose : il avait bien vu où sa bêtise avait failli les conduire. Alors qui ? Et pourquoi ?

Deux goélettes croisaient dans le lointain. Leur faire signe ? Appeler à l'aide ? Ce serait peine perdue, elles étaient trop loin. Gaïg choisit de réveiller ses compagnons.

CINQUIÈME PARTIE

La Lignée sacrée

84

Gaïg, en réveillant ses compagnons, n'avait aucun projet précis en tête: elle voulait simplement les mettre au courant de la situation. Ils étaient en pleine mer, sur une embarcation bien trop grosse pour qu'elle la dirige comme elle l'avait fait avec la barque. Comment étaient-ils arrivés là? Elle n'en savait rien.

La stupéfaction de ses amis, leurs questions, leur incompréhension, rien ne la surprit: elle avait déjà vécu la même situation avec eux avant d'accoster sur l'île des Kikongos. Cette fois, elle avait simplement l'impression d'une mauvaise plaisanterie. Pas deux fois de suite la même chose, quand même...

Et pourtant... La réalité était là, on ne peut plus tangible: un bateau, c'est du solide, ça se touche, on s'y déplace. La mer tout autour, dans un infini de bleu et d'indigo, ça se voit. Deux goélettes qui disparaissent dans le lointain, ça laisse même un arrière-goût de trop tard, de chance qui a tourné.

Les regards se tournaient de plus en plus souvent vers Loki, interrogateurs. Ce dernier finit par se lever, ulcéré:

— Mais qu'est-ce que vous avez tous à me dévisager comme ça? Je n'ai rien fait, je suis innocent. Ce n'est pas parce que j'ai voulu plaisanter une fois que je serai tout le temps responsable de vos déboires. Je n'ai pas détaché ce bateau, un point c'est tout.

Gaïg s'apprêtait à répondre qu'il n'y avait rien d'étonnant à ce qu'on le soupçonne, sachant ce dont il s'était montré capable dans le passé, mais Winifrid la devança.

— Personne ne t'accuse, Loki, dit-elle calmement. On essaie de comprendre, c'est tout.

— Toi, peut-être. Mais je sens que Madame Gaïg a envie de m'accuser ! Alors que je suis innocent !

Ce faisant, Loki se plaisait à afficher un visage empreint d'une candeur inégalée. À la limite, il en faisait trop pour être honnête. Mais à la surprise de tous, Gaïg ne disait mot. Visiblement, elle réfléchissait.

Sa vision de la nuit lui revenait : qui était cet enfant qu'elle avait aperçu en train d'enjamber le bastingage ? Se pouvait-il que ce fût lui le responsable ? Mais pourquoi aurait-il détaché le bateau ? Pour fuir les Kikongos ? Cela voulait dire qu'il était encore à bord, alors...

Gaïg frémit. Pour se rassurer aussitôt : il ne devait pas être bien dangereux, ce petit bout d'homme... Mais il ne les craignait donc pas ? Il y avait des Nains à bord pourtant. Qu'il aurait dû redouter. Gaïg se rendit alors compte que sur les trois Nains embarqués, il y avait un aveugle et une enfant. Restait Mfuru, qui n'avait pas l'air bien terrible, dans sa lenteur silencieuse. Elle informa ses compagnons de la visite nocturne.

Différentes questions et réflexions s'ensuivirent, mais il était évident que personne n'avait l'intention de nuire à la créature. Et d'abord où la trouver ? Loki fit un tour complet sur lui-même en scrutant ostensiblement les alentours :

— Je m'en vais le chercher, moi, ce sacripant qui fait des blagues de si mauvais goût ! Hé ! hé ! A-t-on idée de mettre ainsi en danger la vie des gens ? Quel inconscient !

À part AtaEnsic et Winifrid, habituées de longue date aux Pookahs, ses compagnons restèrent soufflés devant tant de mauvaise foi. En prenant son temps, il disparut avec un étalage de gestes inutiles par une écoutille, suivi de Txabi, fort excité à en juger par l'agitation de sa queue.

Presque aussitôt, une petite voix flûtée et pleine d'assurance se fit entendre :

— Je suis caché. C'est moi qui ai détaché le bateau. Je saurai le diriger si vous m'aidez. Si vous refusez, je me jette à l'eau et je me noie. Et vous serez perdus aussi !

Gaïg et ses amis s'appliquaient à découvrir d'où provenait le son, puisqu'il n'y avait aucun endroit où se dissimuler sur le pont. WaNdo fut le premier à reprendre ses esprits, plus vif que ses compagnons puisqu'il ne cherchait pas avec ses yeux.

— Tu peux venir, il ne te sera fait aucun mal, dit-il d'une voix claire. Mais qui es-tu?

Un être minuscule enjamba le bastingage, comme s'il venait de la mer. Tous comprirent alors sa ruse: il n'était pas caché *dans* le bateau, mais à l'extérieur. Gaïg pensa à l'amas de cordes entremêlées sur le bossoir: il avait dû s'installer une espèce de hamac dans lequel il s'était réfugié en attendant le moment propice. Quelle débrouillardise, quand même, chez un enfant aussi jeune!

Elle ne pouvait détacher ses yeux de lui: il était vraiment de taille réduite, avec quelque chose de félin dans l'allure, sans doute accentué par ses oreilles de chat, pointues et veloutées.

— Je suis un Floup, répondit fièrement le petit bonhomme haut comme trois pommes. J'étais mousse sur ce bateau. Mais maintenant, je peux être le capitaine, puisque vous avez tué son équipage et que vous ne savez pas naviguer. J'ai entendu tout ce que vous disiez. Et j'ai tout vu aussi, hier.

Gaïg et ses amis étaient stupéfaits de tant d'aplomb.

— Nous n'avons tué personne, précisa-t-elle. Quand nous sommes arrivés, tout était fini. C'est une longue histoire, entre les Hommes et ceux de l'île. Je ne suis pas sûre que ces derniers auraient pu agir autrement…

Le jeune Floup haussa les épaules, comme si le sort des Hommes lui importait peu. Il rétorqua néanmoins:

— Il n'empêche qu'il n'y a plus d'équipage. Et vous n'avez pas l'air très à l'aise, tout seuls sur ce bâtiment! Or moi, je sais comment on dirige un bateau.

— Mais qui es-tu, enfin? insista Gaïg, qui n'avait jamais vu de Floup.

— Je te l'ai dit, je suis un Floup. Et je sais gouverner un bateau.

WaNdo intervint, afin de l'éclairer:

— Les Floups sont un peuple de pirates, Gaïg. Ils le sont devenus après que les Hommes ont voulu les réduire en esclavage. Ils se sont réfugiés sur la mer, et depuis, c'est la guerre entre les deux peuples. Ils sont très forts en matière de navigation. Ils commandent parfois des armes aux Nains. Nous ne sommes pas ennemis.

— Nous ne sommes pas amis non plus, intervint orgueilleusement la menue créature. Les Floups ne sont liés à personne, ils sont libres de toute attache. Néanmoins ils détestent les Hommes, ajouta-t-il en plongeant avec provocation son regard dans celui de Gaïg.

— Mais comment t'es-tu retrouvé sur ce bateau ? questionna WaNdo.

— J'étais prisonnier, affirma le jeune personnage avec une conviction désarmante. Les Hommes enlèvent des enfants floups pour les utiliser comme mousses sur leurs bateaux. Ils se vengent ainsi de ce que les miens leur font subir sur mer. J'avais cinq ans quand ils m'ont pris.

— Et tu n'as jamais cherché à te sauver ? interrogea Gaïg, dubitative devant l'assurance du petit bonhomme.

— Oh, j'aurais pu, bien sûr. J'ai été plusieurs fois en contact avec les miens. Mais je suis resté pour apprendre. C'est ce que nous faisons tous, si nous sommes enlevés. Je partirai quand j'en saurai assez sur eux, sur leur manière de se battre ou de naviguer. Peut-être que le moment est venu, d'ailleurs, puisqu'ils ne sont plus là. Comme je suis le seul survivant, ce bateau m'appartient.

— Là, tu vas un peu vite, contesta Gaïg. Pourquoi serait-il plus à toi qu'à nous ?

— Parce que j'étais là avant !

— Mais nous sommes plus nombreux que toi…

— Oui, mais vous ne savez pas naviguer. Qu'en ferez-vous ?

Puis il ajouta, avec un rien de défi dans le ton :

— Vous pouvez me tuer, bien sûr. Mais vous ne serez pas plus avancés…

Gaïg se tut, rendue muette par la logique pleine de hardiesse de celui qu'elle avait de plus en plus de mal à considérer comme un enfant.

— Hé ! hé ! Il me plaît, ce marin, déclara Loki qui écoutait depuis un moment, avec seulement la tête dépassant de l'écoutille. Hu ! hu ! hu ! Comment t'appelles-tu ?

Le Floup considéra un moment l'endroit d'où venait la voix avec un air perplexe, puis sembla se détendre, émettant ce qui pouvait passer pour un rire.

— Pilaf. J'ai douze ans et ça fait sept ans que je suis sur ce bateau. C'est dire si je le connais… Mais tu parles bizarrement : j'ai du mal à te comprendre… Et tu es bizarre : on te voit pas bien…

— Ho ! ho ! J'ai un petit accent, répondit Loki en se contorsionnant comiquement. Si tu es capitaine, je suis second. Hi ! hi ! On hisse les voiles ?

— Où vouliez-vous aller ? interrogea Pilaf.

— Hum ! Je te rappelle que ce n'est pas nous qui avons détaché le bateau… observa Gaïg avec un rien d'humeur dans la voix.

— Il fallait bien que j'échappe aux Nains. Je n'allais pas me laisser massacrer comme les autres. Après tout, je n'appartiens pas à la race des Hommes. Leurs démêlés avec les autres peuples ne me concernent pas. J'ai déjà été enlevé, ça suffit, non ? C'est la première fois que je venais sur cette île : une histoire d'or à récupérer, paraît-il, avant le délai prévu. Le bateau a été vendu à cet équipage, et moi avec. C'est pourquoi je suis là. Mais maintenant, je dois essayer de rejoindre les miens.

— Tu pourrais nous ramener chez nous ? demanda Dikélédi. Nous venons du pays de N'Dé.

— Oui, je connais. Mais si je vous dépose dans un village de la côte, je n'aurai plus d'équipage. Il me faut d'abord trouver d'autres Floups, et voir s'ils acceptent d'embarquer avec moi. J'ai une sœur, peut-être qu'elle sera d'accord. En attendant, vous êtes mes prisonniers !

— Mais quel toupet ! explosa Gaïg. Tu n'as pas honte d'agir ainsi ? J'espère bien qu'aucun des Floups que tu rencontreras ne t'acceptera comme capitaine, et qu'ils s'empareront de TON navire et qu'ils…

— Si je dis que ce navire est à moi et que j'en suis le capitaine, l'interrompit calmement Pilaf, aucun Floup ne cherchera à s'en emparer. Et il est à moi, puisqu'il n'a plus de propriétaire.

— Il est à nous aussi, décréta Gaïg. Après tout, ce sont des Nains qui ont tué son équipage. Donc le bateau appartient aux Nains. Et il y en a trois ici.

— Alors débrouillez-vous sans moi, conclut Pilaf en enjambant le bastingage. Tes Nains n'ont qu'à le diriger.

Gaïg, outrée, se rendit compte que ses compagnons souriaient.

— Le moins qu'on puisse dire, c'est qu'il sait ce qu'il veut, pouffa Winifrid. J'ignore qui est prisonnier de qui, mais le fait est que nous sommes embarqués dans le même bateau et que sans lui, nous ne pouvons rien faire.

— Je n'ai encore jamais été prisonnier, hé ! hé ! Je veux bien être le sien, s'esclaffa Loki. Et je serai aussi le second du bateau, n'oubliez pas. Je vais le rejoindre. Hi ! hi ! Je suppose qu'il rit, Pilaf !

Le Pookah suivit le même trajet que le Floup et disparut de l'autre côté du bastingage. Tout doucement, Gaïg alla jeter un coup d'œil et se rendit compte qu'elle avait raison : les deux lascars s'étaient réfugiés dans l'amas de cordages qui débordaient largement du pont sur le bossoir. Elle se sentit légèrement agacée en voyant que Txabi les avait rcjoints.

Que faire ? Une fois de plus, Gaïg se sentait impuissante à modifier le cours des événements. Était-ce donc cela, la vie ? Où était la liberté dont elle avait rêvé ? Quand ce n'étaient pas Garin et Jéhanne qui lui disaient ce qu'elle devait faire, elle devenait, malgré elle, prisonnière d'autre chose. Y compris d'un Floup qui n'avait pas l'air de la prendre en sympathie... Évidemment, puisque pour lui, elle représentait les Hommes qui l'avaient enlevé à ses parents et fait prisonnier.

Gaïg soupira et choisit de se taire : les autres décideraient. Puisque le jeune garçon prétendait être capable de gouverner le bateau, ce n'était pas la peine de l'indisposer. Il valait mieux se soumettre jusqu'à ce qu'il les dépose sur la terre ferme. Elle avait assez de questions sans réponse en tête pour ne pas perdre de temps à essayer de gagner l'amitié d'un pirate.

Elle se réfugia sur le tas de cordages où elle avait passé la nuit, et se laissa aller à une demi-torpeur pendant laquelle elle vit ses compagnons se livrer à des pourparlers avec Pilaf. Ce dernier finit par réintégrer le bateau, et commença à s'affairer tout en donnant des ordres.

Gaïg fut surprise : il n'avait pas menti, il savait naviguer. En moins de deux, sur ses directives, les voiles furent hissées et le bateau arrêta sa dérive. Où allait-on ? Elle n'en avait aucune idée et décida qu'elle n'en avait cure. Même si on revenait sur l'île. En attendant, Pilaf, déjà amoureux de son bateau et conscient de l'entretien qui lui avait fait défaut ces derniers temps, demandait à Dikélédi et Winifrid de nettoyer le pont...

AtaEnsic et WaNdo, n'étant pas d'une grande utilité pour les manœuvres, étaient venus la rejoindre et Gaïg se colla sur la Licorne, jouant nonchalamment avec sa crinière. Le temps s'écoulait, personne ne rompait le silence. WaNdo avait l'air absorbé dans ses pensées et AtaEnsic suivait du regard les allées et venues indolentes de Mfuru qui rangeait, essayant de trouver une place pour tout ce qui traînait.

Gaïg se sentait sans entrain, avec un mal de tête très léger, trop diffus pour lui prêter attention et en parler, mais présent cependant. Elle éprouvait une certaine fatigue, ce qui n'était pas étonnant vu les circonstances. Elle était un peu surprise de sa propre indifférence, mais ne fit rien pour la combattre.

Sa journée s'écoula dans une sorte de léthargie, et comme ses compagnons semblaient pouvoir se passer d'elle pour manier le bateau, elle n'essaya même pas de se joindre à eux. Elle prendrait la relève quand le soir viendrait, si Pilaf acceptait de lui expliquer ce qu'elle devait faire. Sinon, elle se baignerait. Toute la nuit.

Gaïg savait qu'elle pensait cela par pure contradiction envers ses amis qui lui avaient interdit l'accès à la mer sur l'île : elle avait remarqué, lors de son bain nocturne de la veille, que l'eau ne l'attirait plus autant depuis l'échange de sang avec Winifrid.

En revanche, elle rêvait de verdure, elle aurait aimé sentir la végétation autour d'elle, se réfugier dans les branches du chêne qui lui avait parlé, puiser de la force dans son vieux tronc ridé, écouter le doux bruissement de ses feuilles, et surtout, causer avec lui.

Elle pensa aux Sirènes qu'il lui avait montrées et conclut qu'il lui faudrait se baigner tôt ou tard si elle voulait entrer en contact avec leurs semblables. De toute façon, Winifrid l'avait avertie que les effets de l'échange de sang seraient momentanés. Et elle aimait encore l'eau, malgré tout…

En attendant, elle devrait se contenter de bois mort : celui du pont sur lequel elle se trouvait, celui de la coque, des mâts, des bancs et des seaux. Quelle triste fin pour un arbre. Pourtant, Winifrid s'occupait autant du bois « mort » que des arbres. Gaïg l'avait toujours vue caresser le bois, quel qu'il soit. Peut-être dans le désir de le faire revivre… Ou de se rappeler Walig, qui sait…

— C'est drôle, dit subitement WaNdo. Je n'arrête pas de penser à WaNguira. Mais il n'y a que la mer autour de nous, n'est-ce pas ?

— Ne t'en fais pas, répondit Gaïg. Si WaNguira avait été là, tu le saurais.

Puis après un moment, elle ajouta :

— Moi, il m'impressionne un peu. On dirait qu'il lit dans les pensées des gens. Ou qu'il sait des choses…

— C'est sans aucun doute un grand prêtre très puissant, commenta WaNdo.

— Pourquoi n'a-t-il pas retrouvé les Kikongos, alors ?

— La présence de la mer, je suppose. L'eau n'a jamais été l'alliée des Nains. Notre déesse, c'est Mama Mandombé, qui a pour royaume les profondeurs de la terre.

Puis il continua, sous le regard étonné d'AtaEnsic qui agitait de plus en plus nerveusement les oreilles au fil de la narration :

— Le frère de Mama Mandombé, c'est Olokun, l'Esprit de l'Eau. Ce sont les parents de Yémanjah. Ils sont frère et sœur, mais chez les dieux, ce n'est pas gênant pour se reproduire : c'est l'union des deux principes divins, mâle et femelle, qui engendre une nouvelle descendance.

« Olokun et Mama Mandombé aimaient beaucoup Yémanjah et chacun voulait la garder avec soi. Ils se sont disputés et Mama Mandombé s'est enfoncée dans l'épaisseur du sol avec sa fille. Olokun, pour se venger, a liquéfié la roche pour qu'elle coule comme du feu liquide, et a enlevé Yémanjah.

« Puis il l'a transformée pour qu'elle ne puisse plus vivre sur terre : c'est pourquoi on dit que Yémanjah est la première Sirène. Ce sont les anciens Nains, ceux du Commencement, qui l'ont surnommée la *Mère-dont-les-enfants-sont-des-poissons.*

« Olokun n'en a pas été très fier après, mais c'était trop tard : les Nains ont dû quitter Sangoulé à cause du volcanisme qu'il avait provoqué. Pour se faire pardonner, il a promis une autre terre pour les enfants de Mama Mandombé. Sha Bin a prédit qu'une descendante de Yémanjah trouverait cette nouvelle terre.

« En gros, c'est ce que raconte l'histoire. Et nous, nous attendons cette descendante. »

Gaïg prêtait une oreille complaisante à la narration de WaNdo, mais n'y répondait pas plus que ça : elle avait ses propres soucis et la mythologie naine, pour intéressante qu'elle fût, n'apportait pas de solution à ses problèmes personnels.

Le grand prêtre aveugle écoutait attentivement, à l'affût d'une réaction. Comme rien ne se passait, il se replongea dans ses pensées lui aussi. Il aurait aimé retrouver WaNguira et lui raconter ce que lui avait appris la Pierre des voyages de Gaïg.

85

Une certaine effervescence régnait parmi les Sirènes. Iolani, la Sirène mâle de la Lignée sacrée, avait quitté son repaire !

Ce repaire n'était connu de toutes que depuis peu, grâce au sauvetage de Gaïg et de ses compagnons par Aroha et Tahitoa, les deux Sirènes que Gaïg avait surnommées la Farouche et la Courageuse. Elles avaient fini par tout dévoiler de leurs découvertes et de la grotte envahie par la mer dans la petite île de Poerava, tristement baptisée Sondja par les Kikongos, la *Terre-du-désespoir-absolu.* Cette grotte que Iolani avait faite sienne et dans laquelle il s'était retiré, riche de sa victoire si chèrement remportée…

D'habitude, les Sirènes n'évoluaient guère dans cette partie de la mer d'Okan, tant à cause du volcanisme que de sa fréquentation par les Hommes.

Les séismes y étaient fréquents et avaient déjà provoqué des raz-de-marée dans le passé. Les Sirènes redoutaient autant ces derniers – le danger présenté par la vague qui pouvait les emporter et les abandonner en pleine terre était indéniable – que les failles sous-marines : il arrivait que le fond de la mer s'ouvre, laissant échapper la roche liquide directement dans l'eau. Le débit de la lave était parfois important et la température augmentait rapidement. Dans ces cas-là, il valait mieux quitter les lieux le plus vite possible.

De plus, les Hommes qui habitaient les villages de la côte avaient développé une activité maritime intense et les bateaux qui sillonnaient cette zone se comptaient en trop grand nombre au goût d'un peuple aussi discret que celui des Sirènes. Celles-ci évoluaient généralement beaucoup plus au large et évitaient de se rapprocher des eaux trop fréquentées par les embarcations, de quelque tonnage qu'elles soient. Et encore moins des terres habitées.

Mais Tahitoa, se sentant depuis longtemps d'humeur exploratrice, avait entraîné son amie Aroha dans un grand voyage de découverte des mers lointaines. La mer d'Okan, qu'elles appelaient l'océan Moana à cause de sa taille, au demeurant largement sous-estimée par les Hommes, ne représentait qu'une étape parmi d'autres dans leur vaste périple.

Tahitoa, intéressée par les curiosités naturelles, examinait la configuration du sol sous-marin, émerveillée: une gigantesque coulée de lave s'était solidifiée en colonnes hexagonales d'une régularité étonnante. La contraction de la lave lors de son refroidissement, immédiatement après son émission, avait créé la fracturation hexagonale en colonnes qui, vues de dessus, donnaient l'impression d'un dallage ou d'un pavement.

Tahitoa avait déjà entendu parler de ce phénomène géologique, mais c'était la première fois qu'elle en avait le résultat sous les yeux. Elle était en train d'étudier la nature de la roche, du basalte à en juger par sa couleur noire, et s'amusait à chercher les colonnes irrégulières, avec quatre, cinq ou sept côtés, quand Aroha l'avait rejointe, toute retournée, et l'avait informée, en utilisant force gestes:

— Il y a une barque avec des passagers, mais ils ont l'air plutôt mal en point. Cela fait un moment que je les observe, ils ne bougent presque plus. Je suppose qu'ils n'ont rien à boire ou à manger, et le soleil n'arrange pas les choses. Ils sont en piteux état. Ils vont sans doute mourir…

Tahitoa avait immédiatement abandonné ses observations morphologiques du fond marin pour aller se rendre compte *de visu* de quoi il en retournait. Les deux amies avaient examiné la barque en détresse, occupée par Gaïg et ses compagnons après que Loki, en quête d'aventure, eut détaché l'amarre sur la rive de la Yoruba.

Elles avaient compris l'infortune de ses occupants. De leur point de vue, une passagère semblait néanmoins supporter l'épreuve un peu mieux que ses camarades et se penchait parfois par-dessus bord, comme pour essayer de voir ce qui se passait dans les profondeurs.

Aroha et Tahitoa s'esquivaient chaque fois prestement, mais elles n'avaient pas pensé que la fille leur tendrait un piège : elle s'était simplement laissée flotter à l'arrière, reliée à la barque par l'amarre. C'est quand elle avait bougé que les deux Sirènes s'étaient rendu compte qu'on les épiait elles aussi.

Tahitoa, la Courageuse, s'était approchée de Gaïg le temps de croiser son regard, de saisir le bref éclat du Nyanga à son doigt, et elle avait disparu dans les profondeurs. Malgré l'insistance d'Aroha qui préconisait à présent un éloignement rapide de ces eaux dangereusement peuplées de créatures terrestres, Tahitoa avait tenu à leur porter secours.

— Cela donnera une belle image de nous aux autres peuples, avait-elle prétendu. Tu vois bien que ce ne sont pas les Hommes habituels. Ils sont tous différents. Il y a même un animal à tête d'hippocampe avec eux… Et comme la fille qui nageait nous a vues, de toute façon…

— Je crois que ça s'appelle un cheval, cet animal. Je ne sais pas si c'est méchant. Peut-être que ça mord…

— Et que ça dévore les Sirènes trop curieuses ! Je ne pense pas qu'il soit en état de mordre, ton cheval. Il n'a même plus la force de soutenir sa tête… avait répondu Tahitoa.

Elle avait immédiatement pris les choses en main : d'abord nourrir les malheureux occupants de la barque, ensuite les amener à terre.

— La terre la plus proche, c'est Poerava, avait-elle ajouté. Ce n'est que maintenant que je comprends pourquoi on appelle cette île la Perle noire de l'océan Moana : c'est peut-être à cause de ces sombres colonnes basaltiques sous-marines toutes proches. Elles sont noires comme… comme… comme du basalte ! Allez, on va leur chercher de la nourriture, on trouvera bien quelque chose sur la côte. Au fait, ça mange quoi, un cheval ?

Aroha avait levé les sourcils et remué la queue en signe d'ignorance, pas très rassurée. Sous l'eau, les Sirènes avaient pour habitude de communiquer par signes, et elles disposaient pour cela de toute une gamme de gestes, plus ou moins expressifs. Elles y joignaient le toucher, surtout pour exprimer l'intensité d'un sentiment ou d'une question. Une forte pression des doigts signifiait une certaine impatience dans l'attente de la réponse, impatience qui augmentait quand la main tout entière prenait le relais et venait presser le bras de l'interlocutrice.

Les sentiments d'amour et d'amitié mettaient en jeu le corps tout entier, et les frotti-frotta n'étaient pas rares, sans que s'y mêlât une quelconque ambiguïté. Dans la mesure où les mâles sirènes ne jouaient leur rôle reproducteur que dans des situations bien précises, il n'y avait aucune raison de refuser la douceur d'un câlin féminin quand le besoin s'en faisait sentir, et les Sirènes se réfugiaient volontiers dans les bras l'une de l'autre, nageoires rabattues et queues entremêlées.

L'assurance dont faisait preuve Tahitoa effrayait parfois Aroha, mais elle suivait vaillamment son amie, poussée par sa propre curiosité. À ce jour, il ne leur était encore rien arrivé de mal, après tout...

Il avait fallu du temps pour aller chercher le manguier de mer qui avait sauvé Gaïg et ses compagnons de l'inanition, puis pour remorquer la barque jusqu'à Poerava.

Après le sauvetage des passagers en détresse, Aroha et Tahitoa avaient soigneusement inspecté les fonds sous-marins entourant l'île. Elles s'étaient rendu compte, au vu des déchets alimentaires propres à ceux de leur race, qu'une Sirène vivait dans les parages. Son esprit aventurier déjà aiguisé par le voyage, Tahitoa s'était lancée dans une exploration discrète mais rigoureuse des alentours afin d'identifier la Sirène solitaire.

À la grande surprise des deux voyageuses, Iolani était alors entré en scène, superbe et hautain, ombrageux et royal, assassin et libre.

86

Flopi saisit sa longue-vue et inspecta soigneusement l'horizon. Puis il considéra le groupe de Nains assis à même le pont de part et d'autre de Macény qui, pour la première fois de toute la traversée, avait retrouvé quelques couleurs. Il était visible qu'elle allait mieux.

Il discuta un court instant avec les marins qui l'entouraient, et échangea quelques signes cabalistiques avec ceux de la seconde goélette. Puis il s'approcha de Mukutu et ses compagnons :

— Il pourrait bien s'agir de l'île que vous cherchez. Notre tactique consiste à en faire le tour en allant dans le sens inverse de l'autre goélette. Ainsi, nous pourrons faire le point sur ce que chacun aura vu.

« Ensuite, nous allons tenter d'y aborder, ne serait-ce que pour découvrir ce qui s'y cache. Nous arrivons par le nord et nous ne risquons rien pour le moment. Je sais qu'il y a une plage à l'ouest, avec des constructions, mais nous n'y accosterons pas dans l'immédiat, sans savoir ce qui nous attend : ce serait trop dangereux. »

Il se tut, comme s'il attendait une réponse qui ne vint pas. Les Nains étaient décontenancés par cette approche maritime, inhabituelle pour eux, et ils s'en remettaient entièrement aux Floups puisque Flopi s'était engagé à les aider. D'être si près de la vérité les paralysait : ils mouraient du désir de savoir, tout en redoutant la réalité. Est-ce qu'il y avait des Kikongos sur cette île ? Est-ce qu'ils étaient réellement réduits en esclavage ?

WaNguira réalisa le premier qu'il faudrait peut-être livrer bataille pour délivrer ses frères. Il n'avait guère pensé à cette éventualité jusque-là, tellement il était obnubilé par la seule idée des Kikongos survivants. Il attendit que la même idée naisse dans l'esprit de Mukutu, mais comme rien ne venait, il se décida à prendre la parole :

— Nous savons que vous agirez pour le mieux, capitaine Flopi. Nous vous sommes déjà profondément reconnaissants d'avoir accepté de nous amener jusqu'ici. Mais ce n'est pas la peine de risquer la vie des vôtres. Débarquez-nous n'importe où sur l'île, nous nous débrouillerons pour en savoir plus, et, le cas échéant, pour libérer nos frères prisonniers. Ensuite, vous pourrez revenir nous chercher.

— C'est une longue histoire qui lie les Floups et les Hommes, répondit Flopi avec vivacité. Si vos frères sont, comme vous le dites, réduits en esclavage par des Hommes, les Floups seront solidaires jusqu'au bout.

Comme pour l'appuyer dans ses dires, un groupe de marins s'approcha de lui, l'air décidé. Visiblement, dès qu'il s'agissait des Hommes, les Floups étaient prêts à partir en guerre. WaNguira s'inclina.

— Nous vous r'mercions pour cette solidarité, dit Mukutu, sortant de sa passivité. En r'tour, considérez qu'les Lisimbahs sont désormais les obligés des Floups et ont une dette envers eux. Les Kikongos égal'ment, si jamais il y en a sur l'île qu'nous voyons là. J'm'engage en leur nom.

L'engagement n'était pas pris à la légère, les Nains le savaient. Ceux de la tribu des Lisimbahs, à savoir Babah, WaNguira, Afo, Keyah et Macény, s'avancèrent immédiatement afin de soutenir Mukutu dans ses paroles.

— Parole de Nain, parole d'honneur, formulèrent-ils tous avec un bel ensemble.

Flopi se pencha en avant en signe d'acceptation, mais ne dit rien.

— Peut-être que nous n'aurons pas besoin de verser le sang, qui sait ? ajouta WaNguira, avec une sagesse pacifiste.

L'entrevue étant terminée, les Floups se disséminèrent immédiatement sur le pont. Les Nains considéraient avec une avidité teintée d'anxiété la terre qui se rapprochait. Que leur réservait-elle comme mauvaise surprise ?

La deuxième goélette s'éloignait déjà de la leur afin de passer à l'ouest de l'île. Eux la contourneraient par l'est.

Les Floups étaient agités : ils parcouraient le pont en tous sens, saisissaient une longue-vue avec laquelle ils examinaient rapidement la côte, la reposaient, vérifiaient leurs armes, engageaient un combat fictif pendant lequel ils adoptaient quelques postures dansantes tout en échangeant quelques coups de pied et en enchaînant les roues à une vitesse incroyable.

Les Nains avaient du mal à décomposer les mouvements. Ils avaient réussi à analyser le pas de base de la florinette, que les Floups leur avaient dit s'appeler la « ginga », mais ça s'arrêtait là : les petits bonshommes basanés allaient beaucoup trop vite.

Afo se décida à essayer une longue-vue : elle fut étonnée par sa puissance de rapprochement.

— Hé, mais on voit l'île de près, dans cette chose ! s'exclama-t-elle.

Il n'en fallut pas plus pour que ses compagnons suivent son exemple et saisissent un instrument auquel ils accolèrent un œil curieux. Pendant un moment, les exclamations de surprise fusèrent. Les Floups s'amusaient de l'étonnement des Nains.

— M'est avis qu'on voit comme si on y était ! s'écria Mukutu.

— Et il n'y a personne sur cette île, apparemment, ajouta Macény, anxieuse et déçue.

Ses compagnons la regardèrent, pleins de compréhension. Elle espérait beaucoup de ce voyage et l'attente devenait plus pénible au fur et à mesure qu'on se rapprochait. D'autant plus qu'on n'était sûr de rien : après tout, en organisant cette expédition, WaNguira avait accordé foi aux dires d'un Salamandar, pensaient-ils tous. Jusqu'à quel point ce dernier était-il digne de confiance, seul l'avenir le dirait.

— C'est un peu tôt pour trancher, intervint Flopi, coiffé de son superbe tricorne améthyste. Cette île est apparemment déserte, mais il y a des habitations sur la côte ouest. Nous n'y sommes pas encore, puisque nous avons choisi de passer par l'est. Les autres nous diront ce qu'ils ont vu quand on les croisera au sud. Mais ne vous étonnez pas si ça semble inoccupé : nous n'y avons jamais vu foule. Tout au plus quelques Hommes. L'ouest est la seule partie de l'île qui soit peuplée, je pense. Le reste est à l'état sauvage.

— Vous n'y avez jamais accosté ? interrogea WaNguira. Même par curiosité ?

— Si. Dans le passé. Il y a assez longtemps. Sur la côte est, qui est inhabitée. Nous n'avions rien remarqué de bizarre à l'époque. Les habitations étaient déjà construites dans la baie de l'ouest. Mais nos relations avec les Hommes sont très tendues, nous évitons ces derniers au maximum…

— Sauf sur mer ! intervint un Floup au visage couvert de tatouages, répondant au nom de Plofi. Et, dans ces cas-là, nous nous rapprochons volontiers d'eux…

Les Nains sursautèrent : il était rare qu'un Floup autre que Flopi participât à la conversation. Excepté Plofi qui, indifférent à la réaction suscitée par son propos, scrutait l'île en arborant un sourire vorace et vengeur.

Plofi était un conteur-né et adorait raconter des histoires, effrayantes pour la plupart. Une longue bande de tissu rose clair très fin lui ceinturait plusieurs fois la taille, retenant son pantalon violine aux jambes effrangées, tandis qu'une autre bande tout aussi longue du même tissu lui ceignait la tête de nombreux tours en réussissant le tour de force de laisser ses oreilles libres de se mouvoir.

Afo et Keyah échangèrent un regard et retinrent un sourire. Elles s'étaient plu à observer les mœurs des Floups et en avaient longuement discuté entre elles. Malgré leur légendaire férocité, ces « petits bonshommes » les amusaient, sans doute parce qu'elles ne les avaient pas encore vus à l'œuvre.

Rien que leurs prénoms les égayaient : ils se ressemblaient tous. Comment différencier Flopi de Plofi, Flup de Flip ou de Flap ? Plafi, Plofu, Plifo, Polaf et Falop formaient un joyeux brouillamini dans leur esprit, et Pafou les enchantait. Par la suite, elles avaient été soulagées de découvrir une Trompe, qui était la seule fille floupe à bord. Autrement, les occupants des bateaux étaient de sexe mâle.

Trompe constituait une exception. Elle était la fille chérie de Falop, qui avait dû l'élever seul, son épouse étant morte en couches en donnant le jour à des jumeaux. Falop avait catégoriquement refusé de confier ses enfants à une mère adoptive, et les avaient emmenés avec lui sur le bateau.

Au début, ses compagnons s'étaient montrés réticents : non parce que ça pouvait être dangereux pour les bébés mais parce qu'une femme sur un bateau, ça portait malheur. Cependant les bébés floups avaient vite conquis le cœur de ces marins éloignés de leur famille, et la fille était devenue leur mascotte quand son frère avait été enlevé par les Hommes à l'âge de cinq ans.

Afo et Keyah avaient écouté avec attention l'histoire de Trompe racontée par elle-même et avaient même posé des questions. Elles trouvaient les Floups plutôt charmants, vifs et actifs, amusants dans la tonalité mauve de leurs habits, mais avaient été surprises par la rapidité avec laquelle ils se mettaient sur le pied de guerre.

Maintenant qu'elles les avaient un peu fréquentés, elles avaient du mal à imaginer ces petits personnages remuants en pirates sauvages et sanguinaires, avides de tuer et de massacrer. Mais elles n'étaient pas assez naïves pour croire à une réputation injustifiée : les Nains avaient simplement la chance de ne pas être les ennemis des Floups. Et si elles avaient encore des doutes, les cicatrices qui ornaient le corps de ces derniers les levaient…

La goélette avait changé de cap afin de se rapprocher de la côte. Puisque cette partie de l'île était inhabitée, on ne risquait pas grand-chose. Macény inspectait le littoral avec avidité : elle monopolisait une longue-vue pour son seul usage. S'il n'avait tenu qu'à elle, elle aurait déjà débarqué et parcouru la moitié de l'île en appelant Do.

Le voyage se poursuivit tranquillement jusqu'à ce que la seconde goélette apparaisse à l'horizon. Les Floups manœuvrèrent pour la croiser au plus près afin de pouvoir échanger des informations.

— Vous communiquez toujours par gestes ? demanda Afo à Flopi.

— Le plus souvent possible. Surtout quand il n'y a rien à signaler. Ou quand la situation est urgente et qu'il faut vite prendre une décision. C'est rapide et efficace. Sinon, il nous faudrait jeter l'ancre et mettre une barque à la mer. Nous avons des porte-voix, mais ce n'est pas très pratique puisque l'ennemi entend aussi ce que nous disons.

Quand les deux bâtiments furent presque à la même hauteur débuta une conversation par gestes. Tous les Floups étaient réunis sur le pont de chaque bateau, et déchiffraient les mouvements des capitaines qui s'exprimaient à tour de rôle. Ensuite, ce fut une joyeuse pagaille pendant laquelle tous se manifestèrent en même temps.

Les Nains avaient d'autant plus de mal à suivre la « conversation » que tout se déroula très vite, juste le temps que les embarcations se croisent. Ils ouvraient des yeux ronds, essayant désespérément de comprendre. Mais les signes échangés demeuraient obscurs pour les non-initiés. Seul WaNguira essayait secrètement de saisir ce qui se disait, la main dans une poche serrant sa Pierre des voyages. Il fut rassuré : aucune « parole » malveillante à leur égard ne fut échangée…

Finalement, Flopi se tourna vers eux :

— Rien à signaler. L'île semble plus déserte que jamais. Ils sont passés assez près de la côte, il n'ont vu personne. Il n'y a même plus de bateau dans la baie, seulement une barcasse de rien du tout. Peut-être que nous pourrons accoster, après tout…

Il fallut le temps de doubler l'île par le sud avant de remonter vers le nord par l'ouest. Les Nains, si placides d'habitude, sentaient monter en eux un sentiment d'impatience. L'intuition selon laquelle les Kikongos étaient proches grandissait chez WaNguira.

Au bout de ce qui parut une éternité, Flopi signala un promontoire :

— La baie se trouve derrière ce cap, annonça-t-il. Nous allons nous rapprocher de la plage le plus possible. Attention, on ne sait jamais : il vaut mieux vous mettre à l'abri, même si vous restez sur le pont.

Les Floups avaient décidé de passer assez près des habitations : après tout, ils n'avaient pas peur des Hommes ! Un peu de provocation pimenterait cette navigation trop calme : on était venu pour se battre, finalement, on le savait dès le départ…

Les Nains se sentaient prêts pour le combat également : ce n'étaient pas des froussards, et s'il fallait livrer bataille pour délivrer leurs frères, ils se lanceraient vaillamment dans la mêlée.

Le temps se mit à s'écouler rapidement pour tout le monde, et les premières habitations apparurent. Mais pas âme qui vive. La goélette passa devant le village, louvoya dans la baie, et finit par jeter l'ancre.

— Soit c'est inhabité, soit c'est un piège : ils sont tous cachés et ils attendent qu'on aborde pour attaquer.

C'était Flopi qui parlait, une lorgnette plaquée sur l'œil, le corps protégé par le mât d'artimon. Ses amis se déplaçaient très près du sol, en profitant de l'abri offert par les cordages, les gréements, les voiles, les tonneaux, et par tout ce qui pouvait servir de bouclier.

Autant ils s'étaient exposés quand ils avaient croisé l'embarcation au petit matin dans le lointain, autant ils se montraient prudents maintenant qu'ils étaient proches. Ils faisaient penser à des félins à l'affût, prêts à se jeter sur la première proie qui passerait.

Cependant aucun signe de vie n'apparaissait sur la côte.

— Nous patienterons le temps qu'il faudra, annonça Flopi. Ceux de l'autre goélette accosteront discrètement à l'est pendant que nous attirons l'attention ici. Si la voie est libre, ils devraient pouvoir rejoindre ce village. Auquel cas, nous pourrons débarquer sans risque. En attendant, surveillons les habitations. Peut-être qu'ils se montreront les premiers…

Le dernier conseil était inutile : tous les regards étaient braqués sur la côte, avec ou sans lorgnette.

WaNguira seul avait fermé les yeux : depuis que l'île était en vue, il essayait d'établir une communication par la pensée avec WaNdo qui, selon Maïalen, la Salamandar, aurait succédé à WaNgolo comme grand prêtre des Kikongos.

87

Au repas du soir, Pilaf avait été catégorique : il lui fallait absolument trouver un équipage floup. Donc rejoindre une île appartenant aux Floups, et voir parmi ces derniers s'il y en avait qui accepteraient de s'embarquer avec lui. Après seulement, il pourrait rapatrier les passagers qu'il persistait à considérer comme ses prisonniers.

Gaïg n'avait pu s'empêcher de lui faire remarquer, avec une certaine logique, qu'il semblait avoir autant besoin d'eux qu'eux de lui. Le jeune Floup, pour prouver son indépendance à Gaïg, avait mis le navire en panne pour la nuit. Il s'était contenté de choquer les écoutes et de laisser la bôme s'orienter dans le sens du vent ; l'embarcation avait alors cessé d'avancer.

— Il y a tout le temps des bateaux dans les parages, avait-il expliqué à Gaïg. Je peux rester ainsi aussi longtemps qu'il le faudra, il y en aura toujours un qui s'approchera pour voir de quoi il en retourne sur ce bâtiment. Et si ce sont mes amis, peut-être qu'ils te couperont la tête, avait-il ajouté posément.

Gaïg avait haussé les épaules : ce petit pirate plein d'audace ne l'impressionnait pas. Mais les autres étaient intervenus pour la défendre, y compris Loki, à sa grande surprise :

— Hé, mais on y tient, nous, à notre Gaïg ! Il n'est pas question de toucher à un cheveu de sa tête! Sinon, c'est la mutinerie assurée, capitaine. Hé! hé! je suis ton prisonnier, mais quand même...

Winifrid, si calme d'habitude, avait bondi en même temps qu'AtaEnsic, et toutes les deux s'étaient placées devant Gaïg, formant une barrière de leurs corps pour la protéger. La Dryade avait même abandonné le sawyl, sa langue natale, pour être sûre de se faire comprendre:

— Là, tu exagères, Pilaf. Ne crois pas que nous te laisserons faire si facilement. Nous la défendrons!

— Si tu t'approches d'elle, je te mords! avait proféré Dikélédi d'une voix menaçante qui ne laissait aucun doute sur ses intentions.

— Gaïg est très importante pour nous, Pilaf, avait expliqué WaNdo d'un ton plus posé. Nous ne voudrions pas qu'il lui arrive quoi que ce soit de malheureux, tu comprends? Et puis, il y a déjà eu assez de morts comme ça, il faut arrêter.

Pilaf avait été aussi surpris que Gaïg par cette levée générale de boucliers. Il l'avait dévisagée avec étonnement.

— C'est vrai qu'elle est bizarre, avait-il dit lentement. Elle n'appartient pas tout à fait à la race des Hommes.

Il la considérait, l'air songeur.

— Je l'ai vue quand elle se baignait hier soir, pendant que vous dormiez. Elle nage bien. Elle peut rester longtemps sous l'eau sans respirer. Il y avait une vieille Sirène toute laide qui la regardait mais elle a disparu quand elle m'a vu. C'est rare, de voir une Sirène...

— Une Sirène? Il y avait une Sirène qui me regardait? avait demandé Gaïg, interloquée, pendant que ses compagnons se tournaient vers elle, interrogateurs eux aussi.

— Tu t'es baignée? l'avait questionnée Winifrid. Mais c'est dangereux, Gaïg, très dangereux.

— Mais pourquoi tu as fait ça? s'était enquise à son tour Dikélédi. On t'avait dit de ne pas te baigner.

S'en était suivi un moment de confusion pendant lequel les questions avaient plu sur Gaïg qui ne répondait à aucune, occupée qu'elle était à consulter Pilaf qui avait fini par se rebiffer:

— Mais j'en sais pas plus, je te dis. Je t'ai surveillée parce que je savais que tu m'avais vu sur le pont et que tu pouvais donner l'alerte, c'est tout. Quant à la Sirène, t'avais qu'à lui demander, toi. Elle te couvait des yeux et en plus, elle était devant toi! J'y peux rien, si t'es aveugle dans l'eau la nuit!

Gaïg se tut, secrètement désolée. Une fois de plus, la chance lui était passée sous le nez. Depuis le temps qu'elle essayait d'entrer en contact avec ces habitantes des mers... Et là, était-ce la même Sirène que celle qui lui rendait visite au village autrefois ? Peut-être...

Elle se promit d'être plus vigilante la prochaine fois. En attendant, elle ne comprenait pas l'acharnement de ses compagnons à lui interdire l'accès à la mer. Dire qu'elle avait l'intention d'y retourner le soir même... S'ils savaient...

Mais lesdits compagnons, connaissant l'attirance de Gaïg pour l'élément marin, se méfiaient : ils s'installèrent tout autour d'elle pour dormir. Ce qui ne l'empêcha pas d'enjamber leurs corps au plus fort de la nuit et de descendre le long de l'échelle à l'arrière du bateau avant de se laisser glisser silencieusement dans l'eau.

Elle se demanda si Pilaf l'avait vue : il tenait trop à son bateau pour dormir profondément, d'autant plus qu'il l'avait mis en panne. Mais elle avait l'intuition qu'il se tairait s'il la voyait se baigner. Et puis, peut-être qu'il ne s'était rendu compte de rien...

Elle aurait aimé savoir pourquoi il avait prétendu qu'elle n'était pas tout à fait humaine. Était-elle si différente des autres ? Il était évident qu'elle ne pouvait se comparer à ses compagnons, puisque eux-mêmes n'appartenaient pas à la race des Hommes.

Mais si elle cherchait dans les souvenirs de sa vie au village, elle se rappelait bien qu'on l'accusait de singularité sans qu'elle-même pût bien comprendre sur quoi reposait cette accusation. Oui, certes, de petites membranes de peau reliaient ses doigts entre eux, ainsi que ses orteils. Mais qui d'autre le savait ? Elle était un peu grassouillette, aussi, indubitablement. Et puis...

Flûte ! Elle n'allait pas recommencer à dresser l'inventaire de tout ce qui clochait chez elle, parce qu'un petit sacripant de Floup avait jugé qu'elle était « bizarre ». Nihassah lui avait assez répété de ne pas se comparer aux autres enfants, qu'elle valait bien mieux qu'eux tous. Gaïg plongea pour laver son esprit de ces pensées négatives, et demeura longtemps sous l'eau.

Au bout d'un moment, elle sentit que la tête lui tournait légèrement, mais peu lui importait. Pour conjurer la colère qui sourdait en elle, il lui fallait découvrir du nouveau, vivre des expériences originales, tester ses limites. Rester immergée en faisait partie. Même si elle devait en mourir. Ou devenir folle. Ou... n'importe quoi !

Elle trouva même qu'elle avait les idées assez claires : peut-être que la composition de son corps changeait quand il était dans l'eau ! Sans réfléchir, Gaïg prit une longue inspiration. L'eau lui entra dans les narines et elle ouvrit machinalement la bouche pour la laisser sortir. Au moment où elle se rendait compte de son erreur, elle ressentit une brûlure profonde qui lui monta au cerveau. Voilà qu'elle se mettait à respirer sous l'eau, à présent !

Elle s'apprêtait à remonter à la surface, s'attendant à tousser et à étouffer, mais rien ne se passa. Son besoin d'air était devenu moins pressant. Puis la pensée de TsohaNoaï jaillit dans son esprit, en même temps que ses paroles. La Reine des Licornes avait dit : « Je te fais le don de l'air, c'est un cadeau », Gaïg s'en souvenait maintenant.

Quelque chose la poussait à recommencer, mais la crainte avait fait son apparition et l'en empêchait. Elle n'était pas un poisson, elle ne pouvait pas vivre sous l'eau et y respirer. C'était tout simplement impossible. Et c'était douloureux, de surcroît.

Mais comme toujours chez Gaïg, la curiosité l'emportait quand il s'agissait de la mer. Elle inspira encore, tout doucement cette fois, et ouvrit la bouche pour relâcher l'eau : une douleur fulgurante, décuplée par l'appréhension, lui vrilla l'intérieur du crâne. Mais le fait est qu'elle avait bel et bien l'impression de respirer. Pouvait-on appeler cela « respirer », d'ailleurs ? Et qu'est-ce que la Reine des Licornes avait voulu dire par ses paroles ?

Gaïg n'en doutait plus maintenant, elle était convaincue de sa capacité à survivre sous l'eau. Il lui suffisait de s'entraîner, et surtout de chasser l'anxiété. Elle inspira plusieurs fois de suite, s'appliquant à relâcher l'eau tout doucement par la bouche.

Plus elle allait lentement, mieux ça marchait. Sa grande ennemie, c'était la crainte, dictée par la raison. Si elle pensait la chose impossible, le processus devenait effectivement quasi insupportable, tellement il était douloureux. Si elle l'accomplissait naturellement, sans se poser de questions, elle souffrait nettement moins.

Ébahie par sa découverte, Gaïg s'appliquait consciencieusement. Elle n'était jamais demeurée aussi longtemps sous la surface. Elle étudiait le phénomène, se livrant à diverses expériences, cherchant la meilleure méthode.

En même temps, elle réfléchissait intensément : comment ne s'était-elle rendu compte de rien auparavant ? Pourquoi n'avait-elle jamais essayé ? Peut-être qu'elle avait essayé, d'ailleurs, sans réussir. Auquel cas, elle ne s'en souvenait pas…

Et si c'était vrai, qu'elle n'était pas humaine ? On le lui avait déjà tellement répété... Mais qu'était-elle, alors ? Elle n'avait ni les écailles ni les nageoires d'un poisson, pourtant. Ou alors, c'était le présent de TsohaNoaï : le « don de l'air » signifiait peut-être la capacité de maîtriser cet élément en des lieux inhabituels...

En tout cas, si elle rencontrait une Sirène, elle l'aborderait sans crainte, puisqu'elle pourrait demeurer sous l'eau aussi longtemps que nécessaire. Même une Sirène mâle, si impressionnante fût-elle...

Gaïg sursauta. La mémoire lui revenait d'un seul coup. La Sirène mâle dans le bassin, Thioro, le lac souterrain, Txabi lui offrant un anneau en Nyanga, le mal de tête épouvantable qui s'en était suivi, les arbres lui bouchant la voie, AtaEnsic surgissant au galop.

Elle supposa qu'elle s'était évanouie ensuite, puisqu'elle ne se rappelait plus ce qui s'était passé. On lui avait raconté l'échange de sang avec Winifrid, pour qu'elle oublie. Oublier quoi ?

AtaEnsic avait parlé d'un objet qui permettait de la localiser, elle. Si elle n'y pensait pas, on ne pouvait pas le faire. Quel était cet objet auquel elle ne devait pas penser ? Le cadeau de Txabi, bien sûr !

Elle regarda sa main : elle n'avait pas rêvé, il y avait bien un anneau de plus à son doigt. Qui brillait intensément malgré l'obscurité. Où le Salamandar l'avait-il pris ? L'avait-il subtilisé à la Sirène mâle ? Ce serait donc Txabi, l'« ennemi » ?

Non, ce n'était pas possible... WaNdo avait bien dit qu'il s'agissait de « Nyanga noir », du Nyanga volé à son propriétaire. Mais il avait précisé « Personne ici n'a volé de Nyanga », Gaïg en était sûre. Donc Txabi ne pouvait endosser le titre de malfaiteur.

Elle se rappela les tableaux que le chêne lui avait présentés, avec la Sirène mâle poursuivant et attaquant la Sirène femelle enceinte. Ce serait donc lui, le voleur ? Et lui également, l'esprit qui lui faisait tellement mal en tentant de pénétrer le sien ? Peut-être parce qu'il désirait à tout prix récupérer l'objet dérobé...

Et s'il la trouvait et qu'il l'attaquait pour reprendre son bien ? Parce que, si son raisonnement à elle était juste, il pouvait la localiser, maintenant. Il fallait absolument qu'elle arrête de penser à la bague.

Mais pourquoi ne ressentait-elle plus aucune douleur ? Et pourquoi la mémoire lui était-elle brusquement revenue ? Grâce à sa « respiration » sous l'eau ? Peut-être que cette dernière lui avait fait retrouver sa véritable nature, en neutralisant les effets de l'échange de sang avec Winifrid...

Gaïg sentit une force toute neuve l'envahir. Qu'il approche, ce mâle qui tuait les Sirènes enceintes, elle saurait le recevoir ! Elle avait repoussé les Vodianoïs, ce n'était pas lui qui allait l'intimider.

Elle revoyait les dards hérissés le long de ses bras, elle devinait qu'ils étaient venimeux mais elle se sentait invincible : la preuve, jamais elle n'était restée aussi longtemps sous l'eau. Et maintenant, surgie de nulle part, elle entendait cette petite musique marine qu'elle aimait tant mais dont elle ne maîtrisait pas la venue.

Les pensées défilaient dans son esprit mais cette fois, aucune migraine ne se faisait sentir. En tout cas, la réalité était là, fort plaisante au demeurant : elle savait respirer sous l'eau.

Elle était descendue dans la mer en pleine nuit et depuis, le jour avait eu le temps de se lever, à en juger par la couleur claire dans laquelle elle baignait maintenant ; pendant tout ce temps, elle n'était pas remontée une seule fois à la surface.

Gaïg regarda au-dessus d'elle et, tout à coup, elle frémit : où se trouvait le bateau ? Elle cherchait à apercevoir sa coque, sans succès. Comment avait-elle pu s'éloigner autant ?

88

Iolani avait disparu de la circulation quand il avait été mis au ban de la société des Sirènes, il y avait de cela une dizaine d'années. On l'apercevait de temps en temps, rarement, à vrai dire, quand il faisait une brève apparition, mais comme personne n'éprouvait le désir de fréquenter ce monstre criminel ou d'en apprendre davantage sur lui, on l'ignorait ostensiblement.

Même s'il n'avait pas pu être condamné à mort – pour l'unique raison qu'il était le seul représentant mâle alors en vie de la Lignée sacrée –, toutes les Sirènes le tenaient pour responsable de la disparition prématurée d'Heïa qu'il avait blessée et poursuivie jusqu'à épuisement. Heïa, de la Lignée sacrée elle aussi, destinée à devenir leur reine quand, selon la Tradition, Vaïmana l'Ancienne, sa mère, lui passerait les rênes du pouvoir... Heïa qui, toujours selon la Tradition, transmettrait ensuite la souveraineté à la fille qu'elle portait alors en son sein...

En effet, c'était une longue histoire que celle des Sirènes, qui remontait aux temps du Commencement, ceux d'avant la Lignée sacrée. Une histoire qui expliquait comment était apparue la Tradition, cette Tradition qui donnait aux femmes sirènes un pouvoir qu'elles se transmettaient de génération en génération, de mère en fille, de grand-mère en petite-fille...

Au Commencement, il y avait l'Esprit de l'Eau et l'Esprit de la Terre. Olokun et Mama Mandombé, selon la terminologie naine.

L'Esprit de l'Eau avait fécondé l'Esprit de la Terre, et Yémanjah, fruit de cette union, était apparue. Fille de la Terre et de l'Eau, elle portait en elle les deux principes.

Cette mixité fut à l'origine de la première dispute. Parce que, aucune hérédité ne l'emportant sur l'autre, chacun des parents voulait la garder avec soi.

Mama Mandombé, pour échapper au harcèlement d'Olokun, s'était réfugiée dans les profondeurs insondables de la Terre en compagnie de ses cinq enfants mâles – qui devaient être à l'origine des cinq tribus de Nains – et de Yémanjah. Olokun avait vu rouge. Il avait liquéfié la roche afin de les faire sortir. Pour cela, il avait eu recours au Feu, qu'il avait ensuite éteint avec l'Eau.

Il avait alors enlevé Yémanjah à sa mère, et l'avait emportée avec lui, sous l'eau, la transformant physiquement pour qu'elle ne puisse plus vivre sur la terre ferme: il avait laissé la moitié supérieure du corps telle quelle, et il avait soudé les jambes en une queue de poisson, pour bien montrer qu'elle appartenait aux deux éléments, la Terre et l'Eau. Tout en sachant que jamais plus elle n'aurait accès au domaine maternel.

Yémanjah était devenue Otahi, la Première, joliment surnommée par les anciens Nains la *Mère-dont-les-enfants-sont-des-poissons* quand elle avait enfanté les Sirènes, fruit de son union avec son ravisseur. Étant la mère de ses enfants, elle était devenue l'égale d'Olokun.

Mama Mandombé, ulcérée, avait alors proféré une malédiction contre toute la descendance mâle dudit ravisseur, et seulement elle. Les filles de ce dernier n'étaient pas atteintes, mais les fils se montreraient arrogants, batailleurs, jaloux, ambitieux et dominateurs. Avec un tel comportement, ils seraient toujours occupés à se battre, incapables de construire quelque chose de durable.

Mama Mandombé prévoyait que les filles seraient ainsi amenées à gouverner, et qu'une fois établies dans la paix et la stabilité, elles ne renonceraient pas facilement au pouvoir.

Il n'avait pas fallu longtemps pour qu'Otahi, lassée des perpétuelles disputes de ses garçons, appelle sa mère au secours, en cachette d'Olokun, bien entendu. Elle voyait venir le moment où ses propres fils s'entretueraient jusqu'à ce qu'il n'en reste plus qu'un, qui serait le vainqueur assassin de ses frères.

Mama Mandombé avait alors fait don à Otahi de deux bagues en Nyanga et du secret de la *Roche-qui-enfante-les-filles.* Chaque bague était composée de deux anneaux entrelacés, qui semblaient n'en former qu'un quand on l'enfilait. Si on essayait de les séparer, les anneaux formaient un huit mais ne se dissociaient pas pour autant. Tant qu'Otahi et ses filles garderaient les anneaux en leur possession, elles seraient assurées de tenir les rênes du commandement.

À condition de respecter le secret de la *Roche-qui-enfante-les-filles* et de ne jamais révéler son existence aux Sirènes mâles. Les bijoux étaient là justement pour détourner leur attention.

Otahi avait accepté les dons maternels, sans doute désireuse de punir un peu son père, responsable de son enlèvement et de sa métamorphose. Elle avait immédiatement enfilé les deux bagues, une à chaque annulaire. Elle pensait intuitivement que le moment n'était pas encore venu de les transmettre à ses filles. Plus tard, elle le ferait.

C'est à partir de ce moment que les naissances de mâles avaient décru, grâce au secret de la *Roche-qui-enfante-les-filles.* Une période calme s'était installée. Les Sirènes se reproduisaient, mais, enfantant surtout des filles, elles établissaient une majorité féminine qui engendrait un matriarcat florissant.

Les mâles sirènes, préoccupés par leur propre rivalité, s'étaient retrouvés en marge du pouvoir, peu à peu dévolus au seul rôle de géniteurs. Bien que ne pouvant se passer d'eux pour la reproduction, les femmes sirènes considéraient la filiation par la mère comme la seule valable, puisque susceptible d'être prouvée, une naissance se déroulant toujours devant de nombreux témoins.

La parturiente transmettait alors à son enfant son nom et son histoire et il n'y avait de parenté qu'utérine, de généalogie que féminine. La Tradition était née, tout partait de la femme, tout aboutissait à la femme, et les choses allaient pour le mieux dans le meilleur des mondes possibles.

Profitant de cette atmosphère de paix et de sérénité, Mama Mandombé avait demandé réparation à Olokun. Elle avait réclamé une terre pour ses Nains, prise sur son domaine à lui, les Eaux. Puisqu'il avait rendu les profondeurs de la Terre inhabitables à cause du volcanisme, ce n'était que justice: les Dieux ne peuvent détruire sans construire, il fallait qu'il répare.

Olokun avait accepté, à une condition: qu'Otahi lui donne un enfant, un mâle, le dernier, dont la lignée serait sacrée. La fille-épouse avait consenti. Mais sachant le destin sacré de cette lignée, elle avait engendré des jumeaux. Elle avait mis au monde le fils demandé,

Emiri, en échange d'une terre pour les Nains, et avait gardé la fille dans son ventre.

Olokun avait immédiatement pris son fils avec lui, tout en informant Mama Mandombé qu'il tenait sa promesse : une terre existait, prise sur les Eaux, qui attendait les Nains. Volontairement, sans doute, il n'avait pas précisé où elle se trouvait.

C'est alors que Sha Bin, le *Nain-à-la-peau-claire*, était apparu et avait émis une prophétie à l'intention de Mama Mandombé : ce serait la descendante d'une fille à venir de Yémanjah qui découvrirait cette terre. Les Nains pourraient s'installer là où cette fille, qui, comme Yémanjah, réunirait la Terre et l'Eau, conduirait la *Fille-de-toutes-les-Dryades*.

Olokun, ravi de la prophétie de Sha Bin, dont il était si facile d'empêcher la réalisation, avait immédiatement décidé de ne plus féconder Yémanjah-Otahi. Mais c'était sans compter sur la ruse de cette dernière : la *Mère-dont-les-enfants-sont-des-poissons* avait donné le jour à Amata, la fille jumelle qu'elle avait gardée jusqu'alors dans son ventre, de la Lignée sacrée elle aussi.

Afin de protéger Amata et sa descendance, Otahi lui avait passé au doigt un des deux anneaux doubles, tout en gardant l'autre. Ce dernier reviendrait ensuite à la fille d'Amata, sa petite-fille.

Ainsi était née la Lignée sacrée, qui avait consacré la souveraineté accordée aux femmes sirènes par Mama Mandombé à travers le don des anneaux en Nyanga et du secret de la *Roche-qui-enfante-les-filles*.

Avec l'institution de la Lignée sacrée était apparue la matriarche qui portait en elle toute la mémoire de l'espèce, présidait aux cérémonies, et de qui dépendaient les décisions concernant la communauté. Amata devenait la gardienne reconnue de la Tradition, ce matriarcat maintenant précieusement protégé par les femmes sirènes.

Malheureusement, accompagnant la matriarche, s'y opposant, se développait parallèlement un être masculin nouveau – Emiri, le mâle de la Lignée sacrée, qui réclamait sa part de commandement, accompagné de ses semblables. Et la situation avait empiré, tout s'était gâté. Parce que la notion de « patriarche » avait été refusée par les femmes sirènes.

Au fil du temps, les mâles, de plus en plus avides de commander, refusaient de se soumettre à la matriarche, et aux femmes en général.

Ils n'étaient pas malheureux, pourtant, ces représentants du sexe masculin. Les femmes sirènes, justes et sensées, géraient la société pour le bien de tous, y compris le leur. Ils n'avaient aucune obligation, aucun devoir, aucun travail, puisqu'elles prenaient tout en charge, s'occupaient de tout, et réussissaient.

Elles ne leur refusaient même pas leur corps, puisqu'elles continuaient à procréer. Si certains s'accommodaient de cette vie somme toute agréable puisque dénuée de responsabilités, d'autres supportaient mal cet état de fait. Décidés à prendre le pouvoir en créant à leur tour une majorité masculine, ils ne refusaient aucune occasion de procréer, jouant à tout va avec leurs homologues féminines. Les femmes sirènes acceptaient volontiers le jeu, mais curieusement, elles continuaient à mettre au monde beaucoup de filles et, parfois seulement, un mâle.

L'Histoire ne précisait pas qui avait été le premier mâle à établir une relation entre ces naissances résolument féminines et le port des bagues. Mais une fois le lien créé, les mâles sirènes, dans l'ignorance du secret de la *Roche-qui-enfante-les-filles,* n'avaient eu de cesse qu'ils n'entrent en possession d'une des bagues au moins.

Ils avaient demandé l'aide d'Olokun. Ce dernier, conscient que le sort des mâles résultait de la malédiction de Mama Mandombé, avait décidé de gagner ses faveurs, puisqu'elle seule avait le pouvoir d'annuler la malédiction qu'elle avait lancée.

En favorisant la réalisation de la prophétie concernant ses Nains, il entrerait dans ses bonnes grâces et elle se montrerait plus conciliante. De toute façon, il ne pourrait empêcher la prophétie, puisque Yémanjah avait mis au monde la fille annoncée.

Maîtrisant le Temps, il avait bâti l'avenir afin d'aider les Nains de Mama Mandombé. D'autant plus que certains mâles, révoltés, faisaient preuve de violence envers les femmes sirènes, laissant éclater une brutalité qui n'avait d'égale que la lâcheté manifestée en s'enfuyant, une fois leur méfait accompli. Plusieurs générations s'étaient succédé sans que les choses s'améliorent. Elles allaient même de mal en pis.

Il s'en était suivi, pendant des siècles et des siècles, une période de dissensions, de rivalités, de luttes intestines et de guerre ouverte. Qui avaient sans doute conduit Heïa, dernière héritière de la Lignée sacrée, à l'ouverture sur un autre monde, une autre civilisation qu'elle espérait meilleure : celle des Hommes.

89

WaNguira n'obtenait aucune réponse sensée de WaNdo : seule la mer se présentait à lui dans son immensité bleue. C'était la première fois qu'il essayait de communiquer avec l'aveugle par la pensée et le grand prêtre se demandait ce qui pouvait bien gêner l'échange.

La cécité du Kikongo aurait même dû faciliter les choses, en favorisant le développement des autres sens. Peut-être que la mer formait une barrière, puisque c'était elle qui apparaissait, songea-t-il. Mais si près de la côte, tous les deux aussi proches l'un de l'autre, c'était pour le moins étonnant.

Peut-être aussi que son pouvoir diminuait… Non, ce n'était pas ça ! Il se sentait en pleine possession de ses moyens, il devait y avoir autre chose. À moins… qu'il n'y ait personne sur l'île !

Mais WaNguira rejeta bien vite cette pensée : tous ces voyages pour rien ! Parce qu'il s'était fié aux dires des deux Salamandars… Il avait spontanément confiance en Patxi, mais Maïalen ? Après tout, c'était elle qui avait parlé. Et si elle avait inventé tout cela ? Mais pas en présence de Patxi, quand même, il ne l'aurait pas laissée faire et aurait rétabli la vérité !

Cela dit, WaNguira ne pouvait expliquer pourquoi il se fiait davantage à l'un qu'à l'autre. Mais les relations entre individus ne reposaient pas toujours sur une base logique, et les sentiments qui créaient les amitiés et les couples échappaient à la raison. Son intuition lui disait que Patxi était différent de Maïalen, mais il n'aurait pu avancer un argument rationnel en faveur de ce point de vue.

Il se sentait plus à l'aise avec lui, il se doutait qu'ils pourraient se comprendre, tous les deux, qu'une amitié pourrait naître, et ça s'arrêtait là. Objectivement, il n'avait aucune raison d'accorder plus de crédit à l'un qu'à l'autre. Et Patxi pouvait se révéler complice de Maïalen dans l'affabulation. C'était un Salamandar, lui aussi. Mais tout de suite, la question du pourquoi surgissait. Quel intérêt auraient-ils eu à avoir inventé cette histoire de Kikongos survivants, esclaves sur une île?

WaNguira soupira. Malgré ses doutes, il avait l'intuition que des Nains se trouvaient là, tout près. Les Kikongos. Il sentait leur présence, leurs vibrations, leurs pensées, leur âme. Il ouvrit les yeux.

Sur le bateau, rien n'avait changé: les autres Nains, dissimulés derrière tout ce qui pouvait servir de protection, avaient les yeux fixés sur la côte. Macény, remplie d'anxiété, le cœur broyé, laissait couler des larmes silencieuses. Afo était blottie contre Bélimbé. Même chose pour Keyah, mais Fé s'était enhardi: il avait passé un bras protecteur autour de ses épaules.

WaNguira ne put s'empêcher de sourire en posant son regard sur Babah et Mukutu: ces deux-là, amis jusque dans leur corps, avaient adopté la même attitude et composaient la même grimace.

Accroupis, les mains prenant appui sur le sol, les yeux mi-clos pour mieux voir, le visage plissé, la bouche ouverte, ils fixaient intensément le rivage, attentifs au moindre mouvement qui se produirait sur le littoral. WaNguira les compara mentalement à deux crapauds à l'affût et s'amusa un bref instant de ce rapprochement animal, puis revint à sa préoccupation du moment: y avait-il ou non des frères sur cette île?

Le rivage était vide, le village semblait désert, mais tout cela n'était pas significatif. Les Hommes, s'ils maintenaient des Nains en esclavage sur ce bout de terre, avaient tout intérêt à se cacher. Ils laisseraient les occupants du bateau débarquer et les attaqueraient sur leur terrain.

Pourtant, WaNguira ne percevait pas leur présence sur les lieux. En revanche, celle des Kikongos s'imposait de plus en plus, vibrante d'interrogation impatiente. S'ils étaient là, ils devaient se demander quel était ce bateau dont l'équipage ne se montrait pas...

Debout à côté de Flopi, un peu en retrait, à l'abri derrière le mât, WaNguira hésitait une fois de plus, partagé entre son intuition qui affirmait qu'il n'y avait pas de danger et sa raison qui insinuait le contraire. Le temps s'était arrêté.

Le bruit qu'émit l'objet en tombant fit sursauter tout le monde. Il roula un moment sur le pont avant de s'immobiliser à deux pas de WaNguira. C'était le signe espéré par le grand prêtre, attendu par lui.

Il s'avança alors lentement pour ramasser la pièce de cent okous qui contenait l'étoile à quatre branches des Kikongos, échappée de la poche de Mukutu, et qu'il avait reconnue immédiatement grâce à la brillance du Nyanga. Puis il resta tranquillement debout sur le pont, visible de tous, cible parfaite pour d'éventuels tireurs dissimulés dans la végétation de la rive.

Rien ne bougeait, les occupants du bateau retenaient leur souffle, y compris les Floups.

Un court moment se passa, lourd d'une appréhension stupéfaite : ceux qui n'avaient pas identifié l'objet ne saisissaient pas. Fallait-il que WaNguira soit devenu fou, pour s'exposer ainsi ?

Il ne fallut pas longtemps pour que Mukutu, qui avait compris, le rejoigne et se campe ostensiblement à ses côtés, visible de la côte lui aussi. Macény suivit et se plaça de l'autre côté de WaNguira.

Les trois Nains se tenaient droits, bien en évidence au milieu du navire, et considéraient le rivage. Il suffisait de trois flèches convenablement tirées pour les faire s'écrouler.

Babah rallia le groupe en même temps qu'Afo et Keyah, immédiatement suivies de Fé et Bélimbé. Huit Nains se trouvaient maintenant sur le pont, bien séparés, chacun représentant une cible privilégiée.

Un des Floups émit doucement un sifflement admiratif et échangea quelques gestes avec les siens, formulant sans le savoir les pensées qui animaient Flopi depuis l'avancée de WaNguira à découvert : les Nains avaient du cran. WaNguira était un brave. Il fallait être courageux pour prendre un tel risque et accepter de mettre sa vie au service de la communauté. Il fallait se montrer solidaire pour le rejoindre.

Flopi conclut que les Nains étaient un peuple noble : il ne regretterait jamais de les avoir aidés, ne serait-ce que pour avoir vécu cet instant qu'il qualifia de « sublime » dans sa tête.

Une silhouette fluette avançait maintenant sur la plage, dérisoire dans son occupation de l'espace. À découvert elle aussi. Une Naine. S'il s'agissait d'un piège de la part des occupants du bateau, elle serait la première victime. Mais voilà que d'autres suivaient…

Flopi et les siens avaient la gorge nouée par l'émotion. Pourquoi un pirate ne pouvait-il pas pleurer?

Ce fut bientôt un groupe, puis la tribu tout entière des Kikongos, ou du moins ce qui en restait, qui se trouva sur la plage. Un silence douloureux enveloppait la scène. D'un côté, on pensait: « C'était donc vrai, WaNguira avait raison, les Kikongos sont vivants, prisonniers sur une île » et de l'autre: « Enfin! Notre supplice est terminé. Mais comment ont-ils su? »

Cependant, la même question surgissait après, de part et d'autre: « Et Gaïg, où se trouve-t-elle, avec ses compagnons? »

Macény dévorait avidement la plage des yeux, elle ne reconnaissait nulle part la silhouette tant espérée. Do, son bien-aimé, n'était pas là. Et Mfuru, son enfant, sa chair, non plus. Elle pressentait le drame, le redoutait, et se sentait faiblir: avait-elle perdu ce qu'elle chérissait le plus au monde?

Flopi s'avança à découvert et prit le temps de se découvrir devant WaNguira et Mukutu, se départant d'un geste auguste de son tricorne améthyste et l'appuyant sur sa poitrine, avant de prendre la parole:

— Les Floups se réjouissent pour les Nains. Ils s'unissent à vous dans le bonheur des retrouvailles...

Il s'arrêta un moment, puis poursuivit d'une voix appuyée:

— ... Et dans l'horreur du passé, si ce qu'on vous a dit est vrai. Auquel cas, nous menons le même combat. Je pense que nous pouvons débarquer maintenant, avant que la nuit ne tombe.

Mukutu et les siens reprirent contact avec la réalité en entendant ces phrases.

— Les Nains remercient les Floups d'tout leur cœur pour l'aide inestimable qu'ils leur ont apportée.

Il laissa planer un moment de silence, puis ajouta:

— Oui, dorénavant, nous m'nons l'même combat. Pas d'la même façon, mais l'même quand même. Oui, l'même.

Ses compagnons approuvèrent, ils avaient compris: il n'y aurait pas de guerre sur l'eau, peut-être même pas de guerre ouverte, mais c'en était fini de la cohabitation pacifique.

— On peut débarquer, déclara WaNguira sans quitter la plage des yeux. Il n'y a pas de danger.

Il se rapprocha de Macény et passa un bras consolateur autour de ses épaules:

— Plus vite on saura, mieux ce sera. Moi aussi, je l'ai cherché. Il n'est pas là. Je n'ai pas vu Mfuru non plus. Ni Gaïg, ni Dikélédi, ni les trois de Nsaï qui sont censés les accompagner.

Les Floups eurent vite fait de manœuvrer la goélette pour l'amarrer au débarcadère. Ils laissèrent les Nains descendre les premiers, et retrouver les Kikongos, amassés sur la plage et sur le quai en petits groupes muets : il est des instants qui ne se partagent pas.

Le silence dans lequel se déroulèrent les retrouvailles en témoigna.

90

Pilaf n'en menait pas large : il découvrait qu'il avait affaire à forte partie. Ses « prisonniers » l'encerclaient, ayant perdu toute affabilité. Ils semblaient même carrément furieux, y compris ce Loki qu'il avait cru frivole et dénué de sérieux, toujours prêt à s'amuser.

Ils s'adressaient tous à lui en même temps, dans des langues différentes de surcroît : déjà qu'il avait du mal à comprendre le vieux petit bonhomme à moitié invisible ! Mais chez lui au moins, c'était un accent très fortement marqué auquel on s'habituait pour peu qu'on fasse attention.

Tandis que pour les deux autres, la fille et le cheval, ça devenait carrément incompréhensible. Même le Nain quasi muet, celui qui passait son temps à jouer de la musique, était sorti de sa léthargie et s'agitait. L'autre, l'aveugle sans oreilles, ouvrait de grands yeux morts, comme s'il essayait de voir malgré tout. La seule chose qui ne laissait planer aucun doute, c'était la colère et l'angoisse qui les étreignaient tous.

— Mais puisque je vous dis que c'est pas moi ! Et d'abord, je comprends même pas ce que vous dites.

— Nous voulons savoir ce que tu as fait de Gaïg, avait repris Winifrid, abandonnant le sawyl. Où est-elle ? Et si tu lui as fait quelque chose, prends garde à toi, tu ne t'en sortiras pas comme ça.

— Je-ne-sais-pas-où-elle-est. Je-ne-l'ai-pas-vue. J'ai dormi, cette nuit.

— Elle n'a pas pu disparaître ainsi ! Avoue que tu lui as fait quelque chose. Tu l'as jetée à l'eau et tu as mis les voiles !

— Je-ne-l'ai-pas-jetée-à-l'eau, vous m'aviez assez répété qu'elle était précieuse pour vous. On se demande pourquoi, d'ailleurs… Elle est à demi humaine et à demi… je sais pas.

— Si, tu l'as jetée à l'eau parce que tu ne l'aimais pas, parce tu n'aimes pas les Hommes, avait interrompu Dikélédi. Et tu es parti.

— Non, c'est faux. C'était justement pour elle que j'avais mis les voiles. Je voulais lui montrer que je pouvais naviguer tout seul, sans vous. Enfin, j'allais essayer…

— Mais où est-elle, alors ? Où l'as-tu cachée ?

— J'en sais rien, avait repris le Floup pour la énième fois. Je vous dis que c'est pas moi. Après tout, c'est avec vous qu'elle dormait… J'suis même pas venu de votre côté, quand j'ai mis à la voile : il faisait encore nuit.

Les compagnons de Gaïg étaient consternés. Pilaf semblait sincère, tout aussi étonné qu'eux. Se pouvait-il que leur amie fût tombée à l'eau ? Mais puisqu'elle savait nager, elle ne se serait pas noyée. Et elle aurait donné l'alerte. Alors pourquoi n'était-elle pas à bord ?

Dikélédi avait été la première à s'apercevoir de sa disparition. Elle l'avait d'abord cherchée sur le pont, puis à l'intérieur du bateau et ensuite dans la mer elle-même avant d'alerter ses camarades. Ils avaient attendu un bon moment, pensant que Gaïg avait plongé et referait surface non loin.

Mais au bout du laps de temps habituel imparti à ses incursions sous-marines, elle n'avait pas réapparu. Et depuis, la tension montait, l'inquiétude était née, d'autant plus que le bateau avançait. Que s'était-il passé ?

— Tu vas la chercher et la trouver ! avait ordonné Winifrid à Pilaf. Nous ne pouvons pas continuer sans elle.

— Je veux bien, mais comment la localiser dans cette immensité ? On peut revenir en arrière, c'est tout. Mais depuis le temps, elle doit être noyée, maintenant.

À la mine des autres, il s'aperçut immédiatement qu'il aurait mieux fait de se taire.

— Bon, bon, on fait demi-tour, poursuivit-il. Mais je vous jure que j'y suis pour rien. J'ai simplement mis à la voile sans vérifier si tout le monde était là. Je pensais pas qu'elle allait se baigner, moi. En pleine nuit en pleine mer comme ça, faut le faire…

Il eut vite fait d'ordonner les manœuvres nécessaires pour virer de bord.

— Maintenant, il faut surveiller la surface. Dès que vous apercevez un point sur la mer, vous le signalez et on met le cap dessus.

Voyant que tout le monde regardait dans la même direction, vers l'avant, il était intervenu de nouveau :

— Ça va pas, comme ça. Vaudrait mieux diviser la mer et se répartir des zones de surveillance. Ça multiplierait les chances de la retrouver. Et quelqu'un peut grimper au sommet du mât : il n'y a pas un vrai nid-de-pie, mais au moins, on domine et on voit tout autour.

Txabi, sans rien dire, s'était dirigé vers le mât et avait commencé à grimper : c'était lui qui supporterait le mieux la chaleur, perché tout là-haut. Et il voulait retrouver Gaïg, même s'il était davantage poussé par la raison que par les sentiments.

Gaïg était sa mère adoptive, elle avait été désignée pour prendre soin de lui et elle ne pourrait accomplir sa tâche que s'ils demeuraient ensemble. De plus, si elle trouvait une terre pour les Nains, ceux-ci quitteraient définitivement Sangoulé qui deviendrait Eribatasuna pour le monde entier : il avait déjà beaucoup appris au cours de sa courte vie…

En vrai Salamandar, il obéissait davantage à la logique et au bon sens qu'aux émotions. Il éprouvait cependant un léger pincement au cœur en pensant à l'éventualité d'une disparition définitive de Gaïg : c'était peut-être cela, cette amitié et cette solidarité auxquelles les autres faisaient parfois allusion. Dans ces cas-là, il se taisait et écoutait.

Tant de choses existaient, qu'il ne comprenait pas toujours… Par exemple ce cercle de lave et de flammes dans lequel il avait pénétré pour ramasser l'anneau. Aucune chaleur ne s'en dégageait. WaNdo lui avait un peu expliqué le phénomène, puisqu'il lui était arrivé la même chose :

— Ça s'appelle un charme. Ou un sort. Ou un sortilège. Ou un enchantement. Ou un ensorcellement. Tu constates que je t'apprends tous les noms. Ainsi tu ne seras plus jamais pris au dépourvu.

« On voit quelque chose qui n'existe pas. En réalité, il n'y a ni feu, ni roche liquide. Les flammes ne sont pas de vraies flammes, c'est une illusion. Mais comme tu les vois, ton esprit crée la chaleur qui est censée les accompagner. Et tu t'en tiens prudemment éloigné, pour ne pas te brûler.

« Sauf si tu ne les vois pas, comme moi. Ou que tu ne crains pas le feu, comme un jeune Salamandar intrépide que je connais. Deux éventualités que n'avait pas envisagées celui qui a monté cette mise en scène. »

Txabi lui avait alors parlé de la Sirène mâle, qu'il avait vue pénétrer rapidement dans le lac au moment où Thioro plongeait. Ensuite, tout s'était enchaîné très vite.

— Je ne savais pas que l'anneau lui appartenait, sinon je ne l'aurais pas pris, avait-il assuré. Le Nyanga ne m'intéresse pas. Mais j'ai pensé que Gaïg l'aimerait. Après, j'aurais voulu le rapporter, mais l'anneau ne sortait plus de son doigt.

— Le Nyanga prend la forme qu'il veut, et il va où il veut. S'il a choisi de rester au doigt de Gaïg, rien ne pourra l'en déloger. C'est sans doute à cause de l'autre anneau... De toute façon, tu ne l'as pas volé, le Nyanga n'appartient qu'aux Nains.

— Oui, mais Gaïg en a et elle n'est pas Naine...

— Qui te dit que ce n'est pas le Nyanga qui possède Gaïg ? Qui obéit à l'autre, à ton avis ?

Txabi s'était tu, songeur. Et là, en haut de ce mât, il repensait à la dernière phrase de WaNdo : « Notre destin nous est dicté par des puissances étranges, parfois. » C'était sans doute la raison pour laquelle il n'était pas inquiet, se disait-il : Gaïg ne faisait que suivre la pente de son destin.

Néanmoins, ce serait mille fois mieux s'il la retrouvait : il pourrait partager ce destin...

Au moment où ses compagnons avaient remarqué sa disparition, Gaïg était déjà remontée à la surface depuis longtemps. Elle avait cherché le bateau dans les alentours, sans succès. Il lui avait fallu scruter attentivement l'océan pour apercevoir un relief dans le lointain, qui ne pouvait être que le bâtiment qui s'éloignait. À moins que ce ne fût elle qui, en nageant sous l'eau, avait parcouru une telle distance... Non, ce n'était pas possible, elle n'aurait pas pu s'écarter autant.

Aux prises avec la frayeur, elle avait commencé par nager à toute vitesse dans sa direction. Pour se rendre compte que c'était peine perdue : jamais elle ne le rattraperait. Mais alors, qu'adviendrait-il d'elle ? La noyade ? Même si elle n'avait jamais envisagé cela comme une chose susceptible de lui arriver, la réalité était là : elle était perdue en mer, sans même un bout de bois auquel se raccrocher.

Pour le moment, elle nageait, certes. Et flottait. Mais combien de temps cela lui prendrait-il pour se sentir fatiguée et se noyer? Avait-elle la possibilité d'y échapper?

Elle parcourait du regard l'horizon, à la recherche d'une proéminence à laquelle accrocher son regard: une terre vers laquelle elle pourrait se diriger. Même un simple petit rocher ferait l'affaire. Mais Gaïg savait qu'il n'y avait pas de «simple petit rocher» en pleine mer. Soit il y avait une île, un continent, soit il n'y avait rien.

La frayeur croissait en elle, sans qu'elle arrive à se rassurer. Elle percevait l'espace qui sépare le rêve de la réalité et se demandait comment elle avait pu songer à vivre dans l'eau. Mais, toutes les fois où cette idée l'avait visitée, la terre se trouvait tout près. Là, il n'y avait rien de solide à proximité, même pas un bois flottant auquel s'agripper.

Elle essayait de se raisonner mais la peur demeurait la plus forte, face à l'étendue d'eau qu'elle avait sous les yeux. Comment pouvait-elle espérer s'en sortir?

Gaïg avait beau se répéter qu'elle savait nager, elle redoutait le passage du temps: même en se laissant flotter, tôt ou tard, elle coulerait. Et elle n'était plus du tout certaine de pouvoir respirer sous l'eau comme elle l'avait fait précédemment. Elle y avait réussi parce que c'était un jeu, un défi à relever. Mais maintenant qu'il y allait de sa vie, elle n'était plus sûre de rien.

D'autant plus qu'elle ne pouvait pas utiliser sa bague, en quête d'un conseil. Sa bague qui jusqu'à maintenant était intervenue dans les moments critiques pour lui dicter sa conduite…

Elle se rappelait les explications d'AtaEnsic quand elle avait repris connaissance, sur l'île des Kikongos. Tout de suite après que Txabi lui avait offert la bague, elle avait eu l'impression d'une force étrangère essayant de pénétrer dans son esprit et un violent mal de tête s'en était suivi. Tellement violent qu'elle s'était évanouie.

Quand elle avait repris conscience, elle ne se souvenait de rien et ses compagnons s'étaient réjouis de son absence de mémoire, due à un échange de sang avec la Dryade. Et AtaEnsic avait expliqué: «Pour peu qu'on pense à un objet que quelqu'un cherche, on montre sans le vouloir où se trouve l'objet. Et où on se trouve soi-même. Si on ne pense jamais à l'objet, il est perdu pour celui qui le cherche. L'oubli est une bonne chose, parfois.»

Elle en déduisit qu'il valait mieux oublier tout ce qui avait trait à la bague formée de trois anneaux qu'elle portait autour du doigt.

Pour ce faire, se concentrer sur autre chose. Elle se demanda si Pilaf avait fait exprès de partir avec le bateau et si ses amis reviendraient la chercher. Cette dernière question la tranquillisa un peu et elle s'y raccrocha comme à une bouée : bien sûr qu'ils reviendraient la chercher !

Il s'agissait d'une énorme méprise et même si Pilaf avait voulu se débarrasser d'elle, il ne réussirait pas. Elle avait vu comment ses compagnons s'étaient unis pour la défendre quand il avait menacé de la faire décapiter, ils recommenceraient et obligeraient le Floup à faire demi-tour.

Elle pensa qu'il suffisait qu'elle tienne jusqu'à ce moment-là. Le mieux était effectivement de se laisser flotter. Il n'aurait pas été prudent de plonger, il fallait qu'ils puissent la voir. Eux ou un autre bateau. Pilaf avait déclaré qu'il en passait souvent dans les parages. Gaïg reprenait courage. Elle se dit qu'elle pourrait même plonger de temps en temps, histoire de se mettre à l'abri des rayons du soleil : elle remonterait régulièrement à la surface pour inspecter l'horizon.

N'ayant aucun point de repère, elle ignorait de combien elle avait dérivé par rapport au moment où elle avait plongé. Mais elle supposait que Pilaf allait louvoyer et tirer des bords afin de ne laisser aucun endroit inexploré. Gaïg ne voulait plus envisager la noyade : cette idée la démoralisait. Ce qu'elle désirait par-dessus tout, c'était chasser l'effroi. Et en y mettant beaucoup de volonté, elle y réussissait. Il lui suffisait de ne pas réfléchir, de ne pas envisager ce qui se passerait si...

Pour cela, le mieux était d'agir comme si de rien n'était. Comme si elle se baignait, tranquillement, un peu au large, certes, mais elle avait l'habitude de s'éloigner des côtes, après tout.

Malheureusement, cette attitude ne résistait pas longtemps à la montée de la peur. Gaïg ne pouvait s'empêcher de se demander ce qu'il y avait sous elle, si la mer était très profonde à cet endroit-là et si elle recelait des monstres dentés et affamés comme les Vodianoïs. Les Sirènes viendraient-elles à son secours si elle se faisait attaquer ? Ou bien guideraient-elles un bateau jusqu'à elle ?

Gaïg aurait bien voulu arrêter la ronde des questions dans sa tête, mais c'était plus fort qu'elle : plus le temps passait, plus l'angoisse l'étreignait. Elle résistait à l'envie d'implorer la bague pour qu'elle vienne à son secours.

Depuis un moment, elle sentait le déplacement de grosses masses d'eau froides sur sa peau. Elle déduisit de leur température qu'elles devaient venir des profondeurs. De petites vagues couraient parfois sur la surface, non loin d'elle, comme si le fond de la mer était agité. Mais plus loin, l'étendue d'eau demeurait calme.

Brusquement, elle eut la forte impression qu'un combat se déroulait non loin. Cette agitation subite de la mer, localisée sur un espace aussi restreint, ne pouvait avoir d'autre origine. Elle enfonça la tête seulement dans l'eau pour voir ce qui se passait, n'osant pas plonger plus profondément.

Bien que proche de l'affrontement à cause de l'intensité des remous, elle se trouvait cependant trop loin pour distinguer quoi que ce soit. La profondeur était grande à cet endroit-là et elle ne percevait ni le fond, ni les alentours. De l'eau, rien que de l'eau, de plus en plus fortement agitée.

Peut-être qu'une grosse bête en mangeait une petite… Sûrement, même. Auquel cas, elle pourrait très bien servir de dessert. Gaïg choisit de s'éloigner, la prudence – pour ne pas dire l'épouvante – l'emportant sur la curiosité.

Tout en s'interrogeant anxieusement sur ce qui pouvait provoquer des remous sous-marins d'une telle amplitude, Gaïg nageait rapidement et régulièrement pour s'écarter, préférant laisser le champ libre aux adversaires, puisque combat il y avait. Elle avança un bon moment droit devant elle, sans prendre le temps de se reposer. Longtemps après, elle constata qu'au lieu de ralentir à cause de la fatigue, elle se déplaçait de plus en plus facilement.

Quand elle réalisa qu'elle était prise dans un courant et que c'était lui qui l'entraînait, il était trop tard : lutter contre lui la conduirait très vite à l'épuisement, il valait mieux se laisser porter. Elle savait qu'il finirait par perdre de sa force et par se dissoudre dans l'océan.

Il lui semblait même apercevoir un infime relief sur l'eau dans le lointain : une île qui affleurait ? En tout cas un trait gris plus épais qui se détachait sur la ligne d'horizon…

91

Heïa, au lieu de garder son indépendance de femme sirène, était tombée amoureuse d'un Homme, moitié marin aventureux, moitié pêcheur de perles romantique, qu'elle avait sauvé *in extremis* de la noyade quand son bateau avait fait naufrage aux abords des eaux glaciales de l'océan Maru, très loin dans le nord.

Elle avait repêché de justesse l'Homme évanoui, alors qu'il s'enfonçait dans les profondeurs, et l'avait ramené à la surface.

Normalement, étant demeuré aussi longtemps sous l'eau, à une telle température, il aurait dû succomber. Mais sa robuste constitution et la maîtrise exceptionnelle de son souffle, acquise au cours de ses nombreuses plongées, l'avaient sauvé. Elle avait réussi à l'embarquer, encore inconscient, dans un des canots de sauvetage du bâtiment et à le ramener sur la terre la plus proche, qu'elle avait prétendue déserte.

Gilliatt (puisque tel était son nom), avait survécu et une amitié était née qui, malgré les obstacles, avait évolué au fil des jours.

Condamné à la solitude à cause de l'isolement de l'île, l'Homme avait tenu bon grâce aux visites de plus en plus longues que lui rendait son ondulante Sirène. Au début, vu son état de faiblesse, il ne s'était pas posé trop de questions. Tous ses efforts tendant vers la récupération de ses forces, il acceptait ce qu'elle lui apportait en provenance des profondeurs, en vue de le nourrir.

Par la suite, se sentant mieux, il avait voulu lui dire sa reconnaissance et s'était fait un devoir d'apprendre sa langue. Les gestes utilisés par les Sirènes pour communiquer sous l'eau s'étaient alors révélés d'un grand secours, à cause de leur expressivité. Dépassant rapidement des expressions primaires comme celles de la faim, de la soif, du sommeil ou de la température, il avait appris les signes exprimant des idées plus abstraites, comme l'interrogation (sourcils levés, front plissé, mains ouvertes levées à hauteur des épaules) ou la colère (regard dur, sourcils froncés, bras le long du tronc, poings serrés), parfois accentués par une pression des doigts ou de la main sur le corps de l'autre.

Il avait éprouvé quelques difficultés avec les notions de bien et de mal, de vérité ou de mensonge. En effet, pour les Sirènes, ces notions n'avaient pas cours. Il n'y avait que la réalité, *aïmana*, et le rêve, *aïmata*. Si la réalité présentait un aspect déplaisant, si on ne l'aimait pas telle qu'elle était, si on la refusait, il était facile de la modifier, en ayant recours à *aïmata*.

Selon Heïa, *aïmata* rendait le monde plus beau, plus vivable, puisque conforme aux désirs de l'individu. En somme, mille fois plus agréable.

Mais pour Gilliatt, *aïmata* représentait le mensonge, tout simplement, et il n'admettait pas qu'on pût y recourir aussi facilement. S'en étaient suivies de longues explications, au bout desquelles chacun était demeuré sur ses positions. Heïa avait affirmé que rien ne l'empêcherait jamais de donner une autre vision de la réalité grâce à *aïmata*, et que c'était à l'interlocuteur à discerner, non le vrai du faux, mais le rêve du réel.

Pour elle, le rêve n'était pas faux, puisque justement on lui donnait vie en le créant, et affirmer une chose qui n'existait pas n'était pas un mensonge, mais un moyen de bonifier l'existence et d'améliorer le cours des événements.

De toute manière, quand on avait recours à *aïmata*, la physionomie se modifiait, le teint bleuissait légèrement, la bouche changeait de forme et on clignait des yeux. C'était donc à l'interlocuteur à lire ces signes sur le corps de l'autre en même temps qu'il écoutait le message.

— Par exemple, avait-elle continué, si je n'avais pas utilisé *aïmata* pour te dire que tu es sur une île déserte, tu serais retourné parmi les tiens et nous n'aurions pas lié connaissance…

Gilliatt, nonchalamment allongé sur la plage, à la lame battante, avait bondi :

— Quoi ? Tu veux dire que cette île n'est pas déserte ?

Heïa, légèrement décontenancée par sa vivacité, avait répondu très naïvement :

— Mais... non. Nous ne sommes même pas sur une île, c'est bien plus grand, c'est Ewe-Lani. Les Hommes l'appellent le pays de N'Dé.

Puis, voyant à la mine de Gilliatt que quelque chose clochait, elle avait poursuivi, affirmative :

— Mais tu le savais ! J'ai cligné des yeux, quand je te l'ai dit ! C'était *aïmata* ! Je voulais te connaître, savoir ce que c'était qu'un Homme. Je croyais que tu étais d'accord pour rester ici, avec moi...

Gilliatt s'était alors assis, abattu. Comment en vouloir à Heïa, cette créature issue des profondeurs de la mer, si différente de lui ? Elle était de bonne foi, elle avait « rêvé » que le pays de N'Dé – comment l'appelait-elle, déjà ? Ewe-Lani. Quel joli nom ! – était une île déserte, elle avait réalisé son rêve en modifiant quelques données, et effectivement, la réalité avait changé. Persuadé d'avoir été amené sur une terre inhabitée, il était resté sur place.

De plus, il s'était attaché à elle et, déjà, il se sentait rempli d'indulgence envers cette jeune « menteuse ». Le mot même de « menteuse » lui paraissait déplacé. Comme il était lourd, chargé de sens, plein de réprobation, et comme il s'appliquait mal à la situation présente !

Quel tort pouvait-il y avoir à modifier le réel, quand c'était pour le placer sous l'emprise du rêve ? Là-dessus, Gilliatt était parti à rêver à un monde dans lequel le mensonge était glorifié, simplement parce qu'il changeait de nom...

Curieusement, cet incident, au lieu de les séparer, les avait rapprochés. En éveillant leur curiosité mutuelle, il les avait poussés à mieux se découvrir, en prêtant une plus grande attention à l'autre.

Dans la mesure où tout était signifiant chez les Sirènes, pas seulement les mots, mais les gestes, les signes, les mimiques, Gilliatt passait son temps à étudier Heïa, son visage, ses positions. Il avait soif d'elle, de ses attitudes, de son comportement, et ne perdait pas une miette de tout ce qui pouvait émaner d'elle.

La jeune Sirène, de son côté, trouvait l'Homme en face d'elle plutôt immobile : en dehors de la parole, il ne faisait guère de signes. Mais la tonalité de sa voix était riche de significations diverses et révélait beaucoup sur son état d'esprit : elle trouvait passionnantes la variété et la richesse des inflexions de voix de Gilliatt.

La communication une fois établie sur une base commune faite de gestes et de mots qui ne laissaient pas de place à l'ambiguïté, le rapprochement des esprits avait eu lieu. Les discussions et les échanges s'étaient multipliés, dans un désir mutuel de réflexion sur soi à partir de la découverte de l'autre.

Ensuite, Gilliatt s'était vite laissé prendre au piège du toucher qui accompagnait cette langue des signes : il se sentait fondre quand Heïa lui pressait le poignet. Il ne manquait d'ailleurs pas une occasion de lui répondre, exerçant parfois une pression plus forte ou plus longue que nécessaire, pour le plaisir de sentir le contact de sa peau ou l'élasticité ferme de ses brillantes écailles.

Au début, pour tout ce qui concernait la partie inférieure du corps d'Heïa, il avait hésité. Cette femme-poisson était pour le moins déconcertante, dans son anatomie hybride qu'elle n'hésitait pas à exposer quand elle s'allongeait négligemment à côté de lui sur le sable, à la lame battante. Elle ne s'aventurait jamais très loin de l'eau profonde, prête à y plonger à la moindre alerte.

Tant que, allongé sur un rocher, Heïa se trouvant dans la mer, il ne voyait que sa tête, Gilliatt avait l'illusion d'avoir affaire à quelqu'un comme lui, et se laissait aller aux joies de la conversation avec une femme à la personnalité différente, mais ô combien intéressante.

Puis il s'était vite habitué à la vision de son buste, peut-être parce que les seins, larges et plats, étaient peu visibles, à cause de la couche de graisse qui entourait le corps. Le fait qu'ils ne soient pas dissimulés sous des vêtements avait également contribué à les banaliser, les dépouillant des notions habituelles de secret et d'inaccessibilité.

Dès que les deux amis avaient été en mesure de communiquer de façon plus approfondie, Heïa, faisant davantage allusion à sa queue qu'à sa poitrine, avait expliqué à Gilliatt que son physique ne devait pas le gêner. Elle avait insisté sur le fait que Sirène elle était, Sirène elle resterait. Ils appartenaient à deux mondes différents et n'étaient pas gouvernés par les mêmes valeurs, esthétiques ou morales.

Sa queue et sa graisse faisaient partie de son corps, comme ses ongles, ses nageoires ou ses cheveux. Le fait qu'elle soit dodue et rebondie n'avait jamais gêné Gilliatt, il pouvait comprendre cela, à cause du monde dans lequel elle vivait : il faisait froid, sous l'eau, et la graisse servait d'isolant.

En revanche, la queue d'Heïa, pour belle qu'elle soit, dans sa souplesse et sa mobilité, l'impressionnait au début. Cela tenait trop de l'animal, du poisson pour tout dire, et créait une distance dans l'esprit de l'Homme.

La Sirène, pas du tout gênée, lui avait proposé d'examiner son corps en détail, afin de s'habituer. Après tout, elle avait bien satisfait sa propre curiosité en inspectant les jambes de Gilliatt alors qu'il était encore évanoui dans son canot...

— À chacun son tour, créature sans queue et sans nageoires! avait-elle ajouté, rieuse, en l'éclaboussant d'un vigoureux coup de son appendice caudal.

Heïa, ne portant pas de vêtements, n'avait pas du tout le même rapport à la nudité que Gilliatt: son corps faisait partie d'elle au même titre que son esprit, c'était un tout indissociable, et le cacher, même en partie, lui semblait impensable. Elle ne comprenait pas la pudeur de Gilliatt et avait du mal à retenir sa curiosité quand elle désirait l'étudier d'un point de vue physique.

Il avait accepté d'ouvrir la bouche pour qu'elle y jette un œil inquisiteur, mais avait renâclé à l'examen des narines. Heïa avait insisté, puisque selon elle, c'était là que résidait la principale différence entre eux: elle pouvait respirer sous l'eau, et lui non. Du bout des doigts, elle avait relevé en les écartant délicatement les ailes de son propre nez, afin de lui montrer sa paroi nasale, finement irriguée d'une multitude de vaisseaux sanguins très fins, et à sa grande surprise, Gilliatt avait éclaté de rire:

— Ça ne te gêne pas, de faire ça?

— Pourquoi? avait interrogé Heïa très sérieusement.

— Ce n'est pas très féminin...

— Mais je ne suis pas une femme au sens où tu l'entends... je n'appartiens pas à la race des Hommes.

Cette évidence avait laissé Gilliatt songeur. Que de chemin il lui restait à parcourir avant d'atteindre la curiosité bon enfant de la Sirène! À la longue, cependant, il s'était montré un peu plus docile lors des reconnaissances corporelles d'Heïa, puis, s'enhardissant, il avait commencé à la toucher.

Il avait été surpris par le contact des écailles. Rien de dur ou de rugueux là-dedans, encore moins de gluant. C'était mouillé, certes, brillant d'une belle couleur argentée, ferme et élastique à la fois, mais surtout, lisse et doux au toucher quand on respectait le sens d'implantation des écailles. Une étonnante force musculaire perçait néanmoins sous l'enveloppe corporelle, qui permettait à Heïa l'exécution de bonds prodigieux hors de l'eau.

De fines membranes reliaient ses doigts entre eux, visibles seulement quand elle les écartait. L'étude mutuelle de leur corps s'était approfondie au fur et à mesure qu'ils s'habituaient l'un à l'autre, et l'attirance pour l'autre avait crû sous l'emprise de cette intimité corporelle.

Gilliatt avait commencé à parler d'amour. Heïa n'était pas sûre de bien comprendre ses explications alambiquées sur les sentiments puissants unissant un homme et une femme, arguant que dans son monde à elle, on n'en avait pas besoin.

Pour elle, on pouvait aimer une Sirène femelle, mais pas un mâle : ces derniers ne servaient qu'à la reproduction. D'autant plus que dès qu'ils étaient plusieurs, mus par l'assurance que confère le groupe, ils se révélaient irascibles et brutaux. La délicatesse et la finesse d'esprit dont ils pouvaient faire preuve quand ils étaient isolés au sein des femmes sirènes disparaissaient quand ils se retrouvaient ensemble, pour laisser place à l'animosité et à la violence.

Mais Gilliatt était un Homme, là résidait toute la différence. Et il avait de si chaudes intonations de voix quand il lui susurrait de tendres et voluptueux discours qu'elle avait accepté de croire à ce sentiment amoureux dont il lui rebattait les oreilles. Ce babillage galant représentait un luxe dont elle ne voulait plus se passer, et qui la changeait agréablement des mœurs sirènes.

En réalité, elle ne prêtait guère attention au sens des mots : seuls l'intéressaient le chant des syllabes, la diversité des inflexions et la sonorité fervente de ces vibrations gutturales dont il détenait le secret.

De son côté, la définition de l'amour était beaucoup plus simple : elle avait de plus en plus envie de demeurer en compagnie de l'Homme et de moins en moins envie de le quitter. Il lui ouvrait les portes d'un nouvel univers, qu'elle avait envie d'explorer. C'était cela, l'amour : une relation enrichissante, épanouissante, ouverte à la nouveauté, et dans laquelle elle évoluait aisément.

Heïa et Gilliatt étaient parfaitement conscients des limites imposées à leur liaison par leur appartenance à deux mondes différents. Mais la découverte de l'autre, la joie païenne éprouvée à briser les interdits et à reculer les limites de la tradition, l'ivresse de l'inhabituel, tout cela les habitait et s'était révélé un moteur suffisamment puissant, d'abord pour envisager la conception d'un enfant, puis pour passer à l'acte. Et Heïa s'était retrouvée enceinte.

— Mais tu sais que ce sera une fille... avait-elle précisé en souriant. Ma fille.

— Comment peux-tu en être aussi sûre, jeune despote féminin? avait interrogé Gilliatt, moqueur.

— Parce que c'est moi qui décide, avait-elle répondu, mutine, sans s'étendre davantage.

Gilliatt, tout à sa joie d'être le père de l'enfant à venir, n'avait pas approfondi. Fille ou garçon, quelle importance? Il se réjouissait profondément de sa paternité future et il savait qu'il aimerait pareillement son fils ou sa fille, qu'ils soient humains ou sirènes.

Selon Heïa, il était déjà arrivé, plusieurs fois dans le passé, qu'un bébé naisse de l'union d'une Sirène et d'un Homme. Dans ces cas-là, l'enfant naissait avec des jambes. On disait que ces enfants métis portaient en eux le meilleur des deux races.

Malheureusement pour les deux complices, les choses s'étaient gâtées dès que Iolani avait eu vent de leur relation et de l'état d'Heïa. Les nouvelles allaient vite, portées par les flots...

En effet, Iolani avait depuis longtemps des visées sur Heïa et supportait d'autant moins l'idée d'avoir été évincé que ses intentions n'étaient pas pures.

Il n'était pas plus que ça amoureux d'elle, bien sûr, et seul son rang l'intéressait puisqu'elle était issue de la Lignée sacrée, elle aussi. Iolani, avide de pouvoir, avait échafaudé un plan qui, pour ambitieux et hardi qu'il fût, s'était trouvé annihilé par les amours humaines d'Heïa et par l'enfant qu'elle portait en son sein.

Il avait envisagé la souveraineté à travers une union féconde avec Heïa: leurs enfants lui serviraient de laissez-passer pour l'accession au trône. En prenant sa part de responsabilité dans leur éducation, en partageant la prise de décisions les concernant, il se montrerait de plus en plus présent aux côtés d'Heïa, jusqu'à devenir indispensable. Ensuite, il la soulagerait galamment des tâches imposées par le pouvoir pour qu'elle puisse mieux se consacrer à leur descendance et s'adonner aux joies de la maternité et de l'éducation.

Il romprait avec la coutume qui voulait que les femmes de la Lignée sacrée n'enfantent que deux fois dans leur vie, et il lui ferait une multitude de petites Sirènes, mâles, de préférence, doublement héritiers de la Lignée sacrée. Or voilà qu'il se retrouvait évincé. Les enfants qu'il avait espérés et qui devaient le mener au pouvoir ne verraient jamais le jour.

Sa déception n'avait eu d'égale que sa colère, et la brute s'était acharnée sur Heïa avec une froide perversité.

92

Au matin, malgré la joie profonde qui les étreignait tous, à la suite de leurs retrouvailles sur cet îlot perdu de la mer d'Okan, WaNguira et les siens étaient aussi perplexes que les Kikongos.

La nuit s'était écoulée dans l'émotion et le recueillement, à travers les récits de chacun : il fallait bien s'informer mutuellement des événements passés. Mais en ce début de journée, les mêmes questions revenaient, qui avaient été celles posées par Macény : « Où est Do ? Et Mfuru ? Où sont les autres ? » Malheureusement, les Kikongos avaient été incapables de fournir la moindre réponse.

À cause de ces interrogations, ils avaient commencé la relation de leurs aventures par la fin : comment, la veille, ils s'étaient réveillés pour découvrir que le bateau sur lequel Gaïg et ses compagnons avaient décidé de passer la nuit n'était plus là. Puis d'où il venait, qui était à bord, ce qui s'était passé, et ainsi de suite, en se reportant à un passé qui devenait de plus en plus douloureux au fur et à mesure qu'on le remontait.

Mukutu et ses compagnons avaient été bouleversés en apprenant ce que leurs frères avaient enduré de la part des Hommes. Les réponses du début, composées d'une phrase brève pour aller plus vite, s'étaient peu à peu transformées en narration détaillée des atrocités commises.

Maintenant que Macény savait, elle s'était redressée, digne et déterminée, malgré la douleur qui l'étreignait. Elle les retrouverait, son mari mutilé et son fils unique, dût-elle pour cela se transformer en pirate et parcourir tout ce que la Terre comptait de mers et d'océans. Et il n'était pas encore né, celui qui l'en empêcherait!

Elle rejoindrait les rangs des Floups et combattrait les Hommes à leurs côtés, jusqu'à ce qu'elle sache ce que les siens étaient devenus. Au même moment, comme pour la conforter dans sa décision, Mukutu avait lancé d'une voix ferme:

— M'est avis qu'le capitaine Flopi, il a raison: dorénavant, nous m'nons l'même combat.

Flopi n'avait rien dit, se contentant d'une modeste inclinaison de la tête, bien qu'il ait tout écouté depuis le début. Ses compagnons et lui s'étaient montrés particulièrement discrets depuis le débarquement sur l'île et n'avaient pas le moindrement troublé la rencontre des Nains.

Dans le courant de la nuit, ceux de la seconde goélette étaient arrivés par l'intérieur des terres, comme prévu. Surpris de trouver Flopi et les siens dans le village, ils avaient été mis au courant dans le plus grand silence afin de ne pas troubler la réunion: tout s'était passé par gestes. Ils s'étaient alors tenus cois, alignant leur attitude sur celle de leurs congénères.

La présence des Floups avait un peu étonné les Kikongos mais ils préféraient mille fois avoir affaire à eux qu'aux Hommes. Même s'ils ne voulaient pas généraliser et considérer tous ceux-ci comme des tyrans avides de puissance, ils sentaient qu'il leur serait impossible de les respecter avant longtemps.

La réputation qui précédait les Floups en faisait des êtres cruels et sanguinaires, mais ce n'était pas le fruit du hasard: eux aussi avaient eu maille à partir avec les Hommes dans le passé. Et toujours pour des raisons d'asservissement, d'esclavage, d'exploitation d'un peuple par un autre.

Les Kikongos pensaient que le temps du départ était arrivé et, avec lui, celui de la prise de décision. Quitter l'île, certes, mais pour aller où? Maintenant qu'ils connaissaient la situation au pays de N'Dé, ils se rendaient compte que leurs rêves de rapatriement étaient compromis.

Sangoulé, la mère patrie, était devenue inhabitable à cause du volcanisme. Ce dernier s'était étendu à la montagne Pelée, aux pitons de Wassango-Kilolo et aux monts d'Oko. Restaient les collines de Koulibaly, désertées par les Gnahorés, mais dans lesquelles s'étaient déjà réfugiées les trois autres tribus.

Où était leur place, là-dedans ? Bien sûr, Mukutu et WaNguira avaient généreusement proposé de partager les lieux, mais il était évident que ce ne pourrait être qu'une solution provisoire.

— Malheureusement, si nous demeurons ici, les représailles des Hommes ne se feront pas attendre, avait conclu Thioro. Et nous ne serons pas toujours vainqueurs… Ce qu'il nous faut, c'est un nouveau pays, un tout entier, pour *tous* les Nains. Pas un déjà occupé. Et pour le découvrir, il faut le chercher.

— Sauf que ce n'est pas nous qui le découvrirons, avait répondu WaNguira. Il y a une prophétie qui dit que… ne l'oublie pas !

Thioro ne s'était pas laissé démonter :

— Eh bien, la première chose à faire, c'est de retrouver Gaïg. Ils ne se sont pas envolés, quand même, ceux du bateau…

— M'est avis qu'il s'est passé quelqu'chose, avait énoncé sentencieusement Mukutu.

Des rires ponctuèrent immédiatement l'évidence de sa remarque. Il avait néanmoins continué :

— J'veux dire qu'ils n'sont pas partis d'leur plein gré. Ils n'vous auraient pas abandonnés en pr'nant la mer en pleine nuit. Même s'ils avaient pris l'bateau pour v'nir nous prév'nir, ils vous auraient avertis et s'raient partis au matin. Donc, m'est bien avis qu'il s'est passé quelqu'chose.

— Ça, pour sûr, qu'il s'est passé quelqu'chose, s'était moqué Babah. Mais on attend la suite : que s'est-il passé, grand chef sagace et intelligent de la tribu des Lisimbahs ?

Puis, sans transition, pris d'un subit désir de savoir, il s'était tourné vers les Kikongos :

— Au fait, qui est votre chef, maintenant ?

Les Kikongos, demeurés muets un court instant, avaient dirigé leurs regards vers Thioro, attendant qu'elle réponde. Babah s'était mépris sur la portée de ces regards.

— C'est elle ? s'était exclamé Babah. C'est Thioro ? Quelle vitalité ! Vous donnez dans la jeunesse, à présent ? Sûr que le grand âge est parfois proche de la décadence… avait-il ajouté en lorgnant Mukutu, l'air faussement connaisseur.

— Mais non, ce n'est pas moi, avait immédiatement corrigé la Naine. Ils veulent que je réponde, c'est tout. Pour dire que nous n'avons personne… Quand nous sommes arrivés, Missono, notre chef d'alors, ne l'est pas resté très longtemps : les Hommes l'ont fait disparaître. Et ils ont procédé de même pour tous ceux que nous avons choisis par la suite : ils voulaient nous déstabiliser, quoi, nous anéantir. Mais ils n'ont pas réussi. Nous avons simplement arrêté de désigner quelqu'un. Pour eux, une société ne peut fonctionner sans un pouvoir à la tête. Mais nous, nous avons réussi, et nous avons vécu sans chef.

— Mais après, demanda WaNguira, quand vous avez recouvré votre liberté, vous auriez pu en désigner un, non ?

Thioro haussa les épaules :

— Je suppose que nous avions autre chose en tête. Puisque le système fonctionnait comme ça...

— Et maintenant ? insista le grand prêtre.

Elle écarta les bras en signe d'impuissance :

— Oui, on pourrait... Mais est-ce si import...

Kodjo lui coupa la parole avec l'impétuosité de la jeunesse :

— Toi, tu pourrais être notre chef, si tu veux ! Hein, Thioro ? Tu voudrais ? Moi, j'aimerais bien...

Plusieurs Kikongos hochèrent la tête, réfléchissant en silence à cette éventualité. Thioro, malgré son jeune âge – elle n'avait pas encore atteint les deux cents ans – était sage et avisée. Elle était surtout pleine de dynamisme et sa vitalité les avait sortis plus d'une fois de l'apathie désespérée dans laquelle ils se seraient enlisés, faute de trouver en eux-mêmes les ressources nécessaires pour résister et aller de l'avant. Elle les avait toujours soutenus et c'est grâce à elle qu'ils étaient restés des Nains dignes de ce nom, unis dans l'adversité.

Quand Renart avait demandé à ses camarades la grâce de WaNdo, essorillé et rendu aveugle par Crépin, donc incapable de travailler, cette dernière avait été acceptée à la condition que soit supprimée sa portion de nourriture. Après, quand les Hommes avaient sadiquement proposé aux Nains affamés de le nourrir sur leurs propres portions, déjà si congrues, Thioro, bien que famélique, avait répondu sans hésiter qu'elle partagerait sa part avec lui. Par la suite, même si tous les Nains avaient participé au repas de WaNdo, aucun n'avait oublié la leçon donnée par la jeune femme ce jour-là.

Depuis qu'ils étaient libres, elle les poussait à agir, à construire, et surtout, à se reconstruire. C'était elle qui avait veillé au repos de chacun les premiers jours, puis qui avait plus ou moins organisé la vie sur l'île par la suite, se dépensant sans compter pour le bien de la communauté. C'était elle encore qui les avait motivés pour apprivoiser l'eau, affirmant qu'un jour ou l'autre, ils devraient reprendre la mer pour quitter cette île de malheur.

Elle pensait à tout, avait un mot gentil pour chacun, tout en faisant preuve d'efficacité. Et c'était elle qui s'était risquée la première sur la plage, quand elle avait aperçu des silhouettes de Nains sur le bateau.

Les pensées défilaient rapidement dans la tête des Kikongos. Pris au dépourvu par la question de Babah et l'insistance de WaNguira, ils ne voyaient pas à qui d'autre confier le rôle de chef.

Les Nains n'avaient pas pour habitude de procéder à des élections ou à des combats pour la chefferie. Était chef celui que ses compagnons désignaient d'un commun accord comme digne de les représenter, s'il acceptait. Sinon, il fallait en trouver un autre. Pour être choisi, il fallait seulement qu'il appartienne à la tribu par le sang, la filiation étant de ce fait assurée par la mère.

Les discussions étaient longues et passionnées, bien sûr, parfois mouvementées et opiniâtres, et en fin de compte, c'était souvent l'avis des anciens qui l'emportait. Mais avant que la décision finale ne soit adoptée, chacun pouvait s'exprimer, et personne ne s'en privait. Sachant qu'une fois le chef en place, il aurait un pouvoir décisionnel assez important et qu'il faudrait s'y plier, il valait mieux réfléchir avant et bien peser le pour et le contre. Ce à quoi les Nains s'adonnaient généreusement, avec une délectation certaine.

En l'occurrence, les Kikongos ne s'étaient pas encore penchés sur le sujet. Il n'y avait plus d'« anciens » chez eux, ils avaient tous péri. Seuls les plus résistants avaient survécu, ce qui conférait une certaine jeunesse à la tribu. C'est sans doute ce qui leur permit de se décider beaucoup plus rapidement que ne l'avait établi la coutume.

Après qu'un premier Kikongo eut levé la main pour dire : « Si elle accepte, je suis d'accord », ce fut un mouvement général de consentement. Thioro avait fait ses preuves dans le passé, c'était suffisant. Pourquoi passer des heures à tergiverser ? Tous ceux qui l'appuyaient la respectaient assez pour s'engager à la suivre dans ses décisions futures.

Qu'elle soit une femme n'entrait pas en ligne de compte, les Nains étant profondément pour l'égalité des sexes et le partage des tâches. Qu'elle soit jeune représentait un avantage, pour une tribu somme toute rajeunie, même si c'était par l'adversité. Et sa mère était une Kikongo.

Seule Thioro n'avait pas encore dit son mot. Elle réfléchissait, se demandant s'il n'y avait pas quelqu'un de plus apte qu'elle pour remplir ce mandat. Puis elle dit simplement :

— J'accepte.

Et elle ajouta modestement :

— Merci de me faire confiance. J'essaierai de m'en montrer digne.

Babah, Mukutu et WaNguira en restèrent bouche bée. Pour eux qui faisaient figure d'« anciens », la chose avait été rondement menée. Mais ils s'inclinèrent, chaque tribu étant souveraine en ce qui concernait les affaires intérieures.

« M'est avis qu'les temps changent », pensa Mukutu. Il en avait fallu, des semaines et des semaines de débats pour lui, même si tout le monde était d'accord depuis le début et le savait...

Thioro, fidèle à l'image que ses compagnons avaient d'elle, avait tout de suite orienté la discussion vers une prise concrète de décision. Elle s'était tournée vers Flopi, plus capitaine que jamais sous le tricorne améthyste qu'il ne quittait plus :

— Que pensez-vous de tout cela ? Vous croyez que c'est possible de retrouver le bateau de Gaïg ? Vous continueriez à nous aider ?

Flopi avait cogité un court moment avant de répondre :

— Oui, nous continuerons à vous aider. Très tôt hier matin, nous avons croisé un bateau qui ne semblait pas savoir où il allait. Comme s'il n'y avait personne pour le diriger ou qu'il avait été mis en panne. Je me demande si ce n'est pas celui dont vous parlez.

Ses camarades avaient légèrement opiné du chef en signe d'assentiment. Flopi avait poursuivi :

— Nous pouvons essayer de le retrouver. Les courants l'auront porté vers le nord... Ou l'est... Mais je ne promets rien : il aura eu amplement le temps de dériver. Et la mer est vaste... Si nous ne sommes pas trop chargés, nous avancerons plus vite et nous serons plus mobiles. Le capitaine Pafou peut ramener vos frères au pays de N'Dé dans l'autre goélette, quitte à faire deux voyages. À moins qu'ils ne veuillent venir avec nous...

En entendant ces derniers mots, Macény s'était avancée :

— En tout cas, moi, je viens avec vous. Et je reste avec vous jusqu'à ce qu'on les retrouve. Je combattrai les Hommes à vos côtés, je m'y engage.

La solution proposée par Flopi qui consistait à se séparer emporta l'adhésion de tous, et il fut décidé qu'il garderait à son bord ceux avec lesquels il était venu. Les Kikongos rejoindraient discrètement les collines de Koulibaly et les tribus sœurs, en essayant de ne pas se faire remarquer des Hommes.

Flopi et les siens avaient repris la direction des opérations: il fallait ramener la deuxième goélette, amarrée à l'est, dans la baie qui se trouvait en face du village et surtout, s'assurer que les provisions d'eau et de vivres seraient suffisantes pour nourrir tout ce monde. Les deux bateaux reprendraient la mer dès le lendemain.

La traversée ne serait pas longue pour les Kikongos, l'île se trouvant à deux jours de navigation de la côte la plus proche du pays de N'Dé. Mais il fallait compter deux journées supplémentaires en mer si on montait vers le nord afin de les rapprocher le plus possible des collines de Koulibaly.

Flopi expliqua que non seulement le bateau pèserait davantage, mais que de surcroît ils affronteraient des vents contraires.

— Sans compter le courant des Cocos... avait ajouté Plofi, un sourire perfide découvrant ses dents pointues.

— Qu'est-ce que c'est? avait demandé Afo, pas du tout impressionnée mais la curiosité en éveil.

Elle avait remarqué que Plofi aimait effrayer les Nains avec sa connaissance étendue de l'océan: il racontait d'horribles histoires mettant en scène des monstres marins d'une taille gigantesque et elle, elle adorait écouter ses élucubrations.

Il mimait alors avec art des batailles apparemment perdues d'avance contre des créatures démesurées issues des profondeurs, batailles que les Floups avaient gagnées grâce à leur extrême agilité. Le récit était illustré par les figures les plus sautillantes de la florinette auxquelles ne manquaient pas de se joindre ses compagnons.

Flopi, sachant la propension de Plofi à se transformer en conteur, avait pris les devants:

— Comme son nom l'indique, c'est un courant... qui charrie des cocos. Il descend vers le sud le long des côtes du pays de N'Dé, en attrapant tout ce qui flotte. Principalement des noix de coco au fur et à mesure qu'il se rapproche des terres plus chaudes, mais aussi des morceaux de bois, des branches, des épaves, tout ce qui traîne à la surface.

Plofi avait néanmoins continué:

— C'est grâce aux cocos qu'on a pu suivre son trajet: on les a peints pour voir où ils allaient. Très loin dans le sud, le courant tourne à l'est et il remonte ensuite vers le nord. Ce faisant, il récolte des varechs énormes, excessivement longs, bien plus longs que tout ce que vous pouvez imaginer. On les appelle les « cheveux maudits de la mer » : quand un bateau est pris au milieu des algues dans ce courant abominable, il ne peut plus avancer. Il est obligé de se laisser porter par ce dernier. Qui l'amène dans la mer des Vents morts.

« La mer des Vents morts, c'est une mer dans la mer. Elle n'a pas de côtes, elle est entourée par le courant. Et les vents ne soufflent pas à sa surface. Il y a tellement de débris que c'est presque aussi solide que sur terre. D'ailleurs, c'est probablement cette accumulation de débris qui empêche le bateau d'avancer, plus que l'absence de vents…

« J'ai connu un marin qui en est revenu, il dit que là-bas, on peut marcher sur l'eau. Le bateau prisonnier de la mer des Vents morts est condamné à disparaître : il pourrit sur place et il finit par être écrasé par la pression des objets qui l'entourent. Il n'y a rien à manger, la vie a déserté les fonds, paraît-il. Le courant perd de sa force petit à petit et se noie dans la mer des Vents morts. Et les occupants du bateau aussi… »

Afo n'était pas la seule à être suspendue aux lèvres de Plofi. Mais Flopi avait profité de ce que ce dernier reprenait son souffle pour mettre fin à l'histoire :

— Au travail, maintenant. Plus vite on aura chargé le bateau, plus tôt on pourra partir demain.

Plofi avait fait un clin d'œil à Afo, laissant entendre qu'il y avait une suite.

93

Depuis un moment, Gaïg ne quittait plus des yeux la masse indistincte qui se détachait dans le lointain. Elle essayait de deviner ce que c'était. Ça semblait trop plat pour être une île, mais peut-être que c'en était une quand même. À une telle distance, c'était difficile de trancher.

Elle n'ignorait pas qu'il lui faudrait du temps pour y parvenir: les distances semblaient toujours plus courtes sur la surface plane de la mer qu'elles ne l'étaient en réalité. Mais du moment qu'elle pouvait y aborder, elle s'en contenterait. C'était beaucoup trop étendu pour être un tronc flottant, ou même une épave.

Le fait est qu'il y avait quelques débris autour d'elle. De petits bouts de bois, des algues et même des feuilles… Amenés par le courant eux aussi.

Gaïg savait qu'il était inutile de lutter contre ce dernier et qu'il finirait par perdre de sa force dans l'océan. C'était ce qu'elle avait toujours entendu dire dans son village: il valait mieux se laisser porter, surtout ne pas paniquer, et tôt ou tard, le courant se dissolvait au large. Sauf que là, elle s'y trouvait, au large. Alors, d'accord pour se laisser « porter », mais jusqu'où?

L'apparition d'une tête dans le lointain la fit sursauter. Il y avait quelqu'un, elle n'était pas seule. Gaïg ne rêvait pas, il y avait bien un baigneur là-bas ! Sa tête disparaissait parfois, cachée par les vaguelettes de la surface, pour réapparaître ensuite. L'esprit de Gaïg était en alerte. Qui pouvait bien se trouver là ? Un naufragé comme elle ? Quelle coïncidence quand même ! Deux naufragés qui se retrouvent en plein océan, au large de toute terre habitée...

Tout à coup, Gaïg frémit. Alors qu'elle avait commencé à nager de toutes ses forces pour se rapprocher de celui qu'elle considérait déjà comme un compagnon d'infortune, elle s'arrêta brusquement, voulant faire demi-tour, même à contre-courant, se jugeant stupide de n'y avoir pas pensé plus tôt. Un noyé !

Il s'agissait tout simplement d'un mort, peut-être dans un état de décomposition avancée, ou à moitié dévoré par les poissons... En tout cas, c'était bien la dernière chose qu'elle souhaitait voir.

Gaïg frissonna sous l'emprise de la peur. Même si elle avait déjà vu un noyé dans son village à deux reprises, tout noyé avait maintenant pour elle l'apparence d'une Vodianoï. Et si ce n'était pas un cadavre, mais une de ces repoussantes créatures ?

Curieusement, cette pensée lui insuffla un petit peu de courage : les Vodianoïs, elle les connaissait, elle les avait vaincues dans le bassin de la Licorne IyaTiku, sous la cascade. Mais elle ne désirait pas pour autant se retrouver en face de ces putréfactions nageuses.

Elle essayait de s'éloigner de la tête qu'elle apercevait, mais le courant, comme un fait exprès, l'en rapprochait. Il s'agissait bien d'un noyé, qui ne luttait même plus pour garder la tête droite, dans le prolongement du cou : cette dernière bringuebalait, se laissant aller au gré de l'eau.

Gaïg n'avait rien mangé depuis longtemps, mais elle sentit son estomac se retourner. Voilà qu'elle se baignait dans la même eau que cette « chose » maintenant. Quelle horreur ! Et ce courant qui l'entraînait malgré elle, qui la rapprochait de la pourriture...

Gaïg vivait un cauchemar éveillé, duquel elle ne pouvait s'échapper. Elle pensa qu'elle aurait préféré être déjà morte. Elle ne voulait plus regarder dans la direction de la tête, mais ne pouvait s'en empêcher : peut-être qu'au dernier moment, en nageant de toutes ses forces, elle pourrait l'éviter. Si elle allait dans le même sens que le courant, elle progresserait deux fois plus vite et dépasserait le cadavre.

Elle en était là de ses pensées quand on la toucha à l'épaule. Un effleurement doux et souple, sans doute un peu gluant pour être aussi lisse.

Elle hurla et s'enfuit sans même se retourner. Voilà qu'elle était prise entre deux choses monstrueuses : un noyé et… et… elle ne savait pas, elle ne voulait pas savoir ! Encore une chose trop hideuse pour être identifiée…

Néanmoins, après plusieurs brasses vigoureuses destinées à l'éloigner, elle tourna la tête en arrière pour jeter un coup d'œil. Une algue. Ce n'était qu'une algue. Mais quelle algue ! Gaïg n'en avait jamais vu d'aussi grande. Large et plate, elle lui rappelait les fucus de la côte. Mais en cent fois, mille fois plus grand.

Elle laissa échapper un soupir de soulagement, tout en examinant de loin, avec une curiosité anxieuse, le serpent végétal qui l'avait épouvantée. Lui aussi se trouvait pris dans le courant. D'ailleurs, les débris flottants se multipliaient. La largeur de la plante était impressionnante et il était impossible d'évaluer sa longueur.

Contrairement aux enfants de son village, Gaïg n'avait jamais redouté les algues : elles représentaient pour elle l'équivalent de la végétation terrestre. Elles pouvaient de ce fait former des prairies, des buissons, de petites savanes parsemées d'arbustes. Mais ce qu'elle avait sous les yeux tenait davantage de la forêt que de la prairie, et Gaïg se demanda combien il fallait de profondeur pour qu'une algue puisse pousser et atteindre cette taille.

Occupée à examiner de loin le varech géant qu'elle voyait pour la première fois, elle oublia un court moment le cadavre qu'elle voulait éviter à tout prix. Quand elle le chercha de nouveau du regard, il avait disparu. Seule une noix de coco dansait un peu plus loin sur les flots. Gaïg comprit immédiatement sa méprise. Il est vrai que l'illusion était parfaite et que même un pêcheur averti s'y serait laissé prendre.

Elle avait eu peur, quand même. Deux émotions très fortes s'étaient succédé, et Gaïg ressentit un moment de découragement. Combien de temps tiendrait-elle encore ? Ce n'était plus tant la fatigue qui l'angoissait que la peur des rencontres qu'elle pouvait faire. Après tout, les noyés se trouvant dans la mer, c'était dans l'ordre des choses possibles qu'elle tombe sur l'un d'entre eux. Et il existait, à l'instar des algues géantes, des animaux colossaux qui ne feraient d'elle qu'une bouchée.

Elle avait toujours écouté avec passion les récits des pêcheurs de son village, mais ces histoires étaient toujours tellement exagérées en ce qui concernait la taille des êtres qui les hantaient qu'elle n'y croyait qu'à moitié, redonnant aux animaux et aux végétaux des proportions plus justes, à la lumière de ce qu'elle connaissait des fonds marins. Mais qu'en savait-elle, au juste ?

Le fait est qu'elle n'avait jamais vu d'algues de cette dimension auparavant et qu'elle en avait une sous les yeux. La curiosité l'emportant, Gaïg essaya de se rapprocher légèrement. Il lui était difficile de nager à contre-courant, il valait mieux attendre que la plante parvienne à sa hauteur.

En attendant, elle examina les alentours. Le coco s'était éloigné, mais elle en aperçut un autre un peu plus loin. Cette fois, elle ne se laisserait pas abuser par des apparences trompeuses… Il y avait beaucoup de débris végétaux autour d'elle. Peut-être qu'une tempête avait soufflé récemment, quelque part sur la côte. Sur *une* côte, se reprit-elle. Le monde était vaste et elle n'avait pas la moindre idée de l'endroit où elle se trouvait.

D'après ses souvenirs, Pilaf avait affirmé que le bateau avait dérivé vers le nord-est et que le pays de N'Dé se trouvait à l'ouest. Il avait donc fait voile dans cette direction. Mais ensuite, quand il avait mis le bateau en panne, ce dernier avant sans doute dérivé encore. Et elle encore plus, emportée par ce courant. Elle se dirigeait donc vers l'est. Peut-être…

Le soleil, juste au-dessus d'elle, ne la renseignait pas beaucoup. Gaïg expérimentait la difficulté à s'orienter sans points de repère. Où se trouvaient « devant », « derrière », « à droite » et « à gauche » quand on était soi-même le centre de son monde ? Quel que fût l'endroit où elle regardait, c'était « devant » et il n'y avait rien à ajouter.

Le soleil tapait dur, on devait être en milieu de journée. C'était la seule déduction qu'elle pouvait tirer de l'espace ambiant, et elle ne l'avançait pas beaucoup. Où qu'elle tournât la tête, il n'y avait aucun bateau en vue. Gaïg sentit que le découragement, tel un prédateur à l'affût, allait de nouveau l'envahir. Elle flottait, certes, mais c'était tout ce qu'elle pouvait faire. Nager serait vite épuisant, et de toute façon, nager pour aller où ?

Machinalement, elle chercha l'algue des yeux. La plante, emportée par le flot, se rapprochait : elle était impressionnante, autant en largeur qu'en longueur et en épaisseur. De couleur rouge foncé, elle se présentait en une large bande centrale qui se subdivisait en bandes plus étroites. L'ensemble, dans sa largeur maximale, mesurait au moins deux coudées.

La surface paraissait boursouflée à cause des flotteurs. Gaïg se demanda d'où elle provenait et si elle était comestible. Mais elle n'avait décidément pas faim et se sentait incapable d'avaler le moindre morceau. Puisque l'algue flottait, peut-être qu'elle pourrait supporter son poids, qui sait? Mais il aurait fallu du courage pour s'aventurer dessus, et Gaïg n'en avait pas pour le moment.

Elle décida de continuer à se laisser porter par le courant, aucun autre choix ne s'offrant à elle. Peut-être qu'en faisant la planche, elle économiserait ses forces. Mais avec le soleil en plein dans les yeux, même fermés, elle ne tint pas longtemps.

Elle plongea.

Pilaf n'avait pas arrêté de scruter l'océan, imité en cela par ses compagnons de voyage, qu'il n'osait plus appeler ses « prisonniers » afin de ne pas aggraver la situation. Il les sentait à la fois tendus et consternés, pleins d'une anxiété qu'il ne comprenait pas.

La disparition de Gaïg semblait les affecter profondément, et les trois Nains arboraient un air catastrophé, à croire que leur vie allait s'arrêter parce que la fille un peu bizarre avait disparu.

Il était tout à fait sincère quand il affirmait ignorer ce qu'il était advenu d'elle. Quand il avait mis le bateau à la voile pendant la nuit, il n'avait pas pris la peine de vérifier que tout le monde était à bord. Il voulait seulement voir s'il était capable de se débrouiller sans eux pour naviguer. Auquel cas, il abandonnerait ses passagers sur la première terre en vue et continuerait tout seul.

Cela, il ne le leur avait pas avoué. D'autant plus que la navigation en solitaire s'était révélée plus difficile que prévu et qu'il s'était rendu compte qu'il avait besoin de son équipage, si malhabile fût-il.

Il ne leur avait pas non plus révélé la suite: ils avaient beaucoup dérivé, et il ignorait où ils se trouvaient exactement. Il s'était contenté, pour calmer les esprits, d'effectuer le demi-tour qu'ils réclamaient, mais il savait pertinemment que, ce faisant, il inaugurait une route différente, peut-être très éloignée de celle suivie précédemment.

Avec une confiance absolue en sa bonne étoile, il se répétait que Gaïg avait dû dériver elle aussi et qu'il n'était pas impossible de la retrouver. *Si elle flottait.* Il ne continuait pas sa pensée.

C'était vrai que la fille nageait comme un poisson dans l'eau, il l'avait vue à l'œuvre. Mais de là à penser qu'elle tiendrait le coup pendant des jours, il y avait un pas qu'il se refusait à franchir, même si les autres considéraient la chose comme acquise.

Bon, une journée seulement s'était écoulée. Mais le soir tomberait bientôt et la nuit arrêterait les recherches.

Il essaierait de faire le point avec les étoiles grâce aux instruments de bord, mais il regrettait un peu ses vantardises auprès de ses passagers. Certes, il savait naviguer. Quand il se déplaçait en territoire connu. Il le leur avait montré, d'ailleurs. Mais quand il s'agissait d'évoluer dans des régions nouvelles, il se sentait un peu moins sûr de lui.

Oh, il se débrouillerait toujours… Après tout, il était un Floup et la mer était son élément. Il suffisait de ne pas lui demander de se rendre en un lieu précis…

Tout en réfléchissant ainsi, Pilaf examinait la surface de la mer. Rien à signaler, mis à part les débris flottants habituels, de plus en plus nombreux.

Le bateau se dirigeait vers l'est, mais il jugea plus sage de ne pas revenir en arrière : les autres ne comprendraient pas. À défaut de la fille pas tout à fait humaine, on verrait bien ce qui surgirait à l'horizon…

94

Iolani avait poursuivi Heïa sous les océans pendant des jours et des jours, ne perdant pas une occasion de l'effrayer, de la tourmenter, de l'inquiéter.

Au début, il avait essayé de la séduire par de menus cadeaux. Puis, il lui avait tenu de longs discours pour la ramener à la raison, faisant miroiter l'intérêt d'une union durable entre eux, puisqu'il y introduisait, idée nouvelle chez les Sirènes, la notion de couple.

La pureté du sang, la préservation de leur monde – menacé de destruction à cause, selon lui, de son manque de réflexion –, des enfants communs – doublement issus de la Lignée sacrée –, le pouvoir partagé – pour la première fois de l'Histoire entre deux Sirènes de sexe opposé –, tout lui servait d'argument.

Heïa, voyant clair dans son jeu, ne se laissait pas convaincre. Elle avait ri quand, fixant l'anneau double en Nyanga qu'elle portait au doigt, il avait suggéré que Vaïmana l'Ancienne lui fasse don du sien, pour célébrer leur union.

— Tu sais très bien que ce sont ces anneaux qui donnent le pouvoir aux femmes et qui font de nous ce que nous sommes. Jamais une Sirène mâle ne les aura, fût-elle de la Lignée sacrée. De toute façon, elle ne pourrait pas les porter. Ce n'est pas pour rien que ce sont des anneaux magiques… C'est ma fille, Itia, qui les portera. Et après, sa fille recevra les miens. De grand-mère en petite-fille, jusqu'à la fin des temps…

Heïa avait perçu le frémissement qui avait parcouru la puissante stature de Iolani, faisant vibrer sa nageoire dorsale de colère rentrée. Ses dards brachiaux pointaient malgré lui, et il devait accomplir un effort inouï pour les garder couchés le long de ses bras musclés.

L'arrivée inopinée de sa mère, Vaïmana, et de sa grand-mère, Tamateva, les avait surpris tous les deux. Iolani avait disparu sans demander son reste. Heïa s'était fait gronder pour son inconscience.

— Tu ne devrais pas t'exposer ainsi, avait doucement constaté Tamateva. On ne sait jamais ce qui peut passer dans la tête d'une Sirène mâle, quand elle est en colère. La notion de famille n'existe pas, entre Sirènes de sexe différent. Tu lui en dis trop, il faut te montrer plus méfiante.

Vaïmana s'était révélée plus directe pour morigéner sa fille :

— Tu agis comme une sardine sans cervelle. Tu n'as pas plus de jugeote qu'une anémone fixée à son rocher. Enfin, Heïa, à ton âge, avec les responsabilités qui t'attendent, fais plus attention ! Tu le sais, que Iolani est dangereux. Comme le dit le proverbe : *Les Sirènes mâles sont un mal nécessaire.* On te l'a assez répété, de te méfier d'elles… Iolani était furieux…

Heïa, encore impressionnée par l'attitude de Iolani, n'avait rien dit. Elle avait été surprise par l'intensité de la haine perçue en lui. Et la véhémente mise en garde de Vaïmana la laissait songeuse. Dire que c'était son frère… Le fils même de Vaïmana, son seul autre enfant…

Si les Sirènes femelles pouvaient se reproduire à volonté, celles de la Lignée sacrée enfantaient deux fois seulement dans leur vie : deux enfants de sexe différent, pour prolonger la Lignée. Tamateva avait accouché de Manutahi et de Vaïmana, cette dernière de Iolani et d'Heïa.

Heïa mettrait au monde Itia – tel était le prénom qu'elle avait choisi –, et… pour le mâle, elle avait le temps de voir. Elle pourrait le faire avec n'importe qui, puisque c'était elle qui transmettait ladite Lignée. Avec une Sirène, sûrement, pour arranger les choses… En effet, Tamateva et Vaïmana, si elles s'étaient réjouies en apprenant l'annonce de la maternité d'Heïa, avaient changé de visage quand cette dernière avait révélé l'identité du père.

Déjà, à ce moment-là, elles l'avaient mise en garde contre la réaction possible de Iolani. Elles les connaissaient, les mâles sirènes, y compris ceux de la Lignée sacrée, surtout eux, d'ailleurs… Ils n'avaient aucun pouvoir, aucune possibilité de commandement, et ils en concevaient un profond dépit, soigneusement entretenu de génération en génération par leur prédécesseur, leur oncle ou grand-oncle en l'occurrence.

Manutahi s'était montré très vindicatif dans sa jeunesse, et si la lente maladie qui l'avait emporté, à la suite d'une blessure dans un combat contre les Murènes, l'avait un peu calmé sur ses derniers mois, il avait pris soin de transmettre à Iolani sa haine et son ambition quant à l'accès au trône.

Depuis longtemps, les mâles désiraient le pouvoir, ceux de la Lignée sacrée plus que tout autre. Mais les femmes sirènes défendaient vaillamment leurs droits, conférés, selon la Tradition, par les Dieux eux-mêmes. Certes, il fallait remonter très loin dans le passé, au temps du Commencement. Mais les bagues étaient là pour en témoigner, les deux anneaux doubles légués de grand-mère à petite-fille depuis cette époque.

Et l'Histoire, aussi, la grande Histoire des Sirènes, que les matriarches de la Lignée sacrée se transmettaient au complet depuis la même époque, celle du Commencement ou presque.

Iolani, se disait Heïa, en se remémorant l'Histoire de son peuple, n'était que le résultat de cette longue rivalité. Était-il pire que les autres, parce qu'il agissait de plus en plus ouvertement? Sans doute, vu la colère qui l'avait envahi récemment, et qu'il avait eu tant de mal à maîtriser.

Par la suite, Iolani, la poursuivant toujours, surgissait de plus en plus souvent, brusquement, accompagné de deux ou trois acolytes. Il essayait de l'inquiéter, la faisant sursauter chaque fois qu'il apparaissait, escorté de ses compagnons. Il devenait de plus en plus effrayant, terrifiant, même, n'hésitant pas à la bousculer violemment sous le fallacieux prétexte d'un obstacle inattendu à éviter.

Heïa n'était pas une nature faible et elle avait vaillamment résisté, voyant clair dans son jeu: il voulait lui faire perdre le bébé qu'elle portait, cet enfant qu'elle aimait déjà de tout son cœur et pour lequel elle donnerait sa vie s'il le fallait.

Elle s'était momentanément éloignée de Gilliatt, pour mieux se protéger. La baie tranquille d'Ewe-Lani qui abritait leurs amours devenait par trop dangereuse, pas assez ouverte sur le vaste océan Moana. De toute façon, Gilliatt, prisonnier de sa respiration d'Homme, ne pourrait rien pour la défendre, une fois que les choses se dérouleraient sous l'eau.

Soutenue par ses pareilles qui la tenaient au courant du moindre déplacement de Iolani, elle esquivait ce dernier, changeant sans arrêt de lieu afin qu'il perde sa trace. À la fin, elle avait rejoint les eaux calmes et rassurantes de Faïmano, protégées par les îles du même nom, domaine des Sirènes depuis toujours, là-bas, très loin dans le sud. Elle savait qu'elle y serait en sécurité.

Arrivée presque au terme de sa grossesse, Heïa avait cependant souhaité se rapprocher de Gilliatt pour mettre au monde le fruit de leur amour. Malgré les douces recommandations de Tamateva, les objurgations plus énergiques de Vaïmana, les conseils, suggestions et avertissements de ses pareilles, elle s'était entêtée. Trompant leur surveillance, elle s'était enfuie de Faïmano.

De son côté, le perfide Iolani, prévoyant qu'une fois l'enfant né, il serait trop tard pour agir, avait cherché et retrouvé sa trace, puis s'était montré d'une implacable férocité.

La poursuite avait été acharnée et mouvementée. Heïa avait beau se dissimuler, il la retrouvait toujours. Elle avait à peine le temps de reprendre son souffle, de se reposer, de penser qu'elle avait réussi à le semer, qu'il la rattrapait.

L'aide apportée par les autres Sirènes, qui avaient retrouvé Heïa, était précieuse. Elles l'entouraient moralement et physiquement pour la protéger de l'acharnement de la Sirène mâle. Mais tout allait très vite, et Heïa était déjà mal en point, trop avancée dans sa grossesse pour retourner au seul lieu où elle se serait trouvée réellement en sécurité : les eaux calmes de Faïmano. De toute façon, elle ne le voulait pas.

À la fin, Iolani avait réussi à la séparer de ses compagnes. Toute seule, apeurée et angoissée, elle avait erré plusieurs jours le long de la côte d'Ewe-Lani.

Elle ne voulait pas s'éloigner du rivage, ignorant comment la fille qu'elle mettrait au monde, à moitié humaine, se comporterait dans la mer. Les rares enfants métis nés dans le passé avaient toujours bien réagi, aussi à l'aise sur terre que dans l'eau. Mais Heïa, déjà mère dans son cœur, ne voulait pas prendre de risque.

D'autant plus que le temps s'était gâté. Une tempête d'une rare violence sévissait, et si Heïa ne s'en préoccupait pas, c'était parce qu'il lui suffisait de plonger : le calme régnait sous la surface agitée de la mer. À condition de rester suffisamment au large. Près du rivage, des vagues gigantesques déferlaient avec violence et fracas, le sable en suspension opacifiait l'eau, et on se heurtait à toutes sortes de débris terrestres collectés le long du littoral.

Heïa savait qu'il eût été plus sage de fuir le mauvais temps en se réfugiant dans les grandes profondeurs, ou même en émigrant dans une zone en dehors de la tempête. Mais évoluer dans des eaux plus claires, c'eût été courir le risque de rencontrer Iolani. Or, la naissance, qu'elle sentait de plus en plus proche, l'en empêchait.

Finalement, le mâle en colère l'avait acculée dans une anse minuscule sur la côte nord d'Ewe-Lani, et lui avait réclamé la bague. Il avait été franc : si elle refusait, il était prêt à la tuer pour s'en emparer ! Heïa savait qu'elle était perdue. Elle lisait dans son regard qu'il la tuerait de toute façon, qu'elle lui remette ou non le bijou.

Stoïque et obstinée, elle s'apprêtait à l'affronter : tant qu'à mourir, autant le faire en combattant. Mais, sans lui laisser le temps de réagir, il l'avait saisie avec brutalité. Heïa avait résisté, se débattant avec l'énergie du désespoir. La partie était inégale, femme sirène enceinte contre mâle dans la force de l'âge.

Il l'avait giflée plusieurs fois avec rudesse, profitant de l'éblouissement qui s'en était suivi pour lui tordre le bras derrière le dos et ouvrir de force le poing qu'elle tenait serré. Il lui avait écarté les doigts avec rudesse, essayant de sortir la bague.

Ce faisant, il la blessait avec les dards de ses nageoires. Heïa saignait, mais il continuait. Puis ses amies étaient arrivées, l'ayant enfin retrouvée, et s'étaient jetées sur Iolani pour la libérer. Ce dernier était déchaîné, et les Sirènes avaient eu un mal fou à s'interposer entre les deux protagonistes. Elles avaient finalement réussi et, rouges et échevelées, elles formaient un rempart de leur corps pour protéger Heïa, ensanglantée, qui essayait de se sauver vers le large.

Iolani, furibond, avait reculé, pris son élan, et foncé sauvagement dans le tas, bras en avant, dards relevés, tranchant tout sur son passage. Il s'était jeté sur Heïa, épuisée, et, saisi par une barbarie sanguinaire, l'avait cruellement mordue à la main, en profitant pour arracher sa bague.

C'est alors que Ranitaké la Murène, dérangée dans la quiétude de son repaire favori, était intervenue, assistée de toute sa colonie. Les Murènes avaient attaqué Iolani avec une rare férocité, toutes dents dehors. Il avait dû abandonner la partie. Mais peu lui importait maintenant : il avait la bague…

Heïa avait profité de l'intervention salvatrice des Murènes pour fuir. Mais la peur et la fatigue avaient fait leur effet, elle ressentait les symptômes de plus en plus pressants de la naissance imminente. Exténuée, se vidant de son sang dans l'océan, elle n'avait eu que la force de se traîner sur une plage pour mettre sa fille au monde.

— Itia. Tu t'appelleras Itia, avait-elle murmuré en l'embrassant. Ça signifie la *Petite-fille-messagère-blanche*.

Elle avait eu le temps d'apercevoir Otahi en personne, faisant son apparition dans la baie, avant de succomber.

95

Flopi avait laissé la goélette des Kikongos partir la première. Il avait veillé à tout avec Pafou, le capitaine de cette dernière. Deux voyages avaient été prévus pour rapatrier les Kikongos. Pafou rejoindrait la côte du pays de N'Dé et débarquerait ses passagers par petits groupes tout le long du littoral. Ainsi, ils attireraient moins l'attention qu'en débarquant de façon massive dans un village portuaire comme Shango ou Bamako, même si ceux-ci étaient plus proches des collines de Koulibaly.

En supposant que les exploiteurs des Kikongos soient des gens haut placés qui ne manqueraient pas d'exercer des représailles, il ne fallait surtout pas donner l'éveil aux Hommes. Les Nains n'étaient pas du tout sûrs de gagner en portant la chose au grand jour, et les Floups étaient du même avis.

Personne n'avait pris le parti de ces derniers dans le passé, quand les Hommes avaient voulu en faire des esclaves, et même si certains d'entre eux avaient clamé haut et fort leur indignation, aucun ne s'était dressé contre les siens pour que cessent les tentatives d'asservissement des Floups. En revanche, ils se savaient fort critiqués pour leurs actes de piraterie, qui n'étaient finalement qu'un retour des choses.

De ce fait, les Kikongos préféraient œuvrer en silence, attendant le moment propice pour agir. Ils mettraient à profit ce temps de latence pour enquêter et démasquer les responsables. Parce que tout cela reposait sur un intérêt purement commercial, à savoir l'exploitation de l'or de l'île. Ils n'ignoraient pas que tôt ou tard le besoin d'enrichissement des Hommes reprendrait le dessus.

Malgré les arguments convaincants qui lui étaient présentés, Thioro avait refusé de faire partie du premier voyage. Elle savait que ses frères, une fois dans le pays de N'Dé, se trouveraient en terrain connu, portés par la joie et l'optimisme, donc aptes à se débrouiller tout seuls. Tandis que ceux qui resteraient sur l'île devraient encore affronter les incertitudes de l'avenir, les doutes et les questionnements, et elle se sentait plus utile en restant avec eux. De plus, l'hypothèse d'un autre débarquement d'Hommes n'était pas à éliminer: leurs émissaires n'étant pas revenus, ils s'informeraient de ce qui leur était arrivé.

Babah, pour trancher, avait proposé en riant un troisième choix à Thioro: venir avec eux chercher Gaïg.

— Je ne vois pas à quoi je vous servirais, avait-elle répondu. Je n'ai même pas pu empêcher sa disparition. Pourtant WaNdo nous avait avertis: il nous avait bien recommandé de veiller sur elle et de ne pas la laisser seule. Nous l'accompagnions partout, il y avait toujours une ou deux personnes avec elle. Elle n'a jamais émis de réflexion désobligeante, mais je suppose que ça a dû lui peser quelquefois. Il n'empêche que malgré toute notre attention, elle s'est envolée.

Kodjo était intervenue, pleine de bon sens:

— Mais elle n'était pas seule sur le bateau. Il y avait WaNdo luimême, en plus des autres. Ils la protégeront.

« Et Mama Mandombé aussi », avait-elle ajouté mentalement. Comme pour mieux affirmer ce qu'elle avançait, elle avait serré fermement les lèvres en inclinant la tête d'un petit geste sec et volontaire. Elle avait alors senti peser sur elle le regard de WaNguira et, têtue, avait répété dans son esprit: « Et Mama Mandombé aussi. »

— Ce n'est pas si facile que ça, comment veux-tu protéger un poisson dans la mer? avait rétorqué Thioro, reprenant sans le savoir l'expression employée par WaNdo. Nous n'y avons pas réussi, en tout cas...

— Peut-être aussi que cette disparition fait partie de son destin, avait sentencieusement émis WaNguira. Et du nôtre...

Après un moment de silence, il avait ajouté, songeur:

— Est-ce qu'on peut visiter la mine avant de partir? Je n'y suis pas encore allé... Après tout, elle fera partie de l'histoire des Nains.

Et l'île aussi. Sondja, la *Terre-du-désespoir-absolu.* Nimissa, la *Mer-du-désespoir-sans-fond.* Quels tristes noms. J'aimerais voir le lac.

— Je peux t'y emmener, j'y suis allée, avait proposé Keyah. Le temps que tout soit prêt, on sera revenus…

— Tu viens avec nous, Kodjo ? ordonna aussitôt WaNguira plus qu'il ne le demanda à la jeune fille qui n'avait pas voulu être du premier voyage.

Elle se leva docilement pour les accompagner ainsi que Mukutu et Babah. La progression s'effectua en silence, dans un certain recueillement. Que de souffrances avaient endurées leurs frères ! Il fallait à tout prix éviter que cela ne recommence. Donc en garder le souvenir pour l'avenir.

Pour ce faire, les Nains ne disposaient que de la tradition orale. Encore fallait-il la construire, cette tradition, et la mémoriser pour les générations futures. Les Kikongos s'en chargeraient, bien entendu, mais c'était le rôle des grands prêtres, dépositaires de la mémoire collective, de sacraliser les lieux. WaNdo, n'ayant pas été initié de façon traditionnelle, n'avait pu le faire, et la responsabilité en incombait donc à WaNguira.

Une fois arrivé au bord du lac, il examina les alentours et se dirigea vers deux rochers jumeaux. L'un d'eux avait une forme de pyramide. Il s'en approcha et le considéra longuement : il dégageait de bonnes vibrations, c'était exactement ce qu'il lui fallait. Le grand prêtre saisit le pic qui ne le quittait jamais, pendu à sa ceinture.

— Qu'est-ce que tu veux lui faire ? l'interrompit Kodjo.

Puis elle ajouta doucement :

— C'est le rocher de WaNdo.

WaNguira avait arrêté son geste, écoutant la jeune Naine :

— La pyramide n'est pas très régulière, il était déjà aveugle quand il l'a taillée. C'est là qu'il a trouvé l'anneau de Nyanga, dans le feu qui ne chauffe pas. Je l'ai un peu aidé : regarde, j'ai gravé le signe des Kikongos sur la face qui donne sur le lac.

WaNguira se pencha, surpris, pour examiner la partie indiquée par Kodjo. L'étoile à quatre branches y figurait, creusée profondément dans le roc.

— Alors je n'y toucherai pas, Kodjo, puisque le travail est déjà fait. C'était ça, mon but : laisser ici une trace de votre passage. Mais WaNdo a eu la même idée. Et je suis content que tu l'aies aidé. Monte dessus.

WaNguira avait pris sa décision quand il avait capté la pensée de Kodjo affirmant, au sujet de la protection de Gaïg: « Et Mama Mandombé aussi. » Mû par une intuition, il avait discrètement sondé son passé, examiné sa naissance, sa vie, et conclu que les signes étaient favorables.

Autant il avait mis du temps à trouver son propre successeur en la personne de Nihassah, autant, semblait-il, les choses se déroulaient très vite pour les Kikongos. Après le choix de Thioro par la tribu pour être chef, voilà qu'il trouvait celle qui serait leur grande prêtresse, celle qui verrait pour WaNdo en attendant de lui succéder un jour.

WaNguira se sentait sûr de lui comme il ne l'avait pas été depuis longtemps. Et pourtant... Choisies en moins d'une journée, deux femmes, jeunes de surcroît, pour des rôles clés comme celui de chef de tribu et de grande prêtresse... Trois, si l'on comptait Nihassah... Décidément, les temps changeaient...

Kodjo, après s'être juchée tant bien que mal sur la pyramide, avait choisi de se tenir accroupie sur l'une de ses faces, dos au lac. Seule sa taille menue lui permettait de garder son équilibre sur la pente étroite et abrupte de la roche.

WaNguira était passé derrière elle et avait posé les deux mains à plat sur l'étoile gravée par Kodjo elle-même.

— Ferme les yeux. N'aie pas peur, il ne t'arrivera rien.

Kodjo obéit docilement:

— Je n'ai pas peur.

Elle demeura immobile, dans l'attente de ce qui arriverait. Malgré l'inconfort de la posture, aucun muscle de son corps ne bougeait. Son visage lisse n'exprimait aucun sentiment. Elle ressemblait de plus en plus à une statue taillée dans le roc.

WaNguira, toujours dans la même position, marmottait une mélopée très douce, dont le rythme allait s'accélérant.

Un long moment se passa avant que Kodjo se mette à parler. Sa voix avait perdu ses inflexions enfantines et adopté une tonalité beaucoup plus grave:

— Je sens battre le cœur de la Terre. La Terre est en moi. Celle du commencement et Celle de la fin. Je suis la Terre. Je suis jeune et vieille à la fois, née et encore à naître. Je suis multiple et une en même temps. Je me souviens de tout et je lis l'avenir dans le passé. Mon histoire est sans fin. Et cette histoire est mienne, comme sont miennes ma vie et ma mort.

La jeune Naine se tut et, dans le silence ambiant, Babah, Mukutu et Keyah sentirent eux aussi la pulsation venue du fond des âges. Oh, ils la connaissaient, cette pulsation, puisqu'ils étaient nés d'elle. Dans le ventre de leur mère, ils l'avaient éprouvée quotidiennement.

C'était elle, fondue dans celle du cœur maternel, qui leur avait donné leur identité de Nains. Au moment de leur naissance, le battement s'était estompé, laissant la place à celui de leur propre cœur : il avait repris son rythme normal, trop lent pour être perçu par des êtres de chair.

C'était le rythme de la Terre, celui qui créait les continents, déplaçait les océans, usait les montagnes, changeait le tracé des rivières et modifiait les côtes. Une vie de Nain permettait à peine d'entrevoir les changements, une vie d'Homme n'y suffisait pas.

WaNguira, en accélérant ce rythme, avait concentré le temps pour Kodjo : il fallait qu'elle apprenne, pour elle et pour WaNdo. Et pour les Kikongos. Ce faisant, il l'avait vieillie de plusieurs siècles, faisant passer directement de la Terre en elle un savoir vieux de plusieurs millénaires. Ce dernier était déposé en elle, à l'état latent, prêt à servir quand le besoin s'en ferait sentir.

Vu les circonstances, il n'aurait pas été sage d'attendre : former à la prêtrise requérait un enseignement de plusieurs centaines d'années, auquel WaNdo avait échappé par la force des choses. Il n'avait été formé par aucun grand prêtre, n'avait été initié par personne. S'il avait été sur l'île, c'est lui qui se serait tenu là, à la place de Kodjo, et WaNguira aurait déposé en lui cette connaissance accumulée par les Nains au fil du temps.

Maintenant, WaNguira attendait, plein d'espoir, pour voir si la jeune Naine entrait en relation avec le grand prêtre des Kikongos. Si ça se réalisait, ce serait la preuve qu'il avait bien agi. Les deux, WaNdo et Kodjo, ne formeraient plus qu'un, et l'un puiserait à la source du savoir à travers l'autre.

WaNguira, dans ses tentatives de communication avec WaNdo alors qu'il était encore sur le bateau des Floups, n'avait vu que la mer. Il avait d'abord cru à un échec, avant d'apprendre, en mettant pied à terre, que le grand prêtre n'était pas sur l'île.

Après réflexion, il avait compris que WaNdo, aveugle sur un bateau, ne pouvait lui montrer que l'image qu'il avait en tête, à la lumière du souvenir : un infini de bleu, le ciel et l'océan. WaNguira lui envoyait donc Kodjo, elle serait à la fois ses yeux et le réceptacle de l'enseignement qu'il n'avait pas eu le temps de recevoir. Il y cueillerait les informations nécessaires quand les circonstances l'exigeraient.

Le battement sourd de la Terre avait un peu perdu de son intensité. Il se ferait de plus en plus lent, jusqu'à sembler s'être éteint quand il aurait retrouvé son rythme normal. Tout était vivant sur la Terre, y compris les pierres, les rochers, les montagnes. Ils bougeaient, comme le reste, et ce mouvement, c'était la vie.

Ceux qui le niaient, prétendant que le monde minéral était un monde mort, étaient ceux qui ne la percevaient pas. Mais les Nains savaient, eux. Les événements reprendraient leur cours habituel, plus ou moins rapide, mais figés dans un immobilisme apparent en ce qui concernait la roche.

Leur cœur battant encore à l'unisson, Keyah, Babah et Mukutu attendaient le moment où il faudrait se séparer de la pulsation terrestre. Ils la suivraient le plus longtemps possible, bien sûr, mais ils n'ignoraient pas que tôt ou tard, ils seraient de nouveau sous l'emprise de leur corps physique et retrouveraient leur propre rythme.

Pour Kodjo et WaNguira, ce serait différent: ils pouvaient aller beaucoup plus loin dans le ralentissement de leur rythme cardiaque, ils reviendraient à une cadence normale quand ils le jugeraient bon.

La jeune Naine n'avait pas bougé, sa poitrine se soulevant à peine sous l'action de sa respiration, très lente. Elle se remit à parler:

— Je suis la Terre, une et multiple. La mer est en moi, la mer est ma limite. Elle me dévore et elle me crée. Je suis la Mer. Je finis où Je commence.

Un silence s'ensuivit. Puis elle reprit, d'une voix virile cette fois:

— Gaïg n'est pas à bord, me dit-on. Effectivement, je ne l'entends pas. Mais même si j'ignore où elle est, je sens qu'elle est vivante. Si elle était morte, je le saurais. Elle a seulement disparu.

Un soulagement intense mais bref envahit WaNguira: il avait réussi. Kodjo émettait à mi-voix les pensées qui agitaient l'esprit de WaNdo. Mais Gaïg avait de nouveau disparu, et l'angoisse latente qu'il éprouvait toujours quand il s'agissait d'elle surgit de nouveau. Kodjo poursuivait:

— Quoi que prétende ce jeune Floup à son sujet, il a tort. Il dit s'appeler Pilaf et semble très débrouillard. Mais il ignore qui elle est. Il ne sait pas non plus où nous sommes. Il ne le dit pas, mais je lis dans son esprit. Nous sommes perdus en mer. Il ne considère pas les choses ainsi parce que c'est un Floup.

« Les Floups ne sont jamais perdus en mer. Quand ils ont l'expérience de la navigation… Mais Pilaf est jeune. Il n'a que treize ans, ou douze ans, je ne sais plus. Il ne maîtrise pas tout. Enlevé par les Hommes à l'âge de cinq ans, a-t-il raconté… Il a beaucoup appris avec eux. Mais il n'est pas encore autonome, quoi qu'il prétende. Il essaie, en tout cas… Il a tellement envie que la *Bella-Bartoque* devienne son bateau… Et nous finirons bien par arriver en quelque part…

« Mais où est Gaïg? Je ne la sens nulle part… Il n'y a que de l'eau autour de nous. Et pas beaucoup de vent. Mais des algues, m'a dit Mfuru, des algues d'une longueur démesurée… Je ne vois rien, mais j'ai confiance. Je sens de plus en plus qu'il y a là, tout près, un immense savoir à ma disposition. Il suffit que je trouve le chemin pour y accéder. »

96

La nuit allait bientôt tomber. Malgré cette journée entière passée dans l'eau, Gaïg ne se sentait pas trop fatiguée physiquement. En revanche, son anxiété avait grandi et elle devait faire appel à tout son sang-froid pour ne pas sombrer dans le désespoir ou se laisser aller à la panique.

Depuis l'épisode de l'algue et de la noix de coco, il ne s'était rien passé de notable. Ce qui avait pour effet de la rassurer et de l'inquiéter en même temps. En effet, elle ne se sentait aucun courage pour affronter de nouvelles rencontres. Sauf s'il s'agissait d'un bateau, évidemment…

Hélas, il n'y avait aucune embarcation en vue. Seulement cette ligne sombre qu'elle avait aperçue au début et qui l'entourait maintenant de toute part. Gaïg comprit alors qu'elle avait dérivé toute la journée et qu'elle était « arrivée ».

La ligne qui l'avait tant intriguée le matin même était composée par l'amas des branches, des algues, de tout ce qui était charrié par le flot. Cela formait un enchevêtrement inextricable à la surface même de la mer. L'eau, en amenant sans cesse de nouveaux matériaux, avait provoqué cet amoncellement, apparemment de plus en plus dense.

Gaïg était perplexe. Que faire ? Elle avait espéré que le courant perdrait de sa force en se diluant dans l'océan, mais visiblement, ce n'était pas le cas. Est-ce que cet agrégat végétal formait une île en son milieu ? Mais où se trouvait son centre ?

Il y avait surtout des algues géantes, quelques branches, de rares troncs, des cocos en quantité non négligeable, et même des restes de planches, mais elle n'apercevait rien de vivant ou de mort, heureusement. Éviter un cadavre dans cet agglomérat représentait une épreuve au-dessus de ses forces, qu'elle préférait ne pas devoir affronter.

Quels animaux vivaient là-dedans ? Et comment en sortir ? Gaïg préférait encore la pleine mer, le vide de l'océan avec le bleu du ciel comme plafond, à cet entassement désordonné, receleur de monstres innommables.

Et pourtant, peut-être qu'en plongeant très profondément, elle pourrait passer sous le courant... Si c'était la seule solution... À vrai dire, elle n'avait aucune idée de ce que devenait un courant en profondeur. Est-ce qu'il perdait de sa force, ou bien se prolongeait-il tout au fond, raclant le sol et entraînant tout ce qu'il trouvait sur son passage ?

Gaïg regrettait de n'avoir pas pensé à cette solution plus tôt : plonger pour échapper à la force des flots. Maintenant qu'elle étudiait cette possibilité, elle se rendait compte de la difficulté de sa réalisation : ça devait être aussi encombré au-dessous qu'au-dessus. Peut-être même qu'on n'y voyait rien... Et une fois sous la surface, comment saurait-elle qu'elle avait pris la bonne direction, celle qui l'éloignerait du centre ?

L'esprit assailli de questions sans réponses, elle décida néanmoins de tenter le tout pour le tout : elle nagerait toujours tout droit, le temps qu'il faudrait. Il valait mieux agir que rester là, passive, à attendre elle ne savait quoi, dans une obscurité croissante.

Elle commença par vérifier qu'elle maîtrisait toujours la respiration sous l'eau simplement en immergeant la tête, puis, son entreprise ayant été couronnée de succès, elle se lança courageusement sous la surface.

Dès les premières brasses, elle fut tentée de renoncer à son projet, tellement le fouillis était dense autour d'elle. Alors que des choses molles et gluantes, sans doute des algues, la caressaient au passage, d'autres, plus dures, l'égratignaient.

Gaïg modifia sa trajectoire de plongée, légèrement oblique, et opta pour la verticalité, qui abrégerait le trajet. Il lui était difficile cependant de garder sa direction, dans la mesure où elle devait se frayer un chemin à travers les obstacles. L'entreprise s'avérait plus ardue qu'elle ne l'avait escompté parce qu'elle était obligée d'écarter ce qui la gênait et de chercher un espace dans lequel se faufiler.

Elle trouva que l'eau elle-même était croupie et avait un goût de moisi. Pendant combien de temps tiendrait-elle là-dessous ? Gaïg continua cependant courageusement sa progression, qui devenait de plus en plus lente et ardue, tenant davantage de l'escalade – inversée, pensa-t-elle, puisqu'elle se dirigeait vers le bas – que de la nage.

Le sang battait à ses tempes et elle sentit qu'elle manquerait bientôt d'air. Dans une mer limpide, elle pouvait « respirer ». Mais cette nappe stagnante formait une mer dans la mer et ses eaux, emprisonnées par le courant, ne se renouvelaient pas suffisamment. Une certaine obscurité l'environnait.

De très minces algues, fines comme des cheveux, emplissaient maintenant le moindre espace libre, et Gaïg envisageait de remonter avant qu'il ne soit trop tard et qu'elle ne périsse, prisonnière d'une mer plus solide que liquide. Quelle aberration, quand même, cette accumulation d'algues géantes et de végétaux variés, en plein cœur de l'océan…

La tête lui tournait. Elle était maintenant aux prises avec ces algues filamenteuses qui l'enserraient dans une masse vivante. L'agrégat de varechs et de branches se faisait plus clairsemé, remplacé par cette chevelure dense et mouvante dans laquelle elle ne progressait guère mieux.

Gaïg se décourageait, estimant que la situation se compliquait sérieusement, quand l'espace se dégagea alentour. D'un seul coup, il n'y eut plus rien autour d'elle, hormis l'eau. Elle en conclut qu'elle était venue à bout de la masse végétale, et cela lui insuffla un peu de courage.

Elle opta aussitôt pour un déplacement horizontal, avec l'intention de vérifier de temps en temps, en tentant de faire surface, si l'amalgame d'algues et de bois divers était toujours là. En tout cas, il n'y avait pas de courant à cette profondeur et l'eau était absolument stagnante. Mais limpide.

Gaïg connut un bref moment de contentement : elle nagerait le temps nécessaire, toute la nuit s'il le fallait, afin de se libérer de l'emprise de l'accumulation végétale qui lui tenait lieu de plafond. Mais elle fut bientôt surprise de se trouver en face d'un mur. Quelque chose se trouvait là, devant elle, qui l'empêchait de continuer. Au toucher, c'était à la fois rigide et élastique, impossible à traverser en tout cas.

Bien que sa vision dans l'obscurité se fût améliorée, elle avait du mal à distinguer de quoi c'était fait.

Gaïg choisit de longer l'obstacle, et continua de nager, vérifiant de la main droite que le « mur » était toujours là. Il lui semblait vraiment très long, et elle mit un moment avant de comprendre qu'elle tournait en rond. La paroi, pour immense qu'elle fût, était circulaire, et Gaïg aurait pu nager pendant une éternité sans en sortir.

Elle décida de plonger plus profondément, se disant qu'il y aurait bien une issue vers le bas, par laquelle elle pourrait s'échapper. Elle avait dû s'introduire dans une sorte de tube très large, qui ne laissait pas pénétrer les déchets de la surface. Peut-être que les algues filamenteuses servaient de barrage. Mais qu'était ce tube ? Il n'avait pas la rugosité d'un tronc creux, sans être mou pour autant ; de toute façon, c'était bien trop grand pour être un tronc. Ce n'était pas de la pierre non plus, et l'espoir d'un tunnel sous-marin qui la ramènerait à l'air libre s'évanouissait chaque fois qu'elle touchait la paroi.

En effet, Gaïg avait beau s'aventurer en profondeur, elle se heurtait toujours au mur qui paraissait aller en se resserrant. Après une longue exploration des lieux, elle finit par comprendre qu'elle se trouvait à l'intérieur de ce qu'elle qualifia de « salle », à défaut d'autre information.

La forme, semi-sphérique vers le haut, était ovoïde en profondeur. Curieusement, l'eau était claire, ce qui lui fit écarter l'hypothèse de l'animal. Si elle avait été « avalée » par un animal géant, elle serait en train d'être digérée, ce qui n'était pas le cas. D'ailleurs, la chose était bien trop vaste pour être un animal, lui semblait-il. Encore que…

Elle hésitait entre remonter vers la surface et creuser le « mur » devant elle. Sans outil, ce serait d'autant plus difficile qu'il n'y avait aucune prise : l'intérieur, bien que boursouflé, était plutôt lisse. Son unique tentative, à main nue, se solda par un flagrant échec : la paroi se déforma immédiatement vers l'extérieur et reprit sa place, créant un violent remous intérieur qui projeta Gaïg en arrière.

Tout aussitôt, elle entendit un gargouillement et s'aperçut avec surprise que cela formait des mots dans son esprit. C'était pour le moins surprenant, et elle demeura un moment interdite, la main serrée sur sa Pierre des voyages afin de mieux comprendre. La « chose » donnait à l'eau la forme de petites boules de différents diamètres, et ces boules composaient des mots et des phrases qui avaient un sens.

— Bloob ! Je te trouve bien agressive, bloob ! bloob ! pour me pincer ainsi, petite affaire. Bloob !

S'ensuivit un jet de boules d'eau beaucoup plus grosses, avec une cible toute désignée. Cela ne faisait pas vraiment mal : les projectiles éclataient sur le corps de Gaïg et se dissolvaient immédiatement. Mais la consistance de l'eau, beaucoup plus dense quand elle formait une boule, la surprenait. Quel animal pouvait ainsi commander à l'eau au point de modifier sa structure ? À moins que ce ne fût pas un animal… Une plante ?

Gaïg ne bougeait pas, consciente qu'il valait mieux se tenir tranquille afin de ne pas énerver la « chose », qui finit d'ailleurs par se calmer. Elle avait diminué la force de ses projectiles.

Gaïg examinait autour d'elle, en quête d'un détail qui lui permettrait au moins de classer son assaillante parmi les végétaux ou les animaux. Une tête, une bouche, des yeux, auxquels elle pourrait s'adresser. Ou même un tronc, des branches, des feuilles. Quelque chose de connu, quoi. Même une algue ferait l'affaire. Mais ses efforts demeuraient vains, tout semblait lisse autour d'elle. Du moins ce qu'elle pouvait en voir.

Elle devait déjà s'estimer heureuse de pouvoir comprendre ce que l'autre lui avait dit. Même si elle l'avait traitée de « petite affaire »… Gaïg était désorientée par cette dénomination plutôt inattendue. Était-il possible que la Pierre des voyages se trompe dans ses traductions ? Ou bien la « chose » employait-elle un vocabulaire un peu spécial ?

Il est vrai qu'elle-même se permettait bien de l'appeler « chose »… Mais comment procéder quand on est en milieu inconnu et qu'on ignore à qui l'on s'adresse ? Et puis l'autre n'était pas censée savoir que Gaïg l'avait surnommée ainsi…

— Excusez-moi, je ne savais pas que vous étiez vivante. Qui…

Le bombardement recommença, sans laisser à Gaïg le temps de terminer sa phrase.

— Bloob ! Tu es bien vivante, toi ! Alors moi aussi ! Bloob ! Mais j'ignore qui tu es, petite affaire… Et comment tu es arrivée là… Bloob ! Je suis même étonnée de te comprendre.

— C'est grâce à ma Pierre des voyages que nous nous comprenons, répondit Gaïg, heureuse de s'avancer sur un terrain neutre. Je m'appelle Gaïg.

— Bloob ! Bloob ! Ga-ïg. Tu t'appelles Ga-ïg et tu te baignes dans mon eau.

— J'aimerais mieux ne pas y être. C'est bien malgré moi que je m'y trouve. Vous savez comment je peux sortir d'ici ?

— Bien sûr que je le sais. Bloob! Mais encore faudrait-il que je le veuille... Bloob! J'ai rarement des choses vivantes à manger, moi. Bloob! Bloob!

— Mais je ne suis pas de la nourriture, corrigea immédiatement Gaïg, tous les sens en alerte. Je suis une fille.

— Mais les « filles », c'est de la nourriture... Bloob! Tu me fais rire, petite affaire! Bloob! pardon, Ga-ïg.

— Si j'étais de la nourriture, je n'aurais pas de nom. Et je ne vous parlerais pas comme je le fais, précisa Gaïg, prête à utiliser n'importe quel argument pour convaincre son interlocutrice et conjurer la montée de la peur en elle.

— C'est vrai que mes repas sont plutôt muets, d'habitude. Bloob! Il est rare que je discute avec mes plats... Mais c'est aussi parce que je les endors... Je me sens parfois un peu seule, d'ailleurs.

— Mais vous, qui êtes-vous?

— Bloob! Bloob! Bloob! Quelle indiscrétion! Je ne vais pas te répondre. Bloob! Bloob! Néanmoins, tu peux m'appeler Spongia. De mon vrai nom, Spongia Magna. Bloob! Mais tout le monde dit Spongia. Enfin, tout le monde, n'exagérons pas...

— ...

Gaïg attendait une suite qui ne venait pas. « Spongia » était le nom de la « chose », mais elle ne s'en trouvait pas plus avancée pour autant. Et elle devait agir avec précaution : elle était prisonnière, puisqu'il était dans le pouvoir de l'autre de lui montrer ou non la sortie. Et même de l'endormir pour la manger, semblait-il. Rassemblant tout son courage, elle finit par demander :

— Mais où êtes-vous cachée? Je ne vous vois pas...

— Bloob! Bloob! Petite affaire menteuse! Tu ne me vois pas et tu m'as pincée! Bloob!

Spongia émit aussitôt un jet de boules d'eau en direction de Gaïg. Les boules étaient plus petites cette fois, comme si l'eau avait été concentrée, et la réception fut un peu plus douloureuse. Gaïg comprit que pour une quantité donnée, plus la boule était petite, plus elle se faisait dense et était de ce fait susceptible de générer une douleur. Si encore elle savait à qui elle avait affaire... Amie ou ennemie? Pour le moment, l'attitude de l'autre l'entraînait vers la deuxième solution. Elle fit une dernière tentative :

— Je vous jure que je ne sais pas qui vous êtes. Je viens de l'air. Enfin, de la terre... C'est-à-dire que d'habitude je ne vis pas dans la mer. J'ai besoin de respirer de l'air. Je ne suis pas un poisson, quoi, je ne peux pas vivre sous l'eau...

Gaïg se rendit compte qu'elle s'embrouillait. Comment Spongia pouvait-elle la croire? Constatant le silence de cette dernière, elle en profita pour continuer:

— J'étais sur un bateau. Je me baignais et le courant m'a entraînée jusqu'ici. Je ne pouvais pas rester là-haut, il y avait trop d'algues et de branches. J'ai plongé, je tentais de passer sous le courant. Je ne voulais pas vous déranger, je croyais que vous étiez un mur, et j'ai essayé de creuser une issue. L'eau était très mauvaise, là-haut. Elle est beaucoup plus claire, ic...

— Bloob! Évidemment, qu'elle est plus claire, ici! Il faut bien que je me nourrisse. C'est en la filtrant, petite affaire, que j'en tire ma subsistance! Bloob! Ce n'est pas tous les jours que les flots m'apportent une proie comme toi! Vivante, en plus! Bloob! Bloob!

— Puisque je vous dis que je ne suis pas de la nourr...

— Pas de la nourriture, prétends-tu... Je le saurai quand je t'aurai goûtée. Bloob! Allez, au dodo!

Gaïg se sentit envahie par un effroi sans nom. Allait-elle périr là, digérée vivante par une créature inconnue et susceptible? Prise d'une inspiration, elle suggéra d'une toute petite voix:

— Je pourrais vous tenir compagnie... Vous avez dit que vous vous sentiez seule, parfois.

— Bloob! Sûr qu'il ne passe pas beaucoup de monde par ici! L'eau est trop altérée. Elle est corrompue par la décomposition de tout ce qui arrive de là-haut. Rien ne survit. Sauf moi, bien sûr! Bloob! C'est d'ailleurs mon rôle ici-bas, peut-être: vivre pour purifier cette eau...

Gaïg sentit naître un mince espoir dans son cœur et elle entrevit une porte de sortie dans la solitude de Spongia: si elle arrivait à se rendre indispensable en servant de dame de compagnie, peut-être que la « chose » ne la mangerait pas.

Elle se sentait tout à coup capable de parler pendant des heures, de raconter sa vie en inventant mille péripéties s'il le fallait: tout était préférable à cette digestion qui l'attendait. Elle pensait néanmoins qu'il lui faudrait faire très attention à ce qu'elle dirait, la créature ayant apparemment un caractère des plus ombrageux.

— Mais vous, comment faites-vous pour survivre? osa-t-elle demander, espérant secrètement ne pas commettre un impair avec cette question indiscrète.

97

Quand la mère d'Heïa, Vaïmana l'Ancienne, était arrivée pour lui porter secours, il était trop tard. Vaïmana avait nagé plusieurs jours de suite depuis Faïmano, mais n'avait pu arriver à temps.

C'est le cœur brisé qu'elle avait vu Otahi, la Première, confier sa petite-fille à une Naine qui se trouvait sur la plage. Elle se souvenait encore, par bribes, des paroles prononcées par la Première : « Tu l'appelleras Gaïg. C'est la descendante de Yémanjah que vous attendiez tous. Personne ne doit connaître son identité... »

Otahi intervenant en personne, il n'y avait rien à dire. De plus, bien que déchirée dans son cœur, elle savait que c'était, dans l'immédiat, la solution la plus sage pour protéger l'héritière de la Lignée.

Iolani avait été alors interdit de séjour dans certaines zones bien délimitées de l'océan, à commencer par les parages de Faïmano.

N'éprouvant aucun regret de la mort d'Heïa qu'il considérait comme une traîtresse, furieux de son échec quant à l'accession au pouvoir, détesté de toutes, honni partout, il avait d'abord disparu de la circulation. Il avait choisi l'isolement, dans la grotte de Poerava, cet îlot perdu de l'océan Moana.

Tout le monde ignorait où il s'était réfugié, ce qui l'arrangeait : personne n'aurait ainsi l'idée de venir récupérer la bague d'Heïa, dont les anneaux s'étaient malencontreusement séparés au cours de la bataille qu'il avait menée contre elle.

Cette bague si précieuse pour les femmes sirènes, ce bijou qui, disaient-elles, leur conférait le pouvoir qu'elles détenaient depuis tant de siècles, simplement parce qu'il leur permettait de ne mettre au monde que des filles… ce joyau inestimable se trouvait maintenant en sa possession. Et ça valait tous les exils du monde. Il suffisait d'attendre son heure.

Pour plus de précautions, il avait dissimulé les anneaux en deux endroits distincts, avant de les protéger par un sortilège igné destiné à les soustraire à la cupidité d'un éventuel découvreur de trésor. Sortilège inutile, puisqu'un lustre à peine s'était écoulé quand le premier anneau avait été «volé». Par un Nain, Iolani le savait, puisque eux seuls avaient accès à sa grotte. Ces créatures envahissantes qui, à force de fouiller le ventre de la Terre, étaient parvenues à *son* lac.

Iolani était arrivé trop tard pour défendre son trésor, il n'avait même pas eu la consolation de trucider ce Nain maudit, qu'il traitait rageusement dans son esprit d'«ébauche ratée d'humanité» à cause de sa petite taille. Ah, s'il avait pu le noyer…

Et voilà que maintenant, Aroha et Tahitoa, ces deux baudroies dégénérées, non contentes de l'avoir découvert, avaient divulgué le lieu exact de son refuge aux autres Sirènes. Quelles rascasses, quand même! Et d'abord, pourquoi étaient-elles là? Que cherchaient-elles? Peut-être rien du tout, peut-être lui, peut-être la bague….

Iolani, dans le doute, avait quitté les lieux. Il désirait la paix avant tout. Pressentant que de nombreuses autres Sirènes, poussées par la curiosité, hanteraient les lieux sous peu, il avait élu refuge ailleurs, dans une forêt d'algues géantes qui lui fournissait abri et nourriture.

Aroha et Tahitoa, quant à elles, avaient choisi d'avertir Vaïmana l'Ancienne, intriguées qu'elles étaient par cette nageuse exceptionnelle qu'elles avaient sauvée et qui portait au doigt une bague qu'elles croyaient reconnaître.

Une fois mise au courant, Vaïmana l'Ancienne n'avait pas tardé à apparaître dans les eaux de Poerava. Elle avait identifié, en cette nageuse émérite qui passait son temps sous l'eau, sa petite-fille Itia, disparue subitement d'Onaku, cette baie de l'océan Moana où elle avait vu Otahi la confier à une Naine. Onaku, où elle lui avait rendu visite régulièrement pendant ces dernières années.

Vaïmana avait aussitôt reconnu sa propre bague qu'elle lui avait offerte, par le biais de Ranitaké, il y avait maintenant presque trois ans de cela, aussi bien pour la protéger elle, Itia, que pour mettre le joyau en sûreté. Parce que l'avenir du peuple sirène était en jeu, à travers ces deux bijoux portés par les souveraines en place.

Iolani n'avait reculé devant rien pour entrer en possession des deux anneaux d'Heïa, et il essaierait tôt ou tard de s'approprier les siens, Vaïmana le pressentait. Or elle se savait aux portes de la vieillesse, avec ce que cela comportait comme handicap. Oh, elle était encore solide, bien sûr, mais elle éprouvait une espèce de lassitude qui lui donnait envie de se retirer de la scène publique. En apprenant les amours d'Heïa et sa grossesse, elle avait escompté passer du temps avec Itia, sa petite-fille à venir.

Les événements ne s'étaient pas du tout déroulés comme prévu, au point qu'Otahi elle-même avait jugé bon d'intervenir. À cause de la prophétie, bien sûr… La Première avait reconnu en Itia celle de ses descendantes qui, comme elle, était fille de la Terre et de l'Eau. Celle qui trouverait la terre promise au peuple des Nains.

C'est à dessein qu'elle avait confié Itia à une Naine, en lui disant de l'appeler Gaïg. Afin que cette dernière accomplisse son destin. Et aussi afin de brouiller les recherches, évidemment. Pour que toute trace d'Itia soit effacée sous l'eau.

De même que la majeure partie des Sirènes ignorait où était passé Iolani, elles ignoraient également ce qu'il était advenu de la fille d'Heïa. Peut-être que le bébé n'avait pas survécu… Mais à qui le demander sans rouvrir une blessure douloureuse ? Vaïmana n'avait rien fait pour lever l'incertitude, se contentant de rendre visite à Itia en cachette, toujours toute seule.

Une ou deux fois, Tamateva l'avait accompagnée, et son vieux cœur s'était réjoui. Heïa n'était plus, mais la descendance était assurée, la Lignée sacrée des femmes sirènes ne disparaîtrait pas encore. Tant qu'Itia resterait sur la terre ferme, elle serait en sécurité. L'inquiétude était née chez la grand-mère et l'arrière-grand-mère quand Itia avait disparu d'Onaku. Et voilà qu'elle réapparaissait, à Poerava...

Comment Itia était-elle arrivée là, Vaïmana l'ignorait. En revanche, elle savait qu'elle la défendrait au péril de sa vie contre le monstre qui n'avait pas hésité à assassiner sa mère. Elle était restée à patrouiller dans les parages de l'île, veillant constamment sur Itia sans que celle-ci se doutât de rien. Heureusement, Iolani, sans doute dérangé dans sa retraite, avait évacué les lieux.

Aroha et Tahitoa avaient visité sa grotte à plusieurs reprises, et assuré Vaïmana de l'absence de la Sirène assassine. L'Ancienne, si elle s'était sentie momentanément soulagée, n'avait pas relâché sa surveillance pour autant. Il lui semblait que le sort s'acharnait sur sa petite-fille, à l'amener aussi près du danger. Il est vrai qu'il y avait une prophétie en cours de réalisation, et quand les Dieux entrent en jeu…

Puis Iolani était revenu. Vaïmana avait frémi quand elle avait vu Itia cachée au fond du bassin, contemplant la Sirène mâle de retour dans son repaire. Itia, apparemment admirative, mais trop intimidée pour se montrer. Puis une Naine avait plongé et Iolani s'était éclipsé.

Peu après, Vaïmana avait vu un jeune Salamandar offrir quelque chose à Itia et elle avait tout compris quand elle avait perçu les vibrations dégagées par la colère de Iolani. Elle pouvait lire ce qui se passait dans les vagues, dans la couleur de l'eau, et surtout, dans les terribles rugissements du mâle dépossédé de ce qu'il considérait lui appartenir.

Elle avait été rassurée de savoir Itia sur l'île, loin du bassin maudit. Mais elle se doutait que sa petite-fille rejoindrait tôt ou tard l'élément liquide, et que Iolani ne l'épargnerait pas. Même s'il ignorait encore qu'elle fût la fille d'Heïa, il l'identifierait immédiatement, grâce à ses anneaux. Et s'il avait tué Heïa pour s'en emparer…

Vaïmana avait longuement observé Itia pendant son dernier bain nocturne en bordure du bateau, avant que le jeune Floup ne détache l'amarre. Elle avait bien étudié le triple anneau qu'elle portait au doigt : le double, celui qu'elle-même lui avait remis par le biais de Ranitaké la Murène, et le simple, celui offert par le Salamandar, qui correspondait à la moitié du double anneau d'Heïa volé par Iolani. Mais où était passée l'autre moitié ?

En tout cas, elle était belle, sa petite-fille. Superbe ! La couche de graisse protectrice qui lui entourait le corps était généreuse et ferme. On la devinait, malgré les vêtements, plus épaisse au niveau du tronc, pour mieux protéger les organes vitaux. Ses yeux écartés, placés un peu sur le côté de sa tête, agrandissaient son champ de vision, afin de mieux se déjouer des dangers de la mer.

Ses larges narines laissaient supposer un réseau capillaire très dense qui lui permettrait, le moment venu, de se sentir aussi à l'aise sous l'eau que sur terre. Ses doigts écartés laissaient voir des membranes d'une finesse et d'une transparence délicates.

Évidemment, il y avait les jambes... Mais Vaïmana avait eu le temps de s'habituer à cette particularité anatomique pendant les longues heures passées à observer discrètement la nageuse dans la baie de son village.

En la voyant là, s'ébattant près du bateau, Vaïmana avait senti fondre son cœur une fois de plus, et s'était juré, le danger augmentant, de ne plus la quitter. Quand elle avait vu le jeune Floup détacher l'amarre, elle avait suivi l'embarcation sans se poser de questions puisqu'elle était sûre qu'Itia s'y trouvait. Sans savoir, à ce moment-là, qu'elle devrait intervenir aussi rapidement pour éloigner Iolani.

Par la suite, elle avait assisté, émue jusqu'au tréfonds de son être, aux premières respirations sous-marines d'Itia: sa naissance dans ce monde sous-marin qui était également le sien. Elle avait perçu son étonnement face à ce phénomène nouveau, l'avait vue examiner les bagues à son doigt et réfléchir longuement, aux prises avec une agitation extrême.

Ensuite, Iolani surgissant, une violente bataille s'était déroulée sous l'eau. Vaïmana avait affronté, avec une force décuplée par la colère, le chagrin et le désespoir, le mâle sanguinaire qu'était devenu son fils. Elle avait senti monter dans son cœur la fièvre du combat, et pendant un moment, elle avait retrouvé toute la verdeur de sa jeunesse.

Les Sirènes mâles, bien que robustes, étaient courtes et trapues. Les femmes sirènes, de grande taille, étaient bien découplées naturellement et faisaient preuve d'une étonnante force musculaire.

Vaïmana avait perçu le retour de cette vigueur juvénile en elle et l'avait laissée s'épanouir, pour vaincre Iolani. Elle avait continué à le tarabuster même après qu'il eut cessé le combat, le poursuivant longtemps afin de mettre la plus grande distance possible entre Itia et lui.

Mais il lui fallait la retrouver, maintenant...

98

Pilaf avait navigué toute la nuit. Beaucoup plus vite qu'il ne l'aurait souhaité, d'ailleurs. À croire que le bateau avançait tout seul, puisque le vent ne soufflait pas si fort que ça. Mais chaque fois qu'il avait proposé de s'arrêter, les autres s'étaient insurgés. Il fallait retrouver Gaïg, disaient-ils. « Dans cette obscurité ? » avait-il demandé, sarcastique.

— Oui, parfaitement, dans cette obscurité ! avait répondu WaNdo. Tu ne sais pas que nous voyons dans le noir ?

Devant cette réplique de l'aveugle, Pilaf s'était tu, pris d'un doute. Est-ce que WaNdo « voyait » des choses invisibles pour les autres ? Superstitieux comme tous ses semblables, le jeune Floup n'avait pas voulu attirer la déveine sur la *Bella-Bartoque*, ce beau bateau qu'il avait déjà fait sien en esprit.

Face à plus entêté que lui, il ne pouvait que s'incliner et il avait fait contre mauvaise fortune bon cœur. Après tout, cette navigation nocturne lui servirait de test et d'entraînement, elle lui permettrait d'apprivoiser davantage, en tant que capitaine, ce navire qu'il connaissait déjà de longue date.

Il avait passé la nuit à étudier les instruments de bord, à observer le ciel, puis les cartes de navigation, puis encore le ciel, et le résultat de ses études s'était avéré le matin. Pourtant, il avait secrètement espéré qu'une erreur s'était glissée dans ses calculs. Mais il n'était pas perdu, il connaissait sa position.

C'était une grande honte pour un Floup, même de treize ans, de reconnaître qu'il s'était perdu en mer. Cependant, Pilaf aurait mille fois préféré cette éventualité à ce que lui avaient appris ses calculs et confirmé ses observations de la mer au grand jour.

La réalité étayait le résultat de ses opérations : toutes ces algues… ces débris végétaux… même ces noix de coco, ballottées par les flots, qui semblaient les têtes hilares de badauds le dévisageant pour mieux se moquer de lui… Comment avait-il pu arriver là ? Il avait dérivé, certes, mais pas à ce point…

Malheureusement, il doutait de moins en moins des conclusions tirées, aidé en cela par les réflexions de ses matelots – qu'il avait renoncé, le cœur fendu, à appeler ses « prisonniers », même dans sa tête – qui ne manquaient pas de s'étonner de la taille extraordinaire des algues flottant sur l'océan.

Pilaf se sentait complètement déprimé. Comment avouer la vérité à son équipage et lui expliquer ce que représentaient le courant des Cocos et la mer des Vents morts ?

En y réfléchissant, il se rappelait qu'il avait été surpris, pendant la nuit, par la vitesse à laquelle le bateau avançait. Optimiste, confiant en sa bonne étoile, il en avait conclu que la monture était de qualité et qu'il chevaucherait tous les océans du globe avec elle, qu'il découvrirait de nouvelles terres, de nouvelles mers, de nouveaux cieux, qu'il ferait le tour du monde avant de retourner chez lui, plein d'usage et raison, vivre auprès de son père le reste de son âge.

Il s'était laissé aller à rêver et le rêve l'avait trahi. Ce qu'il avait cru être un fringant coursier galopant sur les vagues s'était révélé être un bateau évoluant dans le même sens que le courant… le courant des Cocos, selon ses calculs.

Il ne le connaissait pas, bien sûr, aucun marin sensé ne s'aventurant dans les eaux avoisinantes, mais il en avait assez entendu parler, lors des veillées sur le pont, quand de plus vieux que lui racontaient les fantastiques aventures de leur vie en mer, pour savoir qu'il pouvait considérer la *Bella-Bartoque* comme un navire en perdition.

Il ne méritait plus de vivre, le capitaine qui avait mené son propre bateau à sa perte. Le jeune Floup broyait du noir dans son coin, désespéré et silencieux.

WaNdo, peut-être à cause de sa cécité, davantage sensibilisé que les autres à la présence vocale de chacun, fut le premier à percevoir le silence dans lequel il s'enfonçait.

— On dirait que je n'entends plus Pilaf... lança-t-il à la cantonade.

— Il est là, pourtant, ce valeureux capitaine dont je suis le second, hon ! hon ! plaisanta Loki. Hé, capitaine, qu'est-ce que ça signifie, toutes ces algues ? Nous flottons sur une forêt sous-marine, ou quoi ?

Pilaf, écrasé par la honte et la culpabilité, garda le silence.

— Hé ! hé ! capitaine, on te parle, insista Loki. Tu boudes tes prisonniers, maintenant ? Hi ! hi ! hi !

Quand Pilaf lâcha d'une voix à peine audible « Vous n'êtes pas mes prisonniers », il provoqua un étonnement général, et devint immédiatement le point de mire. Il put lire la perplexité et l'interrogation dans les regards dirigés vers lui.

— Comment ça, nous ne sommes plus tes prisonniers ? demanda le Pookah, usant d'un ton un peu vif. Mais je veux être ton prisonnier, moi ! J'ai toujours été d'accord pour l'être, et je veux le rester, hé ! hé ! Je suis aussi ton second, d'ailleurs. Donnez des ordres, capitaine, et je les ferai exécuter par l'équipage *illico presto,* ho ! ho ! ho !

Pilaf aurait voulu disparaître. Quels ordres pouvait-il donner, qui modifieraient le cours des événements ? Il connaissait la suite, il pouvait l'imaginer sans peine, d'après les narrations des vieux marins qu'il avait gardées en mémoire et qui revenaient le tarauder afin de mieux l'humilier.

Le bateau, d'abord pris dans le courant des Cocos, se rapprocherait de plus en plus de la mer des Vents morts, dans laquelle, faute de brise, il s'immobiliserait, condamné à un long écrasement, infaillible et implacable. Nul n'en sortirait vivant.

Le jeune Floup, la mort dans l'âme, se résolut à avouer la vérité à ses compagnons, sans même essayer de se justifier ou de minimiser sa part de responsabilité dans l'affaire : il était le capitaine du bateau, il assumerait ses erreurs jusqu'au bout.

Il avait perdu toute son assurance passée. Il débita son récit d'une voix laconique, expliqua ses calculs de la nuit, ses doutes, son appréhension, et la confirmation finale de ses pires craintes. Il s'affaissait au fur et à mesure de sa narration, qu'il termina tête basse, épaules voûtées, regard plongé dans le dessin du bois des planches qui composaient le pont.

À sa grande surprise, ses paroles n'eurent pas l'effet escompté. Alors qu'il s'attendait à une colère généralisée, accompagnée de reproches, de cris, de hurlements et, pourquoi pas, de coups – en tant que mousse, il en avait déjà eu plus que sa part sur ce bateau –, il fut estomaqué par les réactions de chacun.

Tous se rapprochèrent de lui, et alors qu'il se recroquevillait pour donner moins de prise à la violence de la correction à venir, Winifrid, de taille à peine plus grande que la sienne, lui passa un bras protecteur autour du cou. Dikélédi lui saisit une main pendant qu'AtaEnsic lui frottait affectueusement le dos avec sa tête. Loki lui empoigna la main restée libre et la secoua énergiquement :

— Hi ! hi ! Vous méritez la pendaison, capitaine, mais vous serez gracié, sur ordre du second.

Puis tout aussitôt, il continua :

— C'est une grande aventure que nous vivrons là, ha ! ha ! ha !

Pilaf les regardait sans comprendre. Il n'avait pas l'habitude des réactions de compréhension et d'indulgence, et la vie au milieu des Hommes, ces marins au corps et au cœur endurcis par la vie à bord, lui avait plutôt appris à tout faire pour se protéger des taloches, y compris mentir. Il releva la tête et les fixa tour à tour d'un œil interrogateur.

WaNdo et Mfuru s'avancèrent ensuite et l'aveugle posa une main ferme sur son épaule, qu'il serra, l'obligeant à se redresser. Il s'adressa alors à lui :

— Nous avons un proverbe nain qui dit : « Le rocher que tu ne peux pas déplacer, contourne-le. » Ça veut dire que parfois, il faut accepter de prendre les choses de biais, au lieu de les affronter. Nous n'y sommes pas encore, dans ta mer des Vents morts : si léger soit-il, je sens un souffle d'air sur ma peau. Puisque ça ne sert à rien de lutter contre le courant, laissons-nous porter par lui, mais en profitant de ce léger vent pour nous tenir à l'écart du centre. Plus nous serons déportés vers la périphérie, plus le vent forcira, et plus nous aurons des chances de nous en sortir. Reprends tes calculs pour savoir quelle direction nous devons choisir pour contourner cette mer maudite. Hé, tu sais, capitaine, j'ai été marin, moi aussi !

Pilaf se sentit définitivement rasséréné par l'appellation finale : on le considérait encore comme le capitaine, il ne décevrait pas une fois de plus son équipage. Il s'arma de courage pour affronter l'adversité. N'ayant pas été écrasé par une juste colère de ses compagnons, il se promit de faire tout ce qui était en son pouvoir pour les sauver, pour retrouver la fille un peu bizarre et pour ramener tout le monde au pays de N'Dé.

— Je pense qu'il nous faut mettre le cap sur l'est, et nous y tenir, répondit-il. En larguant toute la voile, on profitera du moindre souffle de vent.

— Obéissance immédiate, mon capitaine, s'écria le Pookah, très excité. Allez, moussaillons, chacun à son poste, ho ! ho ! Que je ne voie personne d'inoccupé sur le pont, sinon il vous en cuira, ha ! ha ! Euh… Qui fait quoi, capitaine ?

Pilaf distribua rapidement les rôles, et les pensées se détachèrent momentanément de Gaïg. L'important, dans le présent, c'était de sauver le bateau, et la journée était déjà bien avancée.

WaNguira avait fait à Flopi un compte rendu détaillé des dires de Kodjo. En mentionnant Pilaf et la *Bella-Bartoque*, Trompe et Falop, surgis brusquement à ses côtés, avaient écouté de toutes leurs oreilles. Ils avaient ensuite échangé quelques rapides gestes de communication, puis Trompe avait invité les autres Floups à se joindre à eux. Flopi réfléchissait, l'air soucieux. Il avait attendu un moment avant de prendre la parole :

— Si je comprends bien, votre Gaïg a de nouveau disparu. Et votre grand prêtre pense qu'ils sont perdus en mer. Dans sa description, il fait allusion à des algues d'une taille surprenante.

— Ce sont les cheveux maudits de la mer, avait lancé Plofi sur un ton sépulcral. Et on ne les trouve qu'en un seul endroit…

— Dans le courant des Cocos, qui entraîne les bateaux dans la mer des Vents morts… avait expliqué Afo dans un souffle, pas très sûre de son savoir tout neuf.

Plofi lui avait jeté un regard d'intelligence, flatté par l'attention qu'elle portait à ses récits et le souvenir qu'elle en gardait. Puis Trompe s'en était mêlée, élucidant pour WaNguira et les siens le mystère de son intérêt subit pour sa conversation avec Flopi :

— Pilaf, c'est mon frère jumeau. Celui qui a été enlevé quand nous avions cinq ans. Et la *Bella-Bartoque*, c'est le bateau sur lequel il est prisonnier des Hommes. Ceux qui sont venus ici et qui ont été tués. Je suis sûre que Pilaf s'était caché pour échapper au carnage et que c'est lui qui est parti avec le bateau. Et la *Bella-Bartoque* est à lui, maintenant ! avait-elle conclu avec un petit air satisfait.

— À condition qu'il s'en sorte… avait précisé Flopi, le front plissé. Si vous êtes sûrs de ce que dit la jeune Kodjo, la situation est plutôt alarmante. Rares sont ceux qui sont revenus de la mer des Vents morts pour raconter ce qu'ils avaient vu.

— Mais nous irons le chercher, n'est-ce pas? avait demandé Trompe, anxieuse. Nous n'allons pas le laisser tomber? Surtout maintenant qu'il a un bateau à lui…

Devant le silence de Flopi, elle s'était tournée vers son père avec un « Hein, Falop ? » dans lequel perçait toute la confiance qu'elle lui portait, indépendamment de l'appellation égalitaire utilisée. Elle s'était débarrassée du traditionnel « papa » juste après le ravissement de son frère, et ce, sans fournir d'explication.

Falop avait opiné du chef. Bien sûr qu'il irait au secours de son fils. La vie lui avait déjà ôté Flanel, son épouse chérie, il n'allait pas lui laisser prendre son enfant également. Mais Falop, plus averti de la hiérarchie que sa fille, portée par l'impulsivité de sa jeunesse, savait que la décision de mettre ou non le cap sur la mer des Vents morts appartenait au capitaine.

Et si le capitaine, Flopi en l'occurrence, ne voulait pas risquer son bateau dans ces dangereux parages, il faudrait qu'il se débrouille par lui-même. En pirate prospère, il avait largement les moyens financiers d'armer un bateau, et de partir à la recherche de son garçon. Mais ça prendrait du temps, c'était sûr, et là résidait le principal inconvénient.

Pour la première fois de sa vie, Falop regretta de ne pas posséder son propre vaisseau sur lequel il aurait été le capitaine, le seul maître à bord. Au moment où le choix s'était offert à lui, il avait longuement pesé le pour et le contre.

Ensuite, face à l'isolement du chef, il avait opté pour l'amitié, la camaraderie, la complicité avec les autres marins, ses égaux. Il était déjà bien assez seul comme cela, depuis la disparition de Flanel, sa tendre mie, pour ne pas s'isoler encore plus dans la solitude de celui qui commande. Comme ce choix lui pesait aujourd'hui !

Bien sûr, il ne regrettait pas les moments passés en compagnie de ses pairs, les longues soirées sous les étoiles à boire un peu plus que de raison peut-être, histoire de mieux frissonner en entendant les élucubrations marines de Plofi…

Flopi se joignait à eux, parfois. Mais il était le plus souvent occupé à consulter ses cartes, à élaborer des tactiques d'attaque, à chercher de nouvelles voies maritimes et, surtout, à assurer la bonne gestion de la goélette et de son équipage.

Et Falop, parfois dépassé par son double rôle de père et de mère, avait apprécié l'aide apportée par les autres marins quand ses jumeaux avaient commencé à parcourir le pont, d'abord à quatre pattes, puis très vite sur deux, et ensuite, à poser des questions. D'autant plus que leur jeu favori consistait à poser chacun la même question – aussi bien à deux marins différents qu'au même – afin de comparer les réponses obtenues. Gare alors aux différences, mêmes minimes et, surtout, aux contradictions !

Falop attendait la décision de Flopi, apparemment calme et détaché, droit et silencieux. Quand Pilaf avait été enlevé par les Hommes, Flopi avait été le premier à proposer de lui porter secours. D'habitude, les Floups ne s'inquiétaient pas trop lorsqu'un de leurs enfants avait été fait prisonnier : ils savaient que le jeune se sauverait quand il en aurait assez, et chez eux, c'était presque considéré comme un honneur d'avoir effectué son apprentissage de mousse chez les Hommes.

Mais cinq ans, c'était un peu jeune pour un ravissement. Flopi et Falop étaient partis en chasse, vaillamment secondés par Trompe et une multitude de pères adoptifs.

Une nuit, Flopi et Falop avaient réussi à approcher Pilaf. Le bateau des Hommes était à l'ancre dans un port de la côte et son équipage disséminé dans les tavernes avoisinantes, occupé à s'enivrer. Une certaine solidarité avait joué puisque de l'alcool avait été rapporté aux marins chargés de la surveillance du navire. Ces derniers s'étaient réfugiés à la poupe, où ils jouaient bruyamment aux dés tout en chantant et en lançant des plaisanteries grivoises.

Les Floups, arrivés par voie de terre, étaient restés cachés sur les quais, pendant que Flopi et Falop, risquant gros, montaient discrètement à la proue, à la recherche de Pilaf. Ils n'avaient d'ailleurs eu aucun mal à le trouver, allongé au pied du mât, à moitié endormi. Un gros anneau de fer au pied droit le maintenait attaché, des fois qu'il aurait voulu profiter de l'escale pour se sauver.

À la surprise de Falop et de Flopi, le jeune Floup avait décrété qu'il resterait à bord de la *Bella-Bartoque.* Falop, bien que fier intérieurement de la détermination de son rejeton, avait néanmoins insisté pour le libérer. Pilaf avait alors menacé de donner l'alerte aux Hommes s'ils ne décampaient pas du pont de la *Bella-Bartoque.* Il avait alors lancé, sous forme de bravade un « Je suis prisonnier, c'est mon bateau, maintenant ! » qui n'admettait pas de réplique.

Falop s'était incliné, bien qu'il lui en coûtât, mais il n'avait jamais perdu de vue son garçon, lui rendant visite régulièrement, toujours accompagné de Trompe. Ainsi, les relations n'avaient jamais été réellement rompues entre les jumeaux.

Les Hommes n'y voyaient que du feu, dans ces jeunes ravis à l'équipage d'un bâtiment floup, et qu'ils croyaient maintenir prisonniers. En réalité, leurs victimes gardaient toujours le contact avec leurs semblables et décidaient elles-mêmes du moment où elles souhaiteraient bon vent à leurs ravisseurs.

Même si la vie n'était pas facile pour les mousses, ils savaient que cela faisait partie de leur apprentissage : plus ils recueilleraient d'informations sur les Hommes – aussi bien sur leur us et coutumes en général que sur leur façon de naviguer, de lutter, sur leurs avancées techniques et sur leurs projets de navigation –, mieux ils pourraient les combattre ultérieurement.

Il n'était cependant jamais venu à l'esprit des ravisseurs que c'étaient de véritables petits espions qu'ils introduisaient eux-mêmes à leur bord.

Toutes ces pensées défilaient dans l'esprit des Floups, en attendant que Flopi annonce sa décision. Ce dernier considéra un moment Trompe et Falop, l'air absent, et s'adressa à WaNguira :

— À défaut de retrouver Gaïg qui semble avoir disparu une fois de plus, on peut au moins essayer de sauver les autres...

Tous entendirent le soupir de soulagement de Macény.

99

Gaïg avait perdu la notion du temps, les rayons du soleil ne traversant pas l'amalgame végétal qui se trouvait au-dessus d'elle, et encore moins le corps même de Spongia. Mais en l'espace d'une nuit, ou d'un jour, ou de deux, elle en avait appris un peu plus sur Spongia Magna. Sans pour autant déterminer si elle devait la compter au nombre de ses amies ou de ses ennemies.

En effet, Spongia était on ne peut plus fantasque, totalement imprévisible dans ses réactions, et Gaïg avait été bombardée maintes fois avec les fameuses boules d'eau. Il suffisait qu'elle prononce un mot malencontreux pour se transformer en cible vivante. Elle avait essayé de se déplacer pour échapper au jet, mais Spongia pouvait les créer de n'importe quelle partie de la paroi qui lui tenait lieu de corps.

Gaïg avait noté que Spongia était très susceptible pour tout ce qui touchait à son existence. Comme si elle n'était pas certaine d'être vraiment vivante… Chaque fois que Gaïg faisait allusion à son identité, elle se heurtait à un énervement fébrile qui se manifestait par un bombardement immédiat. Pourtant, Gaïg aurait bien voulu apprendre à qui elle avait affaire. C'était comme si Spongia ne savait pas elle-même qui elle était.

Gaïg avait longuement réfléchi, passant mentalement en revue tous les animaux sous-marins qu'elle connaissait. Mais même en procédant par élimination, elle n'avait pas réussi à la classer dans un genre connu. La « chose » n'était pas un poisson, puisqu'elle ne se déplaçait pas. Ni un crustacé, ni un coquillage, puisqu'elle était vide à l'intérieur. Gaïg n'avait aperçu ni œil ni bouche ni aucun organe interne. Peut-être qu'à l'extérieur, il y en avait, mais pour ce qu'elle pouvait en voir, Spongia était toute lisse en dedans.

Quand elle avait émis la possibilité que Spongia soit un végétal, un genre d'algue géante circulaire, elle s'était fait rappeler à l'ordre par un copieux bombardement accompagné d'une volée de remontrances pour son manque de respect.

Gaïg avait espéré se rattraper en suggérant un madrépore, quelque chose à ses yeux de mi-végétal, mi-animal, mais Spongia, boursouflée de colère, l'avait renvoyée d'une paroi à l'autre à l'aide de ses jets internes, l'étourdissant avec des galipettes forcées.

Gaïg avait cru sa fin proche, mais Spongia s'était subitement calmée, augmentant la densité de l'eau sous Gaïg pour former une couche de consistance solide sur laquelle elle pouvait reposer. Gaïg, tout ébaubie, avait eu d'autant plus de mal à s'en remettre qu'elle avait eu peur. Elle était demeurée silencieuse un moment, le temps de reprendre ses esprits et de réfléchir à une ligne de conduite.

Spongia lui avait alors parlé doucement, faisant circuler autour de son corps des courants d'eau de différente intensité qui avaient eu pour effet de la calmer, et Gaïg avait expérimenté un état proche du sommeil. Allongée sur son « matelas », elle avait connu un moment d'absence duquel elle était sortie reposée mais méfiante : Spongia avait laissé échapper précédemment qu'elle endormait ses proies pour les manger…

La leçon avait porté, elle ne demanderait pas à Spongia si elle était un corail, ou quoi que ce soit d'autre, de minéral, végétal ou animal. Elle avait enfin compris qu'il ne fallait pas poser de questions à Spongia sur son identité, et peut-être même pas de questions du tout.

Après cette punition, Spongia l'avait nourrie. Gaïg était d'autant plus surprise qu'elle n'avait rien réclamé. Elle était encore toute retournée, se demandant comment la « chose » pouvait modifier ainsi la structure de l'eau jusqu'à la rendre rigide et créer l'espèce de couche sur laquelle elle reposait. Spongia avait alors dirigé vers elle des boulettes d'un vert très foncé, presque noir, en lui recommandant d'en manger.

— Qu'est-ce que c'est ? avait-elle lâché sans réfléchir, pensant aux crottes de lapin que Loki lui avait servies dans le passé.

La disparition instantanée des boulettes, immédiatement absorbées par la paroi, avait constitué la réponse de Spongia, agacée une fois de plus :

— Bloob ! Bloob ! Personne ne t'oblige à manger ma nourriture, petite affaire. Bloob ! Si tu veux mourir de faim, à ton aise, jeune difficulté impolie ! Bloob !

« Allons bon, se dit Gaïg, voilà que je me fais traiter de "difficulté", maintenant. Quel drôle de vocabulaire, quand même... »

Désirant néanmoins se rattraper, elle avait insisté, prenant garde à ne pas introduire de question dans ses phrases :

— Vous êtes très gentille de penser à mon estomac. Je n'ai pas dit que je refusais. J'apprécie mieux la nourriture quand je sais ce que j'avale, c'est tout.

— Comme si je cherchais à t'empoisonner... Bloob ! C'est du pur concentré d'eau de mer. Tu n'en trouveras de meilleur nulle part ailleurs. Je le fais moi-même, bloob !

Gaïg retint juste à temps la question sur la nature de ce « pur concentré » qui lui venait aux lèvres. C'est l'interdiction des phrases interrogatives qui lui fit se rendre compte à quel point elle posait des questions, sans arrêt, à elle-même ou à son entourage. Elle était toujours en train de s'interroger ou d'interroger les autres.

Dans la situation présente, elle aurait aimé savoir de quoi étaient composées ces boulettes, ce que représentait du « pur concentré d'eau de mer », vu l'épaisseur d'eau croupie qu'elle avait traversée avant d'échouer *dans* Spongia, et tout simplement si ces petites crottes verdâtres étaient ou non comestibles.

Toute à sa réflexion, elle n'avait pas vu que de nouvelles boulettes étaient arrivées, dansant et batifolant suivant les impulsions aquatiques données par la créature. Elle en prit une délicatement, testant sa consistance avec les doigts.

— C'est mou, fit-elle remarquer.

Comme il n'y avait pas l'ombre d'une interrogation dans sa remarque, il n'y eut aucune réaction de Spongia. Gaïg ferma les yeux, hésitant encore. Finalement, elle se décida à en croquer un morceau : c'était très salé, avec une saveur marquée et sauvage, un mélange de homard et de poisson, tout cela pris dans une mixture gélatineuse, sans doute à cause des algues qui devaient entrer dans sa fabrication.

À vrai dire, passé la première surprise, ce n'était pas mauvais du tout, pour quelqu'un comme elle, habitué à se nourrir de varechs, de crevettes et de coquillages. Elle mastiqua longuement sa demi-boulette, analysant le goût, la texture, puis se décida à tout avaler d'un coup quand lui vint la pensée du milieu extérieur dans lequel baignait Spongia. Quelquefois, dans la vie, il vaut mieux ne pas trop réfléchir, se dit-elle avec philosophie.

Elle saisit délicatement une deuxième boulette qu'elle avala plus rapidement, puis une troisième : il fallait bien qu'elle s'alimente. Tout ce temps passé sous l'eau, dont elle ne pouvait même pas estimer la durée... Elle était étonnée de ne pas se sentir plus mal.

Néanmoins, elle appréciait de pouvoir se reposer sur cette couche d'eau solide créée par Spongia et qui lui tenait lieu de matelas. Jusque-là, elle avait nagé entre deux eaux sans ressentir trop de fatigue, certes, mais on n'abandonne pas ainsi plus d'une dizaine d'années d'habitudes terrestres. Sentir qu'elle pouvait s'appuyer sur quelque chose la rassurait, et le fait de manger l'aidait à se sentir mieux.

L'envie d'interroger Spongia la démangeait, mais l'expérience lui avait appris à se méfier. Si elle voulait en savoir plus, il fallait éviter de poser des questions, et surtout, ne faire aucune allusion à l'identité de la créature.

Après tout, est-ce que ça importait vraiment, ce qu'elle était ? Pourquoi ce besoin de lui coller une étiquette, de la classer parmi les choses connues ? Pour se rassurer elle-même ? Sans aucun doute. Il est toujours plus rassurant de savoir à qui on a affaire. Mais l'inconnu était-il pour cela synonyme de danger ?

Il était évident qu'elle s'adressait à un être différent d'elle, avec un mode de pensée autre. Mais cela signifiait-il qu'elle était menacée ? Peut-être que oui, peut-être que non... Après tout, c'était elle, Gaïg, qui se trouvait chez Spongia, *dans* Spongia, même, c'était elle l'élément étranger, c'était donc à elle à s'adapter. Elle n'avait pas le droit de lui imposer ses propres valeurs, issues d'un monde différent, elle devait au contraire apprendre à respecter celles de Spongia.

Gaïg, allongée sur son « matelas », approfondissait cette façon de voir, y trouvant un certain plaisir, tout en engloutissant boulette sur boulette. Toutes les fois que la créature s'était fâchée, c'était parce qu'elle estimait que Gaïg lui avait en quelque sorte manqué de respect. Par exemple, poser une question, dans le monde de Spongia, était mal perçu, considéré comme irrévérencieux.

À partir de cette hypothèse, deux choix s'offraient à Gaïg : imposer à Spongia ses habitudes de pensée et son caractère curieux, au risque de lui déplaire en l'assaillant de questions, alors qu'elle l'avait accueillie et la nourrissait. Ou bien respecter son hôtesse en s'inclinant devant ses susceptibilités et accepter ses valeurs. En somme, elle avait le choix entre la reconnaissance ou l'ingratitude.

Elle rit intérieurement en pensant que l'autre l'avait traitée de « difficulté impolie ». Finalement, tout concordait : elle représentait effectivement une difficulté pour Spongia, un genre de problème à résoudre, partant du principe que cette dernière n'avait pas pour habitude de recueillir des êtres humains vivant sous l'eau. Et elle s'était montrée impolie en ne respectant pas les règles qui avaient cours localement.

— C'est bon, tes boulettes, Spongia, dit-elle pour se rattraper. Elles ont le goût de la mer. Les algues, les crevettes, les homards, les crabes, les coquillages, les poissons, tout cela mélangé. Comm…

Gaïg retient juste à temps le « Comment tu les fais ? » qui lui venait aux lèvres et termina sa phrase par « Comme tu les fais bien ! »

Elle sentit qu'un frémissement d'aise parcourait Spongia, et rajouta :

— Je ne savais pas que j'avais aussi faim. Merci beaucoup. Et merci aussi pour ce « coussin » d'eau qui me permet de me reposer.

Spongia enroba Gaïg de ces multiples jets d'eau dont elle avait le secret, et qui lui faisaient un petit massage caressant, certes, mais toujours un peu inquiétant…

— Bloob ! C'est avec plaisir, petite affaire, euh, pardon, Ga-ïg. C'est en filtrant l'eau que j'en extrais les éléments nutritifs. J'élimine tout ce qui n'est pas bon et je ne garde que le meilleur. Bloob !

— C'est pourquoi l'eau est si claire ici, la complimenta Gaïg. Là-haut, c'était très encombré…

— C'est plein de tout, là-haut. Bloob ! Et aussi tout autour de moi. Il y a une sacrée épaisseur de choses solides, depuis le temps que ça s'accumule. Mais ce sont surtout des algues. Bloob ! Je les préfère quand même aux branches et aux feuilles… Le plus résistant, c'est le bois. Ou le métal. Pour ce dernier, j'attends simplement que la rouille fasse son effet. Bloob ! Bloob ! Si tu savais tout ce que j'ai déjà digéré…

Gaïg, désireuse de poursuivre la conversation, se rendait compte à quel point il lui était difficile de ne pas poser franchement les questions qui la tourmentaient. Si elle voulait faire parler Spongia, il ne fallait surtout pas la braquer contre elle, avec des interrogations malencontreuses ou des commentaires sordides sur son apparence.

Elle se contenta de remarques apparemment anodines sur tout et n'importe quoi, et Spongia se laissa aller à son penchant naturel, le bavardage, duquel elle était si cruellement privée dans la solitude de cette mer quasi solide.

— Le métal, ça vient des bateaux, mais il n'y en a pas souvent par ici, fit semblant d'affirmer Gaïg, apparemment très au courant de ce qui se passait dans les alentours, alors qu'en réalité elle prêchait le faux pour savoir le vrai.

— Il y en a eu beaucoup plus dans le passé, je suppose que maintenant ils se méfient. Plus personne ne vient dans les parages. Même les poissons ont déserté les lieux. Bloob ! Bloob ! Autrefois, c'était très fréquenté, tout le monde me rendait visite. J'ai été une grande dame, tu sais...

— Et tu as parcouru tous les océans, annonça Gaïg, qui se tut aussitôt, assaillie par un mitraillage de boules d'eau.

— Bloob ! Bloob ! Arrête de proférer de telles énormités, petite affaire cruelle ! Tu vois bien, pourtant... Bloob !

Gaïg, intimidée, expliqua à voix basse, craignant de redevenir une cible :

— Euh, non, je ne vois pas, Spongia, je te le jure. Je ne suis pas d'ici et il y a des tas de choses que je ne sais pas. Mais je veux bien apprendre...

— Il n'y a rien à apprendre, de toute façon. Les choses sont ce qu'elles sont, on peut seulement les accepter ou les refuser. Bloob !

— On n'a pas toujours le choix, malheureusement...

— Ah, bien sûr, encore faut-il naître au bon endroit au bon moment. Bloob !

— Et savoir d'où l'on vient... avait commenté Gaïg qui, sentant un frémissement dans l'eau et prévoyant un bombardement, avait aussitôt ajouté : moi, je ne connais pas mes parents et je ne sais pas d'où je viens...

Spongia n'avait pas répondu. Gaïg n'aurait pas pu affirmer si elle réfléchissait ou si elle boudait. Elle-même gardait un silence prudent. Les questions tourbillonnaient dans sa tête, elle n'avait aucune idée de la façon dont elle retrouverait sa liberté. La situation se révélait complexe, avec une communication si malaisée à établir. Elle pouvait difficilement prévoir les réactions de Spongia et risquait à tout moment de commettre un impair.

Mais, à sa grande surprise, Spongia s'était montrée beaucoup plus volubile après l'aveu de Gaïg : elle lui avait longuement parlé de son propre passé, le lui décrivant en détail.

100

Vaïmana avait perdu la trace de sa petite-fille, mais elle ne s'inquiétait pas trop. Tant qu'Itia demeurerait sous l'eau, elle la retrouverait, grâce à ses anneaux. Sur terre, c'était beaucoup plus difficile, et Vaïmana avait parfois eu du mal à la situer. Souvent, elle avait carrément perdu sa trace. Mais là, dans l'océan, elle savait que les choses seraient plus aisées.

Après la bataille contre Iolani, elle s'était réfugiée dans un amas rocailleux couvert d'algues arborescentes, afin de reprendre son souffle, de se panser, et surtout, de remettre de l'ordre dans ses idées. Iolani, blessé, ne reparaîtrait pas avant un moment. Elle avait réellement besoin d'un répit.

Elle ne comprenait pas comment ce dernier avait retrouvé Itia. Elle se demandait même si elle n'était pas intervenue trop tôt : avait-il réellement identifié la fille d'Heïa, la poursuivait-il, ou bien se trouvait-il là par hasard ? Que savait-il d'elle, au juste ?

Vaïmana ne lui avait même pas laissé le temps de réagir, de montrer quelles étaient ses intentions. Elle avait foncé sur lui dès qu'elle l'avait vu s'approcher des eaux dans lesquelles Itia s'ébattait. Pourtant, dans le bassin de la grotte, elle était restée à l'écart. Mais Itia n'avait pas encore reçu le bijou du Salamandar, à ce moment-là…

Vaïmana comprit brusquement, à la lumière de sa propre expérience, que c'était Itia en personne qui mettait Iolani sur sa piste, en pensant à ses anneaux. C'était elle qui, sans le savoir, permettait à la Sirène mâle de la localiser. Il utilisait le même stratagème que Vaïmana, finalement. La grand-mère sirène était sans doute beaucoup plus sensible que lui aux ondes dégagées par le bijou – elle l'avait porté longtemps –, mais elle ne pouvait nier la sensibilité du mâle, puisqu'il avait rattrapé sa petite-fille.

Mais comment avertir celle-ci, sans enfreindre l'interdiction d'Otahi, préconisant que la prophétie pourrait s'accomplir « à condition que Gaïg ignore jusqu'au bout qui elle est » ?

Le secret concernant Itia et sa vie sur terre avait été bien gardé, Vaïmana en était sûre. Deux Sirènes seulement étaient au courant : Tamateva et elle. Aux autres, y compris celles qui avaient si courageusement défendu Heïa, s'interposant entre elle et Iolani, on avait laissé croire que le bébé n'avait pas survécu. Ce qui était crédible, vu les circonstances de sa naissance.

Aroha et Tahitoa, quand elles avaient sauvé Gaïg et ses compagnons, avaient été étonnées de la présence des anneaux, mais elles avaient parlé à l'Ancienne d'une jeune fille de la race des Hommes, en faisant allusion à celle qui les portait. Il est vrai qu'elles étaient beaucoup plus jeunes qu'Heïa au moment du drame et qu'elles en savaient encore moins que les autres.

Quoi qu'il en soit, Iolani s'était trouvé dans les parages, et ce qu'elle n'avait pas pu faire, une dizaine d'années plus tôt, pour défendre sa fille, elle l'avait fait récemment, pour protéger sa petite-fille.

Elle n'avait éprouvé aucune peur : sous l'emprise de la colère, elle savait qu'elle gagnerait. Elle avait momentanément retrouvé la force de sa jeunesse et elle avait remporté la victoire.

Iolani ne l'avait emporté sur Heïa que parce que cette dernière était enceinte. D'un Homme. C'était ce qui l'avait affaiblie. Les enfants hybrides étaient beaucoup plus délicats à porter et la grossesse fragilisait la mère.

L'Ancienne, qui menait d'habitude une vie calme et sereine dans les eaux limpides de Faïmano, trouvait l'existence bien lourde depuis quelques années. Iolani, son fils, à cause de qui sa fille Heïa était morte… Cette double identité pour l'enfant d'Heïa, ces deux noms… Lequel était le vrai ? Non, il n'y en avait pas un vrai et un faux, ils symbolisaient tous les deux ce que sa petite-fille était vraiment : une personne double, un être né de l'union de la Terre et de l'Eau, comme Otahi elle-même !

Cette dualité était annoncée dans la prophétie des Nains. Prophétie qui concernait les Sirènes également, elle le savait maintenant. Il y allait aussi de l'avenir de son peuple, dans lequel les naissances mâles commençaient à prendre des proportions inattendues.

Les Dieux avaient tout prévu, décidément. La *Roche-qui-enfante-les-filles* se faisant de plus en plus rare sous l'eau, il faudrait bientôt chercher à s'en procurer… sous terre. Le destin des Sirènes était donc lié à celui des Nains, et si elle aidait Itia-Gaïg à trouver une terre pour les Nains, son geste ne serait pas totalement désintéressé.

Vaïmana, tout en évoquant la tournure politique prise par les événements, réfléchissait encore au double nom de sa petite-fille. Cette dernière, depuis presque onze ans maintenant – comme le temps avait passé… – répondait à celui de Gaïg. Pour les Hommes, pour les Nains, partout sur terre, elle était Gaïg. Partout *sur* terre. Et même *sous* terre.

Mais pas *sous* l'eau. Pour Vaïmana, ce serait toujours Itia, le prénom élu par Heïa, qui l'emporterait. En fareani, la langue-mère des Sirènes, il signifiait la *Petite-fille-messagère-blanche*. Pourquoi Heïa l'avait-elle choisi ? Quelle intuition l'avait visitée, pour adopter un nom aussi chargé de signification ? Savait-elle que sa fille serait la messagère entre le peuple des Sirènes et celui des Nains ? Où était-ce simplement à cause de son père, Gilliatt ?

L'Homme avait disparu de la baie d'Ewe-Lani qui avait abrité ses amours. Après le drame, Vaïmana s'était rendue plusieurs fois sur les lieux, toujours hésitante sur la conduite à adopter. Devait-elle l'informer de ce qui s'était passé, l'avertir que sa fille se trouvait dans un village de la côte ? Qui mieux que le père pourrait prendre soin de ce bébé à moitié orphelin ? N'était-ce pas son devoir de le mettre au courant ?

Mais alors, pourquoi la Première, quand elle était intervenue, avait-elle confié le bébé à une Naine sans faire aucune allusion au père ? Vaïmana hésitait, s'interrogeait, sans pouvoir trancher. Et finalement, sans *avoir à* trancher, puisqu'elle n'avait pas retrouvé le père en question. Elle n'avait donc jamais eu à prendre la décision de révéler quoi que ce soit.

Elle avait supposé que Gilliatt, las d'attendre le retour d'Heïa, s'était mis en quête de ses semblables. Il avait dû s'installer dans un village de la côte et reprendre son ancien métier. Ses anciens métiers. Peut-être voguait-il sur l'océan Moana, en ce moment même…

Pour ce qui était d'Itia, il fallait qu'elle-même, Vaïmana, s'habitue à l'appeler Gaïg dans sa tête. Et ce, pour deux raisons : la première étant que l'enfant, ayant toujours vécu sous ce nom, ne s'en connaissait point d'autre, la seconde résidant dans le fait que ce nom était une protection.

Alors qu'*Itia* serait identifiée plus ou moins rapidement par les autres Sirènes, selon leur degré d'intimité avec Heïa, *Gaïg* demeurerait une inconnue, une terrienne. Même pour Iolani, à qui Heïa avait révélé le nom de sa fille bien avant sa naissance, Vaïmana s'en souvenait encore. Quelle imprudence…

La Première n'avait pas agi à la légère en changeant le prénom de sa petite-fille. Elle avait réellement voulu qu'on perde la trace de celle-ci sous l'eau, et ce n'était pas à Vaïmana, le danger augmentant, de changer la donne. Elle l'appellerait Gaïg désormais.

Yémanjah-Otahi, Itia-Gaïg, toutes les deux filles de la Terre et de l'Eau… Vaïmana fut frappée une fois de plus par la similitude entre Itia, non, Gaïg, et la Première. Elle aussi avait plusieurs noms. Pour les Sirènes, elle était Otahi. Mais pour les Nains, elle serait toujours Yémanjah, ce qui revenait au même, si l'on tenait compte de la traduction du baalââ, *Mère-dont-les-enfants-sont-des-poissons.*

Vaïmana avait beaucoup appris sur le peuple des Nains, depuis qu'Otahi avait confié sa petite-fille à une Naine. Elle avait passé de longues heures à les espionner partout où elle le pouvait, n'hésitant pas pour cela à remonter les fleuves, à s'engager dans les résurgences de rivières souterraines par lesquelles elle gagnait des lacs intérieurs sis dans de sombres et profondes cavernes. Pour des raisons évidentes d'approvisionnement, ils installaient généralement leurs villages à proximité de l'eau.

Vaïmana, sachant que l'obscurité ambiante ne lui était pas d'un grand secours puisque les Nains voyaient dans le noir, misait sur son immobilité pour ne pas être découverte. Elle se plaçait le plus près possible d'un lieu de passage, se fondait dans le paysage et demeurait très longtemps sans bouger, épiant leurs faits et gestes, essayant de donner un sens aux bribes de conversations qu'elle recueillait. Elle avait amplement eu le temps de satisfaire sa curiosité, tout en étudiant les mœurs parfois étranges de ce peuple cavernicole.

Comme ils n'aimaient pas l'eau, il y avait peu de chances qu'ils s'approchent trop près et la découvrent. En revanche, elle se rappelait avoir été repérée plus d'une fois par Itia, non, par Gaïg, dans les eaux d'Onaku. Vaïmana utilisait pourtant la même tactique, se fondant dans le décor et ne bougeant plus, mais Gaïg la décelait parfois.

Les premières fois, l'Ancienne s'était inquiétée, se demandant ce qu'il en résulterait, aussi bien pour elle que pour Gaïg. Et si cette dernière parlait ? Si elle allait raconter à la surface qu'il y avait une Sirène dans la baie ? Si des pêcheurs voulaient vérifier ? Mais il fallait croire que Gaïg avait su tenir sa langue, puisque personne n'était venu et il n'y avait eu aucune retombée.

Par la suite, c'était presque devenu un jeu entre elles. Vaïmana élisait domicile dans une excavation des rochers, et ne bougeait plus. Gaïg la remarquait, plus ou moins rapidement, et approchait, le visage en fête. La grand-mère, émue au tréfonds de son être, résistait à l'envie qui l'étreignait de la prendre dans ses bras, de tout lui avouer et de l'emmener avec elle. Mais Otahi avait été claire : Gaïg devait ignorer sa propre identité.

Et ça valait mieux, dans le fond, se répétait l'Ancienne, essayant de se convaincre elle-même…

Pourtant, elle lui avait donné sa bague. La transmission avait eu lieu par le biais de Ranitaké, celle que Gaïg avait pompeusement surnommée la Reine des Murènes, l'une des plus fidèles amies de Vaïmana. Cette dernière avait obéi à une impulsion soudaine, ce jour-là.

La lumière avait jailli dans son esprit, en contemplant les ébats sous-marins de Gaïg : l'avenir du peuple sirène résidait dans sa *Petite-fille-messagère-blanche.* Heïa était morte, ses anneaux lui avaient été dérobés, et elle, on ne l'appelait pas Vaïmana l'Ancienne par hasard : son temps était fini. Mais la relève était assurée, et il fallait donner toutes ses chances à l'ultime descendante de la Lignée sacrée.

C'est sans regret que la grand-mère s'était dépouillée du bijou sacré pour le remettre à Ranitaké, afin qu'elle l'offre à sa petite-fille. La Tradition n'était pas encore morte.

Et maintenant, en y réfléchissant, Vaïmana se disait que pour que la Tradition se perpétue, pour que le matriarcat des Sirènes continue, il y avait plus urgent à accomplir que de rester à évoquer le passé sur un rocher. Elle s'était longuement reposée, il fallait agir maintenant. C'est-à-dire protéger la nièce contre l'oncle, sa petite-fille contre son fils, Gaïg contre Iolani.

101

Flopi aimait les défis, il éprouvait du plaisir à les relever. Peut-être parce que la vie ne s'était pas toujours montrée clémente envers lui.

Il avait perdu sa famille très jeune : au cours d'une bataille sur terre, des Hommes avaient réussi à les capturer, son père, sa mère et lui. Ils les avaient emmenés à bord, pensant les soumettre. Mais devant la résistance de ses parents, les Hommes s'étaient débarrassés d'eux : Flopi avait assisté à leur pendaison.

Prisonnier, il avait passé plusieurs années en leur compagnie. Ces Hommes étaient des durs, ils avaient déjà ravi deux autres jeunes Floups, mousses comme lui, qu'ils retenaient sur leur bateau. Pafou était l'un d'eux, le troisième s'appelait Flup.

Flopi et ses deux camarades, bien que désireux de fuir, avaient longtemps rongé leur frein, s'exhortant mutuellement à la patience. Puis, quand ils avaient estimé ne plus rien avoir à apprendre des Hommes, ils avaient profité d'une relâche à terre pour s'emparer de leur bateau. Seuls. Ils avaient réussi.

Ils avaient alors pris la mer sur la *Bête-au-Vent*, qui avait été le premier bateau de Flopi, en propriété indivise avec les deux autres. Solution originale, ils étaient capitaine à tour de rôle, une semaine chacun, pour ne pas avoir le temps d'y prendre goût.

Ils avaient rapidement constitué un équipage, caractérisé par le jeune âge de ses marins. En effet, les Floups plus âgés, déjà engagés depuis de longues années sur d'autres bâtiments, n'avaient pas éprouvé le désir de changer de maison. Flopi, Pafou et Flup avaient donc recruté leurs matelots chez la jeune génération, celle qui n'avait pas encore eu le temps de s'attacher à sa barcasse, comme ils disaient.

Au hasard des abordages, ils s'étaient également enrichis des quelques mousses floups rencontrés sur les bateaux des Hommes pris à l'abordage et qui avaient accepté de se joindre à eux.

Une exception, cependant, dans l'équipage juvénile de la *Bête-au-Vent:* Plofi. Ce dernier avait prétendu être en quête d'un nouvel auditoire pour ses histoires. En réalité, séduit par l'intrépidité d'une jeunesse défiant le danger, et curieux de voir ce que ça donnerait. Il avait été servi…

Flopi, Flup et Pafou avaient amassé un butin considérable, qui leur avait permis d'armer chacun son propre bateau, à la construction duquel ils avaient activement participé. Il était dit que le Floup faisait un avec son bateau, de la naissance à la mort. Mais si le Floup assistait à la naissance de ce dernier, généralement, c'était celui-ci qui assistait aux derniers moments de celui-là.

Les trois capitaines, une fois en possession de leur propre goélette, avaient généreusement offert la *Bête-au-Vent* aux trois premiers marins qui avaient accepté de les accompagner, à charge pour eux de s'enrichir à leur tour et de laisser le bateau aux suivants, ce qu'ils avaient fait.

Mais la tradition était lancée : la *Bête-au-Vent* était connue comme étant le bateau aux trois capitaines, auxquels elle n'appartenait que momentanément. Dès que ces derniers étaient assez riches pour acquérir leur propre bateau, la *Bête-au-Vent* changeait de propriétaires et obéissait à trois nouveaux capitaines, choisis dans l'équipage même. À croire qu'elle portait chance, à en juger comment les triples capitaineries se succédaient rapidement…

Flopi, Pafou et Flup suivaient la chose de loin, contents d'avoir fait école. La mésentente entre capitaines était un risque toujours à craindre, ils en avaient fait l'expérience. Mais avec le système de commandement alterné, les dégâts étaient limités, chacun sachant qu'il aurait droit tous les quinze jours à sa semaine de pleins pouvoirs.

En pensant à Pilaf qu'il allait essayer de sortir de la mer des Vents morts, Flopi revivait intérieurement cette époque. Il avait du cran le garçon de Falop, pour avoir échappé au massacre et s'être sauvé ainsi avec le bateau, malgré les passagers embarqués inopinément…

Sa sœur aussi, d'ailleurs, pensa-t-il, comme Trompe passait en trombe devant lui, sourire aux lèvres et poignard au côté: sûr qu'elle n'avait rien d'un ange descendu des cieux… Elle tenait plutôt de la peste et de la chipie, un vrai mousse floup au féminin, quoi.

Flopi, bien que l'aimant beaucoup, se demandait parfois comment il était arrivé à hériter d'une femme sur son bateau. Il l'avait acceptée, bébé, avec son frère, pour soulager un peu le chagrin de Falop, si meurtri par le départ de Flanel. Mais il avait toujours cru que Trompe finirait par rejoindre ses pareilles à terre. Hélas! le petit poison avait pris goût à la vie à bord et n'avait jamais exprimé le désir d'aller explorer le moindre morceau de forêt.

Trompe se sentait bien sur le *Sibélius* de Flopi, et, n'ayant jamais connu autre chose, elle n'envisageait pas la possibilité de le quitter. Encore que, maintenant… si ce qu'avait dit WaNguira était vrai et s'il s'avérait que Pilaf avait un bateau en sa possession, elle rejoindrait sans doute son frère. Et Falop aussi…

Flopi se sentit triste. Il les aimait, ces trois-là, même si, par la force des choses, il était un peu moins habitué à Pilaf. Ce Pilaf qui, comme lui jadis, se retrouvait très jeune au commandement d'un bateau. L'expérience viendrait vite. À condition qu'il arrive à s'en sortir. Parce que le courant des Cocos et la mer des Vents morts, ce n'était vraiment pas un cadeau, pour une première expérience de navigation.

Tous les bateaux en faisaient prudemment le tour, bien au large. La mer des Vents morts ne relâchait pas ses captifs: très rares étaient ceux qui lui avaient échappé.

Flopi réfléchissait à la meilleure façon de procéder. Le trajet le moins risqué, venant de l'île des Kikongos, donc du sud, consistait à faire route vers le nord en suivant le courant mais en contournant la mer des Vents morts par l'est.

La *Bella-Bartoque* se dirigeait vers le nord quand ils l'avaient croisée au petit matin, avant d'aborder sur l'île. Elle se trouvait alors à bonne distance du courant des Cocos. Pour une raison inconnue, elle avait dû changer de direction et mettre le cap à l'est: c'est à ce moment qu'elle avait croisé le courant et s'était laissé emporter.

Avec beaucoup de chance, ils la retrouveraient, si elle avait réussi à traverser le courant d'ouest en est. Si elle était prise au milieu du courant, la gouverner serait plus difficile, elle irait vers le nord, mais toujours par l'est, puisque le courant entourait la mer des Vents morts en tournant de l'est vers l'ouest. Il gagnait en force aux abords de la mer, comme un tourbillon géant dont elle constituerait le centre. Mais un centre calme, trop calme…

Tout dépendait de la latitude sous laquelle Pilaf se situait, quand il avait croisé le courant. Trop au nord, il était emporté. Un peu plus au sud, il avait une chance de s'en sortir en demeurant à la périphérie et en cinglant vers l'est. Finalement, la mer des Vents morts était plus à redouter que le courant des Cocos. Pris dans celui-ci, on pouvait tenter des manœuvres. Dans celle-là, les manœuvres ne servaient à rien, faute de vent, à cause des algues et autres débris.

Flopi soupira. En plus, la *Bella-Bartoque* avait deux jours d'avance sur eux, ou un seul, si l'on considérait qu'elle avait viré de bord : il fallait en tenir compte, dans les calculs pour la route. On restait quand même dans le domaine de l'aléatoire, du hasard, ou... de la bonne étoile !

Au moins pourrait-il se dire qu'il avait essayé… Mais il n'était pas du tout sûr de vouloir engager le *Sibélius* dans ces eaux dangereuses parce que trop calmes. Le risque était gros, et il ne se sentait pas le droit de le faire courir ni à son équipage ni à son bateau. Pourtant, il n'avait senti aucune réticence chez les siens quand il avait annoncé sa décision. Le capitaine s'était prononcé, ils suivraient.

Les Nains n'avaient rien dit non plus. Ils voulaient aussi sauver les leurs, nul doute là-dessus, Macény encore plus que les autres, puisqu'elle avait deux êtres très chers à bord de la *Bella-Bartoque*. Flopi se sentit un peu requinqué : avec des gens aussi décidés sur le *Sibélius*, on ne pouvait qu'aller de l'avant.

Il n'avait guère d'espoir en ce qui concernait Gaïg, et même s'il n'en avait pas soufflé mot aux autres, il envisageait, ne la connaissant pas, la noyade pure et simple. Mais ça ne servait à rien de jouer les oiseaux de mauvais augure, ils finiraient bien par entrevoir la vérité.

Le *Sibélius* avait quitté l'île des Kikongos en fin de matinée, et avait fait voile toute la journée et toute la nuit. Bien qu'il ne soit pas entré dans le courant lui-même, ses passagers avaient déjà vu plusieurs cocos et quelques-unes de ces fameuses algues géantes au sujet desquelles Plofi était intarissable, pour le plus grand plaisir d'Afo.

Toutes les voiles avaient été hissées, et après avoir cinglé est-nord-est à vive allure, Flopi avait un peu ralenti sa course et mis franchement le cap au nord aux derniers rayons du soleil. Alors que les Floups avaient l'œil partout et parcouraient toute la mer d'Okan du regard, les Nains, groupés à bâbord, examinaient l'ouest. Ils avaient compris l'exposé du capitaine sur le trajet choisi.

Une fois de plus, Macény monopolisait une longue-vue pour son seul usage, mais personne n'aurait eu le cœur de la lui enlever. Ses compagnons comprenaient son état d'esprit, le destin s'était montré cruel à son égard. Elle, qui avait tant espéré de ce voyage, avait été la plus déçue. Bien que contente de retrouver ses frères sur l'île, elle était demeurée dans l'expectative quant au seul Kikongo qui l'intéressait. Et à son fils unique. De plus, considérées à la lumière des explications de Flopi et des histoires de Plofi, les nouvelles transmises par Kodjo n'étaient pas rassurantes.

Kodjo, embarquée au dernier moment à la demande de WaNguira, se tenait un peu en retrait. Elle aurait aimé pouvoir donner de nouvelles indications, mais il n'y avait dans sa tête que ce qu'elle voyait autour d'elle : la mer, des vaguelettes, quelques algues, un coco par-ci, par-là. À croire qu'elle ne pouvait entrer en communication avec WaNdo que si WaNguira était de la partie.

Pourtant, elle l'aimait bien, WaNdo. Il s'était toujours montré gentil envers elle, la consolant à sa façon lors des moments les plus difficiles de sa vie sur l'île, sous l'emprise des Hommes. « Le seul moyen de t'en sortir, lui avait-il dit, c'est de ne pas penser à ce que tu vis maintenant. Ce n'est qu'une réalité parmi d'autres, sûrement pas la meilleure, mais ce n'est pas la seule qui existe. Les Naines qui vivent encore dans le pays de N'Dé connaissent une autre existence, plus agréable, et tout aussi réelle. Alors tu penses à elles, tu fermes les yeux très fort, et tu attends que ça se passe. Ce que tu vis maintenant, ça ne doit pas t'atteindre, tu vaux mieux que ça. Il y a des choses qui ne comptent pas. Tu n'oublieras pas, c'est sûr, mais tu ne dois pas te remettre en question à cause de la saleté de ces Hommes. Ce n'est pas toi qui es sale, c'est eux. »

Kodjo se répétait souvent cette dernière phrase dans les moments cruciaux, et depuis l'anéantissement de ses bourreaux, elle en avait fait une courte chanson qu'elle fredonnait en esprit : « Ce n'est pas moi qui suis sale, c'est eux. » Cette ritournelle la réconfortait, et à force de la répéter, elle finissait par s'en convaincre.

Mais maintenant, elle aurait aimé venir en aide à l'auteur de ce refrain, elle aurait aimé fournir des indications précises sur la position de la *Bella-Bartoque*, elle aurait aimé pouvoir dire « Ils sont *là*, allons-y. » En attendant, elle scrutait la mer d'Okan avec attention, sourcils froncés.

« Ne te force pas, Kodjo, tu l'aides, puisque tu es ici, avec nous. Le moment venu, tu sauras. »

La jeune Naine sursauta, elle n'avait pas l'habitude qu'on lui parle en pensée, mais elle identifia très vite le coupable : WaNguira la regardait, amusé. Elle lui sourit en retour, mais ne répondit rien. Qu'aurait-elle pu ajouter ? Elle saisit une longue-vue et se plongea dans la contemplation de la mer.

Cette dernière demeurait désespérément déserte, vide de toute embarcation, grosse ou petite. Le jour s'était levé, personne n'avait dormi, et Kodjo ne voyait rien dans sa lorgnette. À l'horizon, il y avait seulement une ligne sombre, un peu plus épaisse, là où la mer rencontrait le ciel.

Ce fut l'explication de Flopi à l'adresse des Nains qui l'éclaira :

— Nous sommes presque à la hauteur de la mer des Vents morts. C'est elle que vous voyez là-bas, dans le lointain : la ligne plus foncée, à la limite du ciel.

— On dit que c'est l'accumulation des épaves qui forme le trait qu'on aperçoit, précisa Plofi. Mais personne n'en est vraiment sûr, et pour cause…

— Ce serait dangereux de nous approcher plus près, commenta Flopi.

— Et pourtant il le faudra bien, annonça le matelot de vigie, perché dans son nid-de-pie. Bateau à bâbord avant !

Il y eut un frémissement général. En un instant, le pont se couvrit de tout ce que le *Sibélius* comptait d'individus à bord, Floups ou Nains, regards tournés dans la direction indiquée. Flopi accola son œil à sa longue-vue.

— C'est exact, fut son seul commentaire.

Il réfléchissait à toute vitesse. Comment reconnaître la *Bella-Bartoque,* sans mettre sa goélette en péril ? Il pouvait encore approcher, certes, mais pas beaucoup. Il n'avait pas la moindre envie de se retrouver en panne dans la mer des Vents morts. Et si ce n'était pas le bateau de Pilaf ?

Macény cherchait anxieusement, sans aucun résultat. Elle n'avait pas assez l'expérience de l'immensité marine pour distinguer quoi que ce fût. Un marin l'aida à orienter sa lunette dans la bonne direction, mais elle continua sa rengaine de « Où ça ? Je ne vois rien… »

Finalement, Flopi se décida. À quoi bon être arrivé jusqu'ici, si c'était pour repartir sans vérifier ? Il le savait dès le départ, qu'il faudrait prendre un risque. Il n'était pas pirate pour rien, nom d'un chien de mer ! Déjà qu'il était assez fier de la justesse de son trajet…

— Paré à virer, on va tirer un bord, juste pour voir, annonça-t-il à ses matelots, qui s'empressèrent de rejoindre chacun son poste, même pas étonnés de la décision du capitaine. À croire qu'ils le connaissaient mieux que lui-même…

Les manœuvres furent effectuées en un temps record, et le *Sibélius* put s'approcher assez pour identifier de loin la silhouette de la *Bella-Bartoque*, presque immobile. Le bateau n'avançait pas, ou très lentement. Mais à cette distance, le pont semblait désert.

Le cœur de Macény battait à grands coups dans sa poitrine, elle hésitait entre le rire et les pleurs, ne voulant pas s'abandonner à la joie avant d'être certaine d'avoir retrouvé Do, son Do, et Mfuru, sa petite tortue adorée. Tant qu'elle ne les verrait pas, en chair et en os, elle n'y croirait pas. Elle avait déjà été tellement déçue en arrivant sur Sondja… mais elle ne pouvait s'empêcher de penser qu'ils étaient là, éloignés et proches en même temps.

Elle jeta un œil sur Falop, et fut étonnée par son air soucieux. Trompe non plus n'en menait pas large, et tous les marins autour d'eux arboraient un air sombre. Flopi avait pris le temps de coiffer son superbe tricorne améthyste, celui des grands moments. Et l'expression de son visage en disait long sur la situation présente.

Macény ne comprenait plus. Ils étaient là, ceux qu'on était venus chercher, le fils de Falop, son fils à elle, son mari, et les autres, et peut-être même Gaïg, qui sait…

Mais Macény refusait l'évidence imposée par la mine sombre de ces marins qui, certes, s'y connaissaient plus qu'elle en matière de navigation, mais auxquels il manquait... quoi ? Que leur manquait-il, pour qu'ils fassent cette tête ?

En y réfléchissant, elle comprenait que Flopi ne veuille pas risquer sa propre goélette dans ces eaux dangereuses. On ne serait pas plus avancé, avec deux bateaux perdus au lieu d'un...

Le silence s'éternisait, le *Sibélius* avançait, porté par le courant, mais son équipage demeurait vigilant. Surtout ne pas perdre le vent, ne pas approcher de la zone maudite parce que trop calme, à la limite de laquelle se trouvait déjà l'autre bâtiment.

Ce fut Falop qui rompit le silence, la voix grave :

— On peut mettre une barque à la mer. J'irai seul. Si j'arrive à les rejoindre, je pourrai peut-être les aider.

— Je viens avec toi, déclara immédiatement Trompe.

— Moi aussi, enchaîna Macény.

Devant les regards incrédules des Floups, elle ajouta, catégorique :

— Je sais ramer.

Mukutu avala sa salive de travers en entendant ce mensonge éhonté, proféré d'un ton qui n'admettait pas de réplique ; Babah cligna nerveusement des yeux, Afo et Keyah se regardèrent, bouche bée. WaNguira intervint :

— Nous pouvons y aller à plusieurs, capitaine… Plus on est de bras à ramer, plus on peut résister au courant.

Flopi réfléchit un moment avant de répondre.

— Ce sont les deux barques que nous mettrons à l'eau. Avec des cordes. Il faut éloigner la *Bella-Bartoque* de la zone morte. Elle n'y est pas encore tout à fait, puisqu'elle avance, même lentement. On va la remorquer pour la remettre dans le courant. Ensuite, ce sera plus facile à gérer.

Il donna immédiatement les ordres nécessaires, répartissant les tâches au mieux des possibilités de chacun. Il était illusoire de vouloir garder Macény à bord, et de toute façon, sa force, décuplée par le désir de revoir les siens, s'ajouterait à celle des autres.

Afo, Babah, Fé et Bélimbé seraient dans une barque, Macény, Mukutu, Trompe et Falop dans l'autre. Des Floups les accompagneraient pour diriger les manœuvres. WaNguira et Kodjo demeuraient à bord avec Keyah, Flopi, et le reste de l'équipage.

Une corde reliait les barques entre elles, pour plus de sécurité. Les deux groupes s'ébranlèrent, et progressèrent assez vite, sous la vigoureuse poussée des avirons. Tous ceux qui étaient restés à bord les suivaient anxieusement du regard. Le matelot de vigie continuait à donner des indications sur la position de la *Bella-Bartoque.*

Apparemment, cette dernière avançait. Doucement, certes, mais elle n'était pas coincée. L'aide apportée par le remorquage serait précieuse, elle contribuerait à la remettre dans le courant, là où le vent soufflait assez fort pour s'engouffrer dans les voiles.

Flopi soupira, à la fois de soulagement et d'anxiété. Rien n'était encore joué, et le succès n'était pas assuré. Mais au moins, ils auraient essayé. De toute façon, il faisait confiance à Falop : il sortirait son garçon de là, il le savait.

Le capitaine sourit sous son tricorne : l'aventure était trop belle, il n'était pas possible qu'elle soit vouée à l'échec. Les Floups étaient les rois des océans, ils vaincraient la mer des Vents morts. Et le galopin, si jeune, serait capitaine de son bateau, du haut de ses treize ans. Comme lui autrefois…

102

Gaïg, sans la succession des jours et des nuits, ignorait toujours depuis combien de temps elle se trouvait là, à l'intérieur de Spongia. Cette dernière lui avait raconté son passé, puis s'était penchée sur son futur.

Gaïg avait eu du mal à comprendre sa narration : apparemment, Spongia approchait de la fin de sa vie, mais elle ne mourrait pas vraiment, puisque ses rejetons lui survivraient, et qu'ils étaient elle. Mais eux vivraient dans de la belle eau claire, elle s'était battue pour cela.

Désireuse de récolter le maximum de renseignements, Gaïg avait écouté attentivement, quitte à informer Spongia de faits la concernant elle-même, quand la conversation ralentissait.

Elle n'avait pas toujours saisi de suite les explications fournies par la créature. Après, en confrontant toutes les informations collectées, elle avait émis une hypothèse qui lui semblait plausible sur la nature de Spongia. Une éponge. Peut-être. C'était ce dont Spongia se rapprochait le plus, à son avis.

Une éponge énorme, gigantesque, plusieurs fois centenaire, qui ne pouvait pas se déplacer et qui s'était développée là, solidement accrochée sur le fond rocailleux.

De forme ovoïde, Spongia était creuse, et ce que Gaïg avait pris au début pour une salle limitée par un mur était en réalité l'intérieur de la créature, qui filtrait l'eau à travers ses parois. L'épaisse couche d'algues très fines que Gaïg avait traversée avant de se retrouver dans une eau limpide était en réalité constituée par la « chevelure » de Spongia, une formation touffue de poils très sensibles qui servait de barrière aux impuretés de l'extérieur, ne laissant passer que ce qui était vivant...

En la comparant à une éponge, Gaïg réussissait à cerner un peu mieux la créature, même si elle savait sa comparaison très approximative. Encore que... Elle ne connaissait pas toutes les variétés d'éponges, après tout.

Au début, Spongia s'était nourrie des débris apportés par le courant. Elle avait grandi, grossi et, devenue de plus en plus imposante au cours des siècles, s'était transformée en un obstacle qui arrêtait sans le vouloir les débris charriés par les flots.

Les algues s'étaient enroulées autour d'elle, des branches étaient restées accrochées, et au fil du temps, l'amoncellement s'était accru jusqu'à atteindre l'importance qu'il avait aujourd'hui. Spongia, incapable de se déplacer, avait risqué l'étouffement plusieurs fois, l'eau ne circulant plus suffisamment autour d'elle. Puis, petit à petit, un équilibre s'était installé, précaire.

Équilibre qu'elle avait amélioré en envoyant des tubes, disposés en étoile à partir de sa base, à même le fond, à la recherche de l'eau pure qui se trouvait à la périphérie. Au début, elle ouvrait et fermait ces tubes à son gré, pour se procurer de l'eau fraîche. Mais petit à petit, ces derniers avait développé des bourgeons verticaux, qui s'étaient révélés être des continuations d'elle-même, puisque Spongia ressentait tout ce qui leur arrivait.

C'était ces excroissances que Spongia appelait ses rejetons. Le problème, c'est que ces rejetons, à partir d'une certaine taille, fermaient le tube duquel ils étaient issus et s'en servaient pour s'accrocher au rocher, avant de créer leurs propres tubes à leur tour. Du moins le supposait-elle...

Spongia, au centre, était sans arrêt en train de lancer de nouveaux tubes pour quérir de l'eau pure, mais l'amalgame végétal s'étant agrandi au fil des siècles, elle devait construire des conduits de plus en plus longs, et cela l'épuisait.

Elle se savait condamnée, ce qui l'affolait parfois et expliquait ses crises de colère pour tout ce qui touchait à son identité. Qui était-elle, en fait ? L'élément central, générateur de toutes ces excroissances bourgeonnantes qui la tuaient, ou bien était-elle devenue les excroissances elles-mêmes ?

Était-il possible qu'elle se soit démultipliée pour exister sous la forme d'une multitude de nouvelles Spongia, ou bien ces excroissances vivaient-elles une existence propre une fois qu'elles avaient fermé le tube? Savaient-elles d'où elles venaient et reconnaissaient-elles Spongia comme leur mère à toutes, ou bien oubliaient-elles tout, en fermant le conduit initial?

Spongia craignait d'autant plus la réponse à cette question qu'elle-même ne se souvenait de rien. Elle aurait été dans l'incapacité de dire d'où elle sortait, ce qui l'avait engendrée. Sa susceptibilité pour tout ce qui avait trait aux origines provenait de cette ignorance. Parce que si elle avait eu une génitrice dont elle s'était séparée sans en garder le moindre souvenir, il n'y avait aucune raison pour que ses rejetons agissent différemment.

— C'est une véritable tragédie, avait conclu Gaïg, plus bouleversée qu'elle ne voulait le laisser paraître.

Spongia avait soupiré:

— C'est ainsi que naît la philosophie! Bloob! Être ou ne pas être, telle est la question…

Elle avait envoyé son dernier tube, il y avait quelques années de cela, et un bourgeon était survenu, qui allait le fermer pour s'accrocher au rocher. Au-delà, très loin vers le sud, là où se trouvait la plus limpide des eaux. Bientôt inaccessible. Et Spongia n'enverrait pas d'autre tube. Elle se sentait trop fatiguée pour ça.

— Tu comprends, avait-elle expliqué à Gaïg, la construction, c'est le propre de la jeunesse. Bloob! Parce qu'on vit dans l'illusion: on a alors l'espoir de voir sa création terminée, utilisée, admirée, ne serait-ce que par soi-même. Bloob! Mais au bout d'un moment, quand nous savons que le monde est différent pour chacun, que le nôtre commence et finit avec nous, on se dit que toute cette agitation ne sert à rien. Bloob! Et on arrête. Bloob! C'est mon choix, en tout cas.

Gaïg s'était tue, remuée au plus profond d'elle-même. Elle aurait aimé aider Spongia, mais comment? Elle ne pouvait même pas le lui demander…

En tout cas, pour ce qui était de sa personne, Gaïg avait compris qu'elle était condamnée. Elle ne pouvait survivre hors de Spongia, de sa paroi protectrice, de son eau cristalline; il n'y avait, au sens propre, pas de place pour elle à l'extérieur.

Or, elle n'était pas pour autant lassée de vivre, elle n'avait pas de multiples siècles d'existence derrière elle, et elle n'avait tout simplement pas encore envie de mourir. Mais peut-être que la mort n'était pas un choix, peu de gens avaient réellement envie de mourir. En certaines circonstances, la mort survenait et vous emportait, que vous le vouliez ou non. Dans la conjoncture présente, c'était le sort qui lui était réservé.

Elle ne put s'empêcher de considérer sa bague. Cette fois, c'était terminé, le bijou ne pourrait rien pour elle. Elle sursauta quand elle sentit le frémissement de Spongia, annonciateur du bombardement de boules d'eau. Elle n'avait rien dit, pourtant, pas posé la moindre question...

— Bloob! Bloob! Mais tu me brûles, petite affaire! Vilain problème flottant! Bloob!

S'ensuivirent quelques galipettes forcées pour Gaïg, sous l'influence des boules d'eau envoyées par Spongia.

— Mais je n'ai rien fait, protesta Gaïg. Je n'ai posé aucune question…

— Toujours en train de te justifier… Bloob! Bloob! Tu m'as brûlée cruellement! Bloob!

Gaïg se tut, craignant d'envenimer la situation. Elle n'avait pas compris ce qui s'était passé, et s'abîma de nouveau dans sa réflexion, d'autant plus désespérée. Si la bague était magique, elle devrait pouvoir la sortir de là. Mais comment?

Un violent remous provoqué par Spongia la fit culbuter plusieurs fois. Il fut suivi d'un bombardement de boules d'eau de petit diamètre, à la réception assez douloureuse. Elle ne put s'empêcher de crier:

— Tu me fais mal! Qu'est-ce que j'ai encore fait?

— Bloob! Bloob! Voilà que tu recommences avec tes impertinences, jeune difficulté impolie. Et en plus, tu me brûles! Bloob! Vilain problème flottant! Bloob! Bloob! Je t'apprendrai comment on vit sous l'eau, moi! Pénible ennui nomade! Bloob! Bloob!

— Puisque je te dis que je n'ai rien fait…

— Bloob! Bloob! Les pensées suffisent parfois à nuire à autrui. Cruel désagrément empoisonné!

Gaïg dut réfléchir un moment à la réponse de Spongia avant d'établir un rapprochement avec sa cogitation précédente. Puis la lumière se fit dans son esprit. Elle était en train de spéculer sur la bague quand Spongia l'avait accusée, elle, Gaïg, de l'avoir brûlée.

Or, dans le passé, Garin, puis la Vodianoï, avaient subi le même sort, au contact des anneaux. Là, cependant, il n'y avait eu aucun contact. Mais le bombardement reprenait, plus intense: Gaïg ne savait où se mettre pour se protéger. Surtout ne pas songer à la bague, puisque c'était ça qui brûlait Spongia.

Mais ne pas vouloir y songer, c'était encore le faire. Vite, il lui fallait trouver autre chose à quoi accrocher son esprit, juste pour changer le cours de ses idées, le faire dévier de l'objet obsédant et dangereux.

Gaïg n'avait jamais eu l'esprit aussi vide. Elle revit AtaEnsic lui disant que la concentration sur un objet permettait de le localiser. Peut-être que la Sirène mâle savait maintenant où elle se trouvait... Si elle arrivait et la libérait ? Mais le remède serait peut-être pire que le mal. À moins que Gaïg ne lui rende son anneau... À condition de pouvoir le séparer des siens, qu'elle désirait garder... De ces deux périls, Spongia et la Sirène mâle, quel était le plus grand ? Dans l'ignorance, il valait mieux éviter les deux...

Elle évoqua la baie de son village, dont les habitants avaient assisté à ses premiers ébats aquatiques. La Reine des Murènes… Non, trop dangereux, puisqu'elle était à l'origine du Cadeau. Le poulpe à sept tentacules et demi, doux et gentil, avec son regard de soie et son armée de quatre cents ventouses… Sa peau lisse aux couleurs changeantes qui le camouflaient si bien…

Heureusement qu'elle connaissait sa caverne. Elle allait toujours lui rendre visite quand elle se baignait. Gaïg se représenta le céphalopode dans ses moindres détails, puis son repaire, et pour finir, les alentours.

Spongia s'était calmée, mais gardait le silence. Gaïg ne savait comment procéder à la réflexion qui s'imposait, sans penser au Nyanga du bijou. Peut-être que si elle l'appelait autrement… Maldoror… N'était-ce pas un nom tout indiqué pour un tel joyau ? En imaginant que la bague était remplacée par le poulpe au regard de soie et aux sept tentacules et demi…

Peut-être que le subterfuge fonctionnerait. Substituer une chose à une autre, pour ne même pas se représenter cette dernière, tout en y réfléchissant… Était-ce possible, intellectuellement ? L'ardent Maldoror qui embrasait tout ce qu'il touchait… Y compris Spongia, et ce, même sans contact… Mais Gaïg s'apercevait qu'il était impossible de penser à une chose sans y penser. Quel que soit le nom qu'elle lui donnerait, ce serait toujours à la bague qu'elle songerait.

Et puis, pouvait-elle honnêtement envisager de nuire volontairement à la créature qui l'avait accueillie dans son errance désespérée au sein d'un océan solide aux eaux croupies ?

De toute façon, pour aller où ? Se débarrasser de Spongia était une chose, survivre en milieu hostile en était une autre. À moins que… Ce dernier tube dont avait parlé Spongia… est-ce qu'il menait réellement à l'extérieur ? « Au-delà, très loin dans le sud, là où se trouvait la plus limpide des eaux », avait-elle révélé. Elle avait aussi précisé qu'un bourgeon était survenu, qui allait fermer le tube pour s'accrocher au rocher.

Gaïg se demandait quelle était la taille du conduit. Possédait-il un diamètre assez large pour qu'elle s'y introduise et nage jusqu'à la sortie ? Et d'où partait-il exactement, ce conduit ? De la base de Spongia, certes, mais c'était vague, comme indication, vu sa taille. Il lui faudrait plonger plus profondément pour examiner discrètement les lieux. Ou faire parler Spongia.

Mais Gaïg n'était pas d'humeur causante, encore sous l'impression néfaste de la correction infligée pour ses brûlures involontaires. Elle avait l'intuition que le temps pressait, et que plus vite elle quitterait les lieux, mieux ce serait. La créature était par trop différente d'elle, il ne pourrait jamais y avoir de cohabitation pacifique et elle serait toujours à la merci de son caractère fantasque.

Non que Gaïg la détestât, loin de là. Mais l'incompatibilité était manifeste, et Spongia aurait toujours l'avantage sur elle, ne serait-ce que par l'entremise d'un sommeil provoqué… Gaïg, boudant à moitié, nageait doucement en se rapprochant du fond, estimant Spongia immense. Quel âge pouvait-elle avoir, pour avoir atteint cette taille ?

Gaïg n'était pas très loin du fond quand elle sentit le durcissement de l'eau, annonciateur de l'espèce de matelas que Spongia avait déjà réalisé plusieurs fois pour elle. Elle aurait préféré nager et étudier la paroi, mais comme il ne fallait surtout pas éveiller l'attention de l'autre sur ses intentions, Gaïg s'installa sur le « matelas », avec un merci un peu contraint.

Des boulettes de nourriture suivirent, que Gaïg se força à avaler, histoire de ne pas froisser la « chose » une fois de plus. Elle gardait un cuisant souvenir du dernier mitraillage et n'avait guère envie d'en essuyer un nouveau.

Elle était de plus en plus convaincue que Spongia n'était pas une amie et qu'il n'y avait rien à espérer d'elle. Elle fut surprise et effrayée de sentir les jets d'eau qui la massaient. Peut-être que Spongia regrettait sa vivacité et essayait de se faire pardonner, mais peut-être aussi qu'elle essayait de l'endormir pour la manger… Comment savoir ?

Gaïg s'abandonna aux jets malgré elle. Elle voulut résister, mais son corps, subitement avide d'un peu de repos, ne lui obéissait plus. Elle sentait l'envahir une léthargie pénétrante, et le massage aquatique de Spongia était plaisant.

Son esprit s'amollissait, d'autant plus que Spongia déclamait doucement un poème dont Gaïg ne saisissait que des bribes : il y était question d'un vieil océan à la solitude solennelle et à la lenteur majestueuse, dont les vagues incomparables se suivaient parallèlement sur toute sa surface sublime, accompagnées du bruit mélancolique de l'écume qui se fond.

Gaïg prenait plaisir à rêvasser sur les idées suggérées, ponctuées par le lancinant refrain « Je te salue, vieil océan. »

Comme les jets devenaient de plus en plus doux et caressants, elle finit par perdre conscience de ce qui l'entourait.

100%

Ce livre a été imprimé sur du papier contenant 100 %
de fibres recyclées postconsommation, certifié Écolo-Logo
et Procédé sans chlore et fabriqué à partir d'énergie biogaz.